Ortsnamenwechsel
Bamberger Symposion

BEITRÄGE ZUR NAMENFORSCHUNG

NEUE FOLGE

In Verbindung mit

Rolf Bergmann und Jürgen Untermann

herausgegeben von

RUDOLF SCHÜTZEICHEL

BEIHEFT 24

Ortsnamenwechsel

Bamberger Symposion

HEIDELBERG 1986

CARL WINTER · UNIVERSITÄTSVERLAG

Ortsnamenwechsel

Bamberger Symposion

1. bis 4. Oktober 1986

Herausgegeben von

RUDOLF SCHÜTZEICHEL

HEIDELBERG 1986

CARL WINTER · UNIVERSITÄTSVERLAG

CIP-Kurztitelaufnahme der Deutschen Bibliothek

Ortsnamenwechsel: Bamberger Symposion, 1.-4. Oktober 1986 / hrsg. von Rudolf Schützeichel. - Heidelberg: Winter, 1986.

(Beiträge zur Namenforschung: Beiheft; N.F., 24)

ISBN 3-533-03881-5 kart.
ISBN 3-533-03882-3 Gewebe

NE: Schützeichel, Rudolf [Hrsg.] Beiträge zur Namenforschung / Beiheft

ISBN 3-533-03881-5 kart.
ISBN 3-533-03882-3 Ln.

Der gastgebenden Universität Bamberg gewidmet

Vorwort

Der Arbeitskreis für Namenforschung (innerhalb der Arbeitsgemeinschaft Historischer Kommissionen und Landesgeschichtlicher Institute) hat bei seiner Zusammenkunft anläßlich des Flurnamen-Kolloquiums (vom 1. bis 4. Oktober 1984) an der Justus-Liebig-Universität in Gießen die Universität Bamberg als seinen nächsten Tagungsort gewählt. Das Vorhaben stieß bei der Universität Bamberg auf freundliches Entgegenkommen, bei ihrem Präsidenten, Professor Dr. Siegfried Oppolzer, ihrem Vizepräsidenten, Professor Dr. Walter Sage, dem Dekan der Fakultät Sprach- und Literaturwissenschaften, Professor Dr. Wulf Segebrecht, und nicht zuletzt dem Inhaber des Lehrstuhls für deutsche Sprachwissenschaft und ältere deutsche Literatur, Professor Dr. Rolf Bergmann, dem wir vielfältige organisatorische Unterstützung zu danken haben, ebenso bei dem Oberbürgermeister der Stadt Bamberg, Paul Röhner. Die Stiftung Volkswagenwerk förderte das Symposion mit einem Reisekostenzuschuß für die Referenten, was die Durchführung des international besetzten Programms entsprechend erleichterte. Im übrigen waren alle Kosten von den Teilnehmern selbst aufzubringen, die die Veranstaltung dadurch letztendlich ermöglicht haben. Bei den fast zwei Jahre währenden Vorbereitungen haben mir meine Mitarbeiter in Münster, insbesondere Waltraud Gelbe, auf vielfältige Weise geholfen.

Das Thema des Symposions, Ortsnamenwechsel, ergab sich zwanglos aus vorgängigen Kolloquien des Arbeitskreises für Namenforschung, insbesondere dem Gießener Flurnamen-Kolloquium vom Oktober 1984, sowie aus dem an verschiedenen europäischen Universitäten deutlicher werdenden sprachwissenschaftlichen Interesse an Interferenzerscheinungen in ethnischen Mischgebieten und kulturellen Übergangszonen. Zu den allgemeinhistorischen Tatsachen, die Veränderungen in der Namenwelt begünstigen, stellten sich sogleich die Wirkungen politischer Maßnahmen, vor allem in den verschiedenartigen Gebietsreformen der Moderne. Dazu traten bei den Vorbereitungen des Symposions Probleme theoretischer und methodologisch-terminologischer Art hervor, die also stärker zu berücksichtigen waren. Von der Thematik ist die Germanistik im engeren Sinne ebenso berührt wie die Niederlandistik, die Anglistik, die Skandinavistik und die Slavistik und die Romanistik. Das Problem betrifft in erster Linie Siedlungsnamen, aber auch Straßennamen und Gewässernamen, während andere Bereiche bei diesem Symposion zurücktreten mußten. Die deutschen Landschaften und das Deutsche umlagernde Landschaften sind in Auswahl vertreten: die Niederlande, England, Schweden, Schleswig-Holstein, Niedersachsen, das Elbe-Saale-Gebiet, Österreich, die Schweiz, die Rheinlande und Lothringen, schließlich Franken, das mit seiner gastgebenden Universität Bamberg gewissermaßen im Mittelpunkt stand.

Die Anlage des Symposions und die Wahrung seines Charakters geboten Konzentration in einer einsträngigen Veranstaltung mit einer relativ geringen Zahl von Vortragenden, bei ganz knapp bemessener Rededauer, hingegen breiterem Raum für Diskussion und Gespräche. Nach aller Erfahrung wird sich die Diskussion der hier angeschnittenen Probleme in den Fachzeitschriften fortsetzen, insbesondere in den Beiträgen zur Namenforschung, wie sich das beispielsweise für das Gießener Flurnamen-Kolloquium vom Oktober 1984 inzwischen in der wünschenswertesten Weise zeigt.

Grundlage der Diskussion sollte vor allem der vorliegende Band sein. Er bringt nicht weniger als 21 ausführliche und gut dokumentierte Abhandlungen und Studien zum Stichwort Ortsnamenwechsel, die zumeist Grundlage der Bamberger Kurzvorträge waren oder die von vornherein oder im Verlauf der Planung aufgrund persönlicher Umstände der Autoren nicht zum Vortrag bestimmt werden konnten. Andererseits werden weitere Abhandlungen zum Thema, die für diesen Band nicht rechtzeitig vorgelegt worden sind, in den Beiträgen zur Namenforschung herauskommen.

Bei der redaktionellen Bearbeitung aller bis zum Sommer 1986 eingereichten Manuskripte half mir insbesondere Barbara Blome, die nach dem Muster des Gießener Flurnamenkolloquiums (BNF. NF. Beiheft 23, Heidelberg 1985, S. 13-103) auch eine nahezu vollständige Bibliographie angelegt und so weit wie möglich durch Autopsie der Titel überprüft hat, unterstützt durch Dorothee Ertmer und Ulrike Thies. Sabine Weid, sekundiert von Veronika Raida und Juan Zamora M.A., hat das Register der wohl mehr als fünfeinhalbtausend Namen des Bandes erstellt und selbst für den Druck geprüft und niedergeschrieben. Die Schreibarbeiten besorgten im übrigen Helga Rosengarth und Jutta Schröder, in den Korrekturgängen von verschiedenen meiner Mitarbeiter begleitet. Technische Hilfe leistete die Photostelle der Westfälischen Wilhelms-Universität in Münster. Finanzielle Unterstützung gewährten die Arbeitsgemeinschaft Historischer Kommissionen und Landesgeschichtlicher Institute in Münster, die Westfälische Wilhelms-Universität in Münster und der Universitätsbund Bamberg.

Besonderer Dank für prompte Bewältigung der Herstellung und Auslieferung des Bandes gebührt dem Carl Winter Universitätsverlag in Heidelberg.

Münster in Westfalen im Oktober 1986   Rudolf Schützeichel

Inhalt

Barbara Blome

Bibliographie

Abkürzungen

AB.	Amberger Büchl
AD.	Archiv für Diplomatik, Schriftgeschichte, Siegel- und Wappenkunde
AGNRh.	Archiv für die Geschichte des Niederrheins
AVU.	Archiv des historischen Vereins von Unterfranken
AHVNRh.	Annalen des Historischen Vereins für den Niederrhein insbesondere das alte Erzbistum Köln
AIStIG.	Annali dell' Istituto storico italo-germanico in Trento
AJ.	Alemannisches Jahrbuch
AO.	Archiv für Geschichte und Altertumskunde von Oberfranken
BFB.	Badische Fundberichte
BHStAM.	Bayerisches Hauptstaatsarchiv München
BHVB.	Bericht des Historischen Vereins für die Pflege der Geschichte des ehemaligen Fürstbistums Bamberg
BJB.	Bonner Jahrbücher des Rheinischen Landesmuseums in Bonn (im Landschaftsverband Rheinland) und des Vereins von Altertumsfreunden im Rheinlande
BNF.	Beiträge zur Namenforschung
BONF.	Blätter für oberdeutsche Namenforschung
BSchSt.	Beiträge zur Schleswiger Stadtgeschichte
BSSI.	Bollettino Storico della Svizzera Italiana
DASt.	Die alte Stadt. Zeitschrift für Stadtgeschichte, Stadtsoziologie und Denkmalpflege
DD.	Diplomata
DE.	Die Eifel
DGB.	Deutsche geographische Blätter
DOPf.	Die Oberpfalz
DSp.	Deutsche Sprache. Zeitschrift für Theorie, Praxis, Dokumentation
DSSt.	Der Siebenstern
EHV.	Der Eremit am Hohen Venn. Mitteilungen des Geschichtsvereins des Kreises Monschau
EPNS.	The English Place-Name Society
EPNSJ.	The English Place-Name Society. Journal
FEW.	Französisches etymologisches Wörterbuch
FF.	Forschungen und Fortschritte. Nachrichtenblatt der deutschen Wissenschaft und Technik
FL.	Fränkisches Land in Kunst, Geschichte und Volkstum. Beilage zum Neuen Volksblatt Bamberg
FLNÖ.	Forschungen zur Landeskunde von Niederösterreich
FP.	Fryske Plaknammen
FRANKENWALD	Frankenwald und angrenzende Gebiete. Monatsschrift für Heimatpflege und Wandern

GO.	Geschichte am Obermain. Colloquium Historicum Wirsbergense
HBASchRO.	Heimatbeilage zum Amtlichen Schulanzeiger des Regierungsbezirks Oberfranken
HONB.	Historisches Ortsnamenbuch von Niederösterreich
ID.	L'Italia dialettale. Rivista di dialettologia italiana
IF.	Indogermanische Forschungen
JAL.	Jaarboek Achterhoek en Liemers
JBFLF.	Jahrbuch für fränkische Landesforschung
JBGFT.	Jahres-Bericht der Gesellschaft für nützliche Forschungen zu Trier
JBRG.	Jahrbuch für Regionalgeschichte
JGLGA.	Jahr-Buch der Gesellschaft für Lothringische Geschichte und Altertumskunde
JLNÖ.	Jahrbuch für Landeskunde von Niederösterreich
JWLG.	Jahrbuch für westdeutsche Landesgeschichte
LANFSG.	Leipziger Abhandlungen zur Namenforschung und Siedlungsgeschichte
LGBl. NÖ.	Landesgesetzblatt für das Land Niederösterreich
LRS.	The Lincoln Record Society
MA.	Maandblad Amstelodamum
MDT.	Materiali e documenti ticinesi
MGH.	Monumenta Germaniae Historica
MGL.	Das Markgräflerland
MHVPf.	Mitteilungen des Historischen Vereins der Pfalz
ML.	Das Monschauer Land. Jahrbuch des Geschichtsvereins des Monschauer Landes
MOLA.	Mitteilungen des Oberösterreichischen Landesarchivs
MRLA.	Mitteilungen des Reichsamts für Landesaufnahme
MVGLO.	Mitteilungen des Vereins für Geschichte und Landeskunde von Osnabrück
MVN.	Mededelingen van de Vereniging voor Naamkunde te Leuven en de Commissie voor Naamkunde te Amsterdam
MZ.	Mainzer Zeitschrift. Mittelrheinisches Jahrbuch für Archäologie, Kunst und Geschichte
NA.	Norfolk Archaeology
Naamkunde	Naamkunde. Mededelingen van het Instituut voor Naamkunde te Leuven en de Commissie voor Naamkunde en Nederzettingsgeschiedenis te Amsterdam
Names	Names. Journal of the American Name Society
NDJB.	Niederdeutsches Jahrbuch. Jahrbuch des Vereins für niederdeutsche Sprachforschung
NDW.	Niederdeutsches Wort
NF.	Neue Folge
NRO.	Nouvelle revue d'onomastique
NSJLG.	Niedersächsisches Jahrbuch für Landesgeschichte
OA.	Oberbayerisches Archiv
ÖNF.	Österreichische Namenforschung
ÖStB.	Österreichisches Städtebuch
OH.	Oberpfälzer Heimat
OSG.	Onomastica Slavogermanica
OT.	Onze Taal
PBA.	Proceedings of the British Academy
PBB.	(Hermann Paul - Wilhelm Braune) Beiträge zur Geschichte der deutschen Sprache und Literatur
PfH.	Pfälzer Heimat
RhVB.	Rheinische Vierteljahrsblätter
RIL.	Rendiconti. Classe di Lettere e Scienze Morali e Storiche. Reale Istituto Lombardo di Scienze e Lettere
SBHVE.	Sammelblatt des historischen Vereins Eichstätt

SG.	Sønderjysk Grundejerblad
SH.	Saarbrücker Hefte
SHB.	Sächsische Heimatblätter. Wissenschaftliche Heimatzeitschrift für die Bezirke Dresden, Karl-Marx-Stadt und Leipzig
SS.	Scriptores, Scriptorum
StN.	Studia Neophilologica
StNF.	Studier i Nordisk Filologi
TJB.	Trierer Jahresberichte. Jahresbericht der Gesellschaft für nützliche Forschungen zu Trier
TRHS.	Transactions of the Royal Historical Society
TZ.	Trierer Zeitschrift für Geschichte und Kunst des Trierer Landes und seiner Nachbargebiete
UH.	Unsere Heimat. Monatsblatt des Vereines für Landeskunde und Heimatschutz von Niederösterreich und Wien
VKR.	Volkstum und Kultur der Romanen. Sprache, Dichtung, Sitte. Vierteljahresschrift
WBUHW.	Wissenschaftliche Beiträge der Martin-Luther-Universität Halle-Wittenberg
WDSl.	Die Welt der Slaven
WZUL. GSpR.	Wissenschaftliche Zeitschrift der Karl-Marx-Universität Leipzig. Gesellschafts- und Sprachwissenschaftliche Reihe
ZA.	Zeitschrift für Archäologie
ZAGV.	Zeitschrift des Aachener Geschichtsvereins
ZBGV.	Zeitschrift des Bergischen Geschichtsvereins
ZBLG.	Zeitschrift für Bayerische Landesgeschichte
ZDL.	Zeitschrift für Dialektologie und Linguistik
ZGO.	Zeitschrift für die Geschichte des Oberrheins
ZGS.	Zeitschrift für die Geschichte der Saargegend
ZGSchHG.	Zeitschrift der Gesellschaft für Schleswig-Holsteinische Geschichte
ZOF.	Zeitschrift für Ostforschung. Länder und Völker im östlichen Mitteleuropa
ZONF.	Zeitschrift für Ortsnamenforschung
ZRPh.	Zeitschrift für romanische Philologie
ZS.	Zeitschrift für Slawistik
ZVSp.	Zeitschrift für vergleichende Sprachforschung auf dem Gebiete des Deutschen, Griechischen und Lateinischen

Literatur

A

P. J. *Aarssen*, Rilland. Bath en Maire in de loop der eeuwen, Kruiningen [o.J.]

Björn-Uwe *Abels* - Heinrich *Losert*, Eine mittelalterliche Wehranlage in Bayreuth-Laineck, AO. 63 (1983) S. 7-8

The *Acts* of William I King of Scots 1165-1214. Edited by G.W.S. Barrow with the collaboration of W. W. Scott, Edinburgh 1971

Johann Christoph *Adelung*, Grammatisch=kritisches Wörterbuch der Hochdeutschen Mundart, mit beständiger Vergleichung der übrigen Mundarten, besonders aber der Oberdeutschen. Vierter Theil, von Seb-Z. Mit Röm. Kais. auch K.K. u. Erzh. Österr. gnädigsten Privilegio über gesammte Erblande. Zweyte vermehrte und verbesserte Ausgabe, Leipzig 1801, Neudruck 1970

Aktuell - Das Lexikon der Gegenwart. Idee, Konzeption und verantwortlich für die Redaktion: Bodo Harenberg, Dortmund 1984

Erik *Arnberger* s. Josef *Matznetter* - Josef *Schwarzl*, Die historische Entwicklung

O. *Arngart*, On the *Ingtūn* Type of English Place Name, StN. 44 (1972) S. 263-273

Topographischer *Atlas* der Schweiz, im Massstab der Original-Aufnahmen nach dem Bundesgesetze vom 18. December 1868 durch das eidgenössische Stabsbureau unter der Direction von Oberst Siegfried veröffentlicht, 1. Lieferung bis 49. Lieferung, Bern 1871-1892

Hartmut *Atsma* s. Eugen *Ewig*, Die fränkischen Teilungen

Karl *Augustin*, Die Revitalisierung des Schlosses von Frohsdorf. Eine Studie, Studien zu Denkmalschutz und Denkmalpflege 7, Wien-Köln-Graz 1970

B

Adolf *Bach* s. Heinrich *Dittmaier*, Rheinische Flurnamen

Adolf *Bach* s. Wolfgang *Jungandreas*, Treverica

Adolf *Bach*, Deutsche Namenkunde. I. Die deutschen Personennamen. 1. Einleitung. Zur Laut- und Formenlehre, Wortfügung, -bildung und -bedeutung der deutschen Personennamen; 2. Die deutschen Personennamen in geschichtlicher, geographischer, soziologischer und psychologischer Betrachtung. Mit 8 Skizzen. 3. unveränderte Auflage, Heidelberg 1978; II. Die deutschen Ortsnamen. 1. Einleitung. Zur Laut- und Formenlehre, zur Satzfügung, Wortbildung und -bedeutung der deutschen Ortsnamen. Mit 3 Kartenskizzen; 2. Die deutschen Ortsnamen in geschichtlicher, geographischer, soziologischer und psychologischer Betrachtung. Ortsnamenforschung im Dienste anderer Wissenschaften. Mit 79 Kartenskizzen, 2., unveränderte Auflage, Heidelberg 1981; Registerband. Bearbeitet von Dieter Berger. Zweite, unveränderte Auflage, Heidelberg 1974

Michael *Bacherler*, Die Siedlungsnamen des Bistums Eichstätt, SBHVE. 38 (1923) S. 1-106

Badania nazw topograficznych dzisiejszej archidyecezyi poznańskiej. Podał X. Stanisław Kozierowski ze skórzewa. Tom I. A-O; (Dokończenie), Poznań 1916

A.G.C. *Baert* s. K. *ter Laan*, Van Goor's Aardrijkskundig Woordenboek

Karl *von Bahder* s. Jacob *Grimm* - Wilhelm *Grimm*, Deutsches Wörterbuch

Hans *Bahlow*, Deutschlands geographische Namenwelt. Etymologisches Lexikon der Fluß- und Ortsnamen alteuropäischer Herkunft, Frankfurt am Main 1965

Joachim *Ballweg* s. Ulrich *Engel* - Helmut *Schumacher*, Kleines Valenzlexikon

Angelika *Ballweg-Schramm* s. Ulrich *Engel* - Helmut *Schumacher*, Kleines Valenzlexikon

Charles *Bally* s. Ferdinand *de Saussure*, Grundfragen

Lajos *Balogh* s. *Komárom* megye
Lajos *Balogh* s. *Veszprém* megye
Baranya, megye földrajzi nevei I. (Geographische Namen des Komitates Baranya. Band I). Red.: János Pesti, Pécs 1982
Patricia M. *Barnes* s. Barbara *Dodwell*, Some charters
G.W.S. *Barrow* s. The *Acts* of William I King of Scots
G.W.S. *Barrow*, The beginnings of military feudalism, in: G.W.S. Barrow, The Kingdom of the Scots. Government, Church and Society from the eleventh to the fourteenth century, London 1973, S. 279-314
G.W.S. *Barrow*, The Anglo-Norman Era in Scottish History, Oxford 1980
G.W.S. *Barrow*, The earliest Stewards and their lands, in: G.W.S. Barrow, The Kingdom of the Scots. Government, Church and Society from the eleventh to the fourteenth century, London 1973, S. 337-361
Otto *Basler* s. Johann Andreas *Schmeller*, Bayerisches Wörterbuch
J. W. *v(an) I(mbyze) v(an) B(atenburg)*, Nieuwe alphabetische naamlijst van al de steden, dorpen uitmakende het Koningrijk der Nederlanden, Maastricht 1825
Josef *Bauer* s. *Topographie*
Christoph *Beck*, Die Ortsnamen der Fränkischen Schweiz, Erlangen 1907
M. A. *Becker* s. *Topographie*
Benecke s. Matthias *Lexer*, Mittelhochdeutsches Handwörterbuch
Heinrich *Benedikt* s. Walter *Goldinger*, Der geschichtliche Ablauf
Sv. *Benson* s. B. *Ejder*, Nåhra bebyggelsenamn
Dieter *Berger* s. Adolf *Bach*, Deutsche Namenkunde
Dieter *Berger*, Ortsgeschichte und Ortsnamenkunde. Die Übertragung von Ortsnamen im engeren Siedlungsbereich, in: Name und Geschichte. Henning Kaufmann zum 80. Geburtstag. Herausgegeben von Friedhelm Debus und Karl Puchner, München 1978, S. 171-181
L. Ph. C. *van den Bergh*, Oorkondenboek van Holland en Zeeland, II, s' Gravenhage 1873
H. *Bernhard*, Speyer in der Vor- und Frühzeit, in: Geschichte der Stadt Speyer. Herausgegeben von der Stadt Speyer. Redaktion: Wolfgang Eger, 2. Auflage Stuttgart 1983, Band I, S. 1-161
Friedrich *Bertheau*, Beiträge zur älteren Geschichte des Klosters Preetz, ZGSchHG. 46 (1916) S. 134-196
Werner *Besch* s. Friedhelm *Debus* - Heinz-Günter *Schmitz*, Überblick
Werner *Betz* s. Hermann *Paul*, Deutsches Wörterbuch
Helmut *Beumann* s. Max *Pfister*, Die Bedeutung
Heinrich *Beyer* s. *Urkundenbuch* zur Geschichte der jetzt die Preussischen Regierungsbezirke Coblenz und Trier bildenden mittelrheinischen Territorien
Sandro *Bianconi*, Lingua matrigena. Italiano e dialetto nella Svizzera Italiana, Studi linguistici e semiologici 12, Bologna 1980
Bernd Ulrich *Biere* s. Ulrich *Engel* - Helmut *Schumacher*, Kleines Valenzlexikon
Herm. *Biernatzki* s. Johannes v. *Schröder* - Herm. *Biernatzki*, Topographie
Inge *Bily* s. Karlheinz *Hengst*, Neologismen
Inge *Bily* s. Stanisław *Rospond*, Über 'Deanthroponymisierung'
Inge *Bily* s. Jürgen *Udolph*, Besprechung von: Beiträge zur Onomastik
Inge *Bily* s. Hans *Walther*, Status-, Struktur- und Funktionswandel
Anders *Bjerrum*, Folkesproget i Tønder gennem Tiderne, in: M. Mackesprang, Tønder gennem Tiderne, Skrifter udgivet af Historisk Samfund for Sønderjylland 3, Åbenrå 1944, S. 440-464. Englische Version: Anders Bjerrum, On bilingualism in Slesvig, in: Anders Bjerrum. Linguistic Papers. Published on the occasion of Anders Bjerrum's 70th birthday, Copenhagen 1973, S. 51-74
V. *Blanár* s. Hans *Walther*, Mehrnamigkeit
Reinhard *Bleier*, Zur Rolle der Siedlungsnamen in der Familiennamendeutung, BNF. NF. 9 (1974) S. 133-150
W. *Blochwitz*, Die germanischen Ortsnamen im Département Ardennes, Hamburg 1939
Siegfried *Blum* s. Althochdeutsches *Wörterbuch*
Ch. *Blumrich* s. *Wörterbuch*
C. *Blunt* s. O. *von Feilitzen* - C. *Blunt*, Personal Names

Ernst-Wolfgang *Böckenförde*, Organ, Organismus, Organisation, politischer Körper, in: Geschichtliche Grundbegriffe. Historisches Lexikon zur politisch-sozialen Sprache in Deutschland. Herausgegeben von Otto Brunner, Werner Conze, Reinhart Koselleck, Band 4. Mi-Pre,
Stuttgart 1978, S. 519-622

Bruno *Boesch*, Ortsnamen und Siedlungsgeschichte am Beispiel der -ingen-Orte der Schweiz,
AJ. [6] (1958) S. 1-50

B[*ogenhardt*], Zu „Rednitz" und „Regnitz", in: Mittheilungen aus dem Archive des Voigtländischen alterthumsforschenden Vereins in Hohenleuben, nebst dem vierzigsten Jahres-
bericht. Im Auftrage des Directoriums herausgegeben von Ferd. Metzner, Weida 1871, S.
30-38

Lotte *Boigs*, Mittelalterliche Fernstraßen um Neumünster, ZGSchHG. 91 (1966) S. 43-92

Domesday *Book* seu liber censualis Willelmi primi regis Angliae, ed. A. Farley and H. Ellis, I-IV,
London 1783-1816

Helmut *de Boor*, Die deutsche Literatur von Karl dem Grossen bis zum Beginn der höfischen
Dichtung. 770-1170. Neunte Auflage bearbeitet von Herbert Kolb, Geschichte der deutschen
Literatur von den Anfängen bis zur Gegenwart. Erster Band, München 1979

Joseph *Bosworth* s. An Anglo-Saxon *Dictionary*

E. *de Bouteiller*, Dictionnaire topographique de l'ancien département de la Moselle, Paris
1874

Herbert *Bräuer* s. Max *Vasmer*, Zur slavischen Namenforschung

Hendrikus Andries *Brasz*, Modern geleed Streekbestuur, Alphen aan den Rijn 1966

Braun, Zur Geschichte des Landes Montjoie, AHVNRh. 6 (1859) S. 1-40

Wilhelm *Braune*, Althochdeutsche Grammatik. 13. Auflage. Bearbeitet von Hans Eggers, Sammlung kurzer Grammatiken germanischer Dialekte. A. Hauptreihe Nr. 5, Tübingen 1975

Wilhelm *Brauneder* - Friedrich *Lachmayer*, Österreichische Verfassungsgeschichte. Einführung
in Entwicklung und Strukturen, Manzsche Studienbücher, Wien 1976

Josef Karlmann *Brechenmacher*, Springinsfeld, Schnapphahn in deutschen Sippennamen (Satznamen 2), Namenkunde 23, Görlitz 1937

H. *Bresslau* s. Die *Urkunden* der deutschen Könige und Kaiser. Die Urkunden Heinrichs III.

C.N.L. *Brooke* s. The *Heads*

Nicholas *Brooks*, The Early History of the Church of Canterbury: Christ Church from 596 to
1066, Leicester 1984

J. H. *Brouwer* s. *Encyclopedie* van Friesland

R. Allen *Brown* s. C. *Clark*, British Library

Otto *Brunner* s. Ernst-Wolfgang *Böckenförde*, Organ

M. *Buchmüller* - W. *Haubrichs* - R. *Spang*, Namenkontinuität im frühen Mittelalter. Die nicht-
germanischen Siedlungs- und Gewässernamen des Landes an der Saar, ZGS. 34 (1986) (im
Druck)

M. *Buchmüller*, Siedlungsnamen zwischen Spätantike und frühem Mittelalter. Die *(i)acum*-
Siedlungsnamen der römischen Provinz Belgica Prima, Dissertation [Saarbrücken] (im
Druck)

M. R. *Buck*, Oberdeutsches Flurnamenbuch. Ein alphabetisch geordneter Handweiser für
Freunde deutscher Sprach- und Kulturgeschichte. Zweite, verbesserte Auflage, Bayreuth
1931

Georg *Büchmann* s. Geflügelte *Worte*

Rudolf *Büttner* s. Niederösterreichs *Burgen*

Niederösterreichs *Burgen* und Schlösser. I.1. Rudolf Büttner, Burgen und Schlösser zwischen
Wienerwald und Leitha, Wien 1966; I.3. Felix Halmer, Burgen und Schlösser im Raume
Bucklige Welt Semmering Rax, Wien 1969 [Neuauflage im Druck]; II.1. Rudolf Büttner,
Burgen und Schlösser in Niederösterreich. Zwischen Greifenstein und St. Pölten. 2. erwei-
terte Auflage, Wien 1982; II.2. Rudolf Büttner, Burgen und Schlösser. Dunkelsteiner Wald,
Wien 1973; II.3. Rudolf Büttner, Burgen und Schlösser zwischen Araburg und Gresten, Wien
1975; II.4. Rudolf Büttner, Burgen und Schlösser in Niederösterreich. Zwischen Ybbs und
Enns, Wien 1979; 13. Rudolf Büttner, Burgen und Schlösser in Niederösterreich. Vom
Marchfeld bis Falkenstein, Wien 1982

C

Kenneth *Cameron*, The Scandinavian Settlement of Eastern England: the Place-Name Evidence, Ortnamnssällskapets i Uppsala Årsskrift 1978

Kenneth *Cameron*, The Significance of English Place-Names. Sir Israel Gollancz Memorial Lecture, PBA. 62 (1976) S. 135-155

Joachim Heinrich *Campe*, Wörterbuch der Deutschen Sprache, V. U-Z, Documenta Linguistica. Quellen zur Geschichte der deutschen Sprache des 15. bis 20. Jahrhunderts. Reihe II. Wörterbücher des 17. und 18. Jahrhunderts, Hildesheim. New York 1970, reprographischer Nachdruck der Ausgabe Braunschweig 1811

Maria *Capra* s. Die *Kunstdenkmäler* Österreichs

Cartulaire de l'abbaye de Gorze. Ms. 826 de la bibliothèque de Metz. Publié par A. d'Herbomez, Mettensia II. Mémoires et documents publiés par la Société nationale des antiquaires de France, Paris 1898

Birgit *Christensen*, Gadeskilte og gadenavne i Tønder, in: Bent Jørgensen, Stednavne i brug, København 1985

Olav *Christensen*, Haderslev bys gadenavne, SG. 15,1, Haderslev 1948, S. 193-198

Olav *Christensen*, Indledning til fortegnelsen over Haderslev bys gadenavne. Unveröffentlichtes Manuskript, Haderslev Byhistorisk Arkiv. Haderslev Bibliothek, o.O. o.J.

Ernst *Christmann* s. Henning *Kaufmann*, Pfälzische Ortsnamen

Ernst *Christmann*, Die Siedlungsnamen der Pfalz, Veröffentlichungen der Pfälzischen Gesellschaft zur Förderung der Wissenschaften. Band 29, Speier 1952; Teil II. Die Namen der kleineren Siedlungen, Veröffentlichungen der Pfälzischen Gesellschaft zur Förderung der Wissenschaften Speyer/Rh.. Band 47, Speyer/Rh. 1964; Teil III. Siedlungsgeschichte der Pfalz an Hand der Siedlungsnamen. Mit 22 Kartenskizzen nach Entwürfen des Verfassers, Veröffentlichungen der Pfälzischen Gesellschaft zur Förderung der Wissenschaften Speyer/Rh.. Band 37, Speyer/Rh. 1958

Chronik von Bad Pyrmont. I. Teil: Geschichte des Bades Pyrmont von Wilhelm Mehrdorf. II. Teil: Geschichte der Stadt Bad Pyrmont von Luise Stemler, Bad Pyrmont 1967

C. *Clark*, The *Liber Vitae* of Thorney Abbey and its 'Catchmeht Area', Nomina 9 (1985) S. 69

C. *Clark*, British Library Additional MS. 40,000 ff. 1v - 12r, Anglo-Norman Studies VII: Proceedings of the Battle Conference 1984. Edited by R. Allen Brown, Woodbridge 1985

Peter *Clemoes* s. O. *von Feilitzen* - C. *Blunt*, Personal Names

Codex Diplomaticus Fuldensis. Herausgegeben von Ernst Friedrich Johann Dronke. Neudruck der Ausgabe 1850, Aalen 1962

Codex diplomaticus et commemorativum Masoviae generalis, Band I, Varsoviae 1919

Werner *Conze* s. Ernst-Wolfgang *Böckenförde*, Organ

Concilia edidit societas aperiendis fontibus rerum germanicarum medii aevi. Tomus I. Concilia aevi merovingici, Monumenta Germaniae Historica inde ab anno Christi quingentesimo usque ad annum millesimum et quingentesimum. Legum sectio III, Hannoverae 1893

F. *Cores*, Die Flurnamen der Gemarkungen Eicherscheid, Hammer und Huppenbroich. Ein Beitrag zur geschichtlichen Auswertung der Flurnamen, Bonn 1940

Karl *Corsten*, St. Reinhards Hospiz und Reinarzhof, ZAGV. 54 (1932) S. 101-108

Barrie *Cox*, The Place-Names of the Earliest English Records, EPNSJ. 8 (1975/1976) S. 12-66

H. L. *Cox* s. Wolfgang *Kleiber*, Oberdeutsch Klei F.

H. L. *Cox* s. Rudolf *Schützeichel*, Zons

Franz *Cramer*, Rheinische Ortsnamen aus vorrömischer und römischer Zeit, Wiesbaden 1970, Neudruck der Ausgabe von 1901

Curia Regis Rolls preserved in the Public Records Office, IX, London 1922ff.

Fr. *Czaslavsky* s. *Topographie*

Felix *Czeike*, Wiener Bezirkskulturführer, XIII. Hietzing, Wien - München 1982

Felix *Czeike* s. Richard *Groner*, Wien

D

J. *Daan,* Van Marken ende van minne, MVN. 31 (1955) S. 75
V. *Dalberg,* Såkaldt folkeetymologisk omdannelse af stednavne. Sprogvidenskabelig udnyttelse af stednavnematerialet, Norna-Rapporter 18, Uppsala 1980
V. *Dalberg,* Stednavneændringer i typologisk perspektiv, Selskab for nordisk filologie, Arsberetning for 1979-1980
C. *Damen,* Geschiedenis van de benedictijnenkloosters in de provincie Groningen, Assen 1972
Danmarks Gamle Personnavne, utgivet af Gunnar Knudsen og Marius Kristensen under medvirkning of Rikard Hornby. I. Fornavne, København 1936-1948
Albert *Dauzat,* Les noms de lieux. Origine et évolution. Villes et Villages - Pays - Cours d'eau Montagnes - Lieux - dits, Bibliothèque des chercheurs et des curieux, Paris 1947
A. *Dauzat* - Ch. *Rostaing,* Dictionnaire étymologique des noms de lieux en France. 2e édition revue et complétée par Ch. Rostaing, Paris [o.J.]
R.H.C. *Davis* s. The *Kalendar* of Abbot Samson
Friedhelm *Debus* s. Dieter *Berger,* Ortsgeschichte
Friedhelm *Debus* - Heinz-Günter *Schmitz,* Überblick über Geschichte und Typen der deutschen Orts- und Landschaftsnamen, in: Sprachgeschichte. Ein Handbuch zur Geschichte der deutschen Sprache und ihrer Erforschung. Herausgegeben von Werner Besch. Oskar Reichmann. Stefan Sonderegger. Zweiter Halbband, Handbücher zur Sprach- und Kommunikationswissenschaft. Band 2.2, Berlin. New York 1985, S. 2096-2129
C. *Dekker,* Zuid-Beveland, Assen 1971
Die *Denkmale* des politischen Bezirkes Krems. Mit einem Beiheft: Die Sammlungen des Schlosses Grafenegg. Bearbeitet von Hans Tietze mit Beiträgen von Moritz Hoernes und Max Nistler. 1 Karte, 29 Tafeln, 480 Abbildungen im Text, Österreichische Kunsttopographie. Band I, Wien 1907
Lothar *Deplazes, Rein, Froda* ed altri toponimi sul confine linguistico soprasilvano-lombardo, Problemi linguistici nel mondo alpino ticinogrigioni-italia. Atti del Convegno di studi in onore di Konrad Huber (Robiei, 4-5 luglio 1981) a cura di Renato Martinoni e Vittorio F. Raschèr, Napoli 1983, S. 15-33
Dal *dialetto* alla lingua. Atti del IX Convegno per gli. Studi Dialettali Italiani. Lecce, 28 settembre 1 ottobre 1972, Pisa 1974
An Anglo-Saxon *Dictionary.* Based on the Manuscript Collections of the Late Joseph Bosworth. Edited and Enlarged by T. Northcote Toller, Nachdruck der Ausgabe 1898, London 1973
Paul *Diels* s. Josef *Hanika,* „Nomen ydoli vocabatur Zelu"
Heide *Dienst* s. *Urkundenbuch* zur Geschichte der Babenberger
Anton *Dietl* s. Sudetendeutsche *Familienforschung*
Klaus Peter *Dietrich,* Territoriale Entwicklung, Verfassung und Gerichtswesen im Gebiet um Bayreuth bis 1603. Mit einer Karte, Schriften des Instituts für fränkische Landesforschung an der Universität Erlangen. Historische Reihe. Band 7, Kallmünz-Opf. 1958
K. *Dill,* Kleindenkmäler im Landkreis Bayreuth, Bayreuth 1984
Heinrich *Dittmaier,* Rheinische Flurnamen unter Mitarbeit von P. Melchers auf Grund des Materials des von A. Bach begründeten Rheinischen Flurnamenarchivs. Mit 44 Karten, 11 Abbildungen und Skizzen. Nebst einem Vorwort. Geschichte des Rheinischen Flurnamenarchivs von Adolf Bach, Bonn 1963
Heinrich *Dittmaier* s. Wolfgang *Haubrichs,* Besprechung von: Heinrich Dittmaier, Die linksrheinischen Ortsnamen
Heinrich *Dittmaier,* Die ⟨H⟩lar-Namen. Sichtung und Deutung. Mit einer Verbreitungskarte, Niederdeutsche Studien 10, Köln, Graz 1963
Heinrich *Dittmaier,* Die linksrheinischen Ortsnamen auf -dorf und -heim. Sprachliche und sachliche Auswertung der Bestimmungswörter, Bonn 1979
Heinrich *Dittmaier,* Das apa-Problem. Untersuchung eines westeuropäischen Flussnamentypus, International Committee of Onomastic Sciences. Bibliotheca Onomastica I, Louvain (Belgium) Bonn 1955

Heinrich *Dittmaier*, Siedlungsnamen und Siedlungsgeschichte des Bergischen Landes, Veröffentlichungen des Instituts für geschichtliche Landeskunde der Rheinlande an der Universität Bonn, Neustadt an der Aisch 1956; auch als ZBGV. 74

Feudal *Documents* from the Abbey of Bury St. Edmunds. Edited by D. C. Douglas, The British Academy Records of the Social and Economic History of England and Wales. Volume VIII, London 1932

Barbara *Dodwell*, Some charters relating to the Honour of Bacton. A Medieval Miscellany for Doris Mary Stenton, ed. Patricia M. Barnes and C. F. Slade, The Publications of the Pipe Roll Society. New Series 36, London 1962

Barbara *Dodwell* s. *Feet* of Fines for the County of Norfolk for the tenth Year of the Reign King Richard

Barbara *Dodwell*, The Honour of the Bishop of Thetford/Norwich in the late eleventh and early twelfth Centuries, NA. 33 (1963/1965) S. 189

Dokumentation Rurtalsperre, ML. 4 (1976) S. 105-115

Anton *Doll*, Historisch-archäologische Fragen der Speyerer Stadtentwicklung im Mittelalter, PfH. 11 (1960) S. 58-65

Anton *Doll*, Zur Frühgeschichte der Stadt Speyer, MHVPf. 52 (1954) S. 133-200

Anton *Doll* s. *Traditiones*

Anton *Doll* s. Die *Urkunden* des Klosters Weißenburg

Anton *Dollacker*, Vor= und Frühgeschichte von Amberg. Mit einem Lageplan für die ältesten Stadtteile, AB. 1 (1928) S. 1-23

The Lincolnshire *Domesday* and the Lindsey Survey. Edited by C. W. Foster and T. Longley, LRS. 19 (1924) S. 96

Richard Kurt *Donin* s. Die *Kunstdenkmäler* Österreichs

A. M. *Donner* s. C. W. *van der Pot*, Handboek

J. J. *Dou*, Kaart van 't Hoogh-heemraetschap van de Uytwaterende Sluysen van Kennemerlandt en Westfrieslandt, 1681

D. C. *Douglas* s. Feudal *Documents*

D. C. *Douglas*, William the Conqueror: the Norman Impact on England, London 1966

H. *Draye*, Der Ortsnamenausgleich als methodologisches Problem der frühmittelalterlichen Sprach- und Siedlungsforschung am Beispiel des belgischen Materials aus dem Sprachgrenzgebiet, RhVB. 35 (1971) S. 68-74

Henri *Draye*, Probleme der Namenforschung in den Sprachgrenzräumen Belgiens, Zwischen den Sprachen. Siedlungs- und Flurnamen in germanisch-romanischen Grenzgebieten. Beiträge des Saarbrücker Kolloquiums vom 9. - 11. Oktober 1980 herausgegeben von Wolfgang Haubrichs und Hans Ramge, Beiträge zur Sprache im Saarland. Band 4, Saarbrücken 1983, S. 59-70

G. *Droege* s. Franz *Steinbach*, Aufsätze

Ernst Friedrich Johann *Dronke* s. *Codex* Diplomaticus Fuldensis

Günther *Drosdowski* s. *Duden*. Etymologie

Günther *Drosdowski* s. *Duden*. Das große Wörterbuch der deutschen Sprache

L. *Duchesne*, Fastes épiscopaux de l' ancienne Gaule, III, Paris 1915

Duden. Etymologie. Herkunftswörterbuch der deutschen Sprache. Bearbeitet von Günther Drosdowski, Paul Grebe und weiteren Mitarbeitern der Dudenredaktion. In Fortführung der „Etymologie der neuhochdeutschen Sprache" von Konrad Duden, Der Große Duden in 10 Bänden 7, Mannheim/Wien/Zürich 1963

Duden. Das große Wörterbuch der deutschen Sprache in sechs Bänden. Herausgegeben und bearbeitet vom Wissenschaftlichen Rat und den Mitarbeitern der Dudenredaktion unter Leitung von Günther Drosdowski, Band 6: Sp-Z, Mannheim/Wien/Zürich 1981

Konrad *Duden* s. *Duden*. Etymologie

E. *Dückert* s. *Wörterbuch*

Jerzy *Duma* s. Ewa *Rzetelska-Feleszko* - Jerzy *Duma*, Nazwy rzeczne

Vagn *Dybdahl* s. Erik *Rasmussen*, Auf dem Wege zum Wohlfahrtsstaat

Vagn *Dybdahl* s. Roar *Skovmand*, Die Geburt

I. *Dymke* s. *Wörterbuch*

E

Jakob *Ebner*, Duden. Wie sagt man in Österreich? Wörterbuch der österreichischen Besonderheiten, Duden-Taschenbücher. Band 8, Mannheim/Wien/Zürich 1969

I. H. *van Eeghen*, Trompenburgh, MA. 44 (1957) S. 84-86

Wolfgang *Eger* s. H. *Bernhard*, Speyer

Wolfgang *Eger* s. *Geschichte* der Stadt Speyer

Wolfgang *Eger* s. F. *Staab*, Speyer

Das *Egerland*. Heimatskunde des Ober=Eger=Gebietes. Unter Mitwirkung gelehrter Landsleute herausgegeben von Heinrich Gradl, VI. Abtheilung: Monumenta Egrana. I. Band, Eger 1886

Hans *Eggers* s. Wilhelm *Braune*, Althochdeutsche Grammatik

Fritz *Eheim* s. Historisches *Ortsnamenbuch* von Niederösterreich

Hermann *Ehlers* s. Die *Kunstdenkmäler* von Oberfranken

Ernst *Eichler*, Beiträge zur deutsch-slawischen Namenforschung, Leipzig 1985

Ernst *Eichler* s. Karlheinz *Hengst*, Neologismen

Ernst *Eichler* s. Stanisław *Rospond*, Über 'Deanthroponymisierung'

Ernst *Eichler* s. Jürgen *Udolph*, Besprechung von: Beiträge zur Onomastik

E. *Eichler* s. Hans *Walther*, Mehrnamigkeit

Ernst *Eichler* s. Hans *Walther*, Status-, Struktur- und Funktionswandel

Ernst *Eichler* - Hans *Jakob*, Slavische Forst- und Flurnamen im Obermaingebiet, LANFSG. 2 (1962) S. 283ff.

E. *Eichler* - H. *Walther*, Die Ortsnamen im Gau Daleminze. Studien zur Toponymie der Kreise Döbeln, Großenhain, Meißen, Oschatz und Riesa. I. Namenbuch. Mit einer Karte, Sächsische Akademie der Wissenschaften zu Leipzig. Historische Kommission, Deutsch-slawische Forschungen zur Namenkunde und Siedlungsgeschichte. Nr. 20, Berlin 1966

Ernst *Eichler* - Hans *Walther*, Ortsnamenbuch der Oberlausitz. Studien zur Toponymie der Kreise Bautzen, Bischofswerda, Görlitz, Hoyerswerda, Kamenz, Löbau, Niesky, Senftenberg, Weißwasser und Zittau. II. Namen- und Siedlungskunde. Mit 9 Karten. Sächsische Akademie der Wissenschaften zu Leipzig. Sprachwissenschaftliche Kommission, Deutsch-slawische Forschungen zur Namenkunde und Siedlungsgeschichte. Nr. 29, Berlin 1978

Ernst *Eichler* - Hans *Walther*, Untersuchungen zur Ortsnamenkunde und Sprach- und Siedlungsgeschichte des Gebietes zwischen mittlerer Saale und Weisser Elster. Mit 4 Karten, Sächsische Akademie der Wissenschaften. Sprachwissenschaftliche Kommission, Deutsch-slawische Forschungen zur Namenkunde und Siedlungsgeschichte. Nr. 35, Berlin 1984

Kurt *Eigl* s. Richard *Groner*, Wien

B. *Ejder*, Nåhra bebyggelsenamn från Luggude härad Sydsvenska Ortnamnssällskapets Årsskrift, Lund 1971

Eilert *Ekwall*, Some Cases of Variation and Change in English Place-Names. English Studies presented to R. W. Zandvoort on the Occasion of his seventieth Birthday: A Supplement to English Studies. A Journal of English Letters and Philology 40, Amsterdam 1964

Eilert *Ekwall*, The Concise Oxford Dictionary of English Place-Names. Fourth Edition, Oxford 1960

Eilert *Ekwall*, English Place-Names in -ing, 2nd edition, Acta regis societatis humaniorum litterarum Lundensis. Skrifter utgivna av Kungl. Humanistiska Vetenskapssamfundet i Lund VI, Lund 1962

Eilert *Ekwall*, Variation and Change in English Place-Names, Vetenskaps-Societen i Lund Årsbok, Lund 1962

Svend *Euehøj* s. Lorenz *Rerup*, Slesvig

H. *Ellis* s. Domesday *Book*

Kurt *Elsenbast*, Drei vorgermanische Fluß- und Siedlungsnamen im nördlichen Saarland (Losheim - Löstern - Wadrill/Wadern), Zwischen den Sprachen. Siedlungs- und Flurnamen in germanisch-romanischen Grenzgebieten. Beiträge des Saarbrücker Kolloquiums vom 9. - 11. Oktober 1980 herausgegeben von Wolfgang Haubrichs und Hans Ramge, Beiträge zur Sprache im Saarland. Band 4, Saarbrücken 1983

Leopold *Eltester* s. *Urkundenbuch* zur Geschichte der jetzt die Preussischen Regierungsbezirke Coblenz und Trier bildenden mittelrheinischen Territorien

Encyclopedie van Friesland. Hoofdredactie J. H. Brouwer. Redactieraad J. J. Kalma, W. Kok, M. Wiegersma, Amsterdam Brussel 1958

Johann Friedrich *Endtel* s. *Fuggers* "Ehrenspiegel"

Michael *Endtel* s. *Fuggers* "Ehrenspiegel"

Hermann *Engel,* Die Geschichte der Grafschaft Pyrmont von den Anfängen bis zum Jahre 1668, Dissertation München 1972

Ulrich *Engel* - Helmut *Schumacher,* Kleines Valenzlexikon deutscher Verben unter Mitarbeit von Joachim Ballweg · Angelika Ballweg-Schramm · Bernd Ulrich Biere · Heide Günther · Hans-Jürgen Hacker · Günther A. Hamel · Anne Heußner · Brigitte Hilgendorf · Inken Keim · Karlheinz Köhler · Sabine Pape · Norbert Trautz u.a., Forschungsberichte des Instituts für deutsche Sprache Mannheim 31, Tübingen 1978

Heinz *Engels,* Die Ortsnamen an Mosel, Sauer und Saar und ihre Bedeutung für eine Besiedlungsgeschichte, Schriftenreihe zur Trierischen Landesgeschichte und Volkskunde. Band 7, Trier 1961

Episcopatus Bambergensis sub s. sede apostolica chronologice ac diplomatice illustratus opera et studio P. Aemiliani Ussermann. Opus posthumum. Cum permissione superiorum, [Typis] San-Blasianis 1802

Heinrich August *Erhard* s. *Regesta* Historiae Westfaliae

J. *Ermerins,* Eenige zeeuwsche oudheden, VIII, 2.A. Middelburg 1797

Claus *Eskildsen,* Tønder 1243-1943, Tønder 1943

D. Ellis *Evans,* Gaulish Personal Names. A Study of some Continental Celtic Formations, Oxford 1967

Eugen *Ewig* s. Ingrid *Heidrich,* Die merowingische Münzprägung

Eugen *Ewig,* Die fränkischen Teilungen und Teilreiche (511-613), in: Eugen Ewig, Spätantikes und fränkisches Gallien. Gesammelte Schriften (1952-1973), I, herausgegeben von Hartmut Atsma. Mit einem Geleitwort von Karl Ferdinand Werner, Beihefte der Francia, 3,1, Zürich und München 1976, S. 114-171

Eugen *Ewig,* Trier im Merowingerreich. Civitas, Stadt, Bistum, TZ. 21 (1952) S. 5-367

F

Knut-Olof *Falk,* Wody wigierskie i huciańskie. Studium toponomastyczne. I, Uppsala 1941

Sudetendeutsche *Familienforschung.* Herausgegeben von der Zentralstelle für sudetendeutsche Familienforschung des Deutschen Verbandes für Heimatforschung und Heimatbildung i.d. Tschechosl. Republik mit dem Sitze in Aussig Große Wallstraße 9. Geleitet von Anton Dietl und Franz-Josef Umlauft, 1. Jahrgang, Aussig a. Elbe 1928-29; 2. Jahrgang, Aussig a. Elbe 1929-30; 3. Jahrgang, Aussig 1930

Familiennamenbuch der Schweiz. Répertoire des noms de famille suisses. Repertorio dei nomi famiglia svizzeri, Band-Volume I. Zweite, erweiterte Auflage, Zürich 1968. II. Zweite, erweiterte Auflage, Zürich 1969. III. Zweite, erweiterte Auflage, Zürich 1969. IV. Zweite, erweiterte Auflage, Zürich 1970. V. Zweite, erweiterte Auflage, Zürich 1970. VI. Zweite, erweiterte Auflage, Zürich 1971

Henrik *Fangel,* Unveröffentlichtes Vortragsmanuskript, Institut for sønderjysk lokalhistorie, [o.O. o.J.]

A. *Farley* s. Domesday *Book*

Manfred *Faust,* Rechtsrheinische Zuflüsse zwischen den Mündungen von Main und Wupper, Akademie der Wissenschaften und der Literatur Mainz, Hydronymia Germaniae. Reihe A, Lieferung 4, Wiesbaden 1965

Feet of Fines for the County of Norfolk for the tenth Year of the Reign of King Richard the First 1198-1199 and for the first four Years of the Reign of King John 1199-1202. Now first printed from the Original in the Custody of the Right Hon. The Master of the Rolls. Edited by Barbara Dodwell, The Publications of the Pipe Roll Society. Volume LXV. NS. - Volume XXVII for the Year 1950, Neudruck der Ausgabe London 1952, Nendeln/Liechtenstein 1977

Helmuth *Feigl*, Bedeutung und Umfang der Königsschenkungen von 1002 und 1035 an die Ba-
benberger, Siedlung, Macht und Wirtschaft. Festschrift für Fritz Posch zum 70. Geburtstag,
Veröffentlichungen des Steiermärkischen Landesarchivs 12, Graz 1981, S. 51-63
Helmuth *Feigl*, Demokratie in Niederösterreich vor 1848, UH. 44 (1973) S. 60-70
Helmuth *Feigl*, Geschichte des Marktes und der Herrschaft Trautmannsdorf an der Leitha, For-
schungen zur Landeskunde von Niederösterreich 20, Wien 1974
Helmuth *Feigl*, Die niederösterreichische Grundherrschaft vom ausgehenden Mittelalter bis zu
den theresianisch-josephinischen Reformen, FLNÖ. 16 (1964) S. 1-379
Helmuth *Feigl*, Landesgeschichte und historische Landeskunde in Niederösterreich, AIStIG. 7
(1981) S. 199-226
Helmuth *Feigl*, Leistungen, Aufgaben und Probleme der landeskundlichen Wüstungsforschung
in Niederösterreich, Mittelalterliche Wüstungen in Niederösterreich. Vorträge und Diskussionen des 3. Symposiums des Niederösterreichischen Instituts für Landeskunde. Herausgegeben von Helmuth Feigl und Andreas Kusternig, Studien und Forschungen aus dem Niederösterreichischen Institut für Landeskunde 6, Wien 1983, S. 22-52
Helmuth *Feigl*, Die oberösterreichischen Taidinge als Quellen zur Geschichte der Reformation
und Gegenreformation, in: MOLA. 14. Band. Beiträge zur Neueren Geschichte. Festschrift
für Hans Sturmberger zum 70. Geburtstag, Linz 1984, S. 149-175
Olof *von Feilitzen*, The Personal Names and Bynames of the Winton Domesday, Winchester in
the Early Middle Ages: An Edition and Discussion of the Winton Domesday, Winchester
Studies 1, Oxford 1976
Olof *von Feilitzen*, The Pre-Conquest Personal Names of Domesday Book, Nomina Germanica.
Arkiv för Germansk Namnforskning 3, Uppsala 1937
O. *von Feilitzen* - C. *Blunt*, Personal Names on the Coinage of Edgar. England before the Con-
quest: Studies in primary Sources presented to Dorothy Whitelock. Edited by Peter Clemoes
and Kathleen Hughes, Cambridge 1971
Sigmund *Feist*, Vergleichendes Wörterbuch der gotischen Sprache mit Einschluss des Krimgoti-
schen und sonstiger zerstreuter Überreste des Gotischen. Dritte neubearbeitete und vermehrte Auflage, Leiden 1939
Gillian *Fellows Jensen*, Scandinavian Personal Names in Lincolnshire and Yorkshire. Med dansk
resumé, Navnestudier Nr. 7, Copenhagen 1968
Gillian *Fellows Jensen*, Scandinavian Settlement Names in the East Midlands. Med dansk resu-
mé, Navnestudier Nr. 16, Copenhagen 1978
Gillian *Fellows Jensen*, Scandinavian Settlement Names in Yorkshire. Med dansk resumé, Navne-
studier Nr. 11, Copenhagen 1972
G. *Fellows Jensen*, Viking Settlement in Normandy: the Evidence as seen from the Danelaw,
Souvenir normande; Annuaire des associations d' amitié normande en Angle-terre, au Dane-
mark, en France, en Norvège et en Sicile, [o.O.] 1979
Festschrift zur 975-Jahrfeier der Stadt Kemnath 1008-1983. Eine Dokumentation zur jüngeren
Geschichte, Kemnath 1983
Heinrich *Fichtenau* s. *Urkundenbuch* zur Geschichte der Babenberger
H.P.R. *Finberg*, The Early Charters of the West Midlands, Leicester 1961
Troels *Fink*, Rids af Sønderjyllands historie, Vi og vor fortid 11, København 1943
Troels *Fink*, Da Sønderjylland blev delt, I-III, Åbenrå 1979
Herbert *Fischer*, Die Siedlungsverlegung im Zeitalter der Stadtbildung. Unter besonderer Berück-
sichtigung des österreichischen Raumes, Wiener rechtsgeschichtliche Arbeiten. Band 1, Wien
1952
Horst *Fischer, Zur Entwicklung Bayreuths*. Die sogenannte Meranierveste, das Alte Schloß und
die Kanzlei, AO. 53 (1973) S. 80-110
R. *Fischer* s. Hans *Walther*, Mehrnamigkeit
Wolfgang *Fleischer*, Zum Verhältnis von Name und Appellativum im Deutschen, WZUL. GSpR.
13 (1964) S. 369-378
Gießener *Flurnamen-Kolloquium* 1. bis 4. Oktober 1984. Bibliographie. 47 Beiträge. Register.
60 Abbildungen. Herausgegeben von Rudolf Schützeichel, BNF. NF. Beiheft 23, Heidelberg
1985
W. *Först* s. H. *Lichtenstein*, Schulung

Ernst *Förstemann*, Altdeutsches Namenbuch. Erster Band. Personennamen. Nachdruck der zweiten, völlig umgearbeiteten Auflage, München Hildesheim 1966; Zweiter Band. Orts- und sonstige geographische Namen (Völker-, Länder-, Siedlungs-, Gewässer-, Gebirgs-, Berg-, Wald-, Flurnamen und dgl.). 1. A-K; 2. L-Z und Register. Nachdruck der dritten, völlig neu bearbeiteten, um 100 Jahre (1100-1200) erweiterten Auflage herausgegeben von Hermann Jellinghaus, Hildesheim München 1967

Ernst *Förstemann*, Altdeutsche Personennamen. Ergänzungsband verfaßt von Henning Kaufmann, München Hildesheim 1968

C. W. *Foster* s. The Lincolnshire *Domesday*

Erich *Forstreiter*, Das Horner Bürgerspital, seine Stiftung und rechtsgeschichtliche Entwicklung und sein Archiv, JLNÖ. 31 (1953/1954) S. 34-80

Johannes *Franck*, Altfränkische Grammatik. Laut- und Flexionslehre. Zweite Auflage von Rudolf Schützeichel, Göttingen 1971

Hans *Frank*, Stadt= und Landkreis Amberg, Historisches Ortsnamenbuch von Bayern. Oberpfalz. Band 1, München 1975

Irmgard *Frank*, Namengebung und Namenschwund im Zuge der Gebietsreform, Onoma 21 (1977) S. 323-337

Georg *v. Frauenfeld* s. *Topographie*

Dietrich *Freydank*, Ortsnamen der Kreise Bitterfeld und Gräfenhainichen. Mit 4 Karten, Historische Kommission bei der Sächsischen Akademie der Wissenschaften zu Leipzig. Deutsch-slawische Forschungen zur Namenkunde und Siedlungsgeschichte. Nr. 14, Berlin 1962

D. *Freydank* - K. *Steinbrück*, Die Ortsnamen des Bernburger Landes, WBUHW. 26 (1966) S. 6-144

Hans *Frick* s. *Quellen* zur Geschichte von Bad Neuenahr

Ilse *Friesen* s. Die *Kunstdenkmäler* Österreichs

Theodor *Frings* s. Hans *Walther*, Beharrung

Theodor *Frings* s. Althochdeutsches *Wörterbuch*

Carl *Fritsch* s. *Topographie*

Wolfgang H. *Fritze*, Ortsnamenkunde und Landesgeschichte in ostdeutschen Ländern - Probleme der Namenkontinuität, in: Deutsch-slawische Namenforschung. Vorträge und Berichte aus Anlaß der wissenschaftlichen Tagung des J. G. Herder-Forschungsrates über Probleme der deutsch-slawischen Namenforschung am 21. und 22. Oktober 1976 herausgegeben von Hans-Bernd Harder, Tagungsberichte des Johann-Gottfried-Herder-Forschungsrates 7, Marburg/Lahn 1981; wieder abgedruckt in: Wolfgang H. Fritze, Frühzeit zwischen Ostsee und Donau. Ausgewählte Beiträge zum geschichtlichen Werden im östlichen Mitteleuropa vom 6. bis zum 13. Jahrhundert herausgegeben von Ludolf Kuchenbuch und Winfried Schich, Berliner Historische Studien. Band 6. Germania Slavica III, Berlin 1982, S. 382-422

G. Karl *Frommann* s. Johann Andreas *Schmeller*, Bayerisches Wörterbuch

Johann Jakob *Fugger*, Spiegel der Ehren, Nürnberg 1668

G

R. *Gabert*, Die Familie Feuerberg in Lügde, Kleine Studien zur Pyrmonter Geschichte und Heimatkunde 2, Bad Pyrmont 1938, S. 43-45

Ernst *Gamillscheg*, Romania germanica. Sprach- und Siedlungsgeschichte der Germanen auf dem Boden des alten Römerreichs. Band I: Zu den ältesten Berührungen zwischen Römern und Germanen. Die Franken. Die Westgoten. Mit zwölf Karten, Grundriss der germanischen Philologie 11/1, Berlin und Leipzig 1934

Ernst *Gamillscheg*, Germanische Siedlung in Belgien und Nordfrankreich. I. Die fränkische Einwanderung und junggermanische Zuwanderung. Mit 14 Sprachkarten, Abhandlungen der Preußischen Akademie der Wissenschaften. Jahrgang 1937. Philosophisch-historische Klasse. Nr. 12, Berlin 1938

Joachim *Garfs*, Bad Pyrmont Ursprung. Vergangenheit. Gegenwart, Bad Pyrmont 1969

Stefano *Gasparri*, La cultura tradizionale dei Longobardi. Struttura tribale e resistenze pagane, Centro Italiano di Studi sull' Alto Medioevo 6, Spoleto 1983

Otto *Gaul* s. *Rheinlande*

Fritz *Gause*, Neue Ortsnamen in Ostpreußen seit 1800. Verzeichnis der Änderungen im Ortsna-
menbestand der Provinz Ostpreußen (alten Umfanges) seit dem Beginn des 19. Jahrhunderts,
Sonderschriften des Vereins für Familienforschung in Ost- und Westpreußen e.V. Nr. 53,
Königsberg i. Pr. 1935, Neudruck Hamburg 1983

J. Adigard *des Gautries*, Les noms de personnes Scandinaves en Normandie de 911 à 1066,
Arkiv för Germansk Namnforskning 11, Lund 1954

F. *Geldner*, Das älteste Urbar des Cistercienserklosters Langheim (um 1390), Lichtenfels
1952

Margaret *Gelling*, The Place-Names of Berkshire. Part II. The Hundreds of Kintbury Eagle, Lam-
bourn, Shrivenham, Ganfield, Ock, Hormer, Wantage, Compton, Moreton, EPNS. Volume L.
For 1972-1973, Cambridge 1974

Margaret *Gelling*, The Place-Names of Berkshire. Part III: I. The Old English Charter Boundaries
of Berkshire. Part III: II. Introduction to 'The Place-Names of Berkshire' and Analyses of
Material in Parts I and II, EPNS. Volume LI. For 1973-1974, Cambridge 1976

Gemeindelexikon für die Provinz Rheinland. Auf Grund der Materialien der Volkszählung vom
1. Dezember 1885 und anderer amtlicher Quellen bearbeitet vom Königlichen Statistischen
Bureau, Gemeindelexikon für das Königreich Preußen XII., Berlin 1888

Die *Gemeinden* und Gutsbezirke des Preussischen Staates und ihre Bevölkerung, XI. Die
Rheinprovinz. Nach den Urmaterialien der allgemeinen Volkszählung vom 1. December
1871 bearbeitet und zusammengestellt vom Königlichen Statistischen Bureau, Berlin
1874

Geschichte der Stadt Speyer. Herausgegeben von der Stadt Speyer. Redaktion Wolfgang Eger,
Band I-II, zweite durchgesehene Auflage Stuttgart 1983

Vaterländische *Geschichten* und Denkwürdigkeiten der Vorzeit der Lande Braunschweig und
Hannover. Herausgegeben im Vereine mit braunschweigischen und hannoverschen Geschichts-
kundigen von Wilhelm Görges. Zweite Auflage, vollständig umgearbeitet und vermehrt von
Ferdinand Spehr. Mit zahlreichen Illustrationen. Zweiter Theil: Hannover, Braunschweig
1881

Gewässernamen im Flußgebiet der unteren Weichsel (Nazwy wodne dorzecza dolnej Wisły). Bearbeitet von Hubert Górnowicz, Hydronymia Europaea. Lieferung 1, Stuttgart 1985

E. *Ghirlanda* s. *Vocabolario*

G. *Ginschel* s. *Wörterbuch*

A. *Giry* s. *Recueil* des Actes de Charles II

Rosemarie *Gläser* s. Karlheinz *Hengst*, Neologismen

Kristof *Glamann* s. Lorenz *Rerup*, Slesvig

Gottfried *Glockner*, Der Zehnt zwischen den Wegen zu der Weiden. Vorläufer des Zehnts im
Altendorf, OH. 13 (1969) S. 132-139

Karl *Glöckner* s. *Traditiones*

K. *Glöckner* s. Die *Urkunden* des Klosters Weißenburg

Wilhelm *Görges* s. Vaterländische *Geschichten*

Ad[am] *Goerz* s. Mittelrheinische *Regesten*

Adam *Goerz* s. *Urkundenbuch* zur Geschichte der jetzt die Preussischen Regierungsbezirke Coblenz und Trier bildenden mittelrheinischen Territorien

Reinhard *Götte*, Pyrmonts Vergangenheit. II. Teil. Das ehemalige Fürstentum, Selbstverlag
1961; V. Teil, Selbstverlag 1971

Heinrich *Götz* s. Althochdeutsches *Wörterbuch*

Alfred *Götze* s. Friedrich *Kluge*, Etymologisches Wörterbuch

Alfred *Götze* s. Trübners Deutsches *Wörterbuch*

Walter *Goldinger*, Der geschichtliche Ablauf der Ereignisse in Österreich von 1918 bis 1945, in:
Geschichte der Republik Österreich. Unter Mitwirkung von Walter Goldinger, Friedrich Thalmann, Stephan Verosta, Adam Wandruszka herausgegeben von Heinrich Benedikt, München
1954, S. 17-59

Friederike *Goldmann* s. Österreichisches *Städtebuch*

Hubert *Górnowicz* s. *Gewässernamen*

H. *Górnowicz*, Toponimia Powiśla Gdańskiego, Gdańsk 1980

Carl Theodor *Gossen*, Französische Skriptastudien. Untersuchungen zu den nordfranzösischen Urkundensprachen des Mittelalters, Österreichische Akademie der Wissenschaften. Philosophisch-historische Klasse. Nr. 253, Wien 1967

Max *Gottschald* s. Trübners Deutsches *Wörterbuch*

J.E.B. *Gover* - Allen *Mawer* - F. M. *Stenton*, The Place-Names of Nottinghamshire, EPNS. Volume XVII, Cambridge 1940

Heinrich *Gradl* s. Das *Egerland*

E. G. *Graff* s. Althochdeutscher *Sprachschatz*

Paul *Grebe* s. *Duden*. Etymologie

Albrecht *Greule*, Besprechung von: Josef Zihlmann, Namenlandschaft im Quellgebiet der Wigger. Die Hof- und Flurnamen der Gemeinden Willisau-Stadt, Willisau-Land und Hergiswil, Hitzkirch 1984, BNF. NF. 20 (1985) S. 469-471

Albrecht *Greule*, Vor- und frühgermanische Flußnamen am Oberrhein. Ein Beitrag zur Gewässernamengebung des Elsaß, der Nordschweiz und Südbadens. Mit 8 Karten, BNF. NF. Beiheft 10, Heidelberg 1973

Albrecht *Greule*, Neumagen und andere alte Flußnamen im Markgräflerland, MGL. 34 (1972) S. 200-206

Albrecht *Greule*, Zur Schichtung der Gewässernamen im Moselland, BNF. NF. 16 (1981) S. 55-61

Jacob *Grimm* - Wilhelm *Grimm*, Deutsches Wörterbuch. Zweiter Band. Biermörder - D., Leipzig 1860, unveränderter Nachdruck Leipzig 1962

Jacob *Grimm* - Wilhelm *Grimm*, Deutsches Wörterbuch. Dreizehnter Band. W-Wegzwitschern. Bearbeitet von Karl von Bahder unter Mitwirkung von Hermann Sickel, Leipzig 1922

Wilhelm *Grimm* s. Jacob *Grimm* - Wilhelm *Grimm*, Deutsches Wörterbuch

Hermann *Gröbler*, Über Ursprung und Bedeutung der französischen Ortsnamen. II. Teil. Romanische, germanische Namen. Der Niederschlag der Lehnsverfassung. Der Einfluss des Christentums. Namen verschiedenen Ursprungs, Sammlung romanischer Elementar- und Handbücher. V. Reihe: Untersuchungen und Texte, Heidelberg 1933

Richard *Groner*, Wien wie es war. Ein Nachschlagewerk für Freunde des alten und neuen Wien. Vollständig neu bearbeitet und erweitert von Felix Czeike. 105 Kunstdruckbilder. Vorwort von Kurt Eigl, 6. Auflage Wien - München 1966

Hansjörg *Gruber*, Harsdorf (Landkreis Kulmbach). Eine siedlungskundliche Studie, AO. 45 (1965) S. 5-87

L. *Grünenwald*, Die Namen und die Frühgeschichte der Stadt Speyer in der ältesten Literatur, Palatina 6 (1924) Nr. 20-24

L. *Grünenwald*, Wie Speyer seinen jetzigen Namen erhielt, Palatina 6 (1924) Nr. 30-34

Alfred *Grund*, Die Veränderungen der Topographie im Wiener Walde und Wiener Becken. Mit 20 Abbildungen im Text, Geographische Abhandlungen. Band VIII. Heft 1. Zugleich 8. Heft der Arbeiten des geographischen Instituts der k.k. Universität Wien, Leipzig, Wien 1901

Alfred *Grunow* s. Geflügelte *Worte*

Mario *Gualzata*. Di alcuni nomi locali del Bellinzonese e Locarnese, in: Studi di dialettologia alto-italiana, Biblioteca dell' "Archivum Romanicum". Serie II. Linguistica. Vol. 8°, Genève 1924, S. 1-96

Heide *Günther* s. Ulrich *Engel* - Helmut *Schumacher*, Kleines Valenzlexikon

W. *Günther*, Die mittelalterlichen Territorien im Nordwesten des Kreises Schleiden und die Anfänge Gemünds, Beiträge zur Geschichte des Kreises Schleiden 2, Schleiden 1956

Gustav *Gugitz*, Österreichs Gnadenstätten in Kult und Brauch. Ein topographisches Handbuch zur religiösen Volkskunde in fünf Bänden. Band 2. Niederösterreich und Burgenland, Wien 1955

Karl *Gutkas*, Geschichte des Landes Niederösterreich. I. Teil, 2. Auflage. Von den Zeiten Karls des Großen bis zum Ausgang des Mittelalters, [St. Pölten 1961]; II. Teil. Von der Einigung des Donauraumes bis zu den Reformen Maria Theresias, [St. Pölten 1959]; III. Teil. Von den Reformen Maria Theresias bis zur Gegenwart, [St. Pölten 1959]

Karl *Gutkas*, Die "Traisma"-Orte, UH. 22 (1951) S. 147-152

Erich Freiherr *von Guttenberg* s. *Land-* und *Stadtkreis* Kulmbach

Erich Frhr. *von Guttenberg*, Die Territorienbildung am Obermain. I. und II. Teil mit einer Karte, Unveränderter Nachdruck der Ausgabe im 79. Bericht des Historischen Vereins Bamberg von 1927, Bamberg 1966
Erich Freiherr *von Guttenberg* s. *Urbare* und Wirtschaftsordnungen
Maurits *Gysseling*, Toponymisch Woordenboek van België, Nederland, Luxemburg, Noord-Frankrijk en West-Duitsland (vóór 1226). Deel I. A-M, Bouwstoffen en Studiën voor de Geschiedenis en de Lexicografie van het Nederlands VI.1, Tongeren 1960; Deel II. N-Z. Met Indices door Floribertus Rommel, Bouwstoffen en Studiën voor de Geschiedenis en de Lexicografie van het Nederlands VI.2, Tongeren 1960

H

Sybille *Habermann* s. Althochdeutsches *Wörterbuch*
Hans-Jürgen *Hacker* s. Ulrich *Engel* - Helmut *Schumacher*, Kleines Valenzlexikon
W. *Hacker*, Auswanderungen aus dem früheren Hochstift Speyer nach Südosteuropa und Übersee im 18. Jahrhundert, Schriften zur Wanderungsgeschichte der Pfälzer 28, Kaiserslautern 1969
Peter *Haegele*, Studien zur Siedlungsgeschichte und Kulturgeographie des oberen (österreichischen) Lechtales, Dissertation Freiburg i.Br. 1973
Fred *Händel*, Der mittelalterliche Stadtgrundriß Hofs als Geschichtsquelle, Frankenwald 44 (1973) S. 68-72
G. *Hagen* s. *Wörterbuch*
Günther *Hahn* s. Trübners Deutsches *Wörterbuch*
Manfred *Halfer*, Germanisch-romanische Kontaktphänomene am Beispiel der Mikrotoponymie des Mittelrheins, Gießener Flurnamen-Kolloquium. 1. bis 4. Oktober 1984. Bibliographie. 47 Beiträge. Register. 60 Abbildungen. Herausgegeben von Rudolf Schützeichel, BNF. NF. Beiheft 23, Heidelberg 1985, S. 546-559
Göran *Hallberg*, De halländska ortnamnens övergång från dansk till svensk skriftspråksnorm, in: Stednavne i brug. Festskrift udgivet i anledning af Stednavneudvalgets 75 års jubilæum. With English Summaries. Redigeret af Bent Jørgensen, Navnestudier udgivet af Institut for Navneforskning nr. 26, København 1985, S. 83-96
Felix *Halmer* s. Niederösterreichs *Burgen*
Günther A. *Hamel* s. Ulrich *Engel* - Helmut *Schumacher*, Kleines Valenzlexikon
J. A. *van Hamel*, Plaatsnaamveranderingen uit politieke overwegingen. Lezing gehouden voor de Naamkunde-Commissie der Koninklijke Nederlandse Akademie van Wetenschappen op 5 Februari 1955, Bijdragen en Mededelingen der Naamkunde-Commissie van de Koninklijke Nederlandse Akademie van Wetenschappen te Amsterdam VIII, Amsterdam 1955
Fritz *Hanauska*, Heimatbuch der Marktgemeinde Hirtenberg, Hirtenberg 1980
Handbuch der historischen Stätten Österreichs. Band I: Donauländer und Burgenland, herausgegeben von Karl Lechner, 1. Auflage Stuttgart 1972; 2. unveränderte Auflage Stuttgart 1985
Josef *Hanika*, „Nomen ydoli vocabatur Zelu". Ein vergleichender Beitrag zur alttschechischen Volkskunde, in: Münchener Beiträge zur Slavenkunde. Festgabe für Paul Diels herausgegeben von Erwin Koschmieder und Alois Schmaus, Veröffentlichungen des Osteuropa-Institutes München. Band 4, München 1953, S. 213-227
Hans-Bernd *Harder* s. Wolfgang H. *Fritze*, Ortsnamenkunde
M. *Hardt*, Geschichte von Altenstadt/WN zu seinem 1000jährigen Bestehen, 1956
Bodo *Harenberg* s. *Aktuell*
W. *Harleß*, Niederrheinische Weisthümer. Zweite Abtheilung: Jülich-Bergische Weisthümer, AGNRh. 7 (1869/1870) S. 98-100
A. *Harmuth*, Die Sippen des Kreises Eisenstadt, Mattersburg 1940
K. *Hartmann*, Zur Geschichte Altbayreuths, AO. 29 (1926) S. 3-31
Wilhelm *Hartmann*, Die Spiegelberger Fehde 1434-1435, ihre Vorgeschichte und ihr Verlauf. Ein Beitrag zur Geschichte der raumpolitischen Kämpfe im Gebiet der mittleren Weser, NSJLG. 13 (1936) S. 60-95
C. *Haselbach* s. *Topographie*

Hervé *Hasquin*, Gemeenten van Belgie. Geschiedkundig en administratief-geografisch woorden-boek, I-IV, [o.O.] 1980

Wolfgang *Haubrichs*, Besprechung von: Heinrich Dittmaier, Die linksrheinischen Ortsnamen auf -dorf und -heim. Sprachliche und sachliche Auswertung der Bestimmungswörter, 1979, ZGS. 29 (1981) S. 251-259

W. *Haubrichs* s. M. *Buchmüller* - W. *Haubrichs* - R. *Spang*, Namenkontinuität

Wolfgang *Haubrichs* s. Henri *Draye*, Probleme

Wolfgang *Haubrichs* s. Kurt *Elsenbast*, Drei vorgermanische Fluß- und Siedlungsnamen

Wolfgang *Haubrichs* s. Wolfgang *Kleiber*, Das moselromanische Substrat

Wolfgang *Haubrichs*, Lautverschiebung in Lothringen. Zur althochdeutschen Integration vor-germanischer Toponyme der historischen Sprachlandschaft zwischen Saar und Mosel (im Druck)

Wolfgang *Haubrichs*, Ortsnamenprobleme in Urkunden des Metzer Klosters St. Arnulf, JWLG. 9 (1983) S. 1-49

Wolfgang *Haubrichs* s. Max *Pfister*, Galloromanische Relikte

Wolfgang *Haubrichs*, Gelenkte Siedlung des frühen Mittelalters im Seillegau. Zwei Urkunden des Metzer Klosters St. Arnulf und die lothringische Toponymie, ZGS. 30 (1982) S. 7-39

Wolfgang *Haubrichs*, Siedlungsnamen und frühe Raumorganisation im oberen Saargau. Ortsna-menlandschaften in Lothringen und im Elsaß und die Weißenburger Gründersippen I, Zwi-schen den Sprachen. Siedlungs- und Flurnamen in germanisch-romanischen Grenzgebieten. Beiträge des Saarbrücker Kolloquiums vom 9.-11. Oktober 1980 herausgegeben von Wolfgang Haubrichs und Hans Ramge, Beiträge zur Sprache im Saarland. Band 4, Saarbrücken 1983, S. 221-287

Wolfgang *Haubrichs* s. Stefan *Sonderegger*, Grundsätzliches

Wolfgang *Haubrichs*, Wüstungen und Flurnamen. Überlegungen zum historischen und siedlungs-geschichtlichen Erkenntniswert von Flurnamen im lothringisch-saarländischen Raume, Gie-ßener Flurnamen-Kolloquium. 1. bis 4. Oktober 1984. Bibliographie. 47 Beiträge. Register. 60 Abbildungen. Herausgegeben von Rudolf Schützeichel, BNF. NF. Beiheft 23, Heidelberg 1985, S. 481-515

Wolfgang *Haubrichs* s. Zwischen den *Sprachen*

Auf dem herzoglichen *Hause* Reynart, in der Eifel, wird zur Zurechtweisung der Verirrten bei bösem Wetter eine neue Glocke angeordnet - 1515, ZBGV. 24 (1888) S. 56

Friedrich *Hausmann* s. Die *Urkunden* der deutschen Könige und Kaiser. Die Urkunden Konrads III.

Willibald *Hauthaler* s. Salzburger *Urkundenbuch*

S. Chadwick *Hawkes*, Eastry in Anglo-Saxon Kent: its Importance and a newly found Grave, Anglo-Saxon Studies in Archaeology and History I, BAR British Series 72, Oxford 1979

The *Heads* of Religious Houses: England and Wales 940-1216, ed. Dom D. Knowles, C.N.L. Brooke and V. London, Cambridge 1972

Ingrid *Heidrich*, Die merowingische Münzprägung im Gebiet von oberer Maas, Mosel und Seille. Mit einer Karte und 8 Abbildungen. Eugen Ewig zum 60. Geburtstag, RhVB. 38 (1974) S. 78-91

H. *van Heiningen* s. De *Historie*

Gerhard *Helbig* - Wolfgang *Schenkel*, Wörterbuch zur Valenz und Distribution deutscher Verben, 2., überarbeitete und erweiterte Auflage, Leipzig 1973

Karlheinz *Hengst*, Neologismen in der Toponymie der DDR - Namen der Gemeindeverbände -, in: Beiträge zur Theorie und Geschichte der Eigennamen (Materialien der namenkundlichen Arbeitstagung „Name, Geschichte, kulturelles Erbe" Karl-Marx-Universität Leipzig, 23.-24. 10. 1974) Redaktion: Ernst Eichler, Inge Bily, Rosemarie Gläser und Hans Walther, Lingui-stische Studien. Reihe A. Arbeitsberichte 30, 1. Auflage Leipzig 1976, S. 102-109

K. *Hengst* s. Hans *Walther*, Mehrnamigkeit

Anton *Henze* s. *Rheinlande*

Clemens-Peter *Herbermann*, Moderne und antike Etymologie, ZVSp. 95 (1981) S. 22-48

Clemens-Peter *Herbermann*, Wort, Basis, Lexem und die Grenze zwischen Lexikon und Gram-matik. Eine Untersuchung am Beispiel der Bildung komplexer Substantive, München 1981

A. *d'Herbomez* s. *Cartulaire* de l'abbaye de Gorze

28   Barbara Blome

Erwin *Herrmann*, Grenznamen und grenzanzeigende Begriffe (aus Erhebungen in Nordostbay-
    ern), Gießener Flurnamen-Kolloquium. 1. bis 4. Oktober 1984. Bibliographie. 47 Beiträge.
    Register. 60 Abbildungen. Herausgegeben von Rudolf Schützeichel, BNF. NF. Beiheft 23,
    Heidelberg 1985, S. 304-315
Erwin *Herrmann*, 750 Jahre Stadt Bayreuth, AO. 61 (1981) S. 11-32
Erwin *Herrmann*, Namen und Siedlung im mittleren Oberfranken. Gekürzter Vorbericht aus dem
    Forschungsprojekt "Namen in Nordostbayern" an der Universität Bayreuth (mit Unterstüt-
    zung des Historischen Vereins für Oberfranken), HBASchRO. 89 (1982) S. 1-48
Erwin *Herrmann*, Reichsforsten und Rodungsausbau im Umland von Weißem Main und Treb-
    gast, HBASchRO. Nr. 115, Bayreuth 1985
Erwin *Herrmann*, Zur mittelalterlichen Siedlungsgeschichte Oberfrankens, JBFLF. 39 (1979)
    S. 1-21
Erwin *Herrmann*, Zur frühen Siedlungsgeschichte des Tirschenreuther Umlandes, in: Tirschen-
    reuth im Wandel der Zeiten 3, Tirschenreuth 1985, S. 75-98
Erwin *Herrmann*, Spehteshart, Crusenareforste und Kitschenrain, JBFLF. 46 (1986) (im Druck)
Erwin *Herrmann*, Zur Stadtentwicklung in Nordbayern, AO. 53 (1973) S. 31-79
Erwin *Herrmann*, Zu den Stadtrechtsverleihungen der Grafen von Andechs, OA. 107 (1982)
    S. 179-184
Erwin *Herrmann*, Eine verunechtete Bamberger Urkunde zur Besiedlungsgeschichte des Franken-
    waldes, BHVB. 117 (1981) S. 41-47
Joachim *Herrmann* s. *Siedlung*
Hans *Herz*, Faschistische Pläne zur Ausrottung slawischer Ortsnamen im Landkreis Altenburg,
    JBRG. 1 (1965) S. 81-88
Erich *Herzog* s. *Rheinlande*
Pierre *Hessmann*, Bedeutung und Verbreitung einiger nordwestdeutscher Sumpfbezeichnungen,
    Gießener Flurnamen-Kolloquium. 1. bis 4. Oktober 1984. Bibliographie. 47 Beiträge. Regi-
    ster. 60 Abbildungen. Herausgegeben von Rudolf Schützeichel, BNF. NF. Beiheft 23, Heidel-
    berg 1985, S. 190-200
Anne *Heußner* s. Ulrich *Engel* - Helmut *Schumacher*, Kleines Valenzlexikon
Hey s. *Ziegelhöfer* - *Hey*, Die Ortsnamen
Franz-Josef *Heyen*, Die Egbert-Fälschung des Stiftes St. Paulin vor Trier zu 981, AD. 17 (1971)
    S. 136-168
Moritz *Heyne*, Deutsches Wörterbuch, III. R-Z, Stuttgart 1981, reprographischer Nachdruck der
    2. Auflage Leipzig 1906
Alfred *Hilgard* s. *Urkunden*
Heinrich *Hilgard-Villard* s. *Urkunden*
Brigitte *Hilgendorf* s. Ulrich *Engel* - Helmut *Schumacher*, Kleines Valenzlexikon
Gerold *Hilty* s. Max *Pfister*, Zur Chronologie
Gerold *Hilty* s. Alexander *Tanner*, Die Ausdehnung
De *Historie* van het Land van Maas en Waal door H. van Heiningen, Zaltbommel 1965
Th. *Hjelmquist*, Bibelgeografiska namn med sekundär användning i nysvenskan, Lund 1904
H. *Höllerich*, Pechsteine und vorindustrielle Teergewinnung, AO. 66 (1986) (im Druck)
Reinhard *Höllerich*, Rehau-Selb. Ehemaliger Landkreis Rehau und ehemals kreisfreie Stadt Selb,
    Historisches Ortsnamenbuch von Bayern. Oberfranken. Band 3, München 1977
Moritz *Hoernes* s. Die *Denkmale*
Alfred *Hofmann* s. Österreichisches *Städtebuch*
F. W. *Hofmann* s. *Topographie*
Winfried *Hofmann* s. Geflügelte *Worte*
Alfred *Holder*, Alt-celtischer Sprachschatz. Erster Band. A-H, Graz-Austria 1961; Zweiter Band.
    I-T, Graz-Austria 1962; Dritter Band. U-Z, Graz-Austria 1962
J. *Hollestelle*, De steenbakkerij in de Nederlanden tot 1560, Assen 1961
D. *Hooke*, Anglo-Saxon Landscapes of the West Midlands: the Charter Evidence, BAR British
    Series 95, Oxford 1981
Rikard *Hornby* s. *Danmarks* Gamle Personnavne
F.T.S. *Houghton* s. A. *Mawer* - F. M. *Stenton* - F.T.S. *Houghton*, The Place-Names of Worcester-
    shire

Konrad *Huber*, Sul nome di Bodio, MDT. Serie I. Regesti di Leventina, S. 387-389
J. U. *Hubschmied*, Sul nome di Baladrüm, BSSI. 9 (1946) S. 53
Kathleen *Hughes* s. O. *von Feilitzen* - C. *Blunt*, Personal Names
Jan *Huisman*, Bremerhaven en Wilhelmshaven versus Friedrichshafen en Ludwigshafen, Naam-
  kunde 12 (1980) S. 195-200
Jan *Huisman*, Regionale vormverschillen in Nederlandstalige namen van Steden in België en
  Noord-Frankrijk, Naamkunde 8 (1976) S. 159-166
J. A. *Huisman*, Plaatsnamen van sacrale oorsprong, Groningen 1959
Werner *Hupka* s. Lothar *Wolf* - Werner *Hupka*, Altfranzösisch
Ernst Walter *Huth*, Widersprüche in der Darstellung der Entstehungsgeschichte Altenburgs vom
  9. bis 13. Jahrhundert und deren Lösung, SHB. 25 (1979) S. 1-25
Johan *Hvidtfeldt* s. Gottlieb *Japsen*, Mellem to krige
Johan *Hvidtfeldt* s. Hans H. *Worsøe*, Tiden
Franz-Heinz *Hye*, Glurns und die Tiroler Städte. Erscheinungsbild und Entstehung ihrer Altbe-
  zirke, DASt. 6 (1979) S. 121-135

                                              I

Eduard *Ippel* s. Geflügelte *Worte*
Peter K. *Iversen* s. Gottlieb *Japsen*, Mellem to krige
Peter K. *Iversen* s. Hans H. *Worsøe*, Tiden

                                              J

Kenneth *Jackson*, Angles and Britons in Northumbria and Cumbria, Angles and Britons, O'Don-
  nell Lectures, Cardiff 1963
Liselotte *Jacob-Karau* s. Ammiani Marcellini rerum gestarum *libri*
Gerhard *Jagschitz*, Die Anhaltelager in Österreich (1933-1938), Vom Justizpalast zum Heldenplatz. Studien und Dokumentationen 1927 bis 1938. Festgabe der Wissenschaftlichen Kom-
  mission des Theodor Körner-Stiftungsfonds und des Leopold Kunschak-Preises zur Erforschung der österreichischen Geschichte der Jahre 1927 bis 1938 anläßlich des dreißigjährigen
  Bestandes der Zweiten Republik Österreich und der zwanzigsten Wiederkehr des Jahrestages
  des österreichischen Staatsvertrages. Herausgegeben von Ludwig Jedlicka und Rudolf Neck,
  Wien 1975, S. 128-151
Hans *Jakob*, Das Allodium Wugastesrode, FF. 37 (1963) S. 44-47
Hans *Jakob*, War Burk das historische *Wogastisburc*, und wo lag das *oppidum Berleich*? Eine
  historisch-geographische Standort-Analyse, WDSl. NF. 4. 25 (1980) S. 39-67
Hans *Jakob* s. Ernst *Eichler* - Hans *Jakob*, Slavische Forst- und Flurnamen
Hans *Jakob*, Zur Gentilaristokratie der Main- und Regnitzwenden, AO. 62 (1982) S. 13-20
Hans *Jakob*, Der wüste "Hof zu Kreybicz". Eine abgegangene Einzelhofsiedlung bei Freudeneck
  Unterfranken, FL. 2 Nr. 15 (1954) S. 58f.
Hans *Jakob*, Frühslavische Keramikfunde in Ostfranken, WDSl. NF. 5. 26 (1981) S. 154-169
Hans *Jakob*, Der Klotzgau - ein slavischer Kleingau am Rande der Fränkischen Alb. Mit 8 Ab-
  bildungen, ZA. 16 (1982) S. 95-112
Hans *Jakob*, Kottendorf vulgo "Marquardsdorf". Eine 250 Jahre lang bewaldete zeitweilige
  Wüstung im Lautgrund, FL. 1 Nr. 2 (1953) S. 6
Hans *Jakob*, Moggast vulgo Mokoš. Ein frühslawischer Kultort auf dem Fränkischen Jura, AO.
  61 (1981) S. 185-196
Hans *Jakob*, Slawisch-deutsch benannte Wehranlagen in Oberfranken. Mit 8 Abbildungen und 2
  Kartenskizzen, OSG. 3 (1967) S. 165-175
Hans *Jakob*, Wogastisburc und das oppidum Berleich. Ein merowingerzeitlicher Handelsplatz
  bei Forchheim-Burk/Oberfranken, WDSl. NF. 7. 28 (1983) S. 171-191
Herbert *Jankuhn* s. Gerhard *Köbler*, Civitas

30	Barbara Blome

Walter *Janssen*, Studien zur Wüstungsfrage im fränkischen Altsiedelland zwischen Rhein, Mosel und Eifelnordrand. Teil I: Text, Beihefte der BJB. Band 35; Teil II: Katalog, Beihefte der BJB. Band 35, Köln Bonn 1975
Wilhelm *Janssen*, Beobachtungen zum Verhältnis von Pfarrorganisation und Stadtbildung in der spätmittelalterlichen Erzdiözese Köln, AHVNRh. 188 (1985) S. 61-90
Sven B.F. *Jansson* s. Sveriges *Runinskrifter*
Gottlieb *Japsen*, Mellem to krige, in: Johan Hvidtfeldt - Peter K. Iversen, Åbenrå bys historie, III, Åbenrå 1974, S. 127-208
Ludwig *Jedlicka* s. Gerhard *Jagschitz*, Die Anhaltelager
Hermann *Jellinghaus* s. Ernst *Förstemann*, Altdeutsches Namenbuch. Zweiter Band
Bent *Jørgensen* s. Birgit *Christensen*, Gadeskilte
Bent *Jørgensen*, Dansk Gadenavneskik, Navnestudier 9, København 1970
Bent *Jørgensen* s. Göran *Hallberg*, De halländska ortnamnens övergång
Bent *Jørgensen* s. Bengt *Pamp*, De skånska ortnamnens övergång
Heiner *Jürgens* s. Die *Kunstdenkmale* des Kreises Springe
Wilhelm *Jung* s. *Rheinlande*
Wolfgang *Jungandreas*, Historisches Lexikon der Siedlungs- und Flurnamen des Mosellandes, Schriftenreihe zur Trierischen Landesgeschichte u. Volkskunde 8, Trier 1962
Wolfgang *Jungandreas*, Die Treverer zwischen Germanen und Kelten, TZ. 22 (1953) S. 7ff.
Wolfgang *Jungandreas*, Treverica, Namenforschung. Festschrift für Adolf Bach zum 75. Geburtstag am 31. Januar 1965. Herausgegeben von Rudolf Schützeichel und Matthias Zender, Heidelberg 1965, S. 267-272

K

W. *Kaemmerer* s. *Urkundenbuch* der Stadt Düren
H. *Käubler* s. *Wörterbuch*
Karl *Kafka*, Wehrkirchen Niederösterreichs. Wehrkirchen, Wehrkirchhöfe, Wehrkirchtürme. I, Wien 1969
Iiro *Kajanto*, The Latin Cognomina, Societas Scientiarum Fennica. Commentationes Humanarum Litterarum. XXXVI. 2, Helsinki-Helsingfors 1965
The *Kalendar* of Abbot Samson of Bury St. Edmunds and Related Documents. Edited for the Royal Historical Society by R.H.C. Davis, Camden Third Series 84, London 1954
J. J. *Kalma* s. *Encyclopedie* van Friesland
J. J. *Kalma*, Forfoarme nammen, FP. 2 (1949) S. 23
C. *Kamp*, Das Hohe Venn. Gesicht einer Landschaft, 4.A. Düren 1974
Ludw. v. *Karajan* s. *Topographie*
W. *Kaspers*, Die -acum-Ortsnamen in Elsass-Lothringen, ZONF. 12 (1936) S. 193-229
Wilhelm *Kaspers*, Die -acum-Ortsnamen des Rheinlandes. Ein Beitrag zur älteren Siedlungsgeschichte, Halle a. S. 1921
W. *Kaspers*, Untersuchungen zu den rheinischen -ingen-Orten. I., ZONF. 3 (1927/1928) S. 81-107; II., ZONF. 8 (1932) S. 26-39; III., ZONF. 10 (1934) S. 293-308; IV., ZONF. 11 (1935) S. 28-43
[Wolfgang] *Katzenschlager*, Weitra. Herausgeber: Stadtgemeinde Weitra, Stadtpfarramt Weitra, Fremdenverkehrsverein Weitra, St. Pölten 1973
Henning *Kaufmann* s. Dieter *Berger*, Ortsgeschichte
Henning *Kaufmann*, Der Fluss- und Siedlungsname Speyer, MHVPf. 72 (1974) S. 75-77
Henning *Kaufmann* s. Ernst *Förstemann*, Altdeutsche Personennamen. Ergänzungsband
Henning *Kaufmann*, Die Namen der rheinischen Städte, München 1973
Henning *Kaufmann*, Pfälzische Ortsnamen. Berichtigungen und Ergänzungen zu Ernst Christmann, „Die Siedlungsnamen der Pfalz", München 1971
Henning *Kaufmann*, Rheinhessische Ortsnamen. Die Städte, Dörfer, Wüstungen, Gewässer und Berge der ehemaligen Provinz Rheinhessen und die sprachgeschichtliche Deutung ihrer Namen, München 1976
Henning *Kaufmann*, Westdeutsche Ortsnamen mit unterscheidenden Zusätzen. Mit Einschluß

der Ortsnamen des westlich angrenzenden germanischen Sprachgebietes. Erster Teil, Heidelberg 1958

Henning *Kaufmann*, Untersuchungen zu altdeutschen Rufnamen, Grundfragen der Namenkunde. Band 3, München 1965

P. *Kehr* s. Die *Urkunden* der deutschen Könige und Kaiser. Die Urkunden Heinrichs III.

Inken *Keim* s. Ulrich *Engel* - Helmut *Schumacher*, Kleines Valenzlexikon

O. *Keller*, Das Sprachleben des Tessin (Schweiz), VKR. 13 (1940) S. 320-356

Kemnath. Landrichteramt Waldeck-Kemnath mit Unteramt Pressath. Bearbeitet von Heribert Sturm, Historischer Atlas von Bayern. Teil Altbayern. Heft 40, München 1975

G. *Kempcke* s. *Wörterbuch*

Bernd-Ulrich *Kettner*, Flussnamen im Stromgebiet der oberen und mittleren Leine, Name und Wort. Göttinger Arbeiten zur niederdeutschen Philologie. Band 6, Rinteln 1972

S. *Ketzel* s. *Wörterbuch*

Erich *Keyser* s. *Städtebuch* Rheinland-Pfalz

R. *Klappenbach* s. *Wörterbuch*

Wolfgang *Kleiber*, Frühgeschichte am unteren Neckar nach dem Zeugnis der Sprachforschung, ZGO. NF. 117 (1969) S. 26-46

Wolfgang *Kleiber*, Oberdeutsch Klei F. 'Lehm, fetter Boden'. Zu einigen oberrheinisch-nordwestgermanischen Flurnamenparallelen, wortes anst. verbi gratia. donum natalicium gilbert a.r. de smet. h.l. cox, v.f. vanacker & e. verhofstadt (eds.), leuven/amersfoort 1985, S. 261-268

Wolfgang *Kleiber*, Probleme romanisch-germanischen Sprachkontakts an der Mosel vornehmlich im Bereich der Prosodie von Toponymen, Gießener Flurnamen-Kolloquium. 1. bis 4. Oktober 1984. Bibliographie. 47 Beiträge. Register. 60 Abbildungen. Herausgegeben von Rudolf Schützeichel, BNF. NF. Beiheft 23, Heidelberg 1985, S. 528-545

Wolfgang *Kleiber*, Das moselromanische Substrat im Lichte der Toponymie und Dialektologie. Ein Bericht über neuere Forschungen (mit 13 Karten), Zwischen den Sprachen. Siedlungs- und Flurnamen in germanisch-romanischen Grenzgebieten. Beiträge des Saarbrücker Kolloquiums vom 9.-11. Oktober 1980 herausgegeben von Wolfgang Haubrichs und Hans Ramge, Beiträge zur Sprache im Saarland. Band 4, Saarbrücken 1983, S. 153-192

Kleindenkmäler im Landkreis Bayreuth, Schriftenreihe des Landkreises Bayreuth. Band 2, 1. Auflage Bayreuth 1984

Friedrich *Kluge*, Etymologisches Wörterbuch der deutschen Sprache. 11.-16. Auflage bearbeitet von Alfred Götze. 17. Auflage unter Mithilfe von Alfred Schirmer bearbeitet von Walther Mitzka, Berlin 1957; 21. unveränderte Auflage Berlin · New York 1975

Richard *Knipping* s. Die *Regesten*

Herbert *Knittler*, Städte und Märkte. Herrschaftsstruktur und Ständebildung. Beiträge zur Typologie der österreichischen Länder aus ihren mittelalterlichen Grundlagen. Band 2, Sozial- und wirtschaftshistorische Studien, München 1973

Dom D. *Knowles* s. The *Heads*

Gunnar *Knudsen* s. *Danmarks* Gamle Personnavne

Kodeks dyplomatyczny Wielkopolski. Seria Nowa, zeszyt 1. Dokumenty opactwa Benedyktynów w Lubiniu. z XIII - XV wieky. Wydat i opracowat Zbigniew Perzanowski, Poznańskie Towarzystwo Przyjaciót Nauk. Wydawnictwa źródtowe Komisji Historycznej. Tom XVII, Warszawa - Poznań 1975

Gerhard *Köbler*, Civitas und vicus, burg, stat, dorf und wik, in: Vor- und Frühformen der europäischen Stadt im Mittelalter. Bericht über ein Symposium in Reinhausen bei Göttingen in der Zeit vom 18. bis 24. April 1972. Teil I. Herausgegeben von Herbert Jankuhn. Walter Schlesinger. Heiko Steuer. Mit 32 Tafeln und zahlreichen Abbildungen. 2. Auflage, Abhandlungen der Akademie der Wissenschaften in Göttingen. Philologisch-Historische Klasse. Dritte Folge. Nr. 83, Göttingen 1975, S. 61-76

Karlheinz *Köhler* s. Ulrich *Engel* - Helmut *Schumacher*, Kleines Valenzlexikon

Das *Königreich* Württemberg. Eine Beschreibung nach Kreisen, Oberämtern und Gemeinden, herausgegeben von dem Königlichen Statistischen Landesamt, I-IV, [o.O.] 1904-1907

W. *Kok* s. *Encyclopedie* van Friesland

Herbert *Kolb* s. Helmut *de Boor*, Die deutsche Literatur

Komárom megye földrajzi nevei (Geographische Namen des Komitates Komárom). Red.: Lajos Balogh und Ferenc Ördög, Budapest 1985
R[uprecht] *Konrad*, Adel und Herrschaft im mittelalterlichen Nordostbayern, Habilitationsschrift Bayreuth 1984
Erwin *Koschmieder* s. Josef *Hanika*, „Nomen ydoli vocabatur Zelu"
Reinhart *Koselleck* s. Ernst-Wolfgang *Böckenförde*, Organ
Georg *Kossack* s. Frauke *Stein*, Franken
X. Stanisław *Kozierowski* s. *Badania* nazw topograficznych
Stanisław *Kozierowski*, Badania nazw topograficznych na obszarze dawnej Wschodniej Wielkopolski. Całego wydawnictwa tom VI., A-O. Wydano z pomocą Wydziału Starostwa Krajowego, Poznan 1926; P-Z i uzupeinienie. Całego wydawnistwa tom VII. Wydano z pomocą Ministerstwa W.R. i O.P. oraz Poznańskiego Wydziału Wojewódzkiego, Poznań 1928
Stanisław D. *Kozierowski*, Badania nazw topograficznych starej Wielkopolski. T. VIII. A. Nieistniejące miejscowości Wielkopolskie. B. Uzupełnienie poprzednich tomów, Poznań 1939
Hans *Krahe*, Alteuropäische Flussnamen, BNF. 1 (1949/1950) S. 24-51; BNF. 3 (1951/1952) S. 1-18, 153-170, 225-243; BNF. 4 (1953) S. 37-53
Hans *Krahe*, Unsere ältesten Flussnamen, Wiesbaden 1964
J. *Kreitz*, Die Kulturlandschaft, in: Das Monschauer Land historisch und geographisch gesehen, herausgegeben vom Geschichtsverein des Kreises Monschau. Redaktion: H. Prümmer, Monschau 1955
H. *Kretzschmar* s. Hans *Walther*, Siedlungsentwicklung
Albert *Krieger* s. Topographisches *Wörterbuch* des Großherzogtums Baden
Bogdan *Krieger* s. Geflügelte *Worte*
Marius *Kristensen* s. *Danmarks* Gamle Personnavne
Hartmut *Kubczak*, Eigennamen als bilaterale Sprachzeichen, BNF. NF. 20 (1985) S. 284-304
Ludolf *Kuchenbuch* s. Wolfgang H. *Fritze*, Ortsnamenkunde
Die *Kuenringer*. Das Werden des Landes Niederösterreich. Niederösterreichische Landesausstellung. Stift Zwettl. 16. Mai - 26. Oktober 1981, Katalog des Niederösterreichischen Landesmuseums, NF. Nr. 110, 2. verbesserte Auflage Wien 1981
F. *Kürschner* s. *Topographie*
Hans *Kuhn*, 1000 Jahre Malstatt - 3. Juni 1960. Die drei Kaiserurkunden von 960, 977 und 993 für die Abtei St. Peter in Metz, SH. (1960/1961) S. 37
Die *Kunstdenkmäler* von Oberfranken. II. Landkreis Pegnitz. Bearbeitet von Alfred Schädler. Historische Einleitung und Beiträge von Hellmut Kunstmann. Zeichnerische Aufnahmen von Hermann Ehlers, Werner Meyer, Kurt Müllerklein. Mit 483 Abbildungen, Die Kunstdenkmäler von Bayern. Regierungsbezirk Oberfranken, München 1961
Die *Kunstdenkmäler* Österreichs. Niederösterreich. Neu bearbeitet von Richard Kurt Donin unter Mitwirkung von Maria Capra Erwin Neumann / Alfred Schmeller. Revidiert von Ilse Friesen. Fünfte, verbesserte Auflage, Dehio - Handbuch, Wien - München 1972
Die *Kunstdenkmale* des Kreises Springe. Bearbeitet von Heiner Jürgens. Arnold Nöldeke. Joachim Freiherr v. Welck, Die Kunstdenkmale der Provinz Hannover. I. Reg.-Bezirk Hannover. 3. Kreis Springe. Band 29 des Denkmalwerks, Hannover 1941
Heinrich *Kunstmann*, Noch einmal *Banz*, WDSl. NF. 6. 27 (1982) S. 352-358
Heinrich *Kunstmann*, Über die Herkunft Samos, WDSl. NF. 4. 25 (1980) S. 293-313
Heinrich *Kunstmann*, Was besagt der Name *Samo*, und wo liegt *Wogastisburg?*, WDSl. NF. 3. 24 (1979) S. 1-21
Heinrich *Kunstmann*, Der oberfränkische Ortsname *Banz*, WDSl. NF. 5. 26 (1981) S. 62-66
Heinrich *Kunstmann*, Die Pontius-Pilatus-Sage von Hausen-Forchheim und *Wogastisburg*, WDSl. NF. 3. 24 (1979) S. 225-247
Heinrich *Kunstmann*, Noch einmal *Samo* und *Wogastisburc*, WDSl. NF. 7. 28 (1983) S. 354-363
Heinrich *Kunstmann*, Wo lag das Zentrum von Samos Reich, WDSl. NF. 5. 26 (1981) S. 67-101
Hellmut *Kunstmann* s. Die *Kunstdenkmäler* von Oberfranken
Andreas *Kusternig* s. Helmuth *Feigl*, Leistungen
Gudrun *Kvaran*, Die Zuflüsse zur Nord- und Ostsee von der Ems bis zur Trave, Akademie der Wissenschaften und der Literatur Mainz, Hydronymia Germaniae. Reihe A, Lieferung 12, Wiesbaden 1979

Guðrún *Kvaran Yngvason*, Untersuchungen zu den Gewässernamen in Jütland und Schleswig-Holstein, Dissertation Göttingen 1981

L

K. *ter Laan*, Van Goor's Aardrijkskundig Woordenboek van Nederland. 3e druk geheel opnieuw bewerkt door A.G.C. Baert, Den Haag Brussel 1968

Friedrich *Lachmayer* s. Wilhelm *Brauneder* - Friedrich *Lachmayer*, Österreichische Verfassungsgeschichte

Theodor Joseph *Lacomblet*, Urkundenbuch für die Geschichte des Niederrheins oder des Erzstifts Köln, der Fürstentümer Jülich und Berg, Geldern, Moers, Kleve und Mark und der Reichsstifte Elten, Essen und Werden. Aus den Quellen in dem Königlichen Provinzialarchiv zu Düsseldorf und in den Kirchen- und Stadtarchiven der Provinz vollständig und erläutert, III, Düsseldorf 1853

Theodor Josef *Lacomblet*, Urkundenbuch für die Geschichte des Niederrheins - Nachweis der Überlieferung - Bearbeitet von Wolf-Rüdiger Schleidgen, Veröffentlichungen der Staatlichen Archive des Landes Nordrhein-Westfalen. Reihe C: Quellen und Forschungen 10, Siegburg 1981

W. G. *Lams*, Het groot previlegie en hantvest boeck van Kennemerlandt en Kennemer-gevolgh, Amsterdam 1664

Die *Landkreise* in Nordrhein-Westfalen. Reihe A: Nordrhein, III: Der Landkreis Monschau, Regierungsbezirk Aachen, bearbeitet von H. Pilgram, Bonn 1958

Land- und *Stadtkreis* Kulmbach. Bearbeitet von Erich Freiherr von Guttenberg, Historisches Ortsnamenbuch von Bayern. Oberfranken. Band 1, München 1952

Fritz *Langenbeck*, Zu den lateinisch-deutschen Doppelnamen einiger oberrheinischer Städte und Klöster, ZGO. 98 (1950) S. 329-344

Fritz *Langenbeck*, Studien zur elsässischen Siedlungsgeschichte. Vom Weiterleben der vorgermanischen Toponymie im deutschsprachigen Elsaß, II, Bühl 1967

Agathe *Lasch*, Mittelniederdeutsche Grammatik. 2., unveränderte Auflage, Sammlung kurzer Grammatiken germanischer Dialekte. A. Hauptreihe Nr. 9, Tübingen 1974

Wolfgang *Laur*, Besprechung von: Lis Weise, Danske indbyggernavne på - inge. Navnestudier udgivet af Institut for Navneforskning Nr. 22, København 1983, BNF. NF. 20 (1985) S. 80-82

Wolfgang *Laur*, Haithabu. Eine frühmittelalterliche Namenform im modernen Sprachgebrauch, BSchSt. 14 (1969) S. 67-76

Wolfgang *Laur*, Zu den Namen von Alt-Schleswig, BSchSt. 2 (1957) S. 21-23

Wolfgang *Laur*, Orts-, Flur- und Gewässernamen auf -*wik* in Schleswig-Holstein, NDJB. 101 (1978) S. 129-157

Wolfgang *Laur*, Die Ortsnamen in Schleswig-Holstein mit Einschluss der nordelbischen Teile von Gross-Hamburg und der Vierlande, Gottorfer Schriften zur Landeskunde Schleswig-Holsteins. Band VI, Schleswig. Schloss Gottorf 1960

Wolfgang *Laur*, Historisches Ortsnamenlexikon von Schleswig-Holstein, Gottorfer Schriften zur Landeskunde Schleswig-Holsteins 8, Schleswig · Schloß Gottorf 1967

Wolfgang *Laur*, Nogle stednavne på -*by* i Sydslesvig (Einige Ortsnamen auf -by in Südschleswig), StNF. 63 (1982) S. 38-46

J. *Laurent* s. Aachener *Stadtrechnungen*

Heinrich *Lausberg*, Romanische Sprachwissenschaft. I. Einleitung und Vokalismus. Dritte, durchgesehene Auflage, Sammlung Göschen Band 128/128a, Berlin 1969; II. Konsonantismus. Zweite, durchgesehene Auflage, Sammlung Göschen Band 250, Berlin 1967; III. Formenlehre. 2., durchgesehene Auflage, Sammlung Göschen Band 7199, Berlin · New York 1972

Paul *Lebel*, Principes et méthodes d'hydronymie française, Publications de l'Université de Dijon 13, Paris 1956

Karl *Lechner* s. *Handbuch* der historischen Stätten Österreichs

Karl *Lechner* s. Historisches *Ortsnamenbuch* von Niederösterreich

L. G. *Lehne,* Geschichte des Baunachgrundes, AVU. 7 (1843) S. 1-216

Georg *Leingärtner,* Die Wüstungsbewegungen im Landgericht Amberg vom ausgehenden Mittelalter bis zur Neuorganisation des Landgerichts im Jahre 1803, Münchener Historische Studien. Abteilung Bayerische Geschichte. Band 3, Kallmünz Opf. 1956

Richard *Lenker,* Der Burgstall in Mangersreuth, Ortsteil der Stadt Kulmbach, GO. 5 (1968/
1969) S. 67-77

Richard *Lenker,* Mangersreuth bei Kulmbach. Zur Geschichte eines oberfränkischen Dorfes,
AO. 57/58 (1978) S. 137-186

Herbert *Lepper* s. Reiner *Nolden,* Besitzungen

H. J. *Leu,* Allgemeines, Helvetisches, Eydgenössisches und Schweitzerisches Lexikon, I-XX,
Zürich 1747-1765

W. *Levison* s. Die Bonner *Urkunden*

Matthias *Lexer,* Mittelhochdeutsches Handwörterbuch. Zugleich als Supplement und alphabetischer Index zum Mittelhochdeutschen Wörterbuche von Benecke - Müller - Zarncke. Dritter
Band. VF-Z. Nachträge (1876-1878), Leipzig 1878

Meyers Enzyklopädisches *Lexikon.* Band 10: Gem - Gror und 3. Nachtrag. Mit Sonderbeiträgen
von Golo Mann. Friedrich Vogel. Neunte, völlig neu bearbeitete Auflage zum 150jährigen
Bestehen des Verlages. Mit 100 signierten Sonderbeiträgen, Meyers Enzyklopädisches Lexikon in 25 Bänden, Mannheim/Wien/Zürich 1974

Yong *Liang,* Der Prozess der Bedeutungsspezialisierung bei der Terminusbildung, DSp. 13 (1985)
S. 97-106

Liber Eliensis. Edited for the Royal Historical Society by E. O. Blake, Camden Third Series 92,
London 1962

Pauli Warnefridi. *Liber* de episcopis Mettensibus, MGH. inde ab anno Christi quingentesimo
usque ad annum millesimum et quingentesimum. Auspiciis societatis aperiendis fontibus
rerum Germanicarum medii aevi. Edidit Georgius Heinricus Pertz, SS. Tomus II, Hannoverae
1829, S. 260-270

Liber Notitiae Sanctorum Mediolani. Manoscritto della Biblioteca Capitolare di Milano edito a
cura di Marco Magistrelli e Ugo Monneret de Villard. Con 2 tavole topografiche della citta e
della diocesi di Milano, Milano 1917

Liber de rebus memorabilioribus sive Chronicon, herausgegeben von A. Potthast, Göttingen
1859

Ammiani Marcellini rerum gestarum *libri* qui supersunt. Edidit Wolfgang Seyfarth adiuvantibus
Liselotte Jacob-Karau et Ilse Ulmann. Vol. I. Libri XIV-XXV, Akademie der Wissenschaften
der DDR. Zentralinstitut für Alte Geschichte und Archäologie, Biblioteca scriptorum grae-
corum et romanorum Teubneriana, 1.A. Leipzig 1978

H. *Lichtenstein,* Schulung unterm Hakenkreuz. Die Ordensburg Vogelsang, Menschen, Landschaft und Geschichte, herausgegeben von W. Först, Köln 1965

Lijst der Aardrijkskundige Namen van Nederland. Uitgegeven door het Koninklijk Nederlandsch
Aardrijkskundige Genootschap met steun van het Ministerie van Onderwijs, Kunsten en
Wetenschapen, Leiden 1936

Lijst van Nederlandse Gemeenten, oorspronkelijk samengesteld door D. Vos, 's-Gravenhage
1948ff. (Loseblattsammlung)

E. H. *Lind,* Norsk-Isländska dopnamn ock fingerade namn från medeltiden, Uppsala Leipzig
1905-1915

Heinrich *Löffler,* Die Weilerorte in Oberschwaben. Eine namenkundliche Untersuchung, Veröffentlichungen der Kommission für geschichtliche Landeskunde in Baden-Württemberg. Reihe
B. Forschungen. 42. Band, Stuttgart 1968

Herman *Lommel* s. Ferdinand *de Saussure,* Grundfragen

V. *London* s. The *Heads*

T. *Longley* s. The Lincolnshire *Domesday*

Auguste *Longnon,* Les noms de Lieu de la France. Leur origine, leur signification, leurs trans-
formations. Résumé des conférences de toponomastique générale faites à l'école pratique des
hautes études. Section des Sciences Historiques et Philologiques. Publié par Paul Marichal et
Léon Mirot. Fascicules 1.2.3., Paris 1979; Quatrième et cinquième fascicules. Noms de lieu
d'origine féodale et moderne. Index, Paris 1979

A. *Longnon* s. *Polyptyque*

Johann *Looshorn*, Das Bisthum Bamberg von 1400-1556. Nach den Quellen bearbeitet, Die Geschichte des Bisthums Bamberg, IV, Bamberg 1900

Reinhold *Lorenz*, Frohsdorf und Schwarzau, zwei bourbonische Residenzen in Niederösterreich, UH. 30 (1959) S. 189-205

Heinrich *Losert* s. Björn-Uwe *Abels* - Heinrich *Losert*, Eine mittelalterliche Wehranlage

Niels *Lund*, Personal Names and Place-Names: the Persons and the Places, Onoma 19 (1975) S. 468-485

Ottavio *Lurati*, Dialetto e italiano regionale nella Svizzera Italiana, Lugano 1976

M

J. F. *van Maanen* s. A. A. *Vorsterman van Oyen* - J. F. *van Maanen*, Algemeen Woordenboek

M. *Mackesprang* s. Anders *Bjerrum*, Folkesproget

Anton *Macku* s. Justus *Schmidt* - Hans *Tietze*, Die Kunstdenkmäler Österreichs. Wien

E. *Mager* s. *Wörterbuch*

Marco *Magistrelli* s. *Liber* Notitiae Sanctorum

Isolde *Maierhoefer*, Ebern, Historischer Atlas von Bayern. Teil Franken, München 1964

H. *Malige-Klappenbach* s. *Wörterbuch*

Golo *Mann* s. Meyers Enzyklopädisches *Lexikon*

Paul *Marichal* s. Auguste *Longnon*, Les noms

Franz *Martin* s. Salzburger *Urkundenbuch*

Renato *Martinoni* s. Lothar *Deplazes*, Rein

Roland *Maruna*, Geschichte der Ortsgemeinde Hadersdorf-Weidlingau, Dissertation Wien 1978

Carlo Alberto *Mastrelli* s. Giovanni *de Simoni*, Grafia

Vilém *Mathesius*, O potenciálnosti jevů jazykových. (Předloženo 6. února 1911.), Věstník Královské České Společnosti Nauk. Třída filosoficko-historicko-jazykozpytná. 1911. Sitzungsberichte der Kgl. Böhm. Gesellschaft der Wissenschaften. Klasse für Philosophie, Geschichte u. Philologie. Jahrgang 1911. Nr. II, Prag 1912, S. 1-24

Josef *Matznetter* - Josef *Schwarzl*, Die historische Entwicklung des Bahnnetzes in Niederösterreich. Karte im Atlas von Niederösterreich (und Wien), redigiert von Erik Arnberger, Lieferung III/5, Karte Nr. 106, Wien 1951-1958

Otto *Mausser* s. Johann Andreas *Schmeller*, Bayerisches Wörterbuch

Allen *Mawer* s. J.E.B. *Gover* - Allen *Mawer* - F. M. *Stenton*, The Place-Names of Nottinghamshire

A. *Mawer* - F. M. *Stenton*, The Place-Names of Worcestershire. In collaboration with F.T.S. Houghton, English Place-Name Society. Volume IV, Cambridge 1927

Ant. *Mayer* s. *Topographie*

W. *Mayerthaler*, Bairische 'Bach-Namen', ein Beitrag zur Ladinia submersa, ÖNF. 9-11 (1981-1983) S. 18

Ernst *Mayrhofer* - Graf Anton *Pace*, Handbuch für den politischen Verwaltungsdienst, I, 5.A. Wien 1895

Wilhelm *Mehrdorf* s. *Chronik*

P. A. *Meilink*, Het archief van de abdij van Egmond, 's-Gravenhage 1951

P. *Melchers* s. Heinrich *Dittmaier*, Rheinische Flurnamen

Hubertus *Menke*, Das Namengut der frühen karolingischen Königsurkunden. Ein Beitrag zur Erforschung des Althochdeutschen, BNF. NF. Beiheft 19, Heidelberg 1980

Otto *Mensing* s. Schleswig-Holsteinisches *Wörterbuch*

K. *Mertens*, Die gebietsmäßige Entwicklung der Bürgermeistereien (Ämter) und Gemeinden im Kreise Monschau, EHV. 42 (1970) S. 3-15

Werner *Metzler*, Die Ortsnamen des nassauischen Westerwaldes. Sprachwissenschaftliche Untersuchungen, Marburger Beiträge zur Germanistik. Band 15, Marburg 1966

Ferd. *Metzner* s. B[ogenhardt], Zu „Rednitz"

Meyer s. Meyers Enzyklopädisches *Lexikon*

Werner *Meyer* s. Die *Kunstdenkmäler* von Oberfranken

Joseph *Meyers*, Studien zur Siedlungsgeschichte Luxemburgs. Mit 19 Karten u. 5 Tabellen im Text, Dissertation Bonn, Luxemburg 1932

András *Mezö*, A magyar hivatalos helységnévádás (Die ungarische amtliche Ortschaftsnamen-gebung), Budapest 1981

M. R. *Miller*, Place-Names of the northern neck of Virginia: a proposal for a theory of place-naming, Names 24 (1976) S. 9-23

Léon *Mirot* s. Augùste *Longnon*, Les nomes

Oskar Frh. v. *Mitis* s. *Urkundenbuch* zur Geschichte der Babenberger

Walther *Mitzka* s. Friedrich *Kluge*, Etymologisches Wörterbuch

Walther *Mitzka* s. Trübners Deutsches *Wörterbuch*

H. J. *Moerman*, Nederlandse Plaatsnamen. Een overzicht, Leiden 1956

Theodorus *Mommsen* s. *Monumenta* Germaniae historica. Auctorum

Ugo *Monneret de Villard* s. *Liber* Notitiae Sanctorum

Monumenta Germaniae historica inde ab anno Christi quingentesimo usque ad annum mille-simum et quingentesimum. Edidit Georgius Heinricus Pertz, SS. Tomus VII, Hannoverae 1846

Monumenta Germaniae historica inde ab anno Christi quingentesimo usque ad annum mille-simum et quingentesimum edidit Societas Aperiendis Fontibus rerum Germanicarum medii aevi. Auctorum antiquissimorum tomi IX pars posterior. Chronica minora saec. IV. V. VI. VII edidit Theodorus Mommsen. Voluminis prioris fasciculus posterior, Berolini 1892

Elemér *Moór*, Die slawischen Ortsnamen der Theissebene, ZONF. 6 (1930) S. 3-37, S. 105-140

Marie-Thérèse *Morlet*, Les noms de personne sur le territoire de l'ancienne Gaule du VIe au XIIe siècle. I. - Les noms issus du germanique continental et les créations gallo-germanique, Nachdruck der Ausgabe 1968, Paris 1971; II. - Les noms latins ou transmis par le latin, Paris 1972

Fried *Mühlberg* s. *Rheinlande*

Müller s. Matthias *Lexer*, Mittelhochdeutsches Handwörterbuch

E. *Müller*, Pyrmonts Name klingt so ausländisch, Pyrmonter Nachrichten vom 3.6.1969

Gertraud *Müller* s. Althochdeutsches *Wörterbuch*

Gunter *Müller*, Ein westfälisch-lippischer Flurnamenatlas. Zum Einsatz von Sprachkarten bei der Veröffentlichung der Daten des Westfälischen Flurnamenarchivs, NDW. 24 (1984) S. 61-128

Hartmut *Müller*, Die Mettlacher Güterrolle, ZGS. 15 (1965) S. 110-146

J. B. *Müller*, Von der slawischen Ursiedlung über den Königshof Lovicelove zur spätmittelalter-lichen Stadt Lichtenfels, GO. 12 (1979/1980) S. 23ff.

Max *Müller*, Die Ortsnamen im Regierungsbezirk Trier, JBGFT. NF. 1 (1906-1908) S. 40-75; II. Teil, JBGFT. NF. 2 (1909) S. 25-87

Wilhelm *Müller*, Hof an der Saale. Wandlungen einer Stadt im Grenzbereich, HBASchRO. 47 (1975) S. 1-28

Wilhelm *Müller*, Mittelalterliche Wüstungen in Oberfranken, AO. 35 (1951) S. 40-68

Kurt *Müllerklein* s. Die *Kunstdenkmäler* von Oberfranken

N

Rudolf *Neck* s. Gerhard *Jagschitz*, Die Anhaltelager

H. *Nesselhauf*, Die Besiedlung der Oberrheinlande in römischer Zeit, BFB. 10 (1951) S. 71-85

Erwin *Neumann* s. Die *Kunstdenkmäler* Österreichs

Erwin *Neumann* s. Justus *Schmidt* - Hans *Tietze*, Die Kunstdenkmäler Österreichs. Wien

Elmar *Neuß*, Erhebung und Edition von Flurnamen aus mittelalterlichen und frühneuzeitlichen Quellen, Gießener Flurnamen-Kolloquium. 1. bis 4. Oktober 1984. Bibliographie. 47 Beiträ-ge. Register. 60 Abbildungen. Herausgegeben von Rudolf Schützeichel, BNF. NF. Beiheft 23, Heidelberg 1985, S. 173-182

Elmar *Neuß*, Lammersdorf-Lammerscheid. Zum Beitrag der Namenforschung bei der Identifi-zierung von Siedlungsnamen und zum Frühneuhochdeutschen. Hans Steinröx zum 70. Ge-burtstag, BNF. NF. 18 (1983) S. 361-379

E. *Nicks*, Zum Ursprung der Namen Monreal und Pyrmont, DE. 36 (1935) S. 168-170

W.F.H. *Nicolaisen*, Scottish Place-Names. Their study and Significance, London 1976

G. *Niemeier*, Die kulturgeographische Fundierung der Ortsnamenforschung, vornehmlich am Beispiel westfälischer Ortsnamenwandlungen, Erdkunde 4 (1950) S. 162-177

Georg *Niemeier*, Ortsnamen-Wüstungen, DGB. 45 (1949) S. 25-36

E. R. *Nieuwborg*, Retrograde Woordenboek van de Nederlandse Taal. Tweede Druk, Deventer-Antwerpen 1978

M. *Nikolay-Panter*, Entstehung und Entwicklung der Landgemeinde im Trierer Raum, Rheinisches Archiv 97, Bonn 1976

Max *Nistler* s. Die *Denkmale*

Arnold *Nöldeke* s. Die *Kunstdenkmale* des Kreises Springe

Stefan *Nöth*, AGER CLAVIUM. Das Cistercienserinnenkloster Schlüsselau 1280-1554, Historischer Verein für die Pflege der Geschichte des ehemaligen Fürstbistums Bamberg. 16. Beiheft, Bamberg 1982

Reiner *Nolden*, Besitzungen und Einkünfte des Aachener Marienstifts von seinen Anfängen bis zum Ende des Ancien Régime, ZAGV. 86/87 (1979/1980) Festschrift zum 100jährigen Bestehen. Im Auftrage des Wissenschaftlichen Ausschusses herausgegeben von Herbert Lepper, S. 5-455

Notitia dignitatum accedunt notitia urbis Constantinopolitanae et laterbcula prouinciarum edidit Otto Seeck, 1876, unveränderter Nachdruck Frankfurt am Main 1962

Eugen *Nyffenegger* s. Alexander *Tanner*, Die Ausdehnung

O

Evelin *Oberhammer* s. Österreichisches *Städtebuch*

Ferenc *Ördög* s. *Komárom* megye

Ferenc *Ördög* s. *Veszprém* megye

Hermann *Oesterley*, Historisch-geographisches Wörterbuch des deutschen Mittelalters, Neudruck der Ausgabe 1883, Aalen 1962

Dante *Olivieri*, Dizionario di toponomastica Lombarda. Nomi di comuni, frazioni, casali, monti, corsi d'acqua, ecc. della Regione Lombarda, studiati in rapporto alla loro origine. Seconda Edizione riveduta e completata, Biblioteca Italiana di opere di consultazione, Milano 1961

Ferdinand *Opll*, Liesing. Geschichte des 23. Wiener Gemeindebezirkes und seiner alten Orte, München 1982

Otto *Oppermann*, Rheinische Urkundenstudien. Einleitung zum Rheinischen Urkundenbuch. Erster Teil. Die kölnisch-niederrheinischen Urkunden, Publikationen der Gesellschaft für Rheinische Geschichtskunde 39, Bonn 1922

Historisches *Ortsnamenbuch* von Niederösterreich verfaßt von Heinrich Weigl unter Mitarbeit von Roswitha Seidelmann, Karl Lechner und Fritz Eheim. I-VII, Wien 1964-1975; VIII. Band. Ergänzungen und Berichtigungen von Fritz Eheim und Max Weltin mit einem Anhang "Die abgekommenen Orte" von Fritz Eheim, Wien 1981

Ortsverzeichnis 1971. Niederösterreich Wien. Bearbeitet auf Grund der Ergebnisse der Volkszählung vom 12. Mai 1971. Herausgegeben vom Österreichischen Statistischen Zentralamt, Wien 1977

Karl-Heinz *Otto* s. *Siedlung*

J. C. *Overvoorde*, Archieven van de kloosters, Leiden 1917

P

Graf Anton *Pace* s. Ernst *Mayrhofer* - Graf Anton *Pace*, Handbuch

Bengt *Pamp*, De skånska ortnamnens övergång från dansk till svensk rikssprårksnorm, in: Stednavne i brug. Festskrift udgivet anledning af Stednavneudvalgets 75 års jubilæum. With English Summaries. Redigeret af Bent Jørgensen, Navnestudier udgivet af Institut for Navneforskning nr. 26, København 1985, S. 188-210

Sabine *Pape* s. Ulrich *Engel* - Helmut *Schumacher*, Kleines Valenzlexikon

Hermann *Paul*, Deutsches Wörterbuch, Halle a.S. 1897, 5.A. von Werner Betz, Tübingen 1966;
  6.A. Tübingen 1968
A. *Pauls*, Das Monschauer Land zur Zeit der Fremdherrschaft, Das Monschauer Land historisch
  und geographisch gesehen, herausgegeben vom Geschichtsverein des Kreises Monschau. Re-
  daktion: H. Prümmer, Monschau 1955, S. 81-127
Paulus [Warnefridi] s. *Liber* de episcopis Mettensibus
Heinrich *Pauly*, Beiträge zur Geschichte der Stadt Montjoie und der Montjoier Lande, I. Fasc. -
  V. Fasc., Köln 1862-1876
Georgius Heinricus *Pertz* s. Pauli Warnefridi. *Liber* de episcopis Mettensibus
Georgius Heinricus *Pertz* s. *Monumenta* Germaniae historica. SS.
János *Pesti* s. *Baranya* megye
H. *Petermann* s. *Wörterbuch*
Thorvald *Petersen*, Tønder Bys Legater, 1933
Franz *Petri*, Die fränkische Landnahme und die Entstehung der germanisch-romanischen Sprach-
  grenze in der interdisziplinären Diskussion. Bericht I: 1926-1953. Bericht II: 1953-1976,
  Erträge der Forschung. Band 70, Darmstadt 1977
F. *Petri* s. Franz *Steinbach*, Aufsätze
Franz *Petri*, Germanisches Volkserbe in Wallonien und Nordfrankreich. Die fränkische Land-
  nahme in Frankreich und den Niederlanden und die Bildung der westlichen Sprachgrenze.
  Mit 6 Tafeln, 47 Text- und 2 Übersichtskarten. Erster Halbband, Bonn 1937; Zweiter Halb-
  band, Bonn 1937
Ludwig *Petry* s. *Rheinland-Pfalz*
Josef *Pfanner*, Landkreis Pegnitz, Historisches Ortsnamenbuch von Bayern. Oberfranken. Band
  2, München 1965
Max *Pfister*, Die Bedeutung des germanischen Superstrates für die sprachliche Ausgliederung der
  Galloromania, Aspekte der Nationenbildung im Mittelalter. Ergebnisse der Marburger Rund-
  gespräche 1972-1975. Herausgegeben von Helmut Beumann und Werner Schröder, Nationes.
  Historische und philologische Untersuchungen zur Entstehung der europäischen Nationen
  im Mittelalter. Band I, Sigmaringen 1978, S. 127-170
Max *Pfister*, Zur Chronologie von Palatalisierungserscheinungen in der östlichen Galloromania,
  Festschrift für Gerold Hilty (im Druck)
Max *Pfister*, Galloromanische Relikte in der Toponomastik Ostlothringens und des Saarlandes,
  Zwischen den Sprachen. Siedlungs- und Flurnamen in germanisch-romanischen Grenzgebie-
  ten. Beiträge des Saarbrücker Kolloquiums vom 9.-11. Oktober 1980 herausgegeben von
  Wolfgang Haubrichs und Hans Ramge, Beiträge zur Sprache im Saarland. Band 4, Saarbrücken
  1983, S. 121-152
Charles Johan *Philips*, Les noms des chefslieux des departements et des arrondissements de
  France. Academisch proefschrift Goes [o.J.]
H. *Pilgram* s. Die *Landkreise* in Nordrhein-Westfalen
H. *Pilgram*, Die Landwirtschaft des Monschauer Landes einst und jetzt, in: Das Monschauer
  Land historisch und geographisch gesehen, herausgegeben vom Geschichtsverein des Kreises
  Monschau. Redaktion: H. Prümmer, Monschau 1955, S. 387-409
Pleas before the King or his Justices 1198-1212: III. Rolls or Fragments of Rolls from the Years
  1199, 1201 and 1203-1206. Edited for the Selden Society by Doris Mary Stenton, The Pub-
  lications of the Selden Society 83, London 1967
Pleas before the King or his Justices 1198-1212: IV. Rolls or Fragments of Rolls from the Years
  1207-1212. Edited for the Selders Society by Doris Mary Stenton, The Publications of the
  Selden Society 84, London 1967
Siegfried *Poblotzki*, Die Altstadt Pleystein. Eine Gründungsstadt, OH. 17 (1973) S. 76-84
Julius *Pokorny*, Indogermanisches etymologisches Wörterbuch. I. Band, Bern und München 1959
Peter *von Polenz*, Landschafts- und Bezirksnamen im frühmittelalterlichen Deutschland. Unter-
  suchungen zur sprachlichen Raumerschließung. 1. Band. Namentypen und Grundwortschatz,
  Marburg 1961
Peter v. *Polenz* s. Ferdinand *de Saussure*, Grundfragen
Polyptyque de l'abbaye de Saint-Germain-de-Prés rédigé au temps de l'abbé Irminon, ed. A.
  Longnon. Société de l'histoire de Paris, I-II, Paris 1886-1895

Fritz *Posch* s. Helmuth *Feigl*, Bedeutung

Rudolf *Post*, Romanische Entlehnungen in den westmitteldeutschen Mundarten. Diatopische, diachrone und diastratische Untersuchungen zur sprachlichen Interferenz am Beispiel des landwirtschaftlichen Sachwortschatzes. Mit 63 Karten, Mainzer Studien zur Sprach- und Volksforschung 6. Veröffentlichung des Instituts für Geschichtliche Landeskunde an der Universität Mainz E.V., Wiesbaden 1982

Postleitzahlverzeichnis. Abc-Folge. Herausgegeben vom Bundesministerium für das Post- und Fernmeldewesen 5300 Bonn 1. Bearbeitet vom Posttechnischen Zentralamt 6100 Darmstadt. Abgeschlossen im Juni 1984, Bonn 1984

C. W. *van der Pot*, Handboek van het Nederlandse Staatsrecht bewerkt door A. M. Donner. Tiende druk, Zwolle 1977

A. *Potthast* s. *Liber*

Johanne *Pradel* s. Österreichisches *Städtebuch*

Jürgen *Prinz*, Die Slavisierung baltischer und die Baltisierung slavischer Ortsnamen im Gebiet des ehemaligen Gouvernements Suwałki - Versuch der Entwicklung einer Theorie der Umsetzung von Ortsnamen am praktischen Beispiel -, Veröffentlichungen der Abteilung für slavische Sprachen und Literaturen des Osteuropa-Instituts (Slavisches Seminar) an der Freien Universität Berlin. Band 34, Wiesbaden 1968

M. *Prou* s. *Recueil* des Actes de Charles II

H. *Prümmer* s. A. *Pauls*, Das Monschauer Land

H. *Prümmer* s. H. *Pilgram*, Die Landwirtschaft

Karl *Puchner* s. Dieter *Berger*, Ortsgeschichte

Karl *Puchner*, Die Ortsnamen auf -hausen in Unterfranken, BONF. 5 (1962/1964) S. 2-27

Karl *Puchner*, Die Ortsnamen auf -kirchen in Bayern (1. Teil: Jg. 3/4, S. 16-27. - 2. Teil: Jg. 6, S. 15-25) (Schluß), BONF. 12 (1971) S. 1-11

Karl *Puchner* s. Rudolf *Schützeichel*, Probleme

Q

Quellen zur Geschichte von Bad Neuenahr (Wadenheim/Beul/Hemmessen), der Grafschaft Neuenahr und der Geschlechter Ahr, Neuenahr und Saffenberg. Bearbeitet von Hans Frick, Bad Neuenahr 1933

Quellen zur Geschichte der Herrschaft Landskron a.d. Ahr. Herausgegeben von Th. Zimmer. Zwei Bände, Publikationen der Gesellschaft für rheinische Geschichtskunde 56, Bonn 1966

R

Theo *Raach*, Kloster Mettlach/Saar und sein Grundbesitz. Untersuchungen zur Frühgeschichte und zur Grundherrschaft der ehemaligen Benediktinerabtei im Mittelalter, Quellen und Abhandlungen zur Mittelrheinischen Kirchengeschichte 19, Mainz 1974

J. *Raben*, Gadenavne i Sønderborg, Fra Als og Sundeved 18, Sønderborg 1942

Felix *Raimann*, Die landeskundlichen Bestrebungen der niederösterreichischen Stände 1791-1833, Dissertation Wien 1948

Hans *Ramge* s. Henri *Draye*, Probleme

Hans *Ramge* s. Kurt *Elsenbast*, Drei vorgermanische Fluß- und Siedlungsnamen

Hans *Ramge* s. Wolfgang *Haubrichs*, Siedlungsnamen und frühe Raumorganisation

Hans *Ramge* s. Wolfgang *Kleiber*, Das moselromanische Substrat

Hans *Ramge* s. Max *Pfister*, Galloromanische Relikte

Hans *Ramge* s. Stefan *Sonderegger*, Grundsätzliches

Hans *Ramge* s. Zwischen den *Sprachen*

Gerhard *Rasch*, Die bei den antiken Autoren überlieferten geographischen Namen im Raum nördlich der Alpen vom linken Rheinufer bis zur pannonischen Grenze, ihre Bedeutung und sprachliche Herkunft. I. Teil. Alphabetischer Namenkatalog; II. Teil. Die Siedlungsnamen, ihre Etymologie und sprachliche Herkunft, Dissertation Heidelberg 1950

40   Barbara Blome

Vittorio F. *Raschèr* s. Lothar *Deplazes, Rein*
Erik *Rasmussen* s. Roar *Skovmand*, Die Geburt
Erik *Rasmussen*, Auf dem Wege zum Wohlfahrtsstaat 1913-1939, in: Roar Skovmand - Vagn
    Dybdahl - Erik Rasmussen, Geschichte Dänemarks 1830-1939, Neumünster 1973, S. 325-
    443
Reclams Kunstführer Österreich, I, 3. Auflage Stuttgart 1961
Recueil des Actes de Charles II le Chauve, roi de France. T. Ier (840-860), ed. A. Giry, M. Prou
    und G. Tessier, Chartes et diplômes relatifs à l'histoire de France, Paris 1943
Anton *Reger*, Aus der Geschichte der Stadt Kemnath. Heimatbuch herausgegeben von der Stadt-
    gemeinde Kemnath 1981, Kallmünz 1981
Regesta Historiae Westfaliae. Accedit codex diplomaticus. Die Quellen der Geschichte Westfa-
    lens, in chronologisch geordneten Nachweisungen und Auszügen, begleitet von einem Urkun-
    denbuche. Mit Unterstützung des Vereins für Geschichte und Alterthumskunde Westfalens
    und unter Mitwirkung einzelner Mitglieder desselben bearbeitet und herausgegeben von
    Heinrich August Erhard. Zweiter Band. Vom Jahre 1126 bis 1200. Mit Monogrammen - und
    Siegel-Abbildungen, Münster 1851
Die *Regesten* der Erzbischöfe von Köln im Mittelalter. Zweiter Band 1100-1205. Bearbeitet von
    Richard Knipping, Publikationen der Gesellschaft für Rheinische Geschichtskunde. XXI,
    Bonn 1901
Mittelrheinische *Regesten* oder chronologische Zusammenstellung des Quellen-Materials für die
    Geschichte der Territorien der beiden Regierungsbezirke Coblenz und Trier in kurzen Aus-
    zügen, bearbeitet von Ad[am] Goerz, I-IV, Koblenz 1876-1886
Oskar *Reichmann* s. Friedhelm *Debus* - Heinz-Günter *Schmitz*, Überblick
Das *Reichsland* Elsass-Lothringen. Herausgegeben vom Statistischen Bureau des Ministeriums
    für Elsass-Lothringen, I-III, Straßburg 1898-1903
A. v. *Reilreich* s. *Topographie*
J. *Reitsma*, Oostergo. Register van geestelijke opkomsten van Oostergo, Leeuwarden 1888
K. Freiherr *v. Reitzenstein*, Genealogische Noten zur fränkischen Geschichte, AO. 8 (1861) S.
    7-12
Robert *Rentenaar*, Metrologische Bemerkungen zu niederländischen Flurnamen. Mit einer Karte
    und einer Abbildung, BNF. NF. 2 (1967) S. 46-64
R. *Rentenaar*, Vernoemingsnamen. Een onderzoek naar de rol van de vernoeming in de neder-
    landse toponymie, Publikaties van het P. J. Meertens-Instituut Deel 5, Amsterdam 1984
R. *Rentenaar*, Wat heet ...? De Krim, OT. 54/12 (1985) S. 162f.
Lorenz *Rerup*, Slesvig og Holsten efter 1830. Under redaktion af Svend Ellehøj og Kristof Gla-
    mann, København 1982
F. *von Restorff*, Topographisch-Statistische Beschreibung der Königlich Preußischen Rheinpro-
    vinzen, Berlin und Stettin 1830
Hans *Rheinfelder*, Altfranzösische Grammatik. Band I: Lautlehre, 5.A. München 1976
Rheinlande und Westfalen. Baudenkmäler. Von Anton Henze, Otto Gaul, Erich Herzog, Wilhelm
    Jung, Fried Mühlberg und Fritz Stich. Mit 58 Abbildungen im Text und 63 Bildtafeln sowie
    2 Übersichtskarten. Fünfte Auflage, Reclams Kunstführer. Deutschland. Band III, Stuttgart
    1975
Rheinland-Pfalz und Saarland. Herausgegeben von Ludwig Petry. 12 Abbildungen, 7 Karten,
    Handbuch der historischen Stätten Deutschlands. Fünfter Band, Kröners Taschenausgabe
    Band 275, Stuttgart 1959; 3.A. Stuttgart 1976
Albert *Richter*, Die Ortsnamen des Saalkreises. Mit 3 Karten, Historische Kommission bei der
    Sächsischen Akademie der Wissenschaften zu Leipzig. Deutsch-slawische Forschungen zur
    Namenkunde und Siedlungsgeschichte. Nr. 15, Berlin 1962
Elise *Richter*, Beiträge zur Geschichte der Romanismen. I. Chronologische Phonetik des Franzö-
    sischen bis zum Ende des 8. Jahrhunderts, Beihefte zur ZRPh. LXXXII. Heft, Halle/Saale
    1934
M. *Richter* s. *Wörterbuch*
Albert *Riedlinger* s. Ferdinand *de Saussure*, Grundfragen
I. *Riedzwiedsky* s. *Topographie*
A.L.F. *Rivet* - C. *Smith*, The Place-Names of Roman Britain, London 1979

Walter *Robert-tornow* s. Geflügelte *Worte*

F. W. *Rödelsperger*, in: Speyerer Tagespost, Nr. 233 vom 9.10.1969, Nr. 234 vom 10.10.1969, Nr. 268 vom 21.11.1969

Ph.L.H. *Roeder*, Geographisch-statistisch-topographisches Lexikon von Schwaben, I-III, Ulm 1791-1797

A. *Rogenhofer* s. *Topographie*

The Great *Roll* of the Pipe for the twenty-fifth Year of the Reign of King Henry the Second, A.D. 1178-1179, The Publications of the Pipe Roll Society 28, London 1907

The Great *Roll* of the Pipe for the fourth Year of the Reign of King John, Michaelmas 1202 (Pipe Roll 48). Edited by Doris M. Stenton, The Publications of the Pipe Roll Society. New Series 15, London 1937

The Great *Roll* of the Pipe for the fifth Year of the Reign of King John, Michaelmas 1203 (Pipe Roll 49). Edited by Doris M. Stenton, The Publications of the Pipe Roll Society. New Series 16, London 1938

The Great *Roll* of the Pipe for the sixth Year of the Reign of King John, Michaelmas 1204 (Pipe Roll 50). Edited by Doris M. Stenton, The Publications of the Pipe Roll Society. New Series 18, London 1940

Floribertus *Rommel* s. Maurits *Gysseling*, Toponymisch Woordenboek

Stanisław *Rospond*, Über 'Deanthroponymisierung' in der slawischen Toponomastik, Beiträge zur Onomastik. Vorträge der namenkundlichen Arbeitstagung "Aktuelle Probleme der Namenforschung in der DDR". Karl Marx Universität Leipzig. 23.-24.10.1979. Herausgegeben von Ernst Eichler und Hans Walther, Redaktion: Inge Bily, Linguistische Studien. Reihe A. Arbeitsberichte 73. I-II. Akademie der Wissenschaften der DDR, Leipzig 1980, S. 153-159

Ch. *Rostaing* s. A. *Dauzat* - Ch. *Rostaing*, Dictionnaire étymologique

L. *Rothenfelder*, Ein Einnahmen- und Ausgabenbuch des Klosters St. Ulrich und Afra in Augsburg von 1527/1528, Schriften des Bayerischen Landesvereins für Familienkunde e.V.. Heft 11, München 1940

V. *de Ruiter* s. *Wörterbuch*

Sveriges *Runinskrifter* utgivna av Kungl. Vitterhets Historie och Antikvitets Allademien IX. Upplands Runinskrifter granskade och tolkade av Elias Wessen och Sven B. F. Jansson, Fjärde Delen, Andra Häftet, Uppsala 1957

Werner *Rust* s. Geflügelte *Worte*

Ewa *Rzetelska-Feleszko*, Rozwój i zmiany toponimicznego formantu -*ica* na obszarze zachodniosłowiańskim, Polska Akademia Nauk. Komitet Słowianoznawstwa. Prace Slawistyczne 4, Wrocław. Warszawa. Kraków. Gdańsk 1978

Ewa *Rzetelska-Feleszko* - Jerzy *Duma*, Nazwy rzeczne Pomorza między dolną Wisłą a dolną Odrą, Polska Akademia Nauk Komitet Językoznawstwa. Prace Onomastyczne 25, Wrocław. Warszawa. Kraków. Gdańsk 1977

S

Ed. Freih. *v. Sacken* s. *Topographie*

M. E. Carlo *Salvioni*, Lingua e dialetti della Svizzera italiana (1)., RIL. 2.40 (1907) S. 719-736

Daniel *Sanders*, Wörterbuch der Deutschen Sprache. Mit Belegen von Luther bis auf die Gegenwart. Zweiter Band. Zweite Hälfte. S-Z. Zweiter unveränderter Abdruck, Leipzig 1876, unveränderter photomechanischer Nachdruck der Ausgabe Leipzig 1876, Tokyo 1969

Ferdinand *de Saussure*, Grundfragen der allgemeinen Sprachwissenschaft. Herausgegeben von Charles Bally und Albert Sechehaye unter Mitwirkung von Albert Riedlinger übersetzt von Herman Lommel. 2. Auflage mit neuem Register und einem Nachwort von Peter v. Polenz, Berlin 1967

P. H. *Sawyer*, From Roman Britain to Norman England, London 1978

P. H. *Sawyer*, Anglo-Saxon Charters: An Annoted List and Bibliography, London 1968

Anton *Schachinger*, Der Wienerwald. Eine landeskundliche Darstellung, Forschungen zur Landeskunde von Niederösterreich. Band 1/2, Wien 1934

42 Barbara Blome

Alfred *Schädler* s. Die *Kunstdenkmäler* von Oberfranken
Joannis Friderici *Schannat* Vindemiæ literariæ. Hoc est veterum monumentorum ad Germaniam
sacram præcipue spectantium collectio prima qua continentur I. Necrologium Ecclesiæ
Metropolitanæ Moguntinæ. II. Anonymi series Abbatum Monasterii Weissenburgensis. III.
Vetus Diptycon Fuldense. IV. Anonymi Chronicon Cœnobii Schutterani. V. Necrologium
Laureshamense. VI. Antiquitates Cœnobii S. Michaelis Bambergæ. VII. Traditiones Veteres
Cœnobii S. Stephani Herbipoli. VIII. Anonymi Chronicon Erfordiense. IX. Chartarium Rein-
hartsbornense. X. Excerpta Necrologii Veteris Abbatiæ Mollenbecca. XI. Notitiæ Monasterii
Omnium-Sanctorum. XII. Rudera Abbatiarum Albæ Dominorum & Alb[ae] Dominarum.
XIII. Anonymus de Origine & Abbatibus Cœnobii S. Joan[n]is in Rhingavia. XIV. Dotationes
Cœnobii S. Petri in Nigrasilva. XV. Necrologium Abbatiæ Luci-dæ - Vallis. XVI. Diplomata
& Epistolæ variæ. Accedit conspectus trium vetustissimorum codicum, ex illis quos in ipso
martyrii campo, ub[i] S. Bonifacius archiepiscopus cum sociis gloriose occubuit, manus fide-
lium recollegerunt, ac in sacrarium Fuldense deportarunt. Cum Fig. Æneis., Fuldæ & Lipsiæ,
1723; collectio secunda qua continentur I. Traditiones Veteres Cœnobii S. Petri Erfordiæ.
II. Excerpta ex Necrologio ejusdem Cœnobii. III. Anonymi Chronicon Wirtembergense. IV.
Anonymus de Origine & Abbatibus Cœnobii Combergensis. V. Necrologium Monasterii S.
Michaelis Bambergæ. VI. Burchardi de Hallis Chronicon Ecclesiæ Collegiatæ S. Petri Winpi-
nensis. VII. Dietheri de Helmestat Continuatio ejusdem Chronici. VIII. Necrologium Eccles.
Collegiatæ Winpinensis. IX. Anonymi Vita B. Lamberti Can. Regg. Novi Operis juxta Halas
Saxonicas, primi præpositi. X. Translatio Reliquiarum S. Alexandri Martyris, ad idem Novi
Operis Monasterium. XI. Joannis Tylich Monasterii S. Mauritii extra muros Nuemburgenses
præpositi, Chronicon Missnense. XII. Anonymi series Chronologica Episcoporum Virdunen-
sium. XIII. Diplomata & Epistolæ variæ. Cum figuris Æneis., Fuldæ & Lipsiæ, 1724, in:
Joannis Friderici Schannat, Corpus traditionum Fuldensium, ordine chronologico digestum,
complectens omnes et singulas imperatorum, regum, principum, comitum, aliorumque fide-
lium pias donationes in ecclesiam Fuldensem collatas, ab anno fundationis suæ DCCXLIV.
ad finem usque saeculi XIII. Accedit patrimonium S. Bonifacii, sive buchonia vetus ex iisdem
traditionibus eruta, aliisque monumentis Fuldensibus aucta et illustrata, cum præfixa mappa
geographica. Omnia ad fidem autographorum, rotulorum veterum, chartariorum, aliorumque
optimæ notæ m.s.s. codicum. Cum figuris Æneis., Lipsiæ 1724
Josef *Schatz,* Althochdeutsche Grammatik, Göttinger Sammlung indogermanischer Grammati-
ken und Wörterbücher, Göttingen 1927
Jos. *Scheidl,* Ueber Ortsnamenänderungen. Grundsätzliches zur Identifizierung urkundlicher
Ortsnamen (Mit fünf Kärtchen.), ZONF. 1 (1925/26) S. 178-186
Wolfgang *Schenkel* s. Gerhard *Helbig* - Wolfgang *Schenkel,* Wörterbuch zur Valenz
A. *Schiber,* Die Ortsnamen des Metzer Landes und ihre geschichtliche und ethnographische Be-
deutung, JGLGA. 9 (1897) S. 81
Winfried *Schich* s. Wolfgang H. *Fritze,* Ortsnamenkunde
Theodor *Schieffer* s. Die *Urkunden* der deutschen Karolinger
H. *Schiffers,* Reinarzhof und seine Aufgaben als Herzogsgut, EHV. 6 (1931) S. 117-122
Konrad *Schiffmann,* Historisches Ortsnamen-Lexikon des Landes Oberösterreich, 1. Band (A-J),
Linz 1935; 2. Band (K-Z). Anhang: Nachträge und Berichtigungen. Am Schlusse des Bandes
eine Karte des Landes Oberösterreich, Linz 1935; Ergänzungsband 1942
Konrad *Schiffmann,* Historisches Ortsnamenlexikon des Landes Niederösterreich, I-III, Mün-
chen-Berlin 1935
W. *Schilling,* in: Speyerer Tagespost Nr. 210 vom 10.9.1980, Nr. 217 vom 18.9.1980
G. *Schimmer* s. *Topographie*
Hans *Schimpf,* Gieshübel. Speyerbach - Die Geschichte unseres Baches, in: Nikolaus-von-Weis-
schule. Dreijahresbericht der Schule, Speyer 1966, S. 47-58
Margot *Schindler,* Die Kuenringer in Sage und Legende, Wien 1981
Alfred *Schirmer* s. Friedrich *Kluge,* Etymologisches Wörterbuch
V. M. *Schirmunski,* Deutsche Mundartkunde. Vergleichende Laut- und Formenlehre der deut-
schen Mundarten, Deutsche Akademie der Wissenschaften zu Berlin. Veröffentlichungen des
Instituts für deutsche Sprache und Literatur 25, Berlin 1962
Wolf-Rüdiger *Schleidgen* s. Theodor Josef *Lacomblet,* Urkundenbuch

Walter *Schlesinger* s. Gerhard *Köbler, Civitas*

G. *Schlimpert*, Zur Struktur und Semantik altpolabischer Gewässernamen in Brandenburg, ZS. 17 (1972) S. 441-451

Alois *Schmaus* s. Josef *Hanika*, „Nomen ydoli vocabatur Zelu"

Alfred *Schmeller* s. Die *Kunstdenkmäler* Österreichs

Johann Andreas *Schmeller*, Bayerisches Wörterbuch. 4. Neudruck der von G. Karl Frommann bearbeiteten 2. Ausgabe München 1872-77. Mit der wissenschaftlichen Einleitung zur Ausgabe Leipzig 1939 von Otto Mausser und mit einem Vorwort von 1961 von Otto Basler. In 2 Bänden. Band 1. Band 2, München Wien Aalen 1983

Anneliese *Schmid*, Die ältesten Namenschichten im Flußgebiet des Neckar, BNF. 12 (1961) S. 197-214, 225-249

Wolfgang P. *Schmid*, Der Begriff Alteuropa und die Gewässernamen in Polen, Onomastica 27 (1982) S. 55-69

Wolfgang P. *Schmid*, Indogermanistische Modelle und osteuropäische Frühgeschichte, Akademie der Wissenschaften und der Literatur. Abhandlungen der Geistes- und Sozialwissenschaftlichen Klasse. Jahrgang 1978. Nr. 1, Mainz 1978

Wolfgang P. *Schmid*, Urheimat und Ausbreitung der Slawen, ZOF. 28 (1979) S. 405-415

Dagmar *Schmidt*, Die Namen der rechtsrheinischen Zuflüsse zwischen Wupper und Lippe, unter besonderer Berücksichtigung der älteren Bildungen, Dissertation Göttingen 1970

Justus *Schmidt* - Hans *Tietze*, Die Kunstdenkmäler Österreichs. Wien. Neu bearbeitet von Anton Macku und Erwin Neumann. Dritte, neubearbeitete Auflage, Dehio-Handbuch, Wien-München 1954

R. *Schmidt* s. *Wörterbuch*

Ruth *Schmidt-Wiegand*, Sali. Die Malbergischen Glossen der Lex Salica und die Ausbreitung der Franken, RhVB. 32 (1968) S. 140-166

Werner *Schmiedel*, Landkreise Ebern und Hofheim, Historisches Ortsnamenbuch von Bayern. Unterfranken. Band 2, München 1973

Ludwig Erich *Schmitt* s. Rudolf *Schützeichel*, Das westfränkische Problem

Antje *Schmitz*, Die Orts- und Gewässernamen des Kreises Ostholstein, Kieler Beiträge zur deutschen Sprachgeschichte. Band 3, Neumünster 1981

Heinz-Günter *Schmitz* s. Friedhelm *Debus* - Heinz-Günter *Schmitz*, Überblick

Jean *Schneider*, En parcourant les terroirs des villages lorrains, les lieux-dits et l'histoire, Le Pays Lorrain, 1951, S. 33-41

A. Clemens *Schoener*, Fremdes in einigen Gewässer- und Höhennamen, MRLA. 8 (1932/33) S. 132-139

A. *Schröder* s. A. *Streichele* - A. *Schröder* - F. *Zöpfl*, Beschreibung

Edward *Schröder*, Deutsche Namenkunde. Gesammelte Aufsätze zur Kunde deutscher Personen= und Ortsnamen. Festgabe seiner Freunde und Schüler zum 80. Geburtstag. Mit einem Bildnis, Göttingen 1938; 2. stark erweiterte Auflage, besorgt von L. Wolff, Göttingen 1944

Edward *Schröder*, Die Ortsnamen Schulenburg und Pyrmont, NSJLG. 13 (1936) S. 241-244

Edward *Schröder*, Pyrmont und die französischen Burgennamen auf deutschem Boden, ZONF. 12 (1936) S. 49-53

Werner *Schröder* s. Max *Pfister*, Die Bedeutung

Johannes v. *Schröder* - Herm. *Biernatzki*, Topographie der Herzogthümer Holstein und Lauenburg, des Fürstenthums Lübeck und des Gebiets der freien und Hanse-Städte Hamburg und Lübeck. Zweite neu bearbeitete, durch die Topographie von Lauenburg vermehrte Auflage. Zweiter Band. Repertorium I-Z. Anhang. Register, Oldenburg (in Holstein) 1856

Leopold *Schütte*, Wik. Eine Siedlungsbezeichnung in historischen und sprachlichen Bezügen, Städteforschung. Veröffentlichungen des Instituts für vergleichende Städtegeschichte in Münster. Reihe A: Darstellungen. Band 2, Köln Wien 1976

Joseph *Schütz*, Ortsnamentypen und slawische Siedlungszeit in Nordostbayern, JBFLF. 28 (1968) S. 309-319

Rudolf *Schützeichel* s. Gießener *Flurnamen-Kolloquium*

Rudolf *Schützeichel* s. Johannes *Franck*, Altfränkische Grammatik

44 Barbara Blome

Rudolf *Schützeichel*, Die Grundlagen des westlichen Mitteldeutschen. Studien zur historischen Sprachgeographie. Zweite, stark erweiterte Auflage. Mit 26 Karten, Hermaea. Germanistische Forschungen. NF. 10, Tübingen 1976
Rudolf *Schützeichel* s. Manfred *Halfer*, Germanisch-romanische Kontaktphänomene
Rudolf *Schützeichel* s. Wolfgang *Haubrichs*, Wüstungen
Rudolf *Schützeichel* s. Erwin *Herrmann*, Grenznamen
Rudolf *Schützeichel* s. Pierre *Hessmann*, Bedeutung
Rudolf *Schützeichel* s. Wolfgang *Jungandreas*, Treverica
Rudolf *Schützeichel* s. Wolfgang *Kleiber*, Probleme
Rudolf *Schützeichel*, Nochmals zur merovingischen Lautverschiebung, ZDL. 46 (1979) S. 205-230
Rudolf *Schützeichel*, Mundart, Urkundensprache und Schriftsprache. Studien zur rheinischen Sprachgeschichte. Zweite, stark erweiterte Auflage. Mit 39 Karten, Rheinisches Archiv 54, Bonn 1974
Rudolf *Schützeichel*, Ortsnamen aus den Urkunden Zwentibolds und Ludwigs des Kindes. Beiträge zu ihrer Identifizierung und ihrer namenkundlich-sprachgeschichtlichen Auswertung, BNF. 9 (1958) S. 217-285
Rudolf *Schützeichel*, Das westfränkische Problem, in: Deutsche Wortforschung in europäischen Bezügen herausgegeben von Ludwig Erich Schmitt. Band 2. Untersuchungen zum Deutschen Wortatlas, Giessen 1963, S. 469-523
Rudolf *Schützeichel*, Probleme der Identifizierung urkundlicher Ortsnamen, VI. Internationaler Kongress für Namenforschung. VIth International Congress of Onomastic Sciences. VIe Congrès International de Sciences Onomastiques. München: 24.-28. August 1958. Kongressberichte. Reports of Congress. Actes et Mémoires. Band III. Kongreßchronik und Sektionsvorträge 51-144. Report of Congress and Section meetings. Actes du Congrès et Séances de sections herausgegeben von Karl Puchner, Studia Onomastica Monacensia. Band IV, München 1961, S. 692-703
Rudolf *Schützeichel* s. Heinz Jürgen *Wolf*, Dialektform
Rudolf *Schützeichel*, Zons in Dormagen, wortes anst. verbi gratia. donum natalicium gilbert a.r. de smet. h.l. cox, v.f. vanacker & e. verhofstadt (eds.), leuven/amersfoort 1985, S. 439-448
J. *Schultheis* s. Hans *Walther*, Mehrnamigkeit
Wilhelm *Schulze*, Zur Geschichte lateinischer Eigennamen, 2. unveränderte Auflage, Nachdruck Berlin/Zürich/Dublin 1966
Helmut *Schumacher* s. Ulrich *Engel* - Helmut *Schumacher*, Kleines Valenzlexikon
H. B. *Schumann* s. *Wörterbuch*
Anneliese *Schuster*, Eingegangene Siedlungen im Fichtelgebirge, DSSt. 20 (1951) S. 18-21
Ingo *Schwab* s. Rheinische *Urbare*
Andreas *Schwarcz* s. Peter *Wiesinger*, Probleme
Ernst *Schwarz*, Baiern und Walchen, ZBLG. 33 (1970) S. 857-938
Ernst *Schwarz*, Sudetendeutsche Familiennamen des 15. und 16. Jahrhunderts. Mit 4 Abbildungen, Handbuch der sudetendeutschen Kulturgeschichte. 6. Band, München 1973
Ernst *Schwarz*, Deutsche Namenforschung, I. Ruf- und Familiennamen. Mit 9 Kartenskizzen, Göttingen 1949; II. Orts- und Flurnamen. Mit 13 Kartenskizzen, Göttingen 1950
Ernst *Schwarz*, Sprache und Siedlung in Nordostbayern. Mit 13 Abbildungen im Text, einer Grundkarte und 15 Deckblättern, Erlanger Beiträge zur Sprach- und Kunstwissenschaft. Band IV, Nürnberg 1960
Josef *Schwarzl* s. Josef *Matznetter* - Josef *Schwarzl*, Die historische Entwicklung
W. W. *Scott* s. The *Acts* of William I King of Scots
Albert *Sechehaye* s. Ferdinand *de Saussure*, Grundfragen
Otto *Seeck* s. *Notitia*
Roswitha *Seidelmann* s. Historisches *Ortsnamenbuch* von Niederösterreich
Reinhard H. *Seitz*, Zur Entwicklung der Stadt Kemnath. Von der „Kemenathe" zu Markt und Stadt, OH. 15 (1971) S. 97-112
Wolfgang *Seyfarth* s. Ammiani Marcellini rerum gestarum *libri*
Silvio *Sganzini*, Le denominazioni del "ginepro" e del "mirtillo" nella Svizzera Italiana. II, ID. 10 (1934) S. 263-293

Silvio *Sganzini*, Fonetica dei dialetti della Val Leventina. Introduzione, ID. 1 (1925) S. 190-212

Silvio *Sganzini* s. *Vocabolario*

Hermann *Sickel* s. Jacob *Grimm* - Wilhelm *Grimm*, Deutsches Wörterbuch

Siedlung Burg und Stadt. Studien zu ihren Anfängen. Herausgegeben von Karl-Heinz Otto und Joachim Herrmann. Mit 32 Tafeln und 174 Abbildungen, Deutsche Akademie der Wissenschaften zu Berlin. Schriften der Sektion für Vor- und Frühgeschichte. Band 25, Berlin 1969

Siegfried s. Topographischer *Atlas* der Schweiz

Aug. *Silberstein* s. *Topographie*

Giovanni *de Simoni*, Grafia dei toponimi e discordanza fra toponomastica ufficiale e reale, Corona Alpium. Miscellanea di studi in onore Carlo Alberto Mastrelli, I, Firenze 1983, S. 77-91

P. *Sipma*, Oudfriesche oorkonden, I, 's-Gravenhage 1927; II, 1933; IV, 1977

F. *Sjoerds*, Historische jaarboeken van oud en nieuw Friesland, II, Leeuwarden 1769

Peter *Skautrup*, Det danske sprogs historie, I-V, København 1944-1970

Roar *Skovmand*, Die Geburt der Demokratie 1830-1870, in: Roar Skovmand - Vagn Dybdahl - Erik Rasmussen, Geschichte Dänemarks 1830-1939, Neumünster 1973, S. 13-208

Roar *Skovmand* s. Erik *Rasmussen*, Auf dem Wege zum Wohlfahrtsstaat

C. F. *Slade* s. Barbara *Dodwell*, Some charters

Veronica *Smart* s. *Sylloge*

Gilbert A. R. *de Smet* s. Wolfgang *Kleiber*, Oberdeutsch Klei F.

Gilbert A. R. *de Smet* s. Rudolf *Schützeichel*, Zons

A. H. *Smith*, The Place-Names of Gloucestershire. Part II. The North and West Cotswolds, English Place-Name Society. Volume XXXIX, Cambridge 1964

A. H. *Smith*, The Place-Names of the North Riding of Yorkshire, English Place-Name Society. Volume V, Cambridge 1928

A. H. *Smith*, The Place-Names of the West Riding of Yorkshire. Part VI. East & West Staincliffe and Ewcross Wapentakes, English Place-Name Society. Volume XXXV. For 1957-8, Cambridge 1961

A. H. *Smith*, Place-Names and the Anglo-Saxon Settlement. Sir Israel Gollancz Memorial Lecture, PBA. 42 (1956) S. 79

C. *Smith* s. A.L.F. *Rivet* - C. *Smith*, The Place-Names of Roman Britain

Adolf *Socin*, Mittelhochdeutsches Namenbuch nach oberrheinischen Quellen des zwölften und dreizehnten Jahrhunderts, Basel 1903. Unveränderter reprografischer Nachdruck der Ausgabe Basel 1903, Hildesheim 1966

Stefan *Sonderegger* s. Friedhelm *Debus* - Heinz-Günter *Schmitz*, Überblick

Stefan *Sonderegger*, Grundsätzliches und Methodisches zur namengeschichtlichen Interferenzforschung in Sprachgrenzräumen, Zwischen den Sprachen. Siedlungs- und Flurnamen in germanisch-romanischen Grenzgebieten. Beiträge des Saarbrücker Kolloquiums vom 9.-11. Oktober 1980 herausgegeben von Wolfgang Haubrichs und Hans Ramge, Beiträge zur Sprache im Saarland. Band 4, Saarbrücken 1983, S. 25-57

Stefan *Sonderegger*, Die Ortsnamen, Ur- und frühgeschichtliche Archäologie der Schweiz. Band VI. Das Frühmittelalter, Basel 1979, S. 75-96

Stefan *Sonderegger* s. Alexander *Tanner*, Die Ausdehnung

R. *Spang* s. M. *Buchmüller* - W. *Haubrichs* - R. *Spang*, Namenkontinuität

Rolf *Spang*, Das Flussgebiet der Saar, Kommission für Vergleichende Sprachwissenschaft der Akademie der Wissenschaften und der Literatur Mainz, Hydronymia Germaniae. Reihe A, Lieferung 13, Wiesbaden Stuttgart 1984

Rolf *Spang*, Die Gewässernamen des Saarlandes aus geographischer Sicht, Beiträge zur Sprache im Saarland. Band 3, Saarbrücken 1982

H. *Sparmann* s. *Wörterbuch*

Ferdinand *Spehr* s. Vaterländische *Geschichten*

Rüdiger *Sperber*, Das Flussgebiet des Mains, Akademie der Wissenschaften und der Literatur Mainz, Hydronymia Germaniae. Reihe A. Lieferung 7, Wiesbaden 1970

F. *Spiess* s. *Vocabolario*

O. *Spohr*, Familiengeschichtliche Quellen, XIII, 1954-1959

Zwischen den *Sprachen*. Siedlungs- und Flurnamen in germanisch-romanischen Grenzgebieten.
    Beiträge des Saarbrücker Kolloquiums vom 9.-11. Oktober 1980 herausgegeben von Wolfgang
    Haubrichs und Hans Ramge, Beiträge zur Sprache im Saarland. Band 4, Saarbrücken 1983
Althochdeutscher *Sprachschatz* oder Wörterbuch der althochdeutschen Sprache, in welchem
    nicht nur zur Aufstellung der ursprünglichen Form und Bedeutung der heutigen hochdeut-
    schen Wörter und zur Erklärung der althochdeutschen Schriften alle aus den Zeiten vor
    dem 12ten Jahrhundert uns aufbewahrten hochdeutschen Wörter unmittelbar aus den hand-
    schriftlichen Quellen vollständig gesammelt, sondern auch durch Vergleichung des Althoch-
    deutschen mit dem Indischen, Griechischen, Römischen, Litauischen, Altpreussischen, Go-
    thischen, Angelsächsischen, Altniederdeutschen, Altnordischen die schwesterliche Verwandt-
    schaft dieser Sprachen, so wie dem Hoch- und Niederdeutschen, dem Englischen, Holländi-
    schen, Dänischen, Schwedischen gemeinschaftlichen Wurzelwörter nachgewiesen sind, ety-
    mologisch und grammatisch bearbeitet von E. G. Graff. Sechster Teil. Die mit S anlautenden
    Wörter, Nachdruck der Ausgabe Berlin 1842, Darmstadt 1963
Friedrich *Sprater*, Neue Feststellungen zur Geschichte Speyers. Die Stadt in spätrömischer und
    frühmittelalterlicher Zeit, Palatina 9 (1927) S. 201-202
H. *Sproemberg* s. Hans *Walther*, Siedlungsentwicklung
Rudolf *Šrámek*, Zum Begriff „Modell" und „System" in der Toponomastik, Onoma 17 (1972/
    73) S. 55-75
Franz *Staab*, Ostrogothic Geographers at the Court of Theoderic the Great. A Study of Some
    Sources of the Anonymous Cosmographer of Ravenna, Viator 7 (1976) S. 27-58
F. *Staab*, Speyer im Frankenreich, in: Geschichte der Stadt Speyer. Herausgegeben von der
    Stadt Speyer. Redaktion: Wolfgang Eger, Band I, zweite durchgesehene Auflage, Stuttgart
    1983, S. 163-248
Tegenwoordige *staat* van Friesland, II, 1787
W. *Stadelmann*, Kurze Geschichte der sechs Aemter, AO. 8 (1860) S. 19-50
Aachener *Stadtrechnungen* aus dem 14. Jahrhundert nach den Stadtarchiv-Urkunden mit Einlei-
    tung, Registern und Glossar, herausgegeben von J. Laurent, Aachen 1866
Städtebuch Rheinland-Pfalz und Saarland herausgegeben von Erich Keyser, Deutsches Städte-
    buch. Handbuch städtischer Geschichte. Band IV.3., Stuttgart 1964
Österreichisches *Städtebuch*. Herausgegeben von Alfred Hofmann, IV. Die Städte Niederöster-
    reichs. 1. Teil (A-G); 2. Teil (H-P), redigiert von Friederike Goldmann, Evelin Oberhammer
    und Johanne Pradel, Wien 1976; 3. Teil (R-Z), redigiert von Friederike Goldmann, Wien
    1982
H. *Stam*, Hendrik Jacob Carel Jan baron van Heeckeren van Enghuizen en zijn veldtochten, JAL.
    9 (1986) S. 20f.
T. *Starck* - J. C. *Wells*, Althochdeutsches Glossenwörterbuch (mit Stellennachweis zu sämtlichen
    gedruckten althochdeutschen und verwandten Glossen), Lieferung 1-10, Heidelberg 1972-
    1984
Albert *Starzer*, Die Konstituierung der Ortsgemeinden in Niederösterreich, Wien 1904
Sønderjyske *Stednavne*, II. Haderslev amt, Danmarks Stednavne 4, København 1942; III. Tønder
    amt, Danmarks Stednavne 5, København 1933; IV. Åbenrå amt, Danmarks Stednavne 6,
    København 1936; V. Sønderborg amt, Danmarks Stednavne 7, København 1939
Frauke *Stein*, Franken und Romanen in Lothringen, Studien zur vor- und frühgeschichtlichen
    Archäologie. Festschrift für Joachim Werner zum 65. Geburtstag. Herausgegeben von Georg
    Kossack und Günter Ulbert. Teil II. Frühmittelalter, Münchener Beiträge zur Vor- und Früh-
    geschichte. Ergänzungsband 1/II, München 1974, S. 579-589
Franz *Steinbach*, Aufsätze und Abhandlungen zur Verfassungs-, Sozial- und Wirtschaftsgeschich-
    te, geschichtlichen Landeskunde und Kulturraumforschung, herausgegeben von F. Petri und
    G. Droege, Bonn 1967
Fr. *Steinbach*, Studien zur westdeutschen Stammes= und Volksgeschichte. Mit 19 Abbildungen
    im Text und 10 Karten, Schriften des Instituts für Grenz- und Auslanddeutschtum an der
    Universität Marburg. Heft 5, Jena 1926
Franz *Steinbach*, Ursprung und Wesen der Landgemeinde nach rheinischen Quellen, Arbeitsge-
    meinschaft für Forschung des Landes Nordrhein-Westfalen. Geisteswissenschaften 87, Köln-
    Opladen 1960

K. *Steinbrück* s. D. *Freydank* - K. *Steinbrück*, Die Ortsnamen

Walter *Steinhauser*, Die genetivischen Ortsnamen in Österreich, Akademie der Wissenschaften in Wien. Philosophisch-historische Klasse. Sitzungsberichte, 206. Band, 1. Abhandlung, Wien und Leipzig 1927

A. *Steinhauser* s. *Topographie*

Wolfgang *Steinitz* s. *Wörterbuch*

J.W.C. *von Steinius*, Topographischer Landschematismus, 1.A. 1795/1796, 2.A. 1822

Elias *von Steinmeyer* s. Althochdeutsches *Wörterbuch*

H. *Steinröx*, Das Alter des Ortes Widdau, ML. 10 (1982) S. 148

H. *Steinröx*, Der Anfang der Orte Dedenborn, Rauchenauel, Seifenauel und Pleußhammer-Pleuß-hütte, ML. 12 (1984) S. 42-46

H. *Steinröx*, Das Dorf Eicherscheid und seine erste Pfarrkirche, in: 300 Jahre Pfarre St. Lucia Eicherscheid 1685-1985, [o.O.] 1985

H. *Steinröx*, Die Erbhuldigung im Jahre 1730/31, EHV. 26 (1954) S. 82-103

H. *Steinröx*, Eine Namenliste des Kreises Monschau nach der Forstmeisterrechnung des Jahres 1647/48, EHV. 33 (1961) S. 4-16

Hans *Steinröx* s. Elmar *Neuß*, Lammersdorf-Lammerscheid

H. *Steinröx*, Der Ursprung des Dorfes Roetgen, ML. 9 (1981) S. 204-210

H. *Steinröx*, Der Ursprung des Dorfes Rohren, ML. 10 (1982) S. 149-153

H. *Steinröx*, Der Ursprung des Dorfes Rott, ML. 9 (1981) S. 211-213

H. *Steinröx*, Der Ursprung der Siedlung Schwerzfeld, ML. 9 (1981) S. 214f.

P. Chr. *v. Stemann*, En dansk Embedsmands Odyssé, I-II, København 1961

Luise *Stemler* s. *Chronik*

Doris Mary *Stenton* s. Barbara *Dodwell*, Some charters

F. M. *Stenton*, The First Century of English Feudalism, 2nd Edition, Oxford 1961

F. M. *Stenton*, The Scandinavian Colonies in England and Normandy, TRHS. Fourth Series 27 (1945) S. 1-12

F. M. *Stenton*, Anglo-Saxon England. Third Edition, The Oxford History of England II, Oxford 1971

F. M. *Stenton* s. J.E.B. *Gover* - Allen *Mawer* - F. M. *Stenton*, The Place-Names of Nottingham-shire

F. M. *Stenton* s. A. *Mawer* - F. M. *Stenton* - F.T.S. *Houghton*, The Place-Names of Worcester-shire

Doris Mary *Stenton* s. *Pleas*

Doris M. *Stenton* s. The Great *Roll*

Heiko *Steuer* s. Gerhard *Köbler*, *Civitas*

Fritz *Stich* s. *Rheinlande*

Karl *Stiglbauer*, Die Hauptdörfer in Niederösterreich. Eine Untersuchung über zentrale Orte unterster Stufe, Österreichisches Institut für Raumplanung. Veröffentlichung 26, Wien 1974

A. *Streichele* - A. *Schröder* - F. *Zöpfl*, Beschreibung des Bistums Augsburg, Band 2 bis 10, 1861ff.

Karl *Ströse* s. Emil *Weyhe*, Landeskunde des Herzogtums Anhalt

P. *Stumpf*, Bayern. Ein geographisch-statistisch-historisches Handbuch des Königreichs, 1851-1854

Heribert *Sturm*, Districtus Egranus. Eine ursprüngliche bayerische Region, Historischer Atlas von Bayern. Teil Altbayern. Reihe II. Heft 2, München 1981

Heribert *Sturm* s. *Kemnath*

Hans *Sturmberger* s. Helmuth *Feigl*, Die oberösterreichischen Taidinge

Sylloge of Coins of the British Isles 28: Cumulative Index of Volumes 1-20, by Veronica Smart, London 1981

T

Alexander *Tanner*, Die Ausdehnung des Tuggenersees im Frühmittelalter, St. Gallische Ortsna-menforschung. Mit Beiträgen von Stefan Sonderegger, Gerold Hilty, Eugen Nyffenegger und

Alexander Tanner, 108. Neujahrsblatt. Herausgegeben vom Historischen Verein des Kantons
St. Gallen, St. Gallen 1968, S. 30-38
C. *Tavernier-Vereecken,* Gentse Naamkunde van ca. 1000 tot 1253. Een bijdrage tot de kennis
van het oudste Middelnederlands, Bouwstoffen en studien voor de geschiedenis en de lexico-
grafie van het Nederlands XI, Tongeren 1968
E. *Tellenbach* s. *Wörterbuch*
Die alten *Territorien* des Bezirkes Lothringen (mit Einschluß der zum Oberrheinischen Kreise
gehörigen Gebiete im Bezirke Unter-Elsaß) nach dem Stande vom 1. Januar 1648. II. Theil.
Mit Ortsverzeichnis und einer Karte, Statistische Mittheilungen über Elsaß-Lothringen.
Dreißigstes Heft, Straßburg 1909
G. *Tessier* s. *Recueil* des Actes de Charles II
Friedrich *Thalmann* s. Walter *Goldinger,* Der geschichtliche Ablauf
Heinrich *Tiefenbach,* Fischfang und Rauchfang. Zum Problem der deverbalen Rückbildungen in
der deutschen Gegenwartssprache, Sprachwissenschaft 9 (1984) S. 1-19
Heinrich *Tiefenbach,* Mimigernaford - Mimegardeford. Die ursprünglichen Namen der Stadt
Münster, BNF. NF. 19 (1984) S. 1-20
Hans *Tietze* s. Die *Denkmale*
Hans *Tietze* s. Justus *Schmidt* - Hans *Tietze,* Die Kunstdenkmäler Österreichs. Wien
T. Northcote *Toller* s. An Anglo-Saxon *Dictionary*
Topographie von Niederösterreich. Erster Band. Das Land unter der Enns nach seiner Natur,
seinen Einrichtungen und seinen Bewohnern. Unter Mitwirkung von Josef Bauer, M. A.
Becker, Fr. Czaslavsky, Georg v. Frauenfeld, Carl Fritsch, C. Haselbach, F. W. Hofmann,
Ludw. v. Karajan, F. Kürschner, Ant. Mayer, A. v. Reilreich, I. Riedzwiedsky, A. Rogenhofer,
Ed. Freih. v. Sacken, G. Schimmer, Aug. Silberstein, A. Steinhauser und Carl Weitz, Wien
1877; Zweiter Teil. Alphabetische Reihenfolge und Schilderung der Ortschaften in Niederösterreich bearbeitet von M. A. Becker. Erster Band: A-E mit Register, Wien 1879-1885;
Dritter Band. Alphabetische Reihenfolge und Schilderung der Ortschaften in Niederöster-
reich. Zweiter Band: F und G mit Register, Wien 1893; Vierter Band. Alphabetische Reihen-
folge und Schilderung der Ortschaften in Niederösterreich. Dritter Band: H, I und I (j) mit
Register, Wien 1896; Fünfter Band. Alphabetische Reihenfolge und Schilderung der Ort-
schaften in Niederösterreich. Vierter Band: K und L mit Register, Wien 1903; Sechster Band.
Redigiert von Max Vancsa. Alphabetische Reihenfolge und Schilderung der Ortschaften in
Niederösterreich. Sechster Band: M mit Register, Wien 1909; Siebenter Band. Redigiert von
Max Vancsa. Alphabetische Reihenfolge und Schilderung der Ortschaften in Niederöster-
reich. Sechster Band: N u. O mit Register, Wien 1915; Achter Band. Der alphabetischen
Reihenfolge der Ortschaften siebenter Band. Redigiert von Max Vancsa. Erstes und zweites
Heft, Wien 1913, Drittes Heft, Wien 1916
V. N. *Toporov,* Prusskij jazyk. Slowar. I. A-D, Moskwa 1975
Anton *Tovar,* Krahes alteuropäische Hydronymie und die westindogermanischen Sprachen, Sit-
zungsberichte der Heidelberger Akademie der Wissenschaften. Philologisch-historische Klasse.
Jahrgang 1977/2, Heidelberg 1977
Anton *Tovar* s. Jürgen *Udolph,* Besprechung von: Anton Tovar, Krahes alteuropäische Hydro-
nymie
Traditiones Wizenburgenses. Die Urkunden des Klosters Weissenburg 661-864. Eingeleitet und
aus dem Nachlass von Karl Glöckner herausgegeben von Anton Doll, Arbeiten der Hessischen
Historischen Kommission Darmstadt, Darmstadt 1979
J. P. *Trap,* Statistisk-topografisk Beskrivelse af Hertugdømmet Slesvig, I-II, København 1864
Norbert *Trautz* s. Ulrich *Engel* - Helmut *Schumacher,* Kleines Valenzlexikon
Jost *Trier,* Versuch über Flußnamen, Arbeitsgemeinschaft für Forschung des Landes Nordrhein-
Westfalen. Geisteswissenschaften. Heft 88, Köln und Opladen 1960
Trübner s. Trübners Deutsches *Wörterbuch*

U

Jürgen *Udolph,* Alteuropa an der Weichselmündung, BNF. NF. 15 (1980) S. 25-39

Jürgen *Udolph*, Zu neuen Arbeiten der polnischen Namenforschung, ZOF. 30 (1981) S. 75-95

Jürgen *Udolph*, Besprechung von: Beiträge zur Onomastik. Vorträge der namenkundlichen Arbeitstagung „Aktuelle Probleme der Namenforschung in der DDR". Karl Marx Universität Leipzig. 23.-24.10.1979. Herausgegeben von Ernst Eichler und Hans Walther, Redaktion: Inge Bily. Linguistische Studien. Reihe A. Arbeitsberichte 73. I-II. Akademie der Wissenschaften der DDR. 1980. Zentralinstitut für Sprachwissenschaft. S. 1-122 und S. 123-246., BNF. NF. 17 (1982) S. 83-87

Jürgen *Udolph*, Besprechung von: Anton Tovar: Krahes alteuropäische Hydronymie und die westindogermanischen Sprachen, Sitzungsberichte der Heidelberger Akademie der Wissenschaften, Philologisch-historische Klasse. Jahrgang 1977/2, Heidelberg 1977, Kratylos 22 (1977 [1978]) S. 123-129

Jürgen *Udolph*, Zum Namen des *Südlichen Bug*, IF. 88 (1983) S. 98-108

Jürgen *Udolph*, Neues zur Etymologie des Namens *Wien*, ÖNF. 13 (1985) H. 1, S. 81-97

Jürgen *Udolph*, Ex oriente lux. Zu einigen germanischen Flußnamen, BNF. NF. 16 (1981) S. 84-106

Jürgen *Udolph*, Die Stellung der Gewässernamen Polens innerhalb der alteuropäischen Hydronymie (im Druck)

Jürgen *Udolph*, Studien zu slavischen Gewässernamen und Gewässerbezeichnungen. Ein Beitrag zur Frage nach der Urheimat der Slaven. Mit 119 Karten, BNF. NF. Beiheft 17, Heidelberg 1979

Topographisch-statistische *Uebersicht* des Regierungs-Bezirkes Aachen, nebst einem Verzeichniß der darin befindlichen Ortschaften; zusammengestellt von einem Mitgliede des Regierungs-Sekretariats, Aachen 1820

Günter *Ulbert* s. Frauke *Stein*, Franken

Elfriede *Ulbricht* s. Althochdeutsches *Wörterbuch*

Ilse *Ulmann* s. Ammiani Marcellini rerum gestarum *libri*

Franz-Josef *Umlauft* s. Sudetendeutsche *Familienforschung*

Urbare und Wirtschaftsordnungen des Domstifts zu Bamberg. I. Teil. Bearbeitet von Erich Freiherr von Guttenberg. Aus dem Nachlaß herausgegeben von Alfred Wendehorst, Veröffentlichungen der Gesellschaft für fränkische Geschichte, Reihe X. Quellen zur Rechts- und Wirtschaftsgeschichte Frankens. 7. Band, Würzburg 1969

Rheinische *Urbare*. 5. Band. Das Prümer Urbar herausgegeben von Ingo Schwab, Publikationen der Gesellschaft für Rheinische Geschichtskunde XX, Düsseldorf 1983

Urkunden zur Geschichte der Stadt Speyer. Dem Historischen Verein der Pfalz zu Speyer gewidmet von Heinrich Hilgard-Villard. Gesammelt und herausgegeben von Alfred Hilgard, Strassburg 1885

Die *Urkunden* der deutschen Karolinger. Vierter Band. Die Urkunden Zwentibolds und Ludwigs des Kindes. Bearbeitet von Theodor Schieffer, Monumenta Germaniae historica inde ab anno Christi quingentesimo usque ad annum millesimum et quingentesimum. Diplomata regum Germaniae ex stirpe Karolinorum, Berlin 1960

Die *Urkunden* des Klosters Weißenburg 661-864. Herausgegeben von K. Glöckner und A. Doll, Darmstadt 1979

Die *Urkunden* der deutschen Könige und Kaiser. Herausgegeben von der Gesellschaft für ältere deutsche Geschichtskunde. Dritter Band. Die Urkunden Heinrichs II. und Arduins, Monumenta Germaniae historica inde ab anno Christi quingentesimo usque ad annum millesimum et quingentesimum, Hannover 1900-1903

Die *Urkunden* der deutschen Könige und Kaiser. Herausgegeben von der Gesellschaft für ältere deutsche Geschichtskunde. Fünfter Band. Die Urkunden Heinrichs III. Herausgegeben von H. Bresslau (†) und P. Kehr, Monumenta Germaniae historica inde ab anno Christi quingentesimo usque ad annum millesimum et quingentesimum, Berlin 1931

Die *Urkunden* der deutschen Könige und Kaiser. Neunter Band. Die Urkunden Konrads III. und seines Sohnes Heinrich. Bearbeitet von Friedrich Hausmann, Monumenta Germaniae historica inde ab anno Christi quingentesimo usque ad annum millesimum et quingentesimum, Wien - Köln - Graz 1969

Die Bonner *Urkunden* des frühen Mittelalters. Herausgegeben von W. Levison, BJB. 136/137 (1932) S. 217-270

Urkundenbuch zur Geschichte der Babenberger in Österreich. Vorbereitet von Oskar Frh. v. Mitis †. Bearbeitet von Heinrich Fichtenau und Erich Zöller. Vierter Band. Erster Halbband. Ergänzende Quellen 976-1194. Unter Mitwirkung von Heide Dienst bearbeitet von Heinrich Fichtenau, Publikationen des Instituts für österreichische Geschichtsforschung. Dritte Reihe, Wien 1968

Urkundenbuch zur Geschichte der jetzt die Preussischen Regierungsbezirke Coblenz und Trier bildenden mittelrheinischen Territorien. Erster Band. Von den ältesten Zeiten bis zum Jahre 1169. Aus den Quellen herausgegeben von Heinrich Beyer, Coblenz 1860; Zweiter Band. Vom Jahre 1169 bis 1212. Bearbeitet von Heinrich Beyer Leopold Eltester und Adam Goerz, Coblenz 1865; Dritter Band. Vom Jahre 1212 bis 1260. Bearbeitet von Leopold Eltester und Adam Goerz, Coblenz 1874

Urkundenbuch der Stadt Düren, I.1, bearbeitet von W. Kaemmerer, Düren 1971

Salzburger *Urkundenbuch*, I. Traditionscodices, gesammelt und bearbeitet von Willibald Hauthaler, Salzburg 1910; II. Urkunden, bearbeitet von Willibald Hauthaler und Franz Martin, Salzburg 1916

P. Aemilian[us] *Ussermann* s. *Episcopatus* Bambergensis

V

V. F. *Vanacker* s. Wolfgang *Kleiber*, Oberdeutsch Klei F.

V. F. *Vanacker* s. Rudolf *Schützeichel*, Zons

Max *Vancsa* s. *Topographie*

Max *Vasmer*, Zur slavischen Namenforschung: 4. *Radęca* (Annales Academiae Scientarum Fennicae, Serie B, Bd. 27, 1932 [= Mélanges de Philologie offertes à J. J. Mikkola], 342f.), in: Max Vasmer, Schriften zur slavischen Altertumskunde und Namenkunde herausgegeben von Herbert Bräuer. I. Band, Veröffentlichungen der Abteilung für slavische Sprachen und Literaturen des Osteuropa-Instituts (Slavisches Seminar) an der Freien Universität Berlin. Band 38, Berlin 1971, S. 72

E. *Verhofstadt* s. Wolfgang *Kleiber*, Oberdeutsch Klei F.

E. *Verhofstadt* s. Rudolf *Schützeichel*, Zons

Stephan *Verosta* s. Walter *Goldinger*, Der geschichtliche Ablauf

Veszprém megye földrajzi nevei I. A tapolcai járás (Geographische Namen des Komitates Veszprém. Band I. Kreis Tapolca). Red.: Lajos Balogh und Ferenc Ördög, Budapest 1982

Auguste *Vincent*, Toponymie de la France, Bruxelles 1937

L. *Visser*, De straatnamen van Zeist, Zeist 1978

Vocabolario dei dialetti della Svizzera Italiana. Volume I. A-Agnesa. Direzione Silvio Sganzini. Redazione S. Sganzini - E. Ghirlanda - F. Spiess. Indici Rosanna Zeli, Lugano 1952

Friedrich *Vogel* s. Meyers Enzyklopädisches *Lexikon*

Geo *Vollnhals*, Nemsgor. Ein Tagesausflug mit philologischen Betrachtungen, DOPf. 20 (1926) S. 194-196

Maja N. *Volodina*, Terminologische Nomination und ihre Besonderheiten, Sprachwissenschaft 10 (1985) S. 107-119

Wenzel *Vondrák*, Vergleichende Slavische Grammatik. I. Band. Lautlehre und Stammbildungslehre. Zweite stark vermehrte und verbesserte Auflage, Göttinger Sammlung indogermanischer Grammatiken und Wörterbücher, Göttingen 1924

Anthonie Abraham *Vorsterman van Oyen* - J. F. *van Maanen*, Algemeen Woordenboek der Aardrijkskunde, Rotterdam 1903

D. *Vos* s. *Lijst*

J. *de Vries*, Woordenboek der Noord- en Zuidnederlandse Plaatsnamen, Utrecht Antwerpen 1962

W

Kurt *Wagner*, Echte und unechte Ortsnamen, Akademie der Wissenschaften und der Literatur.

Abhandlungen der Geistes- und Sozialwissenschaftlichen Klasse. Jahrgang 1967. Nr. 3, Wiesbaden 1967

J. K. *Wallenberg*, Kentish Place-Names: A Topographical and Etymological Study of the Place-Name Material in Kentish Charters dated before the Conquest, Uppsala Universitets Årskrift 1931, Uppsala 1931

Hans *Walther*, Beharrung und Wandel in der Siedlungsnamenlandschaft. Theodor Frings zum 80. Geburtstag, PBB. 88 (Halle 1967) S. 467-476

Hans *Walther*, Namenkundliche Beiträge zur Siedlungsgeschichte des Saale- und Mittelelbegebietes bis zum Ende des 9. Jahrhunderts. Mit 14 Karten, Sächsische Akademie der Wissenschaften zu Leipzig. Historische Kommission, Deutsch-slawische Forschungen zur Namenkunde und Siedlungsgeschichte. Nr. 26, Berlin 1971

H. *Walther* s. E. *Eichler* - H. *Walther*, Die Ortsnamen im Gau Daleminze

Hans *Walther* s. Ernst *Eichler* - Hans *Walther*, Ortsnamenbuch

Hans *Walther* s. Ernst *Eichler* - Hans *Walther*, Untersuchungen

Hans *Walther* s. Karlheinz *Hengst*, Neologismen

Hans *Walther*, Mehrnamigkeit von Siedlungen als sprachsoziologische Erscheinung, in: R. Fischer. H. Walther. J. Schultheis. E. Eichler. K. Hengst. V. Blanár, Leipziger namenkundliche Beiträge II. Mit einer Bibliographie der Leipziger namenkundlichen Arbeitsgruppe (4. Folge), Sitzungsberichte der Sächsischen Akademie der Wissenschaften zu Leipzig. Philologisch-historische Klasse. Band 113. Heft 4, Berlin 1968, S. 19-28

Hans *Walther* s. Stanisław *Rospond*, Über 'Deanthroponymisierung'

Hans *Walther*, Siedlungsentwicklung und Ortsnamengebung östlich der Saale im Zuge der deutschen Ostexpansion und Ostsiedlung, in: Vom Mittelalter zur Neuzeit. Zum 65. Geburtstag von Heinrich Sproemberg. Herausgegeben von Hellmut Kretzschmar, Forschungen zur mittelalterlichen Geschichte Band 1, Berlin 1956

Hans *Walther*, Status-, Struktur- und Funktionswandel von Siedlungen und ihre Auswirkungen auf die Benennungsentwicklung, Beiträge zur Onomastik II. Vorträge der Teilnehmer aus der DDR auf dem XV. Internationalen Kongreß für Namenforschung Karl-Marx-Universität Leipzig, 13.-17. August 1984. Herausgegeben von Ernst Eichler, Hans Walther, Inge Bily, Linguistische Studien. Reihe A. Arbeitsberichte 129/II, S. 391-400

Hans *Walther* s. Jürgen *Udolph*, Besprechung von: Beiträge zur Onomastik

Adam *Wandruszka* s. Walter *Goldinger*, Der geschichtliche Ablauf

Volker *Wappmann*, Zur Geschichte von Altenstadt bei Vohenstrauß, OH. 22 (1978) S. 85-90

Walther *von Wartburg*, Umfang und Bedeutung der germanischen Siedlung in Nordgallien im 5. und 6. Jahrhundert im Spiegel der Sprache und der Ortsnamen, Deutsche Akademie der Wissenschaften zu Berlin. Vorträge und Schriften. Heft 36, Berlin 1950

Konrad *Weidling* s. Geflügelte *Worte*

Heinrich *Weigl* s. Historisches *Ortsnamenbuch* von Niederösterreich

Lis *Weise*, Danske indbyggernavne på -inge. Navnestudier udgivet af Institut for Navneforskning Nr. 22, København 1983

Lis *Weise* s. Wolfgang *Laur*, Besprechung von: Lis Weise, Danske indbyggernavne

Leo *Weisgerber*, Erläuterungen zur Karte der römerzeitlich bezeugten rheinischen Namen. Mit 2 Karten, RhVB. 23 (1958) S. 1-49

German *Weiß*, Das „Alte Dorf" bei Weiden. Flur und Lage, OH. 4 (1959) S. 83-94

Carl *Weitz* s. *Topographie*

Joachim Freiherr *v. Welck* s. Die *Kunstdenkmale* des Kreises Springe

J. C. *Wells* s. T. *Starck* - J. C. *Wells*, Althochdeutsches Glossenwörterbuch

Max *Weltin* s. Historisches *Ortsnamenbuch* von Niederösterreich

Alfred *Wendehorst* s. *Urbare* und Wirtschaftsordnungen

H. *Wengert*, Die Stadtanlagen der Steiermark, Graz 1932

Joachim *Werner* s. Frauke *Stein*, Franken

Karl Ferdinand *Werner* s. Eugen *Ewig*, Die fränkischen Teilungen

Elias *Wessen* s. Sveriges *Runinskrifter*

Emil *Weyhe*, Landeskunde des Herzogtums Anhalt. Buchschmuck von Karl Ströse. Zweiter Band, Dessau 1907

Dorothy *Whitelock* s. O. *von Feilitzen* - C. *Blunt*, Personal Names

Hans Bodo *Wieber*, Die Ortsnamen des Kreises Torgau, Dissertation Leipzig 1968 (Maschinen-schrift)

Ernst *Wiedemann*, Trebgast, Landkreis Kulmbach. Besitzgeschichtliche Untersuchungen, AO. 52 (1972) S. 117-186

M. *Wiegersma* s. *Encyclopedie* van Friesland

Peter *Wiesinger*, Probleme der bairischen Frühzeit in Niederösterreich aus namenkundlicher Sicht, in: Die Bayern und ihre Nachbarn. Teil I. Berichte des Symposions der Kommission für Frühmittelalterforschung 25. bis 28. Oktober 1982, Stift Zwettl, Niederösterreich. Her-ausgegeben von Herwig Wolfram und Andreas Schwarcz, Österreichische Akademie der Wis-senschaften. Philosophisch-historische Klasse. Denkschriften, 179. Band. Veröffentlichungen der Kommission für Frühmittelalterforschung, Band 8, Wien 1985, S. 321-367

W. H. *Wilderom*, Tussen afsluitdammen en deltadijken, II, [o.O.] 1964

J.Th.H. *de Win*, "Kastelen" in Limburg, Hoensbroek 1975

H. *Winter*, Die Entwicklung der Landwirtschaft und Kulturlandschaft des Monschauer Landes unter besonderer Berücksichtigung der Rodungen, Forschungen zur deutschen Landeskunde 147, Bad Godesberg 1965

Joachim *Wirtz*, Die Verschiebung der germ. *p, t* und *k* in den vor dem Jahre 1200 überlieferten Ortsnamen der Rheinlande. Mit 13 Karten, BNF. NF. Beiheft 9, Heidelberg 1972

Teodolius *Witkowski*, Grundbegriffe der Namenkunde, Deutsche Akademie der Wissenschaften zu Berlin. Vorträge und Schriften. Heft 91, Berlin 1964

Hans *Witte*, Das deutsche Sprachgebiet Lothringens und seine Wandelungen von der Feststellung der Sprachgrenze bis zum Ausgang des 16. Jahrhunderts. Mit einer Karte. Unveränderter Neudruck der Ausgabe von 1894, Wiesbaden 1973

Hans N. *Witte*, Deutsche und Keltoromanen in Lothringen nach der Völkerwanderung. Die Ent-stehung des deutschen Sprachgebietes. Mit einer Karte, Beiträge zur Landes- und Volkskunde von Elsass-Lothringen XV. Heft, Strassburg 1891

Althochdeutsches *Wörterbuch* auf Grund der von Elias von Steinmeyer hinterlassenen Sammlun-gen im Auftrag der Sächsischen Akademie der Wissenschaften zu Leipzig bearbeitet und her-ausgegeben von Elisabeth Karg-Gasterstädt und Theodor Frings. Band I: A und B. Bearbeiter Siegfried Blum, Theodor Frings, Heinrich Götz, Sybille Habermann, Elisabeth Karg-Gaster-städt, Gertraud Müller, Elfriede Ulbricht, Gerhard Wolfrum, Berlin 1968

Schleswig-Holsteinisches *Wörterbuch*. (Volksausgabe). Herausgegeben von Otto Mensing. Dritter Band. K bis P, unveränderter Neudruck der Ausgabe von 1927-1935, Neumünster 1973

Topographisches *Wörterbuch* des Großherzogtums Baden. Bearbeitet von Albert Krieger, I, II, Unveränderter Neudruck der Ausgabe Heidelberg 1905, Wiesbaden 1972

Trübners Deutsches *Wörterbuch*. Begründet von Alfred Götze. In Zusammenarbeit mit Max Gottschald und Günther Hahn herausgegeben von Walther Mitzka. Achter Band W-Z, Berlin W 35 1957

Wörterbuch der deutschen Gegenwartssprache. Herausgegeben von Ruth Klappenbach und Wolf-gang Steinitz †. 6. Band. väterlich - Zytologie. Bearbeiter: G. Kempcke, R. Klappenbach, H. Malige-Klappenbach. Autoren der Artikel: Ch. Blumrich, E. Dückert, I. Dymke, G. Ginschel, G. Hagen, H. Käubler, G. Kempcke, S. Ketzel, R. Klappenbach, E. Mager, H. Malige-Klappen-bach, H. Petermann, M. Richter, V. de Ruiter, R. Schmidt, H. B. Schumann, H. Sparmann, E. Tellenbach, W. Wunderlich, K. Wunsch, Akademie der Wissenschaften der DDR. Zentral-institut für Sprachwissenschaft, 3., unveränderte Auflage, Berlin 1982

Hans *Wolf*, Erläuterungen zum Historischen Atlas der Österreichischen Alpenländer II/6, Pfarr-karte Niederösterreich, Wien 1956

Heinz Jürgen *Wolf*, Dialektform - offizielle Form und Flurnamen vorromanischer Provenienz in Sardinien am Beispiel von Olzai (NU), Gießener Flurnamen-Kolloquium. 1. bis 4. Oktober 1984. Bibliographie. 47 Beiträge. Register. 60 Abbildungen. Herausgegeben von Rudolf Schützeichel, BNF. NF. Beiheft 23, Heidelberg 1985, S. 408-424

J. *Wolf*, Versuch die Geschichte der Grafen von Hallermund und der Stadt Eldagsen zu erläu-tern, Göttingen 1815

Lothar *Wolf* - Werner *Hupka*, Altfranzösisch. Entstehung und Charakteristik. Eine Einführung, Die Romanistik. Einführungen in Gegenstand, Methoden und Ergebnisse ihrer Teildiszipli-nen, Darmstadt 1981

Heinz *Wolfensberger*, Mundartwandel im 20. Jahrhundert. Dargestellt an Ausschnitten aus dem Sprachleben der Gemeinde Stäfa, Beiträge zur schweizerdeutschen Mundartforschung. Band XIV, Frauenfeld 1967

L. *Wolff* s. Edward *Schröder*, Deutsche Namenkunde

Herwig *Wolfram* s. Peter *Wiesinger*, Probleme

Gerhard *Wolfrum* s. Althochdeutsches *Wörterbuch*

Woordenboek der Nederlandsche Taal. Negentiende Deel, 's-Gravenhage 1982

Hans H. *Worsøe*, Tiden 1864-1920, in: Johan Hvidtfeldt - Peter K. Iversen, Åbenrå bys historie, III, Åbenrå 1974, S. 5-124

Geflügelte *Worte*. Der Zitatenschatz des deutschen Volkes gesammelt und erläutert von Georg Büchmann fortgesetzt von Walter Robert-tornow, Konrad Weidling, Eduard Ippel, Bogdan Krieger, Gunther Haupt, Werner Rust, Alfred Grunow. 32. Auflage vollständig neubearbeitet von Gunther Haupt und Winfried Hofmann, Berlin 1972

G. *Wrede*, Die Kirchensiedlungen im Osnabrücker Lande, MVGLO. 64 (1950) S. 63-87

W. *Wunderlich* s. *Wörterbuch*

K. *Wunsch* s. *Wörterbuch*

Z

R. W. *Zandvoort* s. E. *Ekwall*, Some Cases

J. *Zangerle*, Der Tiroler Lechgau, Innsbruck 1913

J. W. *Zantema*, Frysk wurdboek. Hânwurdboek fan 'e Fryske taal. Mei dêryn opnommen list fan Fryske plaknammen, list fan Fryske gemeentenammen, I. Frysk-nederlàndsk, Fryske Akademy 631, 3.A. Leeuwarden 1984; II. Nederlànsk-frysk, Fryske Akademy 649, Leeuwarden 1985

Zarncke s. Matthias *Lexer*, Mittelhochdeutsches Handwörterbuch

Rosanna *Zeli* s. *Vocabolario*

Matthias *Zender* s. Wolfgang *Jungandreas*, Treverica

A. *Ziegelhöfer* - G. *Hey*, Die Ortsnamen des ehemaligen Fürstentums Bayreuth, Bayreuth 1920

Josef *Zihlmann* s. Albrecht *Greule*, Besprechung von: Josef Zihlmann, Namenlandschaft

Th. *Zimmer* s. *Quellen* zur Geschichte der Herrschaft Landskron

Robert *Zink*, St. Theodor in Bamberg 1157-1554. Ein Nonnenkloster im mittelalterlichen Franken, Historischer Verein für die Pflege der Geschichte des ehemaligen Fürstbistums Bamberg. Beiheft 8, Bamberg 1978

Erich *Zöller* s. *Urkundenbuch* zur Geschichte der Babenberger

Erich *Zöllner*, Geschichte Österreichs. Von den Anfängen bis zur Gegenwart. 7. Auflage, München Wien 1984

F. *Zöpfl* s. A. *Streichele* - A. *Schröder* - F. *Zöpfl*, Beschreibung

Gerhard *Zückert*, Urpfarrei Altenstadt WN, OH. 19 (1975) S. 53-62

Nachtrag

Oscar *Camponovo*, Sulle strade regine del Mendrisiotto, Bellinzona 1976

Mario *Frasa*, La scrittura del nome. Deformazioni grafiche nella toponomastica, L'Almanacco 1986, Cronache di vita ticinese, Bellinzona 1985, S. 126-130

E. *Gringmuth-Daller*, Die Entwicklung der frühgeschichtlichen Kulturlandschaft auf dem Territorium der DDR unter besonderer Berücksichtigung der Siedlungsgebiete, Berlin 1983

Erwin *Herrmann*, Altenkemnath, Festschrift zur 975-Jahrfeier der Stadt Kemnath 1008-1983, Kemnath 1983, S. 272-285

E. *Quadflieg*, Monschaus Stadtwerdung 1352 und der Monschau-Valkenburger Erbfolgestreit, EHV. 28 (1956) Sonderheft S. 47-152

Ernst *Schwarz*, Der wüste 'Hof zu Kreybiz'. Eine abgegangene Einzelhofsiedlung bei Freudeneck Unterfranken, FL. 2 Nr. 15 (1954) S. 58f.

R. *Trautmann*, Die slavischen Ortsnamen Mecklenburgs und Holsteins, 2.A. Berlin 1950

Jan A. Huisman

Gemeindenamengebung im Rahmen der Planverstädterung

Unter Planverstädterung verstehen wir die planmäßige Umbildung ländlicher Gebiete zu städtischen Gemeinschaften. Sie wird von der höheren Verwaltung durchgeführt. Man kann in diesem Prozeß drei Arten unterscheiden: Erstens die Gründung neuer Städte oder die Stadterhebung und Eximierung von Dörfern, die sich durch Gewerbe und Handel stark auswachsen. Zum andern können Städte ihr Gebiet durch Eingliederung von Randgemeinden erweitern. Die dritte Art der Planverstädterung bildet die Verbindung zweier oder mehrerer Landgemeinden zu einer Stadt. Städtegründungen und Stadterhebungen hat es zu allen Zeiten gegeben. In unserem Jahrhundert aber wird die Verstädterung fast ausschließlich mittels der Eingemeindungen vorangetrieben. Seit dem zweiten Weltkrieg ist diese Entwicklung in eine Stromschnelle geraten. Der noch immer wachsende Aufgabenbereich der öffentlichen Verwaltung erfordert einen spezialisierten Beamtenapparat, der nur von großen Gemeindewesen getragen werden kann.

Die Namengebung der neuen Gemeinden bildet einen Aspekt der Verstädterung, der nicht nur für die Namenkundler von Bedeutung ist. Wir gehen hier eine Übersicht über die bei dieser Namenwahl geübte Praxis und eine Besprechung der Kriterien, deren Handhabung einer abgewägten Entscheidung förderlich erscheint. Wir beschränken uns auf das niederländische Hoheitsgebiet, allerdings nicht ohne dort, wo es nützlich erscheint, einen Blick auf die belgischen und bundesdeutschen Verhältnisse zu werfen.

Die heutige niederländische Gemeinde bildet die Fortsetzung der französischen *mairie*. Nach der Einverleibung der Niederlande in Frankreich im Jahre 1810 wurde hier die durch das Gesetz vom 14. Dezember 1789 festgesetzte kommunale Organisation durchgeführt. Der darin aufgegebene Unterschied zwischen Stadtgemeinden und Landgemeinden wurde zwar von König Wilhelm I. wieder eingeführt, aber in der heute noch gültigen Gemeentewet des Jahres 1851 endgültig abgeschafft[1]. Alle Gemeinden, vom kleinsten Dorf bis zu Amsterdam, werden von einem unmittelbar gewählten Gemeinderat verwaltet. Vorsitzender ist der Bürgermeister, ein königlicher Beamter, der nicht stimmberechtigt ist. Allgemeine Größenklassen gibt es nicht, auch nicht die bundesdeutsche Großstadtgrenze bei hunderttausend Einwohnern[2].

----

[1] C. W. van der Pot, Handboek, S. 540.

[2] Einzelne Bestimmungen sind allerdings an der Größe orientiert. Gemeinden über fünfundzwanzigtausend Einwohner besitzen eine eigene Polizei, die nicht dem Justiz-

In den Niederlanden lief eine erste Periode der Eingemeindungen vom Jahre 1830 bis zum Jahr 1865, mit einer Spitze in den Jahren von 1855 bis 1857. Zunächst verloren zahlreiche kleine Gemeinden, die oft nur aus einem Herrengut bestanden, ihre Selbständigkeit. Damit erloschen automatisch die a. 1815 wieder anerkannten Rechte der Gutsbesitzer. Es ist bezeichnend für die schwächere Einwirkung der französischen Revolution in Deutschland, daß dort die Gutsbezirke, deren Besitzer wichtige öffentlich-rechtliche Geschäfte versahen, erst durch ein Gesetz vom 27. Dezember 1927 aufgehoben wurden[3]. Ebenso erlosch die rechtliche Scheidung von Stadtgemeinden und Landgemeinden erst im Jahre 1935, mehr als achzig Jahre später als in den Niederlanden[4]. Die zweite Periode der niederländischen Eingemeindungen reicht vom Jahre 1912 bis zu dem Jahre 1958, mit einer Spitze in den Kriegsjahren 1941 bis 1942. Eine dritte, noch jetzt laufende Periode eröffnete die Revision der Gemeentewet vom 14. April 1950, deren Paragraphen (artikelen) 157 bis 166 eine neue Regelung der Eingemeindungen beinhalten[5]. Die Zahl der niederländischen Gemeinden ist seit dem Jahre 1830 von mehr als tausendzweihundert Gemeinden auf siebenhundert Gemeinden herabgesunken[6]. Damit ist das Ende gewiß nicht erreicht. Dem Innenminister steht eine untere Grenze von zehntausend Einwohnern vor Augen. In Deutschland werden, nach den gelegentlichen Eingemeindungen und Städtegründungen des vorigen Jahrhunderts, meist großräumige Projekte durchgeführt. Schon im Jahre 1929 erfolgte die kommunale Neugliederung des rheinisch-westfälischen Industriegebiets[7]. In den siebziger Jahren entstand, aus Anlaß der Gebietsreformen und Verwaltungsreformen im gemeindlichen Bereich, eine Neufassung der Gemeindeordnungen in den verschiedenen Bundesländern[8]. Im Jahre 1982 lebten nur noch 5,4 Prozent der Bundesbürger in Gemeinden bis zu zweitausend Einwohnern (gegenüber Österreich mit 25 Prozent, Schweiz mit 42 Prozent). Die Zahl der Landgemeinden unter fünfhundert Einwohnern nahm zwischen dem Jahr 1968 und dem Jahr 1975 um 84 Prozent ab[9]. In Belgien wurde im Jahre 1961 die Änderung von

----

minister, sondern, über den Bürgermeister, dem Innenminister untersteht. Die Zahl der Ratsmitglieder und der Beigeordneten, wie auch die Gehälter des Bürgermeisters und einiger anderer Amtsträger hängen von der Einwohnerzahl ab. In der statistischen Erfassung rechnet man selbstverständlich mit Größenklassen, die aber sonst keine Bedeutung haben.

[3] Knaurs Konversationslexikon, S. 541.

[4] Meyers Enzyklopädisches Lexikon, X, S. 9.

[5] C. W. van der Pot, Handboek, S. 541, A. 2.

[6] Zählung nach der informationsreichen Lijst van Nederlandse Gemeenten, oorspronkelijk samengesteld door D. Vos, 's-Gravenhage 1948ff. (Loseblattausgabe mit jährlichen Ersatzblättern). Die Namen neuer Gemeinden werden selbstverständlich jeweils in der Staatscourant publiziert.

[7] H. Kaufmann, Die Namen der rheinischen Städte, S. 70.

[8] So im Jahre 1975 Baden-Württemberg und Saarland; im Jahre 1977 Niedersachsen und Schleswig-Holstein; im Jahre 1978 Bayern.

[9] Aktuell-Das Lexikon der Gegenwart, S. 171.

Gemeindegrenzen geregelt, solches in der Absicht, Stadterweiterungen und Fusionie-
rungen zu erleichtern. Zwischen den Jahren 1961 und 1975 verloren dort 304 Gemeinden ihre Selbständigkeit. Im Jahre 1976 erfolgte der sehr drastische, das ganze
Land umfassende Plan-Michel, der die ursprüngliche Anzahl von 2.359 belgischen
Gemeinden auf 589 Gemeinden reduzierte[10].

Unter den Namen neuer Gemeinden kann man drei Gruppen unterscheiden. Erstens
kann ein bodenständiger Siedlungsname oder die Verbindung mehrerer bodenständiger Siedlungsnamen als Bezeichnung für die neue Verwaltungseinheit dienen. Zweitens kann man Metonyme wählen, das heißt Namen, die einer anderen Denotatsklas-
se angehören, wie Landschaftsnamen oder Hydronyme. Die dritte Möglichkeit liegt
in der Neuschöpfung von Gemeindenamen. In allen drei Gruppen wird der Name
nicht selten mittels vorgestellter oder nachgestellter Zusätze erweitert. Von den
autochthonen Siedlungsnamen werden die Namen der Großstädte offenbar selbstverständlich kontinuiert. Wenn Amsterdam oder Köln Randgemeinden annektieren,
entsteht keine Diskussion über den Namen der neuen Verwaltungseinheit. Dasselbe
gilt im allgemeinen für mittelgroße Städte, umso weniger, wenn sie sich in mehreren
Phasen konzentrisch ausbreiten. Das Übergewicht des Kerns ist nicht immer vorge-
geben. In der Landgemeinde *Nieuwer-Amstel,* südlich Amsterdam, hatte das Dorf
Amstelveen a. 1903 vierhundert Einwohner[11]. Im Jahre 1964 nahm die Gemeinde
den Namen *Amstelveen* an, weil dieser Ort als schnell wachsende Vorstadt von
Amsterdam damals schon fünfzigtausend Einwohner zählte. Wenn Städte fusionie-
ren, gilt ebenfalls das Recht des Stärkeren[12]. Kleinere Städte und Marktflecken
können besonders dann ihre onomastische Identität wahren, wenn sie das Zentrum
neuer ländlicher Konglomerate bilden, wie zum Beispiel *Bodegraven* (a. 1964), *Mid-
delharnis* (a. 1966), *Axel* (a. 1970) und *Bergambacht* (a. 1985)[13]. Wenn zwei oder
drei gleich große Wohnkerne vereinigt werden, rettet der additive oder aufzählende
Namentypus oft die vorhandenen Gemeindenamen, die mittels des additiven Binde-
wortes zu einer syntaktischen Gruppe verbunden werden. Niederländische Beispiele
sind *Cadier en Keer, Bakel en Milheeze, Mook en Middelaar.* Dreigliedrige Additionsnamen sind etwa *Megen, Haren en Macharen; Nuenen, Gerwen en Nederwetten;
Hoogeloon, Hapert en Casteren.* Sehr viel zahlreicher als die additiven Namen sind
die kopulativen Namen, die dem gleichen Zweck dienen. Sie werden durch An-
reihung mittels des Bindestrichs gebildet, so zum Beispiel in Frankreich *Gevrey-
Chambertin; Charleville-Mézières;* in Belgien *Glabbeek-Zuurbemde* (a. 1825); in den

---

[10] H. Hasquin, cum aliis, Gemeenten van België, I, S. 11.

[11] A. A. Vorsterman van Oyen - J. F. van Maanen, Algemeen Woordenboek, S. 36.

[12] So zum Beispiel *Remscheid* (a. 1929) aus den drei Städten *Remscheid, Lennep*
und *Lüttringhausen.*

[13] Um den Text nicht unnötig zu belasten und möglicher Verwirrung mit amtlichen Zusätzen zuvorzukommen, geben wir hier im allgemeinen keine Lageangaben.
Die erwähnten Gemeinden sind, insofern nötig, in Verzeichnissen verschiedener Art
leicht lokalisierbar. Die belgischen Gemeindenamen stehen in dem bereits genannten
Werk von H. Hasquin, Gemeenten van België, die niederländischen Gemeinden in
der ebenfalls schon erwähnten Lijst van Nederlandse Gemeenten.

Niederlanden *Driebergen-Rijsenburg* (a. 1931); *Vleuten-De Meern* (a. 1954); *Gaaster-lân-Sleat* (a. 1985). In der Bundesrepublik sind die kopulativen Namen ebenfalls allgemein, ebenso wie in Dänemark[14]. Dreigliedrige Anreihungen kommen in den Niederlanden nicht vor, wohl vereinzelt in Belgien (*Zichen-Zussen-Bolder*) und in Deutschland (*Rehm-Flehde-Bargen*). Bei der Vereinigung zweier gleichnamiger Nachbargemeinden mit unterscheidenden Zusätzen bleibt der eigentliche Namenkern meistens erhalten, indem die Zusätze entfallen: *Oude Niedorp + Nieuwe Niedorp 〉 Niedorp* (a. 1970); *Egmond aan Zee + Egmond Binnen 〉 Egmond* (a. 1978). Diese in mehrerer Hinsicht empfehlenswerte Methode findet auch in der bundesdeutschen Gemeindenamengebung häufig Anwendung, zum Beispiel in *Kirchweyhe + Südweyhe 〉 Weyhe*; *Kirchbrombach + Langenbrombach 〉 Brombach*. In *Aldekerk + Nieukerk 〉 Kerken* (südlich Geldern) erscheint das gemeinschaftliche Grundwort im Plural[15]. Selten aber produktiv ist der Typus der kontaminierten Bezeichnung, deren Material aus zwei Namen von konstituierenden Gemeinden oder Wohnplätzen stammt, so *Bellingwolde + Wedde 〉 Bellingwedde* (a. 1968); *Uithuizen + Uithuizermeeden + Hefswal 〉 Hefshuizen* (a. 1979)[16]. Hierher ist noch fries. *Aldeboarn + Raarderhim 〉 Boarnsterhim* (a. 1984) zu stellen[17]. Auch in der Bundesrepublik greift man, zum Glück ebenfalls selten, zu diesem Notbehelf, der wohl meistens einen Kompromiß zwischen den Parteien darstellt. Beispiele sind *Waldkatzenbach + Schollbrunn 〉 Waldbrunn* und *Schemmerberg + Aufhofen 〉 Schemmerhofen.* In den wallonischen Namen *Dion-le-Val + Dion-le-Mont 〉 Dion-Valmont* (a. 1970) sind die bestimmenden Zusätze zu einem neuen Zusatz verbunden worden. Der Grund ist wohl die Existenz eines homonymen *Dion* in den Provinznamen (unweit Givet).

Eine wohl typisch niederländische Gepflogenheit ist die Wiederbelebung von Namen ertrunkener Städte und Dörfer. *Reimerswaal* (a. 1970) erinnert an die blühende seeländische Handelsstadt *Reymerswale*, die a. 1315 Stadtrechte erhielt, im 16. Jahrhundert wiederholt überflutet wurde und im Jahre 1632 endgültig geräumt werden mußte. In den neuen Poldern der Zuiderzee, die seit dem 1. März 1986 die zwölfte niederländische Provinz bilden[18], tragen die Gemeinden *Dronten* (a. 1980)[19] und

---

[14] Sie sind zum Beispiel sehr zahlreich auf den Inseln Lolland und Falster.

[15] Oder Anlehnung an den schwachen Dativ der binnenländischen Namen auf *-kerken/-kirchen* (*Kaldenkirchen, Geilenkirchen, Euskirchen*). Zur Diatopie dieses Ortsnamentypus s. J. A. Huisman, Regionale vormverschillen in Nederlandstalige namen van steden in België en Noord-Frankrijk, Naamkunde 8 (1976) S. 159-166.

[16] Wir zählen diese Namen zu dem kontinuierenden Typus, weil sie ganz aus lokalem onomastischem Material bestehen. Man kann sie aber auch als vorher nicht existierende Namen zur dritten Kategorie, den Neubildungen, stellen.

[17] *Aldeboarn* (niederl. *Oldeboorn*) war die Mutterkirche des Dekanats *Bornego* 'Gau am Fluß Boorne'. *Raarderhim* (niederl. *Rauwerderhem*) bildete, weiter stromabwärts, ebenfalls ein Dekanat. Für die friesischen Ortsnamen und Gemeindenamen sieh das Verzeichnis Plaknammen yn Fryslân, in: J. W. Zantema, Frysk Wurdboek, I, S. 1214-1220.

[18] Mit Ausnahme des schon im Jahre 1930 eingedeichten Wieringermeer, das zu der Provinz Noord-Holland gehört.

Zeewolde (a. 1984), ebenso wie zahlreiche neue Siedlungen, den Namen eines im Mittelalter bezeugten untergegangenen Ortes[20]. Die Gemeinde *Almere* (a. 1984) trägt den mittelalterlichen Namen der damals noch weniger ausgedehnten Zuidersee[21]. *Flevoland* nimmt den römischen Namen des ursprünglichen Sees wieder auf[22]. Die Gemeinde *Albrandswaard* (a. 1985) heißt nach einem einliegenden Dorf, das infolge einer früheren Annektierung seine Selbständigkeit einbüßte[23]. Die Kontinuität dieses Gemeindenamens war also nur zeitweise unterbrochen[24].

Die zweite Gruppe der Namen neuer Gemeinden bilden die Metonyme. Bei diesen übertragenen Namen treten vier ursprüngliche Denotate hervor: Landschaften, Gewässer, Berge, landschaftliche Denkmäler und Wahrzeichen. Die erstgenannte Gruppe zählt nicht wenige alte Bezeichnungen von Verwaltungsgebieten und Gerichtsbezirken, in der Bundesrepublik etwa *Selfkant, Grafschaft, Linsengericht, Freigericht*; in den Niederlanden *Stede-Broec* (nicht anreihend, sondern in historischer Orthographie), *Wester-Koggenland*[25] (mit einschränkendem Zusatz), *Noorder-Koggenland, Drechterland* (alle a. 1979), *Onderbanken* (a. 1982)[26], *West Maas en Waal* (a. 1984)[27], *Liesveld* (a. 1986)[28]. Wie zu erwarten, sind Übertragungen der Namen von

---

[19] Der Ort trägt den Namen *Dronten* seit dem Jahre 1971; a. 1387 ist ein *Dronterdijk* erwähnt, etwas später ein Polder *Dronten*. Sieh J. de Vries, Woordenboek, S. 49.

[20] *Swifterbant, Biddinghuizen, Emmeloord, Espel, Creil, Rutten, Bant* (neuntes Jahrhundert *in Bante*), *Luttelgeest, Marknesse, Tollebeek, Ens* (erst a. 1859 geräumt), *Nagele* (ehemalige Insel, a. 1138 *Nagel*). Die neuen Poldern sind planmäßig besiedelt. Die Dörfer liegen also nicht an derselben Stelle wie die gleichnamigen untergegangenen Siedlungen, auch nicht wenn die Lage der letzteren bekannt ist.

[21] A. 755 bis 768 *Aelmere*, sieh M. Gysseling, Toponymisch Woordenboek, I, S. 48.

[22] *lacus ... Flevo dicitur*, a. 44, Kopie zehntes Jahrhundert; *Fleuum*, a. 77, Kopien neuntes Jahrhundert. Sieh M. Gysseling, Toponymisch Woordenboek, II, S. 1021.

[23] *Albrandswaard* hatte im Jahre 1903 zweihundert Einwohner; sieh A. A. Vorsterman van Oyen - J. F. van Maanen, Algemeen Woordenboek, S. 23.

[24] Wie der Ortsname *Zons*, a. 1373 *castrum Fredestroym* (Stadtbau durch Erzbischof Friedrich von Saarwerder), Mitte des 15. Jahrhunderts und seitdem wieder *Zons*. R. Schützeichel, Zons in Dormagen, Wortes anst - Verbi gratia. Donum natalicium Gilbert A. R. de Smet, S. 439-448.

[25] *Kogge* ist im westflevischen Friesland eine alte Bezeichnung für einen Teil eines Amtsbezirkes. Die Bewohner mußten für den Landesherrn ein Schiff (*kogge*) ausrüsten. Es gab *De Vier Noorderkoggen, Schagerkogge, Niedorperkogge* und andere mehr; sieh H. J. Moerman, Nederlandse Plaatsnamen, S. 129.

[26] *Onderbanken* war der Name des Amtsgebiets zweier limburgischer Schöffenbanken, die in *Oirsbeek* beziehungsweise in *Brunssum* tagten.

[27] A. 1758 *'t Ampt van Tusschen Maas en Waal*, ebenso a. 1757 (auf einer Karte); H. van Heiningen, De Historie van het Land van Maas en Waal, S. 21, 32. Zur elliptischen Form *Maas en Waal* sieh P. von Polenz, Landschafts- und Bezirksnamen, S. 253.

Poldern, Wasserverbänden und Inseln auf neue niederländische Gemeinden nicht selten. *Anna Paulowna* (a. 1847)[29], *Haarlemmermeer* (a. 1855), *Wieringermeer* (a. 1941), *Noordoostpolder* (a. 1962, in Flevoland), *Zeevang* (a. 1970) sind ursprünglich Poldernamen. *Cromstrijen* (a. 1984) ist ein Wasserverband, der vier Polder umfaßt. *Duiveland, Westerschouwen*[30], *Middenschouwen* (alle a. 1961), *Oostflakkee* (a. 1966) und *Westvoorne* (a. 1980) nehmen die Inselnamen *Schouwen, Duiveland, Overflakkee* und *Voorne* auf. Denotatswechsel von Flußnamen liegt in den Gemeindenamen *Bernisse* (a. 1980), *Graafstroom* (a. 1986) und *Zederik* (a. 1986) vor. Aus *Krimpen aan de Lek* und *Lekkerkerk*, beide an der unteren Lek, wurde die neue Gemeinde *Nederlek* (a. 1985) gebildet.

Im Gegensatz zur Bundesrepublik wurden keine Namen von Seen gewählt (*Diemelsee, Möhnesee*). Scheinbare Ausnahmen sind *Haarlemmermeer* (a. 1855) und *Wieringermeer* (a. 1941), die aber durch Trockenlegung zu Poldern umgewandelt worden sind. Oronyme finden sich aus triftigem Grunde nicht in den niederländischen Namen neuer Gemeinden[31]. In Deutschland werden sie nicht selten, aber auch nicht sehr häufig benutzt: *Römerberg, Staufenberg, Otzberg, Breuberg*. Manchmal ist nicht ganz klar, ob der Berg oder die darauf gebaute Burg für den neuen Namen Pate stand.

Damit gelangen wir zu der vierten Denotatgruppe, die die auffallenden Denkmäler und Wahrzeichen in der Landschaft umfaßt. Neben den Burgnamen *Hessenstein, Lichtenfels* (Hessen), *Vogtsburg* (Kaiserstuhl) sind hier *Taunusstein* (nach dem *Altenstein*, einem mächtigen Felsblock mit keltischem Ringwall in der Gemarkung von Hahn)[32] und *Limeshain* (: *Pohlheim*) zu nennen. In den Niederlanden gehört nur *Landgraaf* (a. 1986) hierher. Diese Gemeinde verdankt ihren Namen einem alten Erdwall[33], der sich über die frühere gemeine Heide der Ortschaften *Schaesberg, Nieuwenhagen* und *Ubach over Worms* hinzieht und auf deutschem Gebiet ausläuft.

Nach den erhaltenen Namen und den Metonymen besprechen wir als dritte Gruppe die Neubildungen, die ganz oder teilweise aus nicht ortsgebundenem Material be-

---

[28] Eine ehemalige Baronie an der Lek. Das Städtchen *Nieuwpoort*, das am Rand der neuen Gemeinde liegt, appellierte vergeblich an die Königin. Übrigens klopfte man an die falsche Tür, denn die Königin führt noch immer den Titel *Barones van Liesveld*.

[29] Ein im Jahre 1847 trockengelegter Polder, genannt nach der russischen Gemahlin König Wilhelms II. der Niederlande.

[30] In dieser Gemeinde liegt ein Ort mit dem nur leicht abweichenden Namen *Westenschouwen*.

[31] Die Mikrotoponymik sieht übrigens manchmal anders aus. In einem neuen Utrechter Stadtviertel findet man, in einer Meereshöhe von wenigen Dezimetern, Straßennamen ohne Grundwort wie *Jungfrau, Karawanken, Matterhorn*. Die *Furkabaan* führt zum Bahnhofsplatz, dem *Furkaplateau*.

[32] H. Kaufmann, Die Namen der rheinischen Städte, S. 199.

[33] Der Zweitbestandteil *-graaf* entspricht hier also nicht dem deutschen Wort *Graf*, sondern *Graben*.

stehen. Der häufige Typus Personenname + Stadt enthielt früher gewöhnlich den Namen des fürstlichen Gründers: *Vitry-le-François* (a. 1544), *Karlstad* in Schweden (a. 1584), *Willemstad* in den Niederlanden (a. 1583)[34]. Heutzutage bezweckt der Einbau eines Personennamens eine mehr oder weniger verdiente Ehrung. Er kommt häufig in kommunistischen Ländern vor: *Leningrad, Stalingrad, Karl-Marx-Stadt, Wilhelm-Pieck-Stadt Guben* (mit dem alten Namen als Zusatz). Doch handelt es sich hier in der Regel um Umbenennungen. In den Niederlanden wurde die Hauptstadt der neuen Provinz Flevoland, *Lelystad*, nach dem Wasserbauingenieur benannt, der den Plan zur Trockenlegung der Zuidersee entwarf und zum Teil ausführte.

Die Verbindung eines bodenständigen Flußnamens mit dem Grundwort *-stadt* hat ebenfalls eine lange Tradition. Im 17. Jahrhundert tritt schon *Lippstadt* auf für früheres *Stadt zur Lippe*[35]. Neue Gemeindenamen nach diesem Typus sind *Erftstadt, Diemelstadt, Lennestadt*, in den Niederlanden nur *Zaanstad* an der *Zaan* (a. 1974) aus *Zaandam + Zaandijk + Westzaan*. *Albstadt*, nach der Schwäbischen *Alb*, ist fast eine contradictio in terminis. *Eisenhüttenstadt* duftet nach einem Fünfjahresplan[36]. *Sennestadt* erlöst uns von *Senne II*, worüber nachher noch gehandelt wird. Ebenso wie *-stadt* zeigte das Grundwort *-hafen*[37] früher in der Regel den Namen des Gründers als bestimmenden Teil: *Christianhavn* (a. 1618), *Karlshamn* (a. 1666), *Wilhelmshaven* (a. 1853)[38]. *Bremerhaven* (a. 1827) ist nach der Mutterstadt genannt. Das niederländische *Eemshaven* (im Bau, jetzt noch keine selbständige Gemeinde) wurde nach der vorüberfließenden Ems genannt. Die in der Bundesrepublik sehr beliebten neuen Namen auf *-tal*, die fast immer, nach dem Beispiel von *Wuppertal* (a. 1929), das betreffende Hydronym als bestimmenden Teil aufweisen[39], kommen in den Niederlanden nicht vor: Keine Berge, keine Täler. Wohl werden Flußnamen mit Geländebezeichnungen verbunden, wie bei *Rijnwaarden* (a. 1985)[40] und *Giessenlanden* (a. 1986).

-----

[34] *Albert* (Somme, a. 1615) trägt den bloßen Personennamen. Sieh A. Dauzat, Les noms de lieux, S. 47. Wegen der unklaren Beziehung zur Denotation empfiehlt sich diese Art der Namengebung nicht. *Washington* dagegen stört nicht, weil der zugrunde liegende Personenname auf einen Ortsnamen zurückgeht.

[35] Die Stadt wurde um das Jahr 1196 von dem Edelherrn Bernhard II. zur Lippe als Kaufmannssiedlung gegründet.

[36] In Frankreich ist der Zusatz *-les-Mines* geradezu häufig: *Brassac-les-Mines* (Puy-de-Dôme), *Bully-les-Mines* (P.-de-C.); *Buxières-les-Mines* (Allier); *Noeux-les-Mines* (P.-de-C.) und viele andere.

[37] Zu den Ortsnamen auf *-hafen* J. A. Huisman, Bremerhaven en Wilhelmshaven versus Friedrichshafen en Ludwigshafen, Naamkunde 12 (1980) S. 195-200.

[38] Manchmal wurde die Gemahlin des Gründers auf diese Weise geehrt: *Mariehamn* (a. 1861).

[39] *Lippetal, Ittertal, Haunetal, Seevetal, Nettetal, Schwalmtal* und andere mehr. *Deggenhausertal* hat aber als Vorort *Deggenhausen*. Weniger häufig ist *-grund*: *Ebsdorfergrund, Jossgrund, Schöffengrund*. Dieser Typus fehlt in den Niederlanden ebenfalls.

Hiermit sind wohl die wichtigsten Gruppen der neuen Gemeindenamen erfaßt. Wir wollen uns jetzt den vorgestellten und nachgestellten Zusätzen zuwenden. Die Gelegenheit wird oft benutzt, bei der Festsetzung des neuen Namens einen unterscheidenden Zusatz, der häufig zum Teil oder ganz einen werbenden Charakter hat, einzuheimsen. Das früher so beliebte Epitheton *Stadt* (*Stadtlohn* : *Südlohn*; *Stadt Wehlen* : *Dorf Wehlen*; *Stadtprozelten* : *Dorfprozelten*; *Stadtilm* : *Oberilm*; *Stadtoldendorf* : *Oldendorf*) ist nicht mehr produktiv. In Belgien und in den Niederlanden ist dieser Zusatz überhaupt selten. In den neuen Namen kommt er nicht vor[41]. Seitdem die Stadt als angesehener, fortschrittlicher Wohnort manches von ihrem Glanz eingebüßt hat, verliert sie ihre Anziehungskraft. Auch ist das Stadtbürgertum nicht mehr ein Statussymbol. Es kommt schon vor, daß der früher heißersehnte Titel zugunsten eines mehr oder weniger werbenden Zusatzes aufgegeben wird: so *Stadt Schwalbach* ⟩ *Schwalbach am Taunus*[42]; *Stadtschwarzach* ⟩ *Schwarzach am Main*. Andere Gemeindenamen dieses Typus verschwanden infolge von Eingemeindungen: *Stadtbek* (zu *Nehmden*), *Stadthosbach* (zu *Sontra*), *Stadtwald* (zu *Melsungen*). Die Düsseldorfer haben es, in kluger Voraussicht, niemals für nötig gehalten, anläßlich der Stadterhebung im Jahre 1288 ihr Heimatdorf in **Düsselstadt* umzutaufen, im Gegensatz zu *Ludwigsdorf*, seit a. 1377 *Ludwigsstadt* (Kreis Kronau), *Immendorf*, seit a. 1618 *Immenstadt* und, noch im vorigen Jahrhundert, *Oldendorf* zu *Stadtoldendorf*.

Ist eine Überschwemmung der Karte durch die Bezeichnung *Stadt* nicht mehr zu befürchten, so steht es anders mit dem Zusatz *Bad*, von dem, so frisch das Wort klingen mag, eine ausgreifende kartographische Verschmutzung zu befürchten bleibt. Es gibt jetzt schon etwa hundertfünfzig deutsche Orte, die sich mit diesem vielbegehrten Zusatz schmücken dürfen[43]. Eingemeindungen helfen hier nicht viel. *Niederbreisig* erhielt im Jahre 1958 den amtlichen Zusatz *Bad*. Seit der Eingemeindung von *Oberbreisig* und *Rheineck* im Jahre 1969 heißt die neue Gemeinde *Bad Breisig*[44]. Und alle teilen sich in der Badefreude. Es war wohl das nicht unbegreifliche Verlan-

---

[40] Es handelt sich um eine Insel zwischen dem Rhein und dem Oude Rijn mit sehr viel Außendeichsland (niederl. *uiterwaard* oder *waard*. Dasselbe Wort steckt in *Düffelward* und *Wardhausen*, die Rijnwaarden auf der deutschen Seite des Rheins gegenüberliegen. Die Bezeichnung *Ward* reicht von hier bis zur Lippemündung).

[41] In den Niederlanden gab es früher Städte, deren Territorium nicht über den Stadtgraben hinausreichte. Das umliegende Land bildete eine eigene Landgemeinde. So *Stad-Almelo* : *Ambt Almelo*, a. 1914 *Almelo*; *Stad Doetinchem* : *Ambt Doetinchem*, a. 1920 *Doetinchem*; *Stad Hardenberg* : *Ambt Hardenberg*, a. 1941 *Hardenberg* und andere. Den letzten Rest dieses Systems bilden die noch existierenden Gemeinden *Stad Delden* und *Ambt Delden*, in der Provinz Overijsel.

[42] Verwirrung mit *Bad-Schwalbach* im Untertaunuskreis ist wegen des diesem Namen vorangestellten *Bad* nicht möglich.

[43] Die französischen Zusätze zeigen mehr Variation: *Thonon-les-Bains*; *Barbotan-les-Thermes*, *St.-Amand-les-Eaux*.

[44] H. Kaufmann, Die Namen der rheinischen Städte, S. 70.

gen, in die alphabetische Reihe der Badeorte zu gelangen[45], das zu der Doppelver-
wendung in *Bad Alexandersbad* führte. Diese Entschuldigung gilt kaum für *Bains-
les-Bains* (Vosges) und, etwas weniger auffällig, für *Bagnols-les-Bains*, ebenfalls in
Frankreich[46]. In Belgien unterscheidet der nachgestellte Zusatz *Bad* eine ganze
Reihe von Nordseebädern von ihren Mutterdörfern, von *Koksijde-Bad* (: *Koksijde*)
bis *Mariakerke-Bad* (: *Mariakerke*). Dieser Gebrauch reicht auf beiden Seiten über
die Landesgrenzen hinaus. In Französisch-Flandern, bei Dünkirchen, liegt *Malo-les-
Bains*, dessen Zusatz für ein Seebad einmalig ist. In Seeländisch-Flandern (Niederlande) schließen sich *Cadzand-Bad* (: *Cadzand*) und *Nieuwvliet-Bad* (: *Nieuwvliet*)
an. So viel ich sehe, erscheint der Typus nur einmal an der deutschen Küste, nämlich
in *Maasholm-Bad* (: *Maasholm*), dazu, ebenfalls einmalig, vorangestelltes *Bad* in *Bad
St. Peter* (: *St. Peter*, in Eiderstedt)[47]. In den Namen binnenländischer Kurorte ist
der nachgestellte Zusatz selten: *St. Moritz-Bad* (: *St. Moritz*).

Schlimmer noch als *Bad* scheint der allerdings nicht mehr explosive Zusatz *Groß-*,
der in etwa fünfhundert deutschen Ortsnamen vorkommt[48]. Sie entstanden in der
Regel dadurch, daß eine kleinere Siedlung innerhalb der Gemarkung sich abtrennte,
seltener wenn ein in größerer Entfernung liegender kleinerer Ort in denselben politischen Verband aufgenommen wurde. Diese kleineren Siedlungen unterschied man
mittels der Zusätze *Bös-*, *Lützel-*, *Klein-*, *Wenigen-* und anderer Wörter mit deminu-
tiver Bedeutung. Dann nahm der größere Ort unnötigerweise den Vorsatz *Groß-*
an[49]. Dieser Zusatz ist im Odenwald und den umliegenden Gebieten besonders häufig. Sonst scheint sein Vorkommen im allgemeinen nach Osten hin zuzunehmen. Als
im Jahre 1964 die Gemeinden *Werkhoven* und *Odijk* südlich Utrecht zu *Bunnik* geschlagen wurden, verlangte man für die neue Gemeinde den Namen *Groot-Bunnik.
Dieser drohende Präzedenzfall ließ sich rechtzeitig abstoppen. Der Name der volk-
reichsten Teilgemeinde, *Bunnik*, wurde kontinuiert. Infolge der fortschreitenden
Verstädterung wurde eine Anzahl Gemeinden, die den Zusatz *Groß-* in ihrem Namen
führten, aufgehoben, so *Grootebroek* (: *Lutjebroek*) > *Stede Broec* (a. 1979); *Groot-

---

[45] Die Alphabetisierung dieser Namen ist übrigens alles andere als einheitlich. Der
Große Shellatlas Deutschland (a. 1985/1986) ordnet nach dem Zusatz *Bad*; der
Michelin Deutschland (a. 1986) stellt den Zusatz nach dem Namen (*Kreuznach,
Bad*); das Postleitzahlenverzeichnis, Abc-Folge (a. 1984) ordnet zwar nach den Vor-
satzwörtern *Sankt*, *Markt* (und so weiter), aber Ortsbezeichnungen mit *Bad* werden
alphabetisch sowohl unter *Bad* als auch unter dem folgenden Namensteil aufgeführt
(sieh dort, S. 5).

[46] *Aix-les-Bains* benutzt die willkommene Homonymie von *Aix-en-Provence* und
Aix-la-Chapelle.

[47] In der DDR ist vorangestelltes *Ostseebad* gängig, östlich Rügen dagegen *Seebad.*

[48] Manche dieser Zusätze sind alt: so *Groß-Gerau*, a. 1319 *maior Gera*; *Groß-Winternheim* (Kreis Bingen), a. 1374 *Groß Winterheim*; H. Kaufmann, Rheinhessische
Ortsnamen, S. 88.

[49] In *Groß Plasten Post Klein Plasten* und *Großenberg Post Kleinenberg* (Postleitzahlenverzeichnis 1984, S. 275,85) kam Hochmut vor dem Fall.

Ammers 〉 *Liesveld* (a. 1986); in Belgien *Grote-Spouwen* + *Klein-Spouwen* 〉 *Spouwen* (a. 1970); *Groot-Gelmen* + *Klein-Gelmen* 〉 *Gelmen* (a. 1970); in der Bundesrepublik *Groß Gusborn* 〉 *Gusborn*; *Groß Häuslingen* 〉 *Häuslingen*; *Groß Barnitz* 〉 *Barnitz*, Trave. Im letzten Beispiel wurde das Bestimmungswort *Groß-* trendgemäß durch die Angabe der Lage am Fluß ersetzt.

Einen geringen Zuwachs zeigt der häufige Vorsatz *Neu-*, der wohl durch das stark verbreitete Kompositum niederl. *Nieuwstad*, dt. *Neustadt*, franz. *Villeneuve* und zahlreiche andere zusammengesetzte Namen mit dem gleichen Erstbestandteil gestützt wird. Der Vorsatz *Neu-* unterscheidet eine neue Siedlung von einer älteren gleichnamigen Siedlung: *Neuf-Brisach* (a. 1698, : *Breisach*[50]). Die niederländische Gemeinde *Ginneken en Bavel* nahm im Jahre 1942 einige anliegende Dörfer auf. Man hielt einen neuen Namen für nötig und wählte *Nieuw-Ginneken*. Der Name führt bis heute nur ein Aktendasein, wohl infolge des Fehlens der unterscheidenden Funktion. *Nieuwegein* (a. 1971) entstand als Trabantenstadt von Utrecht, ein Ausfluß der niederländischen Furcht vor allzu großen Städten[51]. Der Name der neuen Gemeinde wurde als Opposition zum örtlichen Polder *Oude Gein*[52] (〈 Gewässername *het Gein*) konstruiert. Ähnlich bildet *Nijefurd* in friesischer Sprache (a. 1984) die Opposition zu der alten Bezeichnung der südlichen Teilgemeinde *Hemelumer Oldeferd*, worin *-ferd* niederl. *vrede* 'Gerichtsbezirk' fortsetzt[53]. Die deutsche Gemeinde *Neu-Anspach* statt *Anspach* (Taunus) scheint, wie *Nieuw-Ginneken*, ohne zwingenden Grund den Zusatz *Neu-* angenommen zu haben. Wenn in den Niederlanden eine neue Stadt neben einer älteren Siedlung entstand und deren Funktionen übernahm, fand in der Regel einfache Übertragung des bestehenden Namens statt, während der ältere Name den Vorsatz *Oud-* erhielt: so *Oud-Valkenburg*, *Oud-Roosteren*, *Oud-Zevenaar*, *Oud-Wassenaar*. Man vergleiche in der Bundesrepublik die Namen *Alt Bork*, *Altchemnitz*, *Altenzelle*, *Alt-Nümbrecht*.

Gelegentlich der Eingemeindungen werden häufig Namenzusätze getilgt, geändert oder durch neue Zusätze ersetzt. Ihre Funktion war bis in unser Jahrhundert hinein in weitaus den meisten Fällen unterscheidend wie in den Namen *Hamm (Westfalen)*, *Leer (Ostfriesland)*, *Roßdorf (bei Darmstadt)*. Doch ist bei der Wahl oder Kontinuierung des Zusatzes immer häufiger das werbende Element im Spiel. Von dem vorgesetzten *Bad*, das Kurgäste locken soll, sprachen wir schon. In anderen Namen ist die touristische Anziehungskraft maßgeblich: so in *Reinheim (Odenwald)*, *Annweiler*

---

[50] H. Kaufmann, Westdeutsche Ortsnamen, I, S. 264.

[51] Sowohl Amsterdam wie Rotterdam haben als geographische Siedlungskerne die Millionengrenze längst überschritten. Aber die zurückhaltende Eingemeindungspolitik der Landesverwaltung hält sie als Gemeinden unter dieser ominösen Einwohnerzahl.

[52] Lijst der Aardrijkskundige Namen van Nederland, S. 320.

[53] Die Opposition zu einem bestehenden Namen ist ein öfters angewandtes Prinzip in der Gemeindenamengebung. *Oosterbroek* (a. 1965) ist als Gegensatz zu *Westerbroek*, das in der Nachbargemeinde Hoogezand-Sappemeer (Groningen) liegt, gebildet. *Westvoorne* (a. 1980) ist Oppositionsname zu *Oostvoorne*, a. 1206 *Ostforne*, einer bis dahin selbständigen Teilgemeinde.

am Trifels[54], *Minden (Sauerland), Hagen am Teutoburgerwald,* welcher Name zwar einen sehr grünen Klang hat, aber 24 Stellen im DV-Verfahren beansprucht. Eine ganze Reihe von Orten erhielten in den dreißiger Jahren unseres Jahrhunderts das ersehnte Epitheton *an der Bergstraße.* Erst in den fünfziger Jahren geschah dasselbe längs der *Weinstraße*[55]. Sehr beliebt ist der Hinweis auf die Lage am Fluß[56]. Unweit Rotterdam liegen die Gemeinden *Krimpen aan den IJssel* und *Nieuwerkerk aan den IJssel.* In der Provinz Limburg tauschte *Valkenburg L.,* eine Hochburg der Touristenindustrie, ihren prosaischen Zusatz *L.* für das suggestive *aan de Geul* (a. 1982) ein. In der Bundesrepublik kommt neben diesem Typus (*Biberach an der Riß, Horb am Neckar*) auch eine abweichende Konstruktion vor: *Bübingen (Saar); Ulm (Donau).* Facile princeps ist Deutschlands Zierde, der Rhein: *Ludwigshafen am Rhein* (a. 1885), *Ingelheim am Rhein* (a. 1939), *Porz am Rhein* (a. 1951). In den Niederlanden figuriert der Strom in drei Gemeindenamen: *Alphen aan den Rijn* (a. 1918 aus vier Gemeinden gebildet; bis dahin *Alphen Z.H.*); *Koudekerk aan den Rijn; Millingen aan de Rijn* (a. 1954, mit dem Artikel in heutiger Orthographie). Die Beliebtheit des Rheins findet auch Ausdruck in einer ganzen Reihe von zusammengesetzten neuen Gemeindenamen am Oberrhein, zwischen Karlsruhe und dem Kaiserstuhl: *Rheinstetten, Rheinmünster, Rheinau, Rheinhausen* (⟨ *Niederhausen + Oberhausen*). Typologisch ist das belgische *Maasmechelen* (a. 1970), mit der spilgemeente ('Achsengemeinde') *Mechelen-aan-de-Maas* zu vergleichen. Hier dürften die nahen Städte *Maastricht* und *Maaseik* Pate gestanden haben[57]. Die unschöne amtliche Straffung zu *Ulm (Donau), Heilbronn (Neckar),* in Belgien *Korbeek (Dijle),* hat in den Niederlanden nicht Fuß gefaßt. Ebensowenig finden sich niederländische Beispiele für den werbenden Typus *Ferney-Voltaire (Ain)* und *Wolframs-Eschenbach.*

   Es mögen jetzt einige Bemerkungen zur Diachronie und Diatopie der angewandten Namentypen folgen. In Frankreich zeigt die Namengebung der communes seit dem Anfang eine starke Kontinuität, abgesehen von den kurzlebigen Einfällen der Revolutionszeit. In Belgien erhielten sich ebenfalls die alten Namen der Wohnorte und Herrschaften. In der großen Operation der Jahre 1970/1971 erscheinen so gut wie keine neuen Namen. Das hat wohl mit der zentralistischen Tradition zu tun, die

----

[54] Es gibt kein zweites *Annweiler.* Die von H. Kaufmann, Westdeutsche Ortsnamen, S. 113, genannten früheren Verwechslungen mit *Antweiler, Auweiler* und *Ahrweiler* bilden kaum einen zureichenden Grund.

[55] Erst im Jahre 1950 konnte der werbekräftige Name sein vitium originis vergessen machen. Er war im Jahre 1936 vom damaligen Gauleiter eingesetzt worden; s. H. Kaufmann, Westdeutsche Ortsnamen, I, S. 109f.

[56] A. Dauzat, Les noms de lieux, S. 50f., beanstandet die Namensänderungen der Gemeinden *Villeneuve-le-Roi* ⟩ *Villeneuve-sur-Yonne* und *Saint-Georges-de-Didonne* ⟩ *Saint-Georges-sur-Mer.*

[57] Der Typus ist in Belgien gut vertreten: *Scheldewindeke, Schellebelle* (⟨ *Scheldebelle,* 13. Jahrhundert *Bella Scaldis*), *Denderbelle, Denderhoutem, Denderleeuw, Maaseik.* In den Niederlanden findet sich dieser Typus nur längs der Maas, also im Süden des Landes: *Maastricht, Maasbracht, Maasniel, Maasbree, Maashees, Maasbommel, Maasdriel.*

letzten Endes auf die späte Römerzeit zurückgeht. In jener Periode hatte die Stadt ein so großes Übergewicht bekommen, daß sie ihren Namen aufgab und die Stammesbezeichnung als Stadtnamen annahm (*Ad Remos* ⟩ *Reims*). Das im vorigen Jahrhundert sehr verbreitete System der Namenaddition und Namenkopulation bezweckte und effektuierte ebenfalls die Erhaltung der Namen der Teilgemeinden. Für die südlichen niederländischen Provinzen Noord-Brabant und Limburg gilt gewissermaßen dieselbe Grundanschauung. Zweigliedrige Additionsnamen sind dort verhältnismäßig häufig. Dreigliedrige Additionsnamen kommen nur in Noord-Brabant vor[58]. Der addierende Typus ist nicht mehr produktiv. Der kopulative Typus steht aber immer noch für neue Namen Modell: *Hoogezand-Sappemeer* (a. 1949), *Vleuten-De Meern* (a. 1954), *Hardinxveld-Giessendam* (a. 1957), *Heeswijk-Dinther* (a. 1969), *Meerlo-Wanssum* (a. 1969), *Gaasterlân-Sleat* (a. 1985). Der Partikularismus der nördlichen Landesteile, die sich jahrhundertelang die Republik der Zeven Provinciën nannten, führte seit dem zweiten Weltkrieg häufig zu Kompromissen, wie die Metonyme, das Zurückgreifen auf untergegangene Namen (welche Methode für zurückgewonnenes Land positiv zu bewerten ist) und die Bildung onomastischer Kontaminationen. Wie folgende Figur zeigt, gewinnen die neuen Gemeindenamen in den Niederlanden immer mehr an Bedeutung[59]:

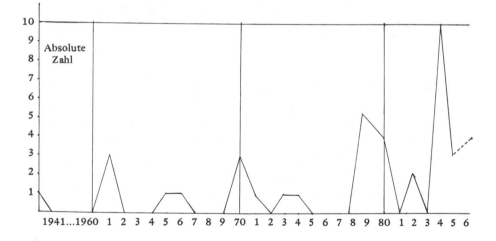

----

58 Typus *Megen, Haren en Macharen. Oost-West- en Middelbeers* umfaßt drei Dörfer, deren Namen dasselbe Grundwort aufweisen. Die Vereinfachung zu **Beers* wurde wohl dadurch aufgehalten, daß es in derselben Provinz andernorts eine Gemeinde *Beers* gibt.

59 Die Zahl der Namen für das Jahr 1986 bezieht sich auf die bis zum 1. April offiziell festgesetzten Namen.

Sehr auffällig ist die im Norden, besonders in Friesland hervortretende Neigung, nicht den Namen einer konstituierenden Stadt oder des zentralen Marktfleckens zu kontinuieren, sondern den einer beteiligten Landgemeinde zu bevorzugen. Im Jahre 1984 hielt man an dem alten Additionsnamen *Kollumerland en Nieuw-Kruisland* fest, obwohl der Marktflecken *Kollum* seit dem 16. Jahrhundert der wichtige Mittelpunkt für die ganze Umgebung ist[60]. Die im Jahre 1984 aus *West-Dongeradeel*, *Dokkum* und *Oost-Dongeradeel* gebildete Gemeinde erhielt den Namen *Dongeradeel*, obwohl *Dokkum* die einzige, dazu zentral gelegene und weitbekannte Stadt ist. *Franekeradeel* entstand im Jahre 1984 aus *Barradeel* (teilweise) + *Franeker* + *Franekeradeel*. Auch hier ist *Franeker* die einzige Stadt und das einzige Versorgungszentrum der ganzen Gegend. Vor einem halben Jahrhundert wählte man allerdings für *Aengwirden* + *Schoterland* den Namen des blühenden Marktfleckens *Heerenveen* (a. 1934). Dieser Name wurde jedoch, entgegen der friesischen Tradition der Gemeindenamengebung, von der Volksvertretung im Haag festgesetzt[61]. Eine Inkonsequenz auf friesischer Seite war das Anhängen des Namens der Kleinstadt *Sloten* an *Gaasterland* aus Anlaß der offiziellen Übersetzung ins Friesische: *Gaasterland + Sloten) Gaasterland* (a. 1984)) *Gaasterlân-Sleat* (a. 1985). Zur geringen Verbreitung des Namenelements *-stad*, die vielleicht mit dem friesischen Interstrat in Zusammenhang steht, ist noch zu bemerken, daß dieser Bezeichnung überhaupt der Statuswert des deutschen *Stadt* fehlt. Die Gemeinde *Zeist*, unweit Utrecht, zählt sechzigtausend Einwohner, nennt sich aber nach wie vor ein *dorp*. Ein Vorschlag, den Namen der *Dorpsstraat* (quer zur Hauptachse, der *Slotlaan* 'Schloßallee') zu fassonieren, fand keinen Anklang.

Zum Schluß besprechen wir einige Kriterien, die bei der Festsetzung von Gemeindenamen gehandhabt werden oder deren Anwendung unseres Erachtens Erwägung verdient. Sie beziehen sich auf drei Aspekte des zu wählenden Namens. Zunächst ist auf die dem Namen anhaftende Information über die Orientierung im Sprachgebiet zu achten. Ein zweiter Aspekt ist die Bequemlichkeit des Namens in der gesprochenen Sprache, in der Schrift und im DV-Verfahren. Das dritte Kriterium liegt in dem Werbewert des Gemeindenamens.

Das einfachste Mittel, die Orientierung zu fördern, ist die Kontinuierung bekannter Ortsnamen. Wenn nötig kann ein unterscheidender Zusatz angehängt (besser nicht vorgesetzt) werden. Einmalige Namen erleichtern ebenfalls die Orientierung. Der badische Kommunalname *Oberhausen-Rheinhausen* scheint nicht sehr gelungen wegen der homonymen Großstädte *Oberhausen* und *Rheinhausen* beiderseits von Duisburg. Für die niederländische Gemeinde *Vuren* (a. 1986) lag anfangs auch der örtliche Flurname *Leuven* im Rennen, mußte aber ausscheiden wegen der in demselben Sprachgebiet liegenden belgischen Stadt *Leuven* (deutsches Exonym *Löwen*). Neben Kontinuität und Einmaligkeit kann die regionale Färbung des Namens für die Orientierung von Nutzen sein, so zum Beispiel *Ammersbek* (man vergleiche in der gleichen Gegend *Wandsbel*, *Barmbek*), *Wenzlow*, *Wannewitz*, *Straubing*, *Innsbruck*.

---

[60] K. ter Laan, Van Goor's Aardrijkskundig Woordenboek, S. 246.
[61] Encyclopedie van Friesland, S. 348.

Die niederländische Gemeinde *Brederwiede* (a. 1973) spiegelt in ihrem Namen den sächsischen Dialekt der Gegend wider. In der Gemeinde liegen mehrere Seen (*Baulaker Wijde, Belter Wijde, Bovenwijde* und andere). Das *ij* (= /ei/) von *Wijde* 'das Weite', wird in der Mundart nicht diphthongiert, bleibt also germ. /ī/, geschrieben *ie*. Der Name hat eine ganz einmalige Entstehungsgeschichte[62]. Einen noch genaueren topographischen Hinweis verschafft der Einbau an die Region gebundener Bezeichnungen, die zu anderen Denotatsklassen gehören, wie *Taunusstein, Diemelstadt*.

Für die Bequemlichkeit des Namens ist vor allem die Länge von Bedeutung. Die im DV-Verfahren gesetzte Grenze von 16 Stellen soll nicht überschritten werden, schon aus dem Grund, daß längere Namen häufig Kürzungen in der Form fehlerträchtiger Konsonantenballungen veranlassen. Auch ist nicht ohne Gewicht, daß ein langer Name in unserem Zeitalter der Information hohe Kosten mit sich bringt. Es versteht sich deshalb, daß man in zunehmendem Maße auf die Länge der Namen achtet[63].

Die erwünschte Kürze wird mittels mehrerer Methoden erreicht. Änderung der Konstruktion liegt in *Meerbusch* (a. 1970, ⟨ *Meerer Busch*) vor, Haplologie in *Clermont-Ferrand* (a. 1731, ⟨ *Clermont + Montferrand*)[64] und *Gors-Opleeuw* (Belgien, ⟨ *Gorsleeuw + Opleeuw*)[65]. Klammerformen finden sich in *Oostflakkee* (a. 1966, ⟨ *Oost-Overflakkee*) und *Binnenmaas* (a. 1984, ⟨ *Binnengedijkte Maas*)[66]. In der Bundesrepublik ist *Ulmtal* ⟨ *Ulmbachtal* zu vergleichen, neben den Vollformen *Angelbachtal* und *Mandelbachtal*[67]. Sehr häufig erfolgt eine wesentliche Kürzung aus dem Abwerfen von Zusätzen und Teilgemeindenamen, wie in *Deurne en Liessel + Vlierden* ⟩ *Deurne* (a. 1926), *Egmond aan Zee + Egmond Binnen* ⟩ *Egmond* (a. 1978), *West-Dongeradeel + Dokkum + Oost-Dongeradeel* ⟩ *Dongeradeel* (a. 1984)[68]. Auch

---

[62] In einem hier aufgenommenen Film trug der Ort *Giethoorn* den Decknamen *Lagerwiede. Brederwiede* war, in Anlehnung an dieses *Lagerwiede*, eine Erfindung des Amsterdamer Professors der Verwaltungswissenschaften H. A. Brasz, der in seinem Buch Modern geleed Streekbestuur, Alphen aan den Rijn 1966, ein Modell für einen ländlichen Verwaltungsdistrikt entwarf, das er an der betreffenden Gegend konkret darstellte. Er nannte seinen Modelldistrikt 'gemakshalve' *Brederwiede*. Dieser Name wurde im Jahre 1973 für die aus *Giethoorn, Vollenhove, Wanneperveen* und *Blokzijl* gebildete neue Gemeinde offiziell festgelegt.

[63] Eine untere Grenze hat sich in der Praxis längst ausgebildet. Dreistellige Ortsnamen sind selten (niederl. *Erp*, dt. *Alf*, franz. *Ars*). Zweistellige Ortsnamen kommen nur vereinzelt vor (niederl. *Ee*, dt. *Au*).

[64] C. J. Philips, Les noms des chef-lieux, S. 29.

[65] H. Hasquin, Gemeenten van België, I, S. 304.

[66] *Binnenmaas* war im Volksmund und bei den Schiffern schon geläufig.

[67] Direkte Ableitung von dem im Tal gelegenen Ort *Ulm* ist allerdings auch möglich. Zu vergleichen wäre *Deggenhausertal*.

[68] *Barendrecht* erreichte seine heutige Kürze in zwei Phasen: *Oost-Barendrecht + West-Barendrecht* ⟩ *Oost- en West-Barendrecht* (a. 1836) ⟩ *Barendrecht* (a. 1886).

in der Bundesrepublik ist dieses Verfahren nicht selten, zum Beispiel in *Ober-Abt-steinach + Unter-Abtsteinach ⟩ Abtsteinach*. In Belgien hat man auf diese Weise un-ter den Namenschlangen gründlich aufgeräumt: *Geest-Gérompont-Petite-Rosière + Bomal + Mont-Saint-André ⟩ Gérompont* (a. 1971)[69]. Das Abwerfen des Zusatzes *St.* ⟨ *Sint, Saint(e), Sankt*, der übrigens nicht dem Ortsnamen vorgesetzt ist, sondern zum zugrunde liegenden Personennamen gehört, bringt wenig Gewinn, verursacht aber eine Störung in der Namenlandschaft[70]. Wenn die rheinischen Orte *St. Tönis* und *Vorst* zu *Tönisvorst* verbunden werden, verliert der Heilige ohne Not seinen in der Wüste sauer verdienten Titel, während man beim neuen Namen *Tönisvorst* nur noch fragen kann, wo der *Schäl* ist. In den niederländischen hagiophoren Namen wird *St.* voll ausgeschrieben, was nicht nötig scheint: *Sint Maarten, Sint Odiliënberg, Sint Pancras*. In der südlichen Provinz Noord-Brabant erscheinen nach französischer und belgischer Art die hagiophoren Namen mit Bindestrich: *Sint-Oedenrode, Sint-Michielsgestel*[71]. Abgesehen von der Stellenzahl hat die Kürzung *St.* statt *Sint* den Vorteil, daß sie mit dem englischen, französischen, belgischen und deutschen Ge-brauch übereinstimmt.

Der dritte Aspekt der Gemeindenamengebung ist, wie gesagt, die Möglichkeit, mit-tels der Namenwahl die Werbung zu fördern. Dieser Aspekt ist häufig Anlaß zu wit-zelnden Bemerkungen. Auch wir waren oben, bei der Besprechung der werbenden Zusätze, davon nicht frei. Doch soll festgestellt werden, daß die Sorge um den Wer-bewert des Kommunalnamens durchaus legitim und wohlbegründet ist. Es sollte nicht nötig sein, daß die Gemeinden es oft nicht wagen, in ihren Anträgen anders als in verhüllender Weise auf diese Motivation anzuspielen[72].

Neben den werbenden Zusätzen ist auch auf bestimmte Eigenschaften des Namen-körpers selbst zu achten. Zunächst ist der Wohllaut von Belang. *Glückstadt* klingt besser als *Trennewurth-Trennewurtherdeich*, *Diemelsee* klingt schöner als *Trüben-bach* oder *Miesenheim*[73]. Aus diesen Beispielen erhellt schon, daß es nicht nur auf den bloßen Klang ankommt, vielmehr auf die Konnotationen. In der neuen Gemein-de *Zederik* (a. 1986, südlich Utrecht) veranstaltete die Kommunalverwaltung schon

---

[69] Bei Fusionen wirtschaftlicher Unternehmen läßt sich dasselbe Verfahren beob-achten: *Hennessy & Cie* (a. 1765) + *Moët & Chandon* (a. 1922) ⟩ *Moët- Hennessy SA* (a. 1971).

[70] Der Heiligentitel ist ein wesentlicher Bestandteil dieser Ortsnamen. Die Häufig-keit des Typus ist so groß, daß das Denotat 'bewohnter Ort' auch in der Verwen-dung ohne Grundwort im Kontext sofort erkennbar ist. Man kann von *St. Moritz* nach *St. Denis* reisen, nicht von **Moritz* nach **Denis*.

[71] Der hierhergehörige friesische Ortsname *St. Jansgea* (niederl. *St. Johannesga*) wird manchmal als Zusammensetzung geschrieben: *Sintjohannesga*; dagegen J. W. Zantema, Frysk Wurdboek, I, S. 1219.

[72] So *Ingelheim am Rhein* (a. 1939) und *Porz am Rhein* (a. 1951); s. H. Kauf-mann, Westdeutsche Ortsnamen, I, S. 166.

[73] Ob der Name der belgischen Gemeinde *Erps-Kwerps* lustig oder unschön klingt, bleibt Geschmackssache.

nach einigen Monaten ein Preisausschreiben, um einen besseren Namen zu finden. *Zederik*, obwohl ein Flußname, hat in der Tat einen negativen Klang. Das Suffix *-erik* bezieht sich in mindestens vierzig Ableitungen auf Personen. Die Bedeutung ist in diesen Fällen immer pejorativ: so *viezerik, bangerik, botterik* 'Grobian', *luierik* 'Faulenzer', *zatterik* 'Säufer'[74].

Neben der Lautgestalt und den teilweise damit zusammenhängenden Konnotationen übt auch das Schriftbild eine suggestive Wirkung aus. Statt *Cromstrijen* (a. 1984) hätte *Kromstrijen*[75] zügiger ausgesehen. Die in demselben Jahr gegründete Gemeinde *Korendijk*, ebenfalls in unmittelbarer Nähe des großen Industriegürtels südlich von Rotterdam gelegen, schrieb *Coorndijk* in die moderne Orthographie um. *Stede Broec* (a. 1979) nähme sich als Name eines Altersheims oder eines teuren Wohngebäudes gut aus. **Stedebroek* hätte sowohl die historische Verbundenheit wie die Zeit, in der die Gemeinde gegründet wurde und funktionieren soll, zum Ausdruck gebracht. Nachdem einige seeländische Dörfer in *Borssele* aufgenommen waren, wurde die systemwidrige Orthographie zu *Borsele* vereinfacht. Freistehende Zahlen sind Fremdkörper in einem Ortsnamen. Die Gemeindenamen *Senne I* und *Senne II* (a. 1813) waren ein höchst unglücklicher Einfall. *Senne II* heißt seit dem Jahre 1965 *Sennestadt* und wurde im Jahre 1973 in Bielefeld eingegliedert. Hoffentlich findet sich auch für *Senne I* ein besserer Name[76], das umso mehr, als das Postleitzahlensystem nachgestellte Zahlen als Angabe der Zustellpostanstalten verwendet[77].

Es ist übrigens zu beachten, daß die Werbung auf bestimmte Zielgruppen ausgerichtet sein kann. Eine solche spezielle Bezogenheit bedingt zum großen Teil den Charakter des Namens. Daß *Rosengarten* (a. 1972), eine neue großflächige Gemeinde südwestlich von Hamburg, als Ausflugsgebiet dieser Stadt einen passenden Namen trägt, wird niemand bestreiten. *Waldbrunn* im Odenwald ist ein schöner, für den Tourismus sicher werbender Name. Er wäre aber für eine Gemeinde, die Industrie anziehen möchte, verfehlt. Der Zusatz *Bad* zielt, wenn auch weniger ausschließlich als früher, auf eine ganz bestimmte Kategorie von Besuchern. Das Label *am Rhein* lockt alles und alle.

Wir sind am Ende unserer Betrachtungen angelangt. Es dürfte sich gezeigt haben, daß die Namengebung der Gemeinden eine manchmal heikle, aber immer wichtige Angelegenheit ist. Es scheint gerechtfertigt und erwünscht, daß neben den direkt

---

[74] E. R. Nieuwborg, Retrograde Woordenboek, S. 427.

[75] Diese Orthographie wurde schon im Jahre 1936 in der Lijst van Aardrijkskundige Namen vergeblich vorgeschlagen.

[76] 'Nummer-Namen' sind oft Ursache irriger Angaben. Der sonst so pünktliche Shell-Atlas gibt für das Jahr 1975/1976 *Senne I, Senne II* und *Sennest. (Senne II)*; für das Jahr 1985/1986 *Senne, Senne* und *Sennestadt*. Die deutsche Generalkarte kennt nur *Senne* und *Sennestadt*. Reclams Kunstführer, Deutschland III, spricht von *Sennestadt (Landgemeinde Senne I)*.

[77] Postleitzahlenverzeichnis, S. 6.

Interessierten und den amtlichen Stellen auch Namenkundler an der höchst aktuellen Aufgabe der Kommunalnamengebung Anteil haben und bei der Bewältigung der aufkommenden Probleme tätige Hilfe leisten[78].

[78] In den Niederlanden existiert, unter den Auspizien der Koninklijke Nederlandse Akademie van Wetenschappen in Amsterdam, eine Commissie van Advies voor de vaststelling van aardrijkskundige namen. Sie stellt auf Anfrage für das Ministerium des Innern und für Provinzialverwaltungen und Kommunalverwaltungen Gutachten auf.

Rob Rentenaar

Namenwechsel und Namenänderung bei Nachbenennungsnamen
Einige Beispiele aus den Niederlanden

Wer in dem bekannten terminologischen Nachschlagewerk von T. Witkowski das Stichwort Nachbenennung aufsucht, wird sehen, daß dieser Begriff nur in einer anthroponymischen Perspektive behandelt wird[1]. Das ist eigentlich merkwürdig, denn dasselbe Phänomen kommt auch auf toponymischer Ebene vor. In der Anthroponymie ist die Nachbenennung ein Prozeß, der darin besteht, daß man bewußt den Namen eines Menschen wieder als Namen eines (bis dann meist noch namenlosen) Menschen fungieren läßt. Ein Kind kann benannt werden nach seinem Vater, seinem Großvater, einem anderen Familienmitglied oder einem Bekannten der Familie. Außerdem kennen wir natürlich überall die Nachbenennungen nach literarischen Figuren und Berühmtheiten oder Pseudo-Zelebritäten aus königlichen Kreisen, dem Fernsehen und dem Sport.

Ein derartiger Nachbenennungsprozeß kann auch auf toponymische Verhältnisse übertragen werden. Die Sibiriens, Ägyptens, Amerikas und Jerusalems, die wir in so vielen Ländern finden, sind Ergebnisse einer Nachbenennung. Die Termini, mit deren Hilfe diese Art Toponyme in der Literatur erfaßt werden, sind oft sehr verschieden. Man stößt unter anderem auf Migrationsnamen, Wandernamen, noms transportés, transplaced names, verschleppte Namen, imported names, transferred names (und so weiter). An anderer Stelle habe ich schon dargelegt, warum diese Termini meines Erachtens das Ergebnis eines toponymischen Nachbenennungsprozesses nicht richtig bezeichnen[2]. Nur in der skandinavischen Namenforschung hat man die Stellung der Namen dieser Art innerhalb der Toponymie besser gesehen. In der Nachfolge der dort angewandten Terminologie werde ich hier denn auch weiter von Nachbenennungsnamen sprechen.

Wenn wir einen Nachbenennungsnamen zu definieren versuchen, können wir sagen, daß es um ein Toponym geht, das dadurch entstanden ist, daß man bewußt ein anderswo existierendes Toponym gewählt hat, um als Benennung einer anderen Lokalität zu fungieren. Diese Wahl hat auf der Basis der mit dem Namen verbundenen Nebenbedeutungen oder sekundären Konnotationen stattgefunden. Es soll noch hinzugefügt werden, daß vom topographischen Zusammenhang keine Rede ist.

---

[1] Grundbegriffe der Namenkunde, S. 49.

[2] R. Rentenaar, Vernoemingsnamen, S. 233-251.

Namengeber konnten für die Wahl der Nachbenennungsnamen sehr verschiedene Motive haben. Auf der Grundlage einer Untersuchung von mehr als zweitausenddreihundert Nachbenennungsnamen in den Niederlanden habe ich feststellen können, daß diese Motive in drei Hauptkategorien einzuordnen sind[3]. Die erste Kategorie erfaßt das Verhältnis des Namengebers zur Nachbenennungsbasis, die zum Beispiel sein Geburtsort, ein früherer Aufenthaltsort oder ein erwünschter Aufenthaltsort sein kann. Das letzte Motiv liegt unter anderem der Wahl des Namens *Jeruzalem* für eine Gärtnerei zu Ijsemuiden (Provinz Overijsel) zugrunde. Deren Eigentümer hatte mit dem Gedanken gespielt, mit einem Wohnwagen nach Jerusalem zu fahren.

Eine zweite Motivkategorie nimmt auf den Charakter der Lokalität oder deren Einwohner Bezug. Ein staubiges Neubauviertel wurde *Texas* genannt, ein wellenförmiges Gelände *Klein Zwitserland*, ein kaltes, offenes Feld *De Noordpool*. Eine architektonische Charakterisierung finden wir bei dem Namen *Finland* für eine Straße mit hölzernen Notwohnungen. Ein fruchtbarer Obstgarten wurde nach *Kalifornien* benannt. Stadtviertel, deren Bewohner oft Streit miteinander hatten, bekamen Namen wie *De Krim* und *Korea*. Durch den Namen *Goudkust* wurde der Reichtum einer Wohnumgebung charakterisiert. Die religiöse oder politische Observanz kam manchmal durch Namen wie *Het Vatikaan*, *Klein Rome* oder *Klein Rusland* zum Ausdruck.

Die dritte Motivkategorie erfaßt die relative Lage der Lokalitäten, die einen Nachbenennungsnamen bekommen haben. Meistens geht es um Felder, Bauernhöfe, Stadtviertel oder Weiler, die weit vom Ausgangspunkt des Namengebers entfernt lagen, wie bei Namen wie *Babiloniënbroek*, a. 1131 *Babilonia*, *Rokkanje*, a. 1220 *Rochange*, *Rochainge* und später *Oost Indië*, *Amerika*, *Siberië*, *Canada* (und so weiter). Eine Lage im nördlichen Teil einer Dorfflur konnte in dem Namen *De Noordpool* ausgedrückt werden. Grenzgewässer konnten den Namen *Jordaan* bekommen. Semantisch sekundär ist dieser letztgenannte Name mehrmals auf das angrenzende Land übergegangen.

Ein wichtiges Merkmal des Nachbenennungsnamens ist die bewußte Wahl, die der Namengeber getroffen hat. Dieser Namengeber hat nicht ohne weiteres einen beliebigen Ortsnamen aus seinem Onomastikon für Namengebung gewählt, sondern den Namen eines Ortes oder eines Landes, von dem er gewisse Vorstellungen hat. Infolge der Nachbenennung entsteht ein Ortsname, der mit einem anderswo vorkommenden Ortsnamen homonym ist. In der Namenbenutzergemeinschaft, in die ein solcher Name introduziert wird, ist man sich dieser Homonymie nicht immer in gleicher Weise bewußt.

Wenn das Namenwahlmotiv des Namengebers dazu geführt hat, daß dieser einen Namen gewählt hat, der nur ihm bekannt ist, empfinden die Namenbenutzer den neuen Namen als eine Neubildung, die ihnen unbekannt ist. Das ist in den Niederlanden zweifellos bei Nachbenennungen von Villen und Landhäusern nach Plantagegebieten im ehemaligen Niederländisch-Ostindien der Fall gewesen, wie *Djember*,

---

[3] R. Rentenaar, Vernoemingsnamen, S. 253-277. Die Beispiele, die im folgenden gegeben werden, stammen fast alle aus diesem Werk. Nur bei Nachträgen werden auch Verweise gegeben.

Kemidjing, Kalie Woengoe, Mataram, Ngladjoe, Medan, Slamat, Soekowono, Tanah Wangie und *Tondano.*

Die Situation ist eine andere, wenn der Namengeber einen Namen wählt, den die lokalen Namenbenutzer auch in ihrem Onomastikon besitzen. In diesem Fall wird der neue Name sofort als Nachbenennungsname empfunden werden. Das geschieht zumal bei Nachbenennungen nach Orten und Ländern, die wir aus der Bibel kennen, wie *Nazareth, Jerusalem, Bethlehem, Emmaus, Patmos* und *Kanaan* und bei Nachbenennungen nach Gegenden, die durch Handel, Schiffahrt und Auswanderung bekannt sind. In der niederländischen Situation waren das unter anderem *Ostindien, Grönland, Java, Spitsbergen, Amerika* und *Kalifornien.* Weiter ist das soeben erwähnte Erkennungsgefühl kennzeichnend für die Reaktion der lokalen Namenbenutzer auf sogenannten 'bellike' (⟨ lat. *bellum*) Nachbenennungsnamen. Das sind Namen, die durch Nachbenennung nach Basen entstanden sind, die ausdrücken, daß ein Krieg, ein Aufstand, eine Schlacht oder ein anderes gewaltsames Ereignis stattgefunden hat. International bekannte Beispiele sind *Buda, Waterlo, Sebastopol, Transvaal, Mexiko, Marokko, Kamerun, Abessinien, Korea* (und so weiter). Spezifisch für die Niederlande ist der Name *Lombok.* Dieser kommt dort 120 Mal vor als Name armer Stadtviertel, Weiler und abseits gelegener Gelände. Es geht hier um eine Nachbenennung nach einer der Kleinen Sunda-Inseln in Indonesien, auf der die Niederländer im Jahre 1894 auf ziemlich barbarische Weise einen Aufstand niedergekämpft haben.

Aufgrund ihrer Bildungsweise machen die Nachbenennungsnamen in unserem Ortsnamenbestand eine Gruppe für sich aus. Wie verhalten sich diese Namen nun zur Frage des Namenwechsels und der Namenänderung? Es wird vorausgesetzt, daß Ortsnamen in ihrer Existenz als nomina propria überhaupt nur selten andere Änderungen erfahren als diejenigen, die mit bestimmten allgemeinen sprachlichen Entwicklungen zusammenhängen. Daß es von dieser Regel Ausnahmen gibt, dann deshalb, weil der Name den Namenbenutzern nicht in der Form genügte, in der er sich ihnen zeigte[4]. Bei Nachbenennungsnamen haben wir es mit Toponymen zu tun, die diachron gesehen als Homonyme anderswo existierender Toponyme gebildet worden sind. Beeinflusst diese Tatsache ihre größere oder kleinere Resistenz gegen die verschiedenen Änderungsarten, die geographische Namen im allgemeinen erfahren können? Spielt das Verschwinden des Homonymiebewußtseins, das im Namengebungsmoment bei den potentiellen Namenbenutzern gelebt hat, hierbei eine Rolle? Inwiefern kann das wieder von graphematischen Änderungen beeinflußt worden sein? Oder ist das Verschwinden der Homographie gerade ein Hinweis darauf, daß es kein Homonymiebewußtsein mehr gab? Die Fragen sind leicht zu stellen. Das Fehlen ausreichender historischer Daten macht sie aber schwer zu beantworten. Wir können meist nur einen Namenwechsel oder eine Namenänderung feststellen. Über die Gründe oder die Ursachen tappen wir oft im Dunkeln.

Zuerst will ich nun einige Beispiele deutlicher Namenwechsel und danach noch einige andersartige Änderungen behandeln, die ich bei Nachbenennungsnamen in den Niederlanden beobachtet habe. Namenwechsel kann nach zwei Seiten stattgefunden

---

[4] V. Dalberg, Stednavneændringer i typologisk perspektiv, S. 33.

haben. Ein Nicht-Nachbenennungsname kann durch einen Nachbenennungsnamen oder ein Nachbenennungsname durch einen Nicht-Nachbenennungsnamen ersetzt worden sein.

Der Namenwechsel kann auf zwei Weisen geschehen sein, und zwar durch Umtaufe oder durch langsame Verdrängung des ursprünglichen Namens. Dokumentierte Umtaufen sind verhältnismäßig selten. Das Haus *Drieschhof* zu Limmel (Provinz Limburg) wurde *Jeruzalem* getauft, nachdem der Bewohner a. 1557 von einer Pilgerschaft nach dem Heiligen Lande zurückgekehrt war[5]. Nach der Schlacht bei Öland a. 1676 wurde der niederländische Admiral Cornelis Tromp vom dänischen König Christian V. zu Graf von Sølvesborg in Schonen ernannt. Darauf hat C. Tromp den Namen seines Landsitzes *Trompenburg* zu 's Gravenland (Provinz Noord Holland) ersetzt durch den Namen *Syllisborg*[6]. Um das Jahr 1800 kam die reiche Pflanzerfamilie Van Rhijn aus Ostindien nach den Niederlanden. Zu Dalfsen (Provinz Overijsel) kaufte sie die Landgüter *Rouse's Goed* und *De Horte* und gab diesen die Nachbenennungsnamen *Mataram* und *Djokjakarta* nach den Gebieten, in denen sie Plantagen besessen hatte.

Viel öfters haben wir mit einem Namenwechsel zu tun, der die Folge einer Verdrängung des ursprünglichen Namens durch einen Nachbenennungsnamen ist. Die Entstehungsweise der Nachbenennungsnamen fördert auch solche Entwicklungen. Viele dieser Namen entstehen ja nicht als neue Namen für neu urbargemachte Felder oder neu gebaute Stadtviertel oder Weiler, sondern als Beinamen für Lokalitäten, die schon einen Namen hatten. Oft sind die so entstandenen Namen in der Beinamenphase steckengeblieben. In vielen Fällen sind derartige Beinamen im Laufe der Zeit wieder verschwunden. Regelmäßig erwähnen die Quellen, daß bestimmte Stadtviertel im Volksmund *De Krim, Sebastopol, Lombok, De Balkan, Korea* (und so weiter) geheißen haben, daß diese Namen später aber nicht mehr benutzt worden sind. Solche Mitteilungen lassen uns ahnen, daß es viel mehr Nachbenennungsnamen in der Funktion als Beinamen gegeben haben muß. Sie sind aber wieder verschwunden, ehe die Quellen sie haben registrieren können.

Ein bekanntes Beispiel eines Beinamens, der Erfolg gehabt hat, bietet das Amsterdamer Arbeiterviertel *De Jordaan* an der bekannten Prinsengracht. Dieses Viertel ist im Anfang des siebzehnten Jahrhunderts entstanden und hieß ursprünglich *Het Nieuwe Werk*. Im Jahre 1691 finden wir es zum ersten Mal als *aen de overzijde der Jordane* 'an der Überseite der Jordane' bezeichnet. Da trat *Jordaan* also als Beiname der Prinsengracht auf. Um a. 1700 ging dieser Beiname semantisch sekundär auf das angrenzende Arbeiterviertel über und verdrängte nachher den ursprünglichen Namen *Het Nieuwe Werk*. Für viele Leute hat der Name *Jordan* sekundäre Konnotationen sozialer Art. Der Fluß wird unter anderem als Grenze zwischen arm und reich gesehen[7]. In Amsterdam , wo es große soziale Gegensätze zwischen den verschiedenen Stadtvierteln gab, war das ein Motiv, das leicht eine Rolle spielen konnte.

----

[5] J. Th. H. de Win, "Kastelen" in Limburg, S. 90.

[6] I. H. v. Eeghen, MA. 44 (1957) S. 84-86.

[7] Th. Hjelmqvist, Bibelgeografiska namn, S. 123-128.

Die Verdrängung eines Nicht-Nachbenennungsnamens durch einen Nachbenennungsnamen bedeutet nicht immer, daß ein stilistisch neutraler Name durch einen Beinamen ersetzt wird. So baten im Jahre 1915 die reformierten Einwohner des Dorfes *Het Dwarsgat* in der Provinz Drente den Gemeindevorstand Hogeveens, zu dem das Dorf gehörte, um Ersatz des Namens *Het Dwarsgat* durch den biblischen Namen *Elim*. Der Gemeindevorstand weigerte sich, weil er sich nicht in kirchliche Angelegenheiten einmischen wollte und weil er *Elim* als keinen passenden Namen für ein Dorf empfand. Die Einwohner von *Het Dwarsgat* waren offenbar anderer Meinung und fingen trotzdem an, den Namen *Elim* zu benutzen. Die Obrigkeit mußte dann bald nachgeben, und innerhalb weniger Jahre war der Name *Elim* überall akzeptiert worden.

Manchmal können wir ahnen, was bei einem Namenwechsel geschehen ist, nämlich wenn der neue Name ein Nachbenennungsname ist, der zu einem Typ gehört, dessen Wahl oft auf dasselbe Motiv zurückgeht. Der Bauernhof *Nieuwe Hoeve* zu Kattendijke in der Provinz Zeeland heißt später *Domburg*, eine Nachbenennung nach einem anderen Ort, der ebenfalls in Zeeland liegt. Bei Nachbenennung über eine verhältnismäßig kleine Distanz ist das Motiv oft eine Relation des Namengebers zur Nachbenennungsbasis. Wahrscheinlich ist das auch hier der Fall gewesen.

Der Weiler *Altena* bei Sint Pieter in der Provinz Limburg bekam im Jahre 1894 den Namen *Lombok*. Das war im Jahre des Aufstands auf der Insel Lombok in Ostindien. 'Bellike' Nachbenennungen, die in der Zeit so nahe bei den Ereignissen liegen, die die Nachbenennungsbasis bekannt gemacht haben, verdanken ihr Entstehen meistens einem Zank oder einer Schlägerei. Statistisch gesehen gibt es denn auch eine große Chance, daß das auch in dem limburgischen Ort geschehen ist.

Der St. Hieronymuspolder zu Noordgouwe in der Provinz Zeeland hieß a. 1641 *St. Jeroenspolder alias Bantam*. Ein späterer seeländischer Historiker schrieb, daß er nicht wußte 'hoe die naam in die van Bantam veranderd is' ('wie dieser Name zu Bantam geändert worden ist')[8]. Mit Sicherheit wissen wir es auch nicht. Wir können es aber vermuten. Nach der Überschwemmung des Polders a. 1530 wurde er im Jahre 1603 wieder trockengelegt[9]. *Bantam* war jener Teil der Insel Java, mit dem die niederländischen Schiffahrer in Kontakt kamen, als sie zum ersten Mal in Ostindien landeten. Seit der Rückkehr dieser Seeleute a. 1597 haben *Bantam, Java* oder *Ostindien* selbst bei der Benennung neu gebauter oder urbar gemachter Lokalitäten als Basisnamen fungiert, die zumal noch oft abseits lagen. Zu einem derartigen Muster paßt auch die Nachbenennung des wieder eingedeichten Polders in Zeeland.

Ungefähr ein Drittel der Nachbenennungsnamen in den Niederlanden sind Flurnamen. Die lückenhafte Quellensituation macht es schwer, viel über die Umstände ihres Entstehens zu sagen. Viele Namen werden in dem Augenblick gegeben worden sein, als das Land urbar gemacht wurde. Es sind aber auch Fälle nachzuweisen, die vermuten lassen, daß der Nachbenennungsname einen älteren Namen abgelöst hat. Ich werde einige Beispiele geben. Es geht hierbei immer um Fluren, deren sämtliche Parzellen angesichts ihrer Lage bestimmt schon lange Namen gehabt haben müssen.

---

[8] J. Ermerins, Eenige zeeuwsche oudheden, VIII,2, S. 167.

[9] W. H. Wilderom, Tussen afsluitdammen en deltadijken, II, S. 89.

Auswanderung hat eine nachweisbare Wirkung auf den Flurnamenbestand gehabt. Der Name *Amerika* kommt in den Niederlanden erst nach der Mitte des neunzehnten Jahrhunderts als Flurname vor, als die Massenauswanderung aus unserem Lande nach der Neuen Welt seinen Anfang nahm. Im Zuiderlandpolder zu Wolfaartsdijk (Provinz Zeeland) finden wir den Flurnamen *Amerika* neben den Namen *Steenbakkerij* und *Slaeplaekens*. An der Stelle hat die Ziegelei schon vor langer Zeit aufgehört. Und das Wort *slaaplaken* war im neunzehnten Jahrhundert aus der lokalen Mundart verschwunden[10]. *Amerika* kommt also neben zwei Flurnamen viel älteren Ursprungs vor und wird, weil der Name jünger als ungefähr a. 1850 sein muß, an die Stelle eines älteren Flurnamens getreten sein.

Mit dem Namen *Sibirien* ist heute zumal die sekundäre Konnotation 'kaltes Gebiet' verbunden. Für ältere Generationen von Niederländern war Sibirien in erster Linie ein trostloses, fernes Land. Das hing ohne Zweifel mit dem schlechten Ruf zusammen, den Sibirien im neunzehnten Jahrhundert als Verbannungsort bekommen hatte. Im Laufe dieses Jahrhunderts fing man denn auch an, abgelegenen Feldern den Namen *Siberië* zu geben. In dem Egmondermeerpolder in der Provinz Noord Holland finden wir den Namen *Siberië* neben den Namen *Omloop*, *Negen Morgen* und *Dertien Morgen*. Die zwei letztgenannten Namen sind wahrscheinlich älter als a. 1820. In diesem Jahre wurde das metrische System offiziell in die Niederlande introduziert. Flurnamen, die aus alten Maßbezeichnungen gebildet worden sind, werden also im allgemeinen aus der Zeit vor diesem Jahre datiert[11]. Da der Name *Siberië* in dem erwähnten Polder erst im Laufe des neunzehnten Jahrhunderts gegeben worden sein kann, wird er zweifellos einen anderen Flurnamen verdrängt haben.

Zum Schluß gebe ich noch ein sehr rezentes Beispiel eines Nachbenennungsnamens, der in ein älteres Namenfeld eingedrungen sein muß. Zu Zwaagdijk in der Provinz Noord Holland kommt unter anderem der Flurname *Korea* vor neben den Namen *Achthondertje*, *Morgentje* und *Skoutsweid*. *Korea* kann nicht älter sein als a. 1950, als der Koreakrieg ausbrach. *Achthondertje* und *Morgentje* sind ursprünglich vormetrische Maßbezeichnungen. Das Schultzensystem ist am Anfang des neunzehnten Jahrhunderts abgeschafft worden. Die drei Namen müssen also mindestens anderthalb Jahrhunderte älter sein als der Eindringling *Korea*.

Bis jetzt haben wir uns nur mit Namenwechsel beschäftigt, der eine Zunahme der Zahl der Nachbenennungsnamen zur Folge hatte. Es sind im Laufe der Zeit aber auch Flurnamen verschwunden. Dabei denke ich nicht an jene Namen, die nach einer kürzeren oder längeren Existenz als Beinamen wieder außer Funktion geraten sind, sondern an bewußte Namenwechsel, wobei ein Nicht-Nachbenennungsname die Stelle eines Nachbenennungsnamens eingenommen hat. Auch hier läßt der Quellenmangel uns wieder oft mit unbeantworteten Fragen sitzen. Warum zum Beispiel heißt die Parzelle *Egypte* zu Grotebroek (Provinz Noord Holland) jetzt *De Akker,* und warum hat das Viertel *Emmaus* außerhalb Arnhem im neunzehnten Jahrhundert den Namen *De Klap* bekommen?

----

[10] J. Hollestelle, De steenbakkerij in de Nederlanden tot 1560, S. 120f.; Woordenboek der Nederlandsche Taal, XIX, Sp. 1464f.

[11] R. Rentenaar, BNF. NF. 2 (1967) S. 46-63.

Es sind aber auch Namenwechsel nachzuweisen, von denen wir etwas mehr wissen. Es zeigt sich, daß das Motiv des Namenwechsels oft bei den sekundären Konnotationen des Basisnamens liegt. Ein Bauernhof zu Zevenhoven (Provinz Zuid Holland) trug den litauischen Nachbenennungsnamen *Wilna*. Im Zweiten Weltkrieg wurde der Name durch den Namen *Ons Genoegen* ersetzt, weil der Eigentümer den deutschen Besatzungstruppen einen Gefallen tun wollte. Auf Wunsch der Anwohner wurden im Jahre 1925 die Namen *Siberië* und *Siberiëweg* zu Zeist (Provinz Utrecht) ersetzt durch den Namen *Julianalaan*. Ihr Argument war, daß 'de naam *Siberië* wijst op een zeer afgelegen gedeelte' ('der Name Sibirien deutet auf etwas sehr Abgelegenes'). Als Folge rezenten Villenbaus war diese Isolation aber aufgehoben worden. Überdies meinten sie, daß der Name angesichts der Verkaufsmöglichkeiten oder Vermietungsmöglichkeiten jener Villen kommerziell nicht so attraktiv war[12].

Es konnte auch geschehen, daß Namenbenutzer aus phonetischen Gründen Bedenken gegen einen Nachbenennungsnamen hatten. Das Landgut *Djokjakarta* bei Dalfsen, das ich schon erwähnt habe, bekam im neunzehnten Jahrhundert seinen früheren Namen *De Horte* wieder, weil die Umwohnenden nie den schwer auszusprechenden indonesischen Nachbenennungsnamen hatten akzeptieren wollen. Die Bewohner des Bauernhofes *Montmirail* zu Hummelo (Provinz Gelderland), gebaut a. 1856, haben diesen Namen ebensowenig akzeptieren wollen. Sie sollten aber bis einen Eigentumswechsel a. 1943 warten, ehe sie ihn durch den früheren Namen *Grevenkamp* ersetzen konnten[13].

In einem Fall sind es deutlich die mit dem Nachbenennungsnamen selbst verbundenen sekundären Konnotationen gewesen, die einen Namenwechsel veranlaßt haben. Es handelt sich um den Namen *De Bocht van Guinee* im Haag. Diese vornehme Straße wurde a. 1872 Schauplatz eines Doppelmordes. Vom Täter war am Anfang keine Spur zu finden. Monate lang fuhr die Sensationspresse fort, sich mit diesem Mord zu beschäftigen. Selbstverständlich wurde dabei immer wieder der Straßenname erwähnt. Auf die Dauer fing das die Anwohner zu irritieren an, und deshalb haben sie nach einem Jahr beim Gemeindevorstand erreicht, daß der Name *De Bocht van Guinee* durch den Namen *Huygenspark* ersetzt wurde.

Wir können einen Ortsnamen nur als Nachbenennungsnamen bezeichnen, wenn wir wissen oder glaubhaft machen können, daß er durch Nachbenennung entstanden ist. Es gibt daneben auch Ortsnamen, die mit einem Nachbenennungsnamen homonym sind, trotzdem aber auf eine andere Weise entstanden sind. Sie sind das Ergebnis verschiedener Umbildungsprozesse, die eines miteinander gemein haben: Das Endergebnis war immer ein Ortsname, der mit einem Nachbenennungsnamen homonym war, dessen Basisname vielen Namenbenutzern bekannt war. Es ist nicht immer leicht, diese Umbildungen zu beschreiben. Der heutige Flurname *Amsterdam* zu Katwoude (Provinz Noord Holland) hieß im siebzehnten Jahrhundert noch *Amsterdammer landen*. Der Flurname *Brasilië* zu Zeddam (Provinz Gelderland) hat sich aus einem älteren Namen *Baseleyenguet* entwickelt. In beiden Fällen haben wir es auch mit ziemlich komplizierten Ellipsenbildungen zu tun.

---

[12] L. Visser, De straatnamen van Zeist, S. 31.

[13] H. Stam, JAL. 9 (1986) S. 20f.

Eine Sonderkategorie machen auch die religiösen Umbildungen bei Klosternamen aus. Es ist ein international erkanntes Phänomen, daß man im Mittelalter manchmal Klosternamen bildete, indem man den Namen des Siedlungsortes an ein biblisches Toponym anglich[14]. Im Jahre 1407 wurde zu Abort in der Provinz Friesland ein Kloster der Windesheimer Kongregation gegründet. Bei der Weihe im nächsten Jahre gab der Bischof diesem Kloster den Namen *Tabor* 'nemende den letter T achter van dat woort [ergänze *Abort*] ende sette die voor ant woort' ('indem er den Buchstaben T hinter von dem Wort fortnahm und ihn voran setzte'). Ebenfalls in der Provinz Friesland hat man in der Mitte des dreizehnten Jahrhunderts den Namen *Gerkesklooster* in *Jeruzalem* umgeändert. Dem Kloster *Selwerd* in der Provinz Groningen begegnen wir seit dem Anfang des vierzehnten Jahrhunderts in den Quellen auch unter dem Namen *Siloe*.

Ein häufig vorkommender Änderungstyp ist derjenige, der oft ziemlich unzutreffend als volksetymologische Umbildung bezeichnet wird. Trotz diesem Terminus ist diese Umbildung ein sprachfunktionaler Prozeß, in dem, wenn es um Toponyme geht, unangepaßte toponymische Größen an jene Spezialstrukturen und Normen angepaßt werden, die der Namenbenutzer schon vorher als Teil seines Onomastikons besitzt[15]. Zu diesen Strukturen und Normen können wir auch die exogenen Ortsnamen rechnen, die einer Namenbenutzergruppe bekannt sind. Welche Namen das sind, bestimmt die geographische und kulturelle Kenntnis, die die Gemeinschaft besitzt. In älteren, geschlossenen Gesellschaften war diese Kenntnis nicht groß. Das können wir auch am Verbreitungsgebiet der ältesten Nachbenennungsnamen feststellen. Wir finden diese zumal in Gegenden, in denen Namengeber und Namenbenutzer durch Handel, Schiffahrt und andere soziale Kontakte mit der Außenwelt in Verbindung standen. Die Verbesserung des Schulunterrichts und der Aufschwung der Tagespresse haben das Wachsen der geographischen Kenntnis gefördert und also mitgeholfen, die Zahl der exogenen Ortsnamen im Onomastikon der lokalen Namenbenutzer zu erweitern. Die Angleichungen an Nachbenennungsnamenmodelle, die wir dann und wann beobachten können, werden zweifellos von dieser Entwicklung gefördert worden sein. Manche Beispiele sind denn auch ziemlich jung. Der Flurname *Amerika* zu Koedijk (Provinz Noord Holland) hat sich erst in diesem Jahrhundert aus der Form *Ameraike* ⟨ a. 1820 *Amerijke* ⟨ a. 1530 *Ane Marijen landt* entwickelt. Sowohl zu *Kruiningen* (Provinz Zeeland) als auch zu *Eelde* (Provinz Drente) hat der Viertelname *Luchtenburg* sich in *Luxemburg* verändert. Der Flurname *Griekenland* aus *Griekeslund* auf der Insel Marken (Provinz Noord Holland) ist aus einer Zusammensetzung mit dem PN. *Gerricus*[16] entstanden. Eine Wiese zu Valkenswaard (Provinz Noord Brabant), die a. 1683 als *in den Lomboek* belegt wurde, heißt im zwanzigsten Jahrhundert *Lombok*. Der Flurname *Rusklân* zu Langezwaag (Provinz Friesland),

---

[14] A. Bach, Deutsche Namenkunde, II, 2, § 521f., S. 237-239; J. A. Huisman, Plaatsnamen, S. 18; C. Damen, Geschiedenis van de benedictijnenkloosters, S. 52; R. Rentenaar, Vernoemingsnamen, S. 194-208.

[15] V. Dalberg, Såkaldt folketymologisk omdannelse af stednavne, S. 165-182.

[16] J. Daan, MVN. 31 (1955) S. 75.

neben Polen gelegen, wurde geändert in *Ruslân*. Der Name *Turkije* zu Geffen (Provinz Noord Brabant) geht zurück auf die Formen *'t Hurkje* ⟨ *Hoornik, Dusseldorp,* ein Flurname zu Limmen in der Provinz Noord Holland, ist jetzt homonym mit der niederländischen exonymischen Form des Namens *Düsseldorf.* Die älteren Belege zeigen, daß das nicht immer der Fall gewesen ist: a. 1277 *Dissele,* a. 1462 *Disterdorp,* a. 1512 *Disteldorp,* a. 1664 *Dissel-dorp* und a. 1681 *Dusseldorp*[17].

Obwohl die meisten Angleichungen an Toponyme stattgefunden haben, die sehr zerstreut über die Erdkugel liegen, ist dennoch eine leichte geographische Bevorzugung spürbar. In den südlichen Provinzen finden wir einige Umbildungen, aus denen sich Namen ergeben haben, die mit belgischen und französischen Toponymen homonym sind. In den nördlichen Provinzen stoßen wir dagegen auf einige Angleichungen an deutsche Toponyme. Der *Antwerppolder* in der Provinz Zeeland heißt a. 1655 *Antwerpen polder,* a. 1417 aber *Aenworpe.* Sein Name hat nichts mit dem Namen der Hafenstadt zu tun, sondern mit mnl. *anworpe* 'angewachsenes Land'. In der napoleonischen Zeit ist der Ortsname *Chavémont* in der Provinz Limburg in *Chèvremont* umgebildet worden. Zur selben Zeit hat der Schloßname *Bouvigne* zu Ginneken (Provinz Noord Brabant) seine endgültige Form erhalten. Er geht zurück auf a. 1425 *Boeverijen* ⟨ mnl. *boverie* 'Kuhstall, Milchwirtschaft'.

Im Norden, in der Provinz Friesland, hat der Flurname *Doedslân* zu Grouw sich zu *Dutsklân, Duitsland* entwickelt. Ursprünglich war er eine Zusammensetzung mit dem PN. *Doede*[18]. Der Ortsname *Bremen* bei Zevenhuizen in der Provinz Groningen geht auf *Breembaer* zurück. *Altena,* der ältere Name für *Sint Annaparochie* in Friesland und selbst eine Nachbenennung nach einem Schloß bei Delft, wurde im sechzehnten Jahrhundert in *Altoena* umgeändert. Obwohl *Elba* überall in den Niederlanden eine bekannte Nachbenennung nach Napoleons Verbannungsort ist, finden wir trotzdem an zwei Stellen in Friesland Umbildungen zu *Elbe.*

Zum Schluß will ich noch auf einen Änderungstyp aufmerksam machen, der vielleicht eher die Namenbenutzer anderswo im Lande als jene im lokalen Bereich interessiert. Es sind die Umbildungen in schriftlichen Quellen mit einem großen Benutzerkreis wie zum Beispiel Karten und geographische Wörterbücher. In der Provinz Friesland liegt ein Dorf, dessen Name fries. *Surch* geschrieben wird. In den niederländischen Quellen finden wir ab a. 1825 aber die Form *Zurich,* also ein Homograph der exonymen Form des schweizerischen Ortsnamens[19]. Etwas Gleichartiges hat sich in der Provinz Zeeland ereignet in bezug auf den Ort, der a. 1330 als *de Polder van den Bade* eingedeicht worden ist und a. 1443/1444 als *Bat* erwähnt wurde. Die letztgenannte Form blieb während des siebzehnten und achtzehnten Jahrhunderts, als das Dorf unter Wasser lag, erhalten. Im Jahre 1772, als man die Wiedereindei-

---

[17] L. Ph. C. v. d. Bergh, Oorkondenboek, II, Nr. 342; P. A. Meilink, Het archief van de abdij van Egmond, Reg. 1175; J. C. Overvoorde, Archieven van de kloosters, Nr. 2136; W. G. Lams, Het groot previlegie, S. 532; J. J. Dou, Kaart van 't Hoogh-heemraetschap van de Uytwaterende Sluysen van Kennemerlandt.

[18] J. J. Kalma, FP. 2 (1949) S. 23.

[19] Sieh J. W. v. I[mbyze] v. B[atenburg], Nieuwe alphabetische naamlijst, S. 193.

chung plante, erschien in den Quellen plötzlich die Form *Bath,* homograph mit dem Namen der bekannten englischen Stadt[20]. Innerhalb weniger Jahre, nachdem der Polder wieder trockengelegt worden war, ist das die allgemein akzeptierte Schreibweise des Namens geworden.

Die soeben besprochenen sogenannten volksetymologischen Umbildungen haben sozusagen Pseudonachbenennungsnamen ergeben. Es gab aber auch Umbildungen, die die Nachbenennungsnamen unkenntlich gemacht haben. Dabei fällt auf, daß es meist um Namen geht, deren ursprüngliche Nachbenennungsbasen im Laufe der Zeit ihren Ruf verloren hatten. Die Umbildung des Viertelnamens *Siberië* zu *Sip in 's Hertogenbos* ist eine Ausnahme und wahrscheinlich aus einem Wortspiel entstanden.

Öfters treten Änderungen bei den sogenannten 'belliken' Nachbenennungsnamen auf. Das ist auch nicht verwunderlich. Die Nachbenennungsbasen dieser Namen haben ihren Ruf durch Kriege, Schlachten oder Aufstände erhalten, die während einiger Zeit im Zentrum der allgemeinen Aufmerksamkeit standen. Nach dem Ende der Gewalttätigkeiten konnte das Interesse für die Kriegsschauplätze schnell abnehmen. Namenkundlich hatte das zur Folge, daß ein Name nur noch wenig erwähnt wurde und die Erinnerung an das Entstehen des einschlägigen 'belliken' Nachbenennungsnamens demgemäß weniger oft aktiviert wurde. Die mühsame Eroberung des Sultanats Atjeh im Norden Sumatras hat in den Niederlanden die Namengeber mehrmals zur Wahl des Nachbenennungsnamens *Atjeh* inspiriert. Zu Koedijk in der Provinz Noord Holland ist der Flurname *Atjeh* aber zu *Adje* umgebildet worden, homonym mit der Diminutivform des PN. *Ad.* Holländer und Belgier sind einmal miteinander uneinig gewesen. Das ergab sich unter viel Waffenrasseln a. 1830 in dem belgischen Aufstand. Dabei hat die Zitadelle Antwerpens eine wichtige Rolle gespielt. Das toponymische Ergebnis war, daß mehr als achtzehn Lokalitäten in den Niederlanden den Namen *Citadel* bekamen. In Scheveningen (Provinz Zuid Holland) lautet dieser Name heute aber *het Sikkadel,* als wäre er eine Zusammensetzung mit dem Grundwort *del* 'feuchte Niederung in den Dünen'.

Der Krimkrieg, der aufgrund der modernen journalistischen Begleitung sehr bekannt wurde, hat auch in den Niederlanden seine toponymischen Spuren hinterlassen. *Sebastopol* und *De Krim* sind hier häufig vorkommende Nachbenennungsnamen. Nicht alle Nachbenennungsnamen sind aber in unveränderter Form überliefert worden. Zu Markelo in der Provinz Overijsel finden wir jetzt den Hofnamen *Bastopol.* In einem breiten Streifen von Ost nach West quer durch das Land hat sich der Name *De Krim* in *De Krimp* geändert. Die Erklärung dafür ist, daß in diesem Streifen bei monosyllabischen Wörtern mit *p*-Auslaut der sogenannte *p*-Einschub auftreten kann[21].

Im Mittelalter wurde in den Niederlanden zumal nach Basen im Mittelosten, nach imaginären Orten und nach Lokalitäten in südlicheren Ländern benannt. Viele dieser Basen haben im Laufe der Zeit ihren Ruf verloren. Auch die Namen verschiedener

---

[20] C. Dekker, Zuid-Beveland, S. 357; P. J. Aarssen, Rilland, S. 65-67, 289.

[21] R. Rentenaar, OT. 54/12 (1985) S. 162f.

Orte, die nach ihnen benannt worden sind, haben sich bis ins Unkenntliche verändert. Den Flurnamen *De Peulen* bei Giesendam (Provinz Zuid Holland) soll man nicht als 'die Zuckererbsen' deuten, denn er ist eine Nachbenennung nach *Apulien* in Italien. Der Gebietsname *Montferland* in der Provinz Gelderland geht auf *Montferrand* in Frankreich zurück. *Kokkengen* in der Provinz Utrecht und *Koekange* in der Provinz Drente sind beide nach *Cocagne*, dem mittelalterlichen Schlaraffenland, benannt worden. Hinter dem Hofnamen *Maperduist* oder *Mopperduijs* zu Soest (Provinz Utrecht) steckt *Maupertuus*, der Name des Schlosses des Reineke Fuchs.

Die meisten dieser Änderungen haben sich geräuschlos und ohne Kommentar der Namenbenutzer eingebürgert. Eine Ausnahme bildet der Dorfname *Bartlehiem* in Friesland, der, in jedem Fall heutzutage, oft von einer Erklärung begleitet wird, wenn man ihn erwähnt. Der Name ist semantisch sekundär aus dem Namen des Frauenklosters *Bethlehem* entstanden, das dort im dritten Viertel des zwölften Jahrhunderts gegründet wurde. Man erzählt, daß die feindliche Haltung der Bevölkerung dem Klosterwesen gegenüber dazu geführt hat, daß man den Namen des Klosters nach dessen Aufhebung a. 1580 in *Bartlehiem* umgeändert hat. Diese Form wurde dann als eine Zusammensetzung des Grundwortes *hiem* mit dem PN *Bartle* interpretiert[22]. In den Quellen ist aber nichts von dieser antimonachalen Haltung zu spüren. Das erste Mal, daß wir auf die Namenänderung aufmerksam gemacht werden, ist a. 1769, als ein friesischer Historiker schreibt: 'een Nonnenklooster, Bethlehem ... tegenwoordig, by verbastering, of uit onkunde, doorgaans Bartlehiem of Barlehiem genaamt' ('ein Nonnenkloster, Bethlehem ... heute, durch Verballhornung oder Unwissenheit, gewöhnlich Bartlehiem oder Barlehiem genannt')[23]. Ein allgemeines Übersichtswerk aus dem Jahre 1787 wiederholt mehr oder weniger dasselbe, wenn es schreibt: 'Bethlehem, hedendaags, by 't gemeene volk, Bartlehiem geheeten' ('Bethlehem, heutzutage von dem gewöhnlichen Volk Bartlehiem genannt')[24]. Auch hier wird also nichts über etwaige religiös-politische Motive für die Änderung gesagt, nur die Feststellung der lokalen Aussprache getroffen. Es ist nicht anzunehmen, daß diese Aussprache mit der Aufhebung des Klosters zusammenhängt. Es gibt nämlich Indizien, daß der Name *Bethlehem* schon im späten Mittelalter jene Änderungen erfahren hat, die zu den Formen *Barlehiem, Bartlehiem* geführt haben: a. 1476 *Berlaheem*, a. 1489 *Betleheemstra*, a. 1508 *Bethleemra* und a. 1580-1581 *Berleheem*[25]. Möglicherweise sind die Formen *Barlehiem* und *Bartlehiem* unter Einfluß der Ableitung *Bethlehemster* entstanden, die für die Stelle für die Bezeichnung des Klosters üblich gewesen sein muß[26].

---

[22] J. J. Kalma, FP. 2 (1949) S. 22.

[23] F. Sjoerds, Historische jaarboeken, II, S. 385.

[24] Tegenwoordige staat van Friesland, II, S. 288.

[25] P. Sipma, Oudfriesche oorkonden, I, Nr. 271; P. Sipma, Oudfriesche oorkonden, II, Nr. 165; P. Sipma, Oudfriesche oorkonden, IV, Nr. 171; J. Reitsma, Oostergo, S. 132.

[26] Sieh auch a. 1508 *Bethlehemster maer*, a. 1580f. *Betleheemster cloister*; P. Sipma, Oudfriesche oorkonden, II, Nr. 204; J. Reitsma, Oostergo, S. 133.

Wenn wir die Stellung der Nachbenennungsnamen in unserem Onomastikon betrachten, können wir feststellen, daß sie in gleicher Weise als Toponyme fungieren
wie andere Ortsnamentypen. Sie unterscheiden sich nur dadurch, daß ihre Herkunft
manchmal noch lange eine Rolle spielt. Nicht selten haben die Nachbenennungsnamen Änderungen erfahren, die von bestimmten, meist negativen sekundären Konnotationen der Basisnamen beeinflußt worden sind. Zugleich haben wir auch gesehen,
daß Nachbenennungsnamen als Namentyp offenbar attraktiv sein konnten. Umbildungen zu Namenformen, die mit ihnen homonym waren, haben ihre Zahl selbst
dadurch scheinbar erhöht.

John Insley

Ortsnamen und Besitzwechsel
im Altenglischen und Mittelenglischen

Im Mittelalter finden im englischsprachigen Raum Ortsnamensänderungen als Ergebnis des Besitzwechsels sowohl in sprachlich homogenen Gebieten als auch in Gegenden sprachlicher Kontakte statt. Solche Änderungen sind als manorial zu bezeichnen. Sie spiegeln nur Änderungen in den Gutsbesitzverhältnissen wider. Sie sagen nichts oder nur wenig über das Alter der betroffenen Siedlung beziehungsweise Ortschaft aus. In diesem Kontext ist es durchaus angebracht, die Meinung von Kenneth Cameron[1] über die Bedeutung der sogenannten 'Grimston-hybrid' Ortsnamen des englischen Danelaws zu zitieren: 'Now, in the context of Danish settlement, we should perhaps see a 'manorial', and not an 'occupational' association in the personal name hybrids. Within a reasonable striking distance of the Danish borough of Nottingham, in the Vale of the Trent, there are about a dozen such places. It is at least conceivable that the *Gamall* and *Tovi*, for instance, who gave their names to Gamston and Toton, were overlords of these older villages. Their association would then certainly be rather 'manorial' than 'occupational''.

Leider sind unsere Quellen für die Ortsnamen des Danelaws verhältnismäßig spät. Es gibt wenige Belege für die Zeit vor *Domesday Book* (a. 1086). Urkundenmaterial, schon nach dem achten Jahrhundert relativ häufig im Süden und Südwesten, findet sich selten in den Gebieten skandinavischer Siedlungen. Es gibt breite Landstriche, wo es vollkommen fehlt. Es ist durchaus richtig, wie K. Cameron[2] vorschlägt, Personen wie *Áslákr* oder *Gunnúlfr*, deren Namen in den Ortsnamen *Aslockton* beziehungsweise *Gonalston* (beide Nottinghamshire) enthalten sind, als Skandinavier, die diese Ortschaften als Grundherren übernommen haben, zu betrachten. Sie sind daher Gutsbesitzer und nicht Gründer dieser Siedlungen. Da Quellenmaterial für die Zeit vor der skandinavischen Besiedlung kaum vorhanden ist, sind uns die früheren Ortsnamen verlorengegangen, und schon deswegen ist alle Spekulation müßig.

Um den Mechanismus solcher Namensänderungen genauer zu erörtern, ist es notwendig, Beispiele aus Regionen des Sprachkontakts, die besser dokumentiert sind, zu nehmen. Diese Voraussetzungen sind in der Zeit nach der normannischen Eroberung in England oder in der Anfangszeit der normannischen und northumbrischen

---

[1] The Scandinavian Settlement, S. 16.

[2] PBA. 62 (1976) S. 154.

Besiedlung Südschottlands im zwölften Jahrhundert zu finden. Zwei Beispiele sind
exemplarisch. Im Jahr 1086 war *Esetorp* (Lincolnshire), '*þorp* des *Æsi*'[3], im Besitz
eines gewissen Berengar. Hier, genauso wie in den Nachbarorten Ingleby, Bransby,
Corringham, Binbrook, Ludborough, Fotherby, Greatford und Aubourn, war Berengar ein Lehnsmann des normannischen Kronvassallen Robert de Todeni[4]. Ungefähr
dreißig Jahre später war *Esatorp* im Besitz eines Lehnsmann von Robert de l'Isle
mit dem französischen Namen *Buselin*[5]. In diesem Ortsnamen verdrängte der Name
des *Buselin* den ostskandinavischen Namen *Æsi*, der auch zweifellos der Name eines
früheren Besitzers (nicht unbedingt der des Gründers der Siedlung) war, so daß der
Ort etwas später *Buslingthorpa* hieß und heute *Buslingthorpe* heißt[6]. Ähnliches
findet man in Südschottland. Hier ist die Geschichte des Ortsnamens *Eddleston* in
Peeblesshire beispielhaft, die man anhand von Urkunden des zwölften Jahrhunderts
aus dem *Registrum Episcopatus Glasguensis* darstellen kann. Dieser Ort hatte ursprünglich den cumbrischen Namen *Penteiacob* 'Ende des Hauses des Jacobus'.
Kenneth Jackson[7] nimmt an, daß das der Name der Ortschaft im elften Jahrhundert
war. Der cumbrische Name wurde danach durch den Namen *Gillemurestun* '*tūn* des
Gillemuire' ersetzt, also durch einen Namen, der zeigt, daß ein Mann mit dem gälischen Namen *Gillemuire* diesen Besitz erworben hatte. Das habitative Suffix *-tūn*
zeigt, daß das Gebiet schon englischsprechend war, obwohl man nicht anzunehmen
braucht, daß die Ablösung des Cumbrischen durch das Englische sehr alt war. *Gillemurestun* ist nachher von Richard de Morville, Stallmeister der schottischen Könige
Malcolm IV. und Wilhelm des Löwen, von Bischof Ingram von Glasgow (a. 1164-
1174) erworben worden. Irgendwann vor seinem Tod im Jahre 1189 hatte Richard
de Morville diesen Besitz zum Ritterlehen umgewandelt und an einen Northumbrier
namens *Edulf*, Sohn des *Uhtred*, übergeben, von dem die Ortschaft ihren modernen
Namen *Eddleston*, früher *Edulfestun* '*tūn* des *Edulf*'[8] bekommen hat. Ähnliches ist
zu beobachten bei den Ortsnamen *Duddingston* (Midlothian), *Wiston* (Lanarkshire)
und *Houston* (Renfrewshire). *Duddingston*, das früher den cumbrischen Namen
Trauerlen 'Dorf am Teich' (sieh altwalis. *treb* 'Gut, Bauernhof' + best. Artikel *ir* +
linn 'Teich') trug, enthält den Namen eines gewissen *Dodinus*, der auch Land in
Berwick-upon-Tweed in der Mitte des zwölften Jahrhunderts besaß und, von seinem

---

[3] The Lincolnshire Domesday, LRS. 19 (1924) S. 96; N. Lund, Onoma 19 (1975)
S. 475.

[4] N. Lund, Onoma 19 (1975) S. 476.

[5] The Lincolnshire Domesday, S. 241; N. Lund, Onoma 19 (1975) S. 476.

[6] E. Ekwall, The Concise Oxford Dictionary, S. 78, s. n. *Buslingthorpe*. Sieh dazu
N. Lund, Onoma 19 (1975) S. 475f.

[7] Angles and Britons in Northumbria and Cumbria, S. 78.

[8] Für die Geschichte des Ortsnamens *Eddleston* sieh G.W.S. Barrow, in: G.W.S.
Barrow, The Kingdom of the Scots, S. 297f.; G.W.S. Barrow, The Anglo-Norman
Era, S. 93 und A. 3. Me. *Ēdulf* ⟨ ae. *Ēadwulf* ist sehr häufig im Norden Englands und
in Südschottland bis in die zweite Hälfte des 13. Jahrhunderts.

Namen her zu urteilen, flämischen Ursprungs war[9]. *Wiston* hieß früher *Abercarf*, das ist gleichfalls ein cumbrischer Name (sieh walis. *aber* 'Flußmündung, Zusammen-fluß'[10]). Der jetzige Name enthält als erstes Glied den fränkischen Namen *Wizzo*, den Namen eines Flamen, der in der Zeit König Malcolms IV. die Kirche dieser Ort-schaft an die Abtei Kelso schenkte[11]. Der dritte Ortsname dieser Gruppe, *Houston*, hatte ursprünglich den gälischen Namen *Cill P(h)eder* 'Kirche des Heiligen Petrus'. Der jetzige Name geht auf *Hugo von Pettinain* zurück, dem Baldwin von Biggar, ein Flame, der in den Jahren 1165-1171 Sheriff von Lanark war, dieses Gut übertrug[12]. Ein weiteres interessantes Beispiel bildet der Ortsname *Arkleston* in Renfrewshire (frühes 13. Jahrhundert *Arkylliston*) 'tūn des *Arkil*'. Im zwölften Jahrhundert scheint diese Ortschaft der Besitz eines Grimketil, dessen Nachfolger Arkil war, zu sein[13]. Beide Personennamen sind skandinavisch (*Grimketil* ⟨ an. *Grímke(ti)ll*, *Arkil* ⟨ an. *Arnke(ti)ll*, adän. *Ar(n)kil*), und, da sie das gleiche zweite Glied (an. *-ke(ti)ll*, adän. *-kil*) haben, liegt die Vermutung nahe, daß sie nachfolgende Generationen der gleichen Grundbesitzerfamilie vertreten.

In seiner grundlegenden Arbeit aus dem Jahre 1937 über die Personennamen des Jahres 1066 im *Domesday Book*[14] verzeichnete O. von Feilitzen[15] einige Ortsna-men, die die Namen von Grundbesitzern dieses Jahres enthalten. Diese Liste enthält 30 Ortsnamen. Zusätzlich hat sie neun Fälle, in denen der Name des Besitzers von a. 1066 später zugefügt wurde[16]. Einige Fälle sind etwas zweifelhaft, wie zum Beispiel der folgende. Obwohl a. 1066 ein gewisser *Gamel* Besitz in Gamston (*Gamelestvn*), Nottinghamshire, hatte, ist O. von Feilitzens Annahme, daß dieser der *Gamall* war, dessen Name in den Ortsnamen enthalten ist, unwahrscheinlich. *Gamston* ist ein ty-pischer 'Grimston-hybrid' Ortsname, und der *Gamall*, dessen Name dort enthalten ist, war eher ein Grundherr des späten neunten beziehungsweise frühen zehnten Jahrhunderts als einer von a. 1066[17]. Es ist aber charakteristisch, daß 15 der 30

---

[9] Für *Duddingston* sieh The Acts of William I King of Scots 1165-1214, S. 174 (Nr. 74); G.W.S. Barrow, The Anglo-Norman Era in Scottish History, S. 36, 40. Für Beispiele des Namens *Dodin(us)* aus Gent sieh C. Tavernier-Vereecken, Gentse Naamkunde, S. 122.

[10] Für schottische Ortsnamen, die mit *aber* gebildet sind, sieh W.F.H. Nicolaisen, Scottish Place-Names, S. 164f. Das zweite Element von *Abercarf* ist der Flußname *Garf*.

[11] G.W.S. Barrow, in: G.W.S. Barrow, The Kingdom of the Scots, S. 289 und A. 48; G.W.S. Barrow, The Anglo-Norman Era in Scottish History, S. 40 und A. 36.

[12] G.W.S. Barrow, in: G.W.S. Barrow, The Kingdom of the Scots, S. 345f.; G.W.S. Barrow, The Anglo-Norman Era, S. 40 und A. 36.

[13] G.W.S. Barrow, in: G.W.S. Barrow, The Kingdom of the Scots, S. 341.

[14] The Pre-Conquest Personal Names of Domesday Book.

[15] Ebenda, S. 32f.

[16] Ebenda, S. 33.

[17] Sieh K. Cameron, The Scandinavian Settlement, S. 16.

Ortsnamen, die Namen von Grundbesitzern des Jahres 1066 enthalten, mit dem Element -tūn gebildet wurden. Weitere vier Ortsnamen wurden mit dem skandinavischen Element -þorp gebildet.

Der Mechanismus von Ortsnamensänderungen als Spiegel des Besitzwechsels in der Zeit des *Domesday Books* läßt sich gut anhand des Ortsnamens *Ingoldisthorpe* in Norfolk darstellen. Frühe Formen dieses Ortsnamens sind folgende: a. 1086 *In evlvestorp*[18], *Torp*[19], a. 1101-1107, Kopie 14. Jahrhundert *Inguluesthorp*[20], um a. 1190, Kopie 13. Jahrhundert *Inguluestorp*[21], um a. 1160-1170, Kopie 14. Jahrhundert *Ingaldesthorp*[22], a. 1209 *Ingaldestorp*[23], *Ingaltestorp*[24], *Ingaltestorp'*[25], a. 1202 *Ingollesthorp*[26], a. 1204 *Ingoldestorp, Ingoldestorp'*[27], a. 1220 *Ingoldestorp'*[28]. Die Form *In evlvestorp* sieht aus wie ein Schreibfehler für **Ingvlvestorp*. Wichtig jedoch ist, daß der Ortsname auch als Simplexform *Torp* erscheint. Das deutet darauf hin, daß *Ingulf*, dessen Name in *Ingoldisthorpe* enthalten ist, ein Zeitgenosse von Domesday Book war. A. 1066 hatten zwei *liberi homines* Turuert (angloskand. *þurferð* ‹ an. **þorfrǫðr*) und Turchetel (angloskand. *þurketel* ‹ an. *þorketill*) Land in Ingoldisthorpe[29]. Turuerts Nachfolger war a. 1086 Peter de Valoignes, während der Nachfolger Turchetels Roger, Sohn des Renard, wurde. In Sedgeford, einer Ortschaft ungefähr fünf Kilometer nördlich von Ingoldisthorpe, besaß a. 1086 ein gewisser *Ingulfus* eine Hufe als Nachfolger von Earl Gyrör Godwinesson, Bruder des letzten angelsächsischen Königs Harald II.[30]. Dieser *Ingulfus* ist wohl Vater des *Hugo*, Sohn des *Ingulf*, der Zeuge einer ungedruckten Urkunde des Bischofs Everard von Norwich (a. 1121-1145) war, die von einem Besitz in Fring ungefähr drei Kilometer südöstlich von Sedgeford handelt[31]. Es ist deshalb anzunehmen, daß *Ingulfus von Sedgeford* der Grundbesitzer war, dessen Name in dem Ortsnamen *Ingoldisthorpe* enthalten ist.

---

[18] Domesday Book, II, f. 256b.

[19] Ebenda, f. 266b.

[20] London, British Library, Cotton Claudius D. XIII, f. 2r.

[21] London, British Library, Cotton Titus C. VIII, f. 46v.

[22] London, British Library, Cotton Claudius D. XIII, f. 173v.

[23] Pleas before the King or his Justices 1198-1212, IV, S. 175 (Nr. 4070).

[24] Ebenda, S. 213 (Nr. 4203).

[25] Ebenda, S. 252 (Nr. 4346).

[26] Feet of Fines for the County of Norfolk for the tenth Year of the Reign of King Richard the First 1198-1199, S. 137 (Nr. 315).

[27] Pleas before the King or his Justices 1198-1212, III, S. 196 (Nr. 1253).

[28] Curia Regis Rolls, IX, S. 328.

[29] Domesday Book, II, f. 256b, 266b.

[30] Ebenda, f. 193b.

[31] B. Dodwell, NA. 33 (1963/1965) S. 189.

Die Form *Ingulfus* könnte theoretisch an. *Ingólfr*, adän. *Ingulf*, runenschwed. *IngulfR* vertreten[32]. Es gibt jedoch einen westfränkischen Personennamen *Ingulfus*, der im neunten Jahrhundert in der Champagne der Île-de-France und im Thimerais zu finden ist[33]. Sieh circa a. 817 - a. 829 *Ingulfus, colonus sancti Germani* (dreimal: Verrières, Dép. Seine-et-Oise[34]; Villiers bei Thimert-Gâtelles, Dép. Eure-et-Loir[35]; Coudray-sur-Seine, Dép. Seine-et-Oise[36]), a. 853 *mansum ingenuilem quem tenet Ingulfus cum heredibus* (Montry, Dép. Seine-et-Marne)[37]. *Ingulfus* ist ebenfalls gut vertreten in Quellen aus dem elften Jahrhundert in der Normandie[38]. Der Name bildet auch das erste Element von vier normannischen Ortsnamen in -*ville* und ist in den Ortsnamen *Landigou*, Dép. Orne (a. 1180 *Landa Ingulfi, Landeingof*) in der Nähe von Flers nicht weit von der normannischen Grenze mit der Grafschaft Maine zu finden[39]. Adigard des Gautries[40] betonte, daß, mit der Ausnahme von *Landigou*, die normannischen Ortsnamen, die den Namen *Ingulf(us)* enthalten, in Gegenden, wo es dichte skandinavische Besiedlung (Pays de Caux, Rouennais, Bas Pays d'Auge, Campagne de Caen, Cotentin) gegeben hat, zu finden sind. Er schließt daraus, daß sie im Prinzip den skandinavischen Namen *Ingólfr* enthalten konnten, obwohl er darauf aufmerksam macht, daß gewisse Vorbehalte noch notwendig sind, insbesondere im Fall von *Landigou*, und er nimmt an, daß man auch mit einer Konvergenz zwischen den skandinavischen Namen und den fränkischen Namen hätte rechnen können[41]. Es muß betont werden, daß die Beispiele des *Ingulfus*, die in Quellen des neunten Jahrhunderts in West Francia vorhanden sind, aus Gegenden stammen, die später in direktem Kontakt mit dem Herzogtum Normandie standen. Zum Beispiel liegt der Thimerais direkt an der normannischen Grenze südlich von Évreux, in der Grafschaft Perche. Hugo de Châteauneuf-en-Thimerais war Schwager des Robert de Bellême, Sohn des ersten normannischen Earl von Shrewsbury, Roger II. de Montgomery[42]. Es wäre durchaus angebracht anzunehmen, daß der westfränkische Personenname *Ingulfus*, der im neunten Jahrhundert in der Champagne, Île-de-France

---

[32] Für den skandinavischen Namen ((urnord. **Ingwia-wulfaR*), sieh E. H. Lind, Norsk-isländska dopnamn, Sp. 640-642; Supplementband, Sp. 525f., s. n. *Ingólfr*; Damnarks Gamle Personnavne, I, Sp. 639, s. n. *Ingulf*; Sveriges Runinskrifter, IX. Fjärde Delen, Andra Häftet, S. 372.

[33] J. A. des Gautries, Les noms de personnes scandinaves, S. 216.

[34] Polyptyque de l'abbaye de Saint-Germain-de-Prés, II, S. 49.

[35] Ebenda, S. 184.

[36] Ebenda, S. 257.

[37] Recueil des Actes de Charles II le Chauve, I, S. 415 (Nr. 157).

[38] J. A. des Gautries, Les noms de personnes scandinaves, S. 364-366.

[39] Ebenda, S. 453.

[40] Ebenda, S. 217.

[41] Ebenda, S. 217.

[42] Sieh D. C. Douglas, William the Conqueror, S. 237.

und im Thimerais nachweisbar ist, auch in den Nachbargebieten des karolingischen
Neustriens, die später das Herzogtum Normandie bildeten, zu finden war. Dazu
kommt die Tatsache, daß der skandinavische Name *Ingólfr* in der Wikingerzeit überwiegend westskandinavisch ist[43]. Da die skandinavischen Siedler in der Normandie
hauptsächlich Dänen waren[44], ist sein Erscheinen dort eher unwahrscheinlich, obwohl nicht auszuschließen[45]. In der Normandie ist es daher höchstwahrscheinlich,
daß *Ingulfus* ein Name fränkischer Herkunft war, und das gilt natürlich auch für
englische Beispiele, wo die Namensträger normannischen Ursprungs waren, zum Beispiel *Ingulf*, Abt von Crowland von a. 1085/1086 bis a. 1109, der vorher ein Mönch
im Kloster Saint-Wandrille in der Normandie war[46]. Es liegt auch nahe zu vermuten,
daß *Ingulfus von Sedgeford* dessen Name wahrscheinlich in *Ingoldisthorpe* enthalten
ist, auch Normanne war, da es keine Spur der Kontinuität mit seinem Vorgänger in
Sedgeford, Earl Gyrðr, gibt. Wo man keine Information über die Nationalität eines
Grundbesitzers in England mit diesem Namen hat, muß die Alternative fränk. *Ingulfus* versus skand. *Ingólfr* theoretisch offen bleiben. Es ist jedoch auffallend, wie
selten *Ingolf/Ingulf* in englischen Quellen der Zeit vor der normannischen Eroberung
ist. Ich habe nur die folgenden Beispiele für die Zeit vor a. 1066 notieren können:
a. 959 - circa a. 973 *Hingolf, Higolf*[47], circa a. 973 - a. 978 *Ingolf*[48] (Münzmeister in
Newark-on-Trent, Nottinghamshire), a. 975-976, Kopie 13. Jahrhundert *Ingulfus*[49],
circa a. 980, 13. Jahrhundert *Siverðus, Ingulfi frater*[50] (Brandon und Livermere,
Suffolk). Ferner enthält *Domesday Book* Beispiele von Grundbesitzern des Jahres
1066 mit dem Namen *Ingulf(us)*, *Ingolf* aus den Grafschaften Essex, Lincolnshire,
Nottinghamshire, Suffolk und Somerset[51]. *Ingólfr/Ingulf(us)* bildet auch das erste
Element von zwei verlorenen Ortsnamen in Suffolk: a. 1086 *Ingoluestuna*[52] (im
Plomesgate Hundred); a. 1086 *Ingoluestuna*[53], a. 1178-1179 *Ingoluiston'*[54] (im

---

[43] Sieh G. Fellows Jensen, Scandinavian Personal Names, S. 153.

[44] Sieh F. M. Stenton, TRHS. Fourth Series 27 (1945) S. 1-12.

[45] Es gibt zum Beispiel Beweise für Celto-Norwegische Siedler, die wahrscheinlich
aus Nordwestengland oder den Hebriden kamen, im Cotentin. Sieh dazu G. Fellows
Jensen, Viking Settlement in Normandy, S. 20f. (Karte), 23.

[46] The Heads of Religious Houses, S. 42.

[47] O. v. Feilitzen - C. Blunt, Personal Names on the Coinage of Edgar, S. 199.

[48] Ebenda, S. 199; Sylloge of Coins of the British Isles. 28, S. 48, s. n. *Ingolfr.*
Beide Werke betrachten den skandinavischen Namen als Etymon.

[49] Liber Eliensis, S. 110.

[50] Ebenda, S. 110.

[51] O. v. Feilitzen, The Pre-Conquest Personal Names, S. 298.

[52] Domesday Book, II, f. 317.

[53] Ebenda, f. 386b, 413, 442b.

[54] The Great Roll of the Pipe for the twenty-fifth Year of the Reign of King
Henry the Second, S. 7.

Carlford Hundred). In der Zeit vor a. 1066 ist *Ingolf/Ingulf* in England hauptsächlich skandinavischen Ursprungs. In Suffolk, zum Beispiel, besaß ein gewisser Wulfwine *commendatus Ingulfi huscarli* drei Morgen Landes in *Nechemara*[55]. Die Berufsbezeichnung *huscarl* deutet darauf hin, daß *Ingulfus* womöglich ein Skandinavier war[56], und deswegen ist der Name ein Reflex des skandinavischen *Ingólfr*. *Nechemara* liegt im *Hundred* von Carlford, und daher ist es nicht unwahrscheinlich, daß *Ingoluestuna, Ingoluiston'* im gleichen *Hundred* den Namen des Huscarls *Ingulfus* enthielt. Von den Formen her zu urteilen, ist der skandinavische Name ohnehin in den zwei Suffolk Beispielen des Ortsnamens *Ingoluestuna/Ingoluiston'* enthalten. *Ingolf(us)* und *Ingulf(us)* erscheinen sporadisch in englischen Quellen bis zum Anfang des 13. Jahrhunderts, obwohl sie nirgendwo häufig vertreten sind[57]. In Norfolk gibt es noch zwei Grundbesitzer des Jahres 1086 mit dem Namen *Ingulfus*, der eine in East Harling[58] und der andere in Beeston Regis[59]. Spätere Beispiele aus Norfolk sind: a. 1108, Kopie 14. Jahrhundert *Ingulfus (monachus)*[60], circa a. 1110 - a. 1119, Kopie 15. Jahrhundert *Ingulphus prior*[61], a. 1121-1131, Kopie 13. Jahrhundert *Ingulfus prior Norwici*[62] (Norwich), circa a. 1180, Kopie 13. Jahrhundert [heredibus Willelmi filii] *Iggulfi*[63] (in Wymondham).

Seit dem späten zwölften Jahrhundert zeigen die Belege für den Ortsnamen *Ingoldisthorpe* Verwechslung des ursprünglichen ersten Elements *Ingulf(us)* mit einem anderen Personennamen an. *Ingialdr*, adän. *Ingiald, Ingæld*, aschwed. *Ing(i)æld*[64]. In erster Linie ist das das Ergebnis einer Schwächung der Betonung im Inlaut, die zu einer Verwechslung von *-ulf, -olf* mit *-ald, -old* führte[65], obwohl in diesem Fall die

---

[55] Domesday Book, II, f. 442.

[56] Sieh F. M. Stenton, The First Century of English Feudalism, S. 120-122.

[57] Beispiele bei: G. Fellows Jensen, Scandinavian Personal Names, S. 152f.; O. v. Feilitzen, The Personal Names and Bynames, S. 163; C. Clark, British Library Additional MS. 40,000 ff. 1v-12r, S. 64. O. v. Feilitzen, The Pre-Conquest Personal Names, läßt die Frage offen, ob der Name skandinavisch oder kontinentalgermanisch ist.

[58] Domesday Book, II, f. 223.

[59] Ebenda, f. 224.

[60] London, British Library, Cotton Claudius D. XIII, f. 20r.

[61] D. Dodwell, Some charters relating to the Honour of Bacton, S. 161 (Nr. 5).

[62] London, British Library, Cotton Titus C. VIII, f. 71r.

[63] Ebenda, f. 92v.

[64] Da er nicht genug Belege verwendet, interpretiert E. Ekwall, The Concise Oxford Dictionary, S. 265, s. n. *Ingoldisthorpe*, das erste Element dieses Ortsnamens falsch als an. *Ingialdr*.

[65] Sieh A. H. Smith, The Place-Names of the North Riding of Yorkshire, S. 22.

Tatsache, daß an. *Ingialdr,* adän. *Ingæld* und so weiter etwas häufiger in England[66] als *Ingolfr/Ingulf(us)* vorkommt, zweifellos auch eine Rolle gespielt hat. Allerdings sollte erwähnt werden, daß *Ingialdr* recht selten in Norfolk und Suffolk ist. Beispiele sind: a. 1066 [Edricus filius] *Ingoldi*[67] (Middleton, Suffolk), a. 1087-1098, Kopie circa a. 1175 - a. 1200 *Ingold*[68] (Walsham-le-Willows, Suffolk), a. 1186-1188, Kopie circa a. 1270 *Ingoldus*[69] (Langham, Suffolk), a. 1202, a. 1203, a. 1204 [Hugo filius] *Ingolt*[70] (Norfolk oder Suffolk). Eine Parallele zu *Ingoldisthorpe* stellt der verlorene Yorkshire Ortsname *Inglethwaite* (a. 1086 *Inguluestuet,* a. 1236, a. 1318, a. 1411 und so weiter *Ingolthweyt, -thwait(e), -t(h)wayt,* a. 1292, a. 1293 *Ingoluet(h)wayt,* a. 1295 *Ingoldethwayte, Ingold-, Ingaldtweyt, Ingolftwayt*[71]) dar. Ähnliches sieht man bei *Tholthorpe,* Yorkshire (a. 972-992, Kopie elftes Jahrhundert *þurulfestun,* a. 1086 *Turulfestorp, Turoluestorp,* a. 1176 *Turold' Torp,* a. 1282, a. 1292, a. 1293 *Toraldethorpe,* a. 1285, a. 1316, a. 1328 *Thoraldethorp,* a. 1295 *Thoralthorp',* a. 1337 *Thoraldesthorp,* a. 1316, Kopie 16. Jahrhundert *Thoraldthropp',* a. 1301 *Thorlothorpp',* a. 1505 *Tholthorp,* a. 1614 *Tholthropp*[72]). Hier ist der relativ seltene an. *þórólfr* durch den sehr häufigen normannischen *Turold* ⟨ an. *þoraldr* ersetzt worden. Zusätzliche Beispiele dieser Art sind *Barnoldswick* in Yorkshire (a. 1086 *Bernulfesuuic,* a. 1155-1162 *Bernoldeswick* und so weiter[73]), wo ae. *Beornwulf* durch den fränkischen *Bernoldus* ersetzt wurde, und *Garthorpe* in Lincolnshire (a. 1086 *Gerulftorp,* a. 1180 *Geroldtorp*[74]), wo der skandinavische *Geirúlfr* oder der fränkische *Gairulf, Gêrulf,* Namen, die in England anscheinend nicht gebräuchlich waren, durch den fränkischen *Geraldus, -oldus,* einen Namen, der recht häufig in England vorkommt, ersetzt wurden. Abschließend muß betont werden, daß, obwohl diese Art sekundärer Motivation formal gesehen lediglich das Ergebnis von Verwechslung von *-olf, -ulf* mit *-ald, -old* im Inlaut ist, sie durch das Vorhandensein fränkischer Personennamen in *-ald(us), -old(us),* die starke Assoziierungspunkte darstellten, sehr erleichtert wurde.

----

[66] Beispiele bei O. v. Feilitzen, The Pre-Conquest Personal Names, S. 297f.; G. Fellows Jensen, Scandinavian Personal Names, S. 151f.; C. Clark, The *Liber Vitae* of Thorney Abbey and its 'Catchment Area', Nomina 9 (1985) S. 69.

[67] Domesday Book, II, f. 299b.

[68] Feudal Documents from the Abbey of Bury St. Edmunds, S. 39.

[69] The Kalendar of Abbot Samson of Bury St. Edmunds, S. 49.

[70] The Great Roll of the Pipe for the fourth Year of the Reign of King John, S. 113; The Great Roll of the Pipe for the fifth Year of the Reign of King John, S. 242; The Great Roll of the Pipe for the sixth Year of the Reign of King John, S. 237.

[71] A. H. Smith, The Place-Names of the North Riding of Yorkshire, S. 25.

[72] Ebenda, S. 21f. Sieh dazu G. Fellows Jensen, Scandinavian Settlement Names, S. 130.

[73] A. H. Smith, The Place-Names of the West Riding of Yorkshire, S. 34f.

[74] E. Ekwall, The Concise Oxford Dictionary, S. 193, s. n. *Garthorpe* Li; G. Fellows Jensen, Scandinavian Settlement Names, S. 109.

Fälle von Namenwechsel als Ergebnis von Besitzwechsel sind auch in Gegenden ohne nennenswerten Kontakt zwischen verschiedenen Sprachgruppen zu verzeichnen. Einige altenglische Beispiele sind von E. Ekwall[75], und neuerdings auch von P. H. Sawyer[76], behandelt worden. Als stellvertretend können wir den Gloucestershire Ortsnamen *Kemerton* nehmen. E. Ekwall[77] identifizierte *Kemerton* mit *Habene homme*, das von einer Urkunde[78] der Zeit a. 777-779 erwähnt wurde. A. Hugh Smith[79] vermutete, daß wahrscheinlich *Habene homme* lediglich 'the low-lying land between the Avon and the Carrant to the east of Tewkesbury' sei. Die Frage der genaueren Identifizierung von *Habene homme* muß daher offen bleiben, obwohl vieles für den Vorschlag E. Ekwalls spricht[80]. In einer Urkunde von a. 840[81] findet man eine Ortschaft namens *Cyneburgingctun*, und a. 984 erscheint ein Stück Land in der Nähe von Kemerton mit der Beschreibung *cyneburge lond gemære*[82]. H.P.R. Finberg[83] hat *Kemerton* (a. 1086 *Chene-, Chinemertune*[84]) mit *Cyneburgingctun* identifiziert. Beide Ortsnamen haben als erstes Element einen Personennamen, der mit dem Element *Cyne-* gebildet ist (ae. *Cyneburh*, fem. beziehungsweise ae. *Cynemǣr*, mask.). A. Hugh Smith[85] hat die Entwicklung **Cyneburgingtūn ⟩ *Cynemǣr-tūn* lediglich als Folge des Einflusses des vorhergehenden Nasalkonsonanten gesehen. Es scheint aber eher, daß der Wechsel von *Cyneburh* zu *Cynemǣr* als erstem Element dieses Ortsnamens die Übernahme des Grundbesitzes durch ein nachrückendes Mitglied der gleichen Grundbesitzerfamilie, in diesem Fall von einem Mann namens *Cynemǣr*, bedeutet[86]. Ein vergleichbarer Fall stellt *Bricklehampton* in Worcestershire dar. Dieser Ortsname erscheint a. 1086 als *Bricstelmestune* 'tūn des

---

[75] Variation and Change in English Place-Names, S. 3-49; E. Ekwall, English Studies presented to R. W. Zandvoort on the Occasion of his seventieth Birthday, S. 44-49.

[76] From Roman Britain to Norman England, S. 151-154.

[77] Variation and Change in English Place-Names, S. 36f.

[78] P. H. Sawyer, Anglo-Saxon Charters, Nr. 57. Altenglische Urkunden werden in Übereinstimmung mit dem modernen englischen Gebrauch nach deren Nummern bei P. H. Sawyer zitiert.

[79] The Place-Names of Gloucestershire, II, S. 64.

[80] Diese Ansicht wird neuerdings von D. Hooke, Anglo-Saxon Landscapes, S. 217, vertreten.

[81] P. H. Sawyer, Anglo-Saxon Charters, Nr. 192.

[82] Ebenda, Nr. 1347.

[83] The Early Charters of the West Midlands, S. 101f., 122.

[84] A. H. Smith, The Place-Names of Gloucestershire, II, S. 59.

[85] Ebenda, S. 59.

[86] Für die Anwendung von gleichen Namenelementen innerhalb einer Familie in der spätaltenglischen Zeit sieh O. v. Feilitzen, The Pre-Conquest Personal Names, S. 31f.

Brihthelm'[87]. Ein Jahrhundert früher, im Jahre 972, hieß dieser Ort *Brihtulfing-tune*[88]. Das erste Element der früheren Schreibung ist der spätae. Personenname *Brihtwulf* ⟨ *Beorhtwulf*, während der Beleg von a. 1086 den spätae. Personennamen *Brihthelm* ⟨ *Beorhthelm* enthält. Es ist nicht ohne Bedeutung, daß sich hier das *-ing*-Suffix und der *-es*-Genitiv abwechseln. A. Hugh Smith[89] hat das vor dreißig Jahren anhand von *Wilmington*, Kent, und *Tiddington*, Warwickshire, behandelt. Es ist noch relevant, seine Bemerkungen dazu zu zitieren: In certain place-names the medial *-ing-* alternates with a normal genitive singular inflexion: the charter which refers to Wilmington K calls the place *Wieghelmestun* 'Wighelm's farmstead' and is later endorsed *Wigelmignctun*, whilst Tiddington Wa appears as æt *Tidinctune* and *Tidantun* 'Tida's farmstead' in almost contemporary documents. Ferner schrieb A. H. Smith: The function of the medial *-ing-* is certainly not possessive, for that would have been expressed by the genitive. The intention, as Mawer held, was to denote a looser relationship, and Teddington means 'farmstead associated with Teotta' and not 'Teotta's farmstead'[90].

Altenglische Ortsnamen, die mit *-ingtūn* und *-tūn* gebildet sind, können relativ spät als Ergebnis der Teilung von Grundbesitz entstehen. So finden wir in Berkshire zum Beispiel einen Distriktnamen *Æscesbyrig*, den altenglischen Namen für eine Besitzeinheit, die wahrscheinlich schon in der Eisenzeit oder früher vorhanden war[91]. Im Jahre 856 wurde dieses Gebiet geteilt, als ein Stück Land, das später den westlichen Teil des Pfarrsprengels *Woolstone* bildete, von König Æthelwulf von Wessex seinem *minister* Aldred geschenkt wurde[92]. Dieses Land bekam a. 944 ein gewisser *minister* namens Wulfric von König Eadmund[93], und vierzehn Jahre später bekam dieser Wulfric von König Eadred ein weiteres Stück Land in *Æscesbyrig*, das später den Ostteil von *Woolstone* bildete[94]. Diese zwei Güter bildeten a. 1086 *Olvricestone* '*tūn* des *Wulfric*'[95], das moderne *Woolstone*, genannt nach dem Grundbesitzer des zehnten Jahrhunderts. A. 953 schenkte König Eadred Ælfsige und seiner Frau Eadgifu 33 Hufen in *Æscesburh*[96]. Dieses Gut erscheint etwas später als *Uffentune* '*tūn*

---

[87] A. Mawer - F. M. Stenton - F.T.S. Houghton, The Place-Names of Worcestershire, S. 190.

[88] P. H. Sawyer, Anglo-Saxon Charters, Nr. 786.

[89] PBA. 42 (1956) S. 79.

[90] Ebenda, S. 80.

[91] M. Gelling, The Place-Names of Berkshire, III, S. 823f.

[92] Ebenda, S. 675; P. H. Sawyer, Anglo-Saxon Charters, Nr. 317.

[93] M. Gelling, The Place-Names of Berkshire, III, S. 675; P. H. Sawyer, Anglo-Saxon Charters, Nr. 503.

[94] M. Gelling, The Place-Names of Berkshire, III, S. 675; P. H. Sawyer, Anglo-Saxon Charters, Nr. 575.

[95] M. Gelling, The Place-Names of Berkshire, II, S. 383.

[96] M. Gelling, The Place-Names of Berkshire, III, S. 676f.; P. H. Sawyer, Anglo-Saxon Charters, Nr. 561.

des *Uffa'*, welches das moderne *Uffington* ist[97]. Margaret Gelling[98] hat vorgeschlagen, es sei vielleicht möglich, daß *Uffa*, dessen Name in *Uffington* enthalten ist, Erbe von Ælfsige und Eadgifu war.

Ähnliche Neubildungen oder Wechselbildungen, die ein 'connective -ing' als Verbindungsmittel zwischen Personennamen und Ortsnamenelement verwenden, sind auch vorhanden. E. Ekwall[99] hat gezeigt, daß *Orpington*, Kent (a. 1032, Kopie 18. Jahrhundert *æt Orpedingtune*[100]), dessen erstes Element ein Personenname oder Beiname **Orped* ist, identisch mit dem Land ist (oder wenigstens einem Teil davon), das in Urkunden von a. 798 und a. 801 *Cræges æuuelma (æuulma)* 'Quelle des Flusses Cray' genannt wurde. Es gibt Fälle, wo man eine 'manorial' Bedeutung des 'connective -ing' viel früher feststellen kann. Das wird eindeutig an einem Beispiel aus Kent. Im Jahre 788 verlieh der mercische König Offa seinem *minister* Osberht ein *aratrum* Land 'in provincia Cantiae in regione Eastrgena ubi nominatur *Duningcland*'[101]. Fast ein halbes Jahrhundert später, in der Zeit von a. 825-832, schenkte Erzbischof Wulfred von Canterbury dem Kloster von Christ Church Canterbury Güter in *Sceldesforda* zwischen Eastry und Wingham[102]. In der Grenzbeschreibung finden wir *Osberting lond*, das, wie J. K. Wallenberg[103] und E. Ekwall[104] dachten, vermutlich identisch ist mit dem *Duningcland*, das Offa im Jahre 788 dem *minister* Osberht verlieh. Das bedeutet, daß *Osberhting lond* nach dem *Ōsberht*, dessen Besitz es nach a. 788 war, genannt wurde. O. Arngart[105] betrachtet *Duningcland* als womöglich einen Bergnamen mit **Dūning* aus ae. *dūn* 'Höhe, Hügel, Berg' als erstem Element und zieht Vergleiche mit *Dun(n)ing lande (lond)* Essex, *Dunninc wicon* Leicestershire und *Dunnynghefd, Duningland* Wiltshire. Wie er selbst[106] jedoch zugibt, sind -ingland-Namen, deren erste Glieder Personennamen sind, recht häufig in Kent. E. Ekwalls Zuordnung dieser Namen zu einem Typus 'land belonging to a place *Bryning*' oder 'land called *Bryning*'[107] ist kaum überzeugend. Eher handelt es sich um Namen, die 'manorial' Bedeutung haben, und es ist überzeugender anzunehmen, daß das erste Element von *Duningcland* der Personenname ae. *Dunn(a)* ist. Osberht ist offensichtlich ein mercischer Gefolgsmann des Königs Offa, und Dunn(a) wäre dann

---

[97] M. Gelling, The Place-Names of Berkshire, II, S. 379; P. H. Sawyer, Anglo-Saxon Charters, Nr. 1208.

[98] The Place-Names of Berkshire, III, S. 677.

[99] Some Cases of Variation and Change in English Place-Names, S. 48f.

[100] P. H. Sawyer, Anglo-Saxon Charters, Nr. 1465.

[101] Ebenda, Nr. 128.

[102] Ebenda, Nr. 1268.

[103] Kentish Place-Names, S. 158.

[104] Some Cases of Variation and Change in English Place-Names, S. 48.

[105] StN. 44 (1972) S. 266.

[106] Ebenda, S. 267f.

[107] E. Ekwall, English Place-Names in -ing, S. 223.

dessen kentischer Vorgänger. Der historische Prozeß läßt sich eindeutig durch den politischen Hintergrund erklären. Eastry war altes Königsgut der Könige von Kent und deren mercischen Nachfolgern[108]. In Erzbischof Wulfreds Urkunde von a. 825-832[109] lesen wir von 'terra regis quæ pertinet ad Eastræge'. Eine Urkunde von a. 811[110] zeigt, daß Wulfred drei *aratra* in Eastry von Cenwulf von Mercien bekommen hatte, wofür er diesem König Besitz in Yarkhill in Herefordshire übertrug. Ferner beschreibt Wulfred, wie er einen Güterkomplex in Eastry zusammengestellt hatte. Es ist ganz eindeutig, daß Eastry in dieser Zeit von königlichem Besitz zu kirchlichem Besitz überging[111]. Die Erwähnung von *Osberhting lond* in der Urkunde von a. 825-832 jedoch ist eine Erinnerung an die Zeit, als Offa seine Macht in Kent durch Schenkungen an seine eigenen Leute zu festigen versuchte[112]. Interessant ist auch zu bemerken, daß König Cuthred von Kent mit der Erlaubnis seines Bruders Cenwulf von Mercien, dem königlichen Vogt, im Jahre 805 Besitz in Eythorne in Kent (lat. *prefectus,* ae. *gerefa*) Æðelnöð schenkte[113].

Es gibt auch Orte, bei denen ein Besitzverhältnis nur vorübergehend im Namen reflektiert ist. In solchen Ortsnamen werden Personennamenbildungen durch Toponymika oder andere Formen, die keinerlei Eigentumsverhältnisse widerspiegeln, ersetzt. In Nottinghamshire zum Beispiel, wo die römische Straße von Lincoln nach Doncaster den Trent überquert, gab es eine römische Siedlung, die im *Itinerarium Antoninum* als *Segolocum* (brit. **sĕgŏ-* 'Kraft, Stärke' + brit. **loc-* 'Teich, See') bezeichnet wurde[114]. Diese Siedlung taucht wieder bei Beda auf, wo berichtet wird, daß Paulinus um a. 627 Leute im Trent *iuxta ciuitatem Tiouulfingacaestir* taufte[115]. Der Name *Tiouulfingacaestir*, 'römische Siedlung der Leute des *Tīowulf'*, der noch in der altenglischen Fassung der *Historia* des Beda von circa a. 900 als *Teolfingaceastre* zu finden ist, ging später verloren, und im *Domesday Book* a. 1086 hieß der Ort *Litelburg*, 'die kleine Festung', das moderne *Littleborough*[116]. Ein späteres Beispiel dieses Typs ist *Thorpe in the Fallows*, Lincolnshire. Dieser Ort erscheint a. 1086 als *Torp*, aber dreißig Jahre später als *Torp* und *Turuluestorp*, '*þorp* des *þórólfr*'[117]. Der skandinavische Personenname *þórólfr* jedoch ist hier verlorengegangen, so daß die Simplexform den modernen Ortsnamen bildet.

---

[108] Sieh S. Chadwick Hawkes, Eastry in Anglo-Saxon Kent, S. 81-113.

[109] P. H. Sawyer, Anglo-Saxon Charters, Nr. 1268.

[110] Ebenda, Nr. 1264.

[111] Sieh N. P. Brooks, The Early History of the Church of Canterbury, S. 138.

[112] Für Offa und Kent sieh F. M. Stenton, Anglo-Saxon England, S. 206-208; N. P. Brooks, The Early History of the Church of Canterbury, S. 111-123.

[113] P. H. Sawyer, Anglo-Saxon Charters, Nr. 41.

[114] A.L.F. Rivet - C. Smith, The Place-Names of Roman Britain, S. 453.

[115] B. Cox, EPNSJ. 8 (1975/1976) S. 36f.

[116] J.E.B. Gover - A. Mawer - F. M. Stenton, The Place-Names of Nottinghamshire, S. 35f.

[117] G. Fellows Jensen, Scandinavian Settlement Names, S. 118.

Diese Beispiele deuten darauf hin, daß Ortsnamen in der altenglischen und früh-
mittelenglischen Zeit viel weniger statisch waren, als früher angenommen wurde.
Das läßt sich auch anhand der altenglischen Markbeschreibungen sehr deutlich feststellen. Es ist von Margaret Gelling[118] sehr zutreffend formuliert worden: 'If the
boundary-marks are studied as a whole, and the use of personal names considered
together with the use of terms like *biscopes-, cinges-, ealdormonnes-*, it appears
probable that such compounds as *ælfheages gemære, ælfsiges mor, ælfðryðe dic,
cyneeahes treow* are shorthand for 'boundary of the estate now or recently in the
possession of a thegn called Ælfhēah', 'ditch on the boundary of the lady Ælfðrȳð's
estate" et cetera.

Bei der Betrachtung des Problems bleiben noch viele Fragen offen. Es ist jedoch
zu hoffen, daß die Zusammenhänge zwischen der Ortsnamengeschichte und der Geschichte des Grundbesitzes in England noch genauer untersucht werden. Das Material in den Bänden der English Place-Name Society ist reichlich. Dabei müssen jedoch
sozialgeschichtliche und sprachgeschichtliche Aspekte gleichermaßen berücksichtigt
werden, um ein völlig integriertes Bild der historischen Rahmenbedingungen zu erlangen.

---

[118] The Place-Names of Berkshire, III, S. 828.

Sven Benson

Ortsnamenwechsel
Interessenkonflikt und Kulturkonflikt

I. Es war eine wertvolle Initiative, die der Arbeitskreis für Namenforschung ergriff, als er beschloß, den Themenbereich Ortsnamenwechsel in einem Kolloquium zu erörtern. Neue Namengebung ist ja eine ständige Begleiterscheinung in der Menschheitsgeschichte. Daneben haben auch Veränderungen des vorliegenden Namenvorrats stattgefunden. Es scheint mir, als hätten viele Länder und Gebiete in den letzten fünfzig Jahren mehr Fälle von Namenwechsel zu verzeichnen als jemals zuvor. Ich will hier zeigen, daß viele Typen von Ortsnamenwechsel ein hohes Alter haben, daß dieselben Muster in verschiedenen Ländern vorliegen und daß die Ortsnamenwechsel zum einen den Kampf zwischen verschiedenen Kulturen, Interessen und Ideologien, zum anderen aber auch eine fortschreitende Entwicklung der Gesellschaften widerspiegeln.

Die Literatur des Namenwechsels läßt sich schwer überschauen. Die Probleme sind in der Regel auf nationaler Ebene behandelt worden. Was das nordische Gebiet betrifft, so will ich besonders die Arbeit Ortnamn och samhälle[1] erwähnen, die ausführliche Zusammenfassungen der Vorträge enthält, die a. 1975 bei einem Symposium in dem finnischen Kulturzentrum Hanaholmen gehalten wurden.

Von den Fragen, die sich mit den Problemen des Ortsnamenwechsels befassen, möchte ich folgende Auswahl herausgreifen: Was ist ein Ortsnamenwechsel? Wann ist die Veränderung eines Ortsnamens so weit fortgeschritten, daß man von einem Ortsnamenwechsel sprechen kann? Wie entsteht ein Ortsnamenwechsel? Wer beschließt über Ortsnamenwechsel? Welches sind die Motive eines Namenwechsels? Welche Vorteile und Nachteile ergeben sich daraus? Welche Typen von Lokalitäten wechseln den Namen? Welche Typen von Namen werden geändert? Wie sind die Namen beschaffen, die die älteren Namen ersetzen? Ich kann diese Fragen hier natürlich nicht alle beantworten. Aber ich werde die meisten berühren.

II. Eine Untersuchung von Ortsnamenwechsel muß gewisse Begriffsbestimmungen enthalten. Der schwedische Fachausdruck ortnamn ist leider kein Äquivalent des deutschen Terminus Ortsname. Es würde zu weit führen, hier und jetzt auf eine Definition des deutschen Wortes Ortsname einzugehen. Ich möchte aber betonen, daß der schwedische Begriff ortnamn einen größeren Umfang als der deutsche Begriff

---

[1] Ortnamn och samhälle, 1975.

Ortsname zu haben scheint. In der deutschen Onomastik pflegt man zwischen Orts-namen einerseits und Flurnamen, Gebirgsnamen, Gewässernamen (und so weiter) anderseits zu unterscheiden. Jenes Fachwort bezeichnet in der Regel Siedlungen, dieses Fachwort verschiedene Geländeerscheinungen. Es ist mir nicht bekannt, in-wieweit Ortsname als übergeordneter Begriff, als Hyperonym verwendet werden kann.

Im Schwedischen hat das Wort ortnamn in der Umgangssprache eine etwas andere Bedeutung als in der wissenschaftlichen Sprache. In der schwedischen Umgangsspra-che versteht man unter ortnamn gewöhnlich Siedlungsnamen. Man weiß oft nicht, wie man die Namen klassifizieren soll, die Gebirge, Gewässer, Äcker, Brücken (und so weiter) bezeichnen. Im wissenschaftlichen und administrativen Sprachgebrauch hat das Fachwort ortnamn einen größeren Bedeutungsumfang. Man versteht unter diesem Begriff Namen für administrative Bezirke, Siedlungen, Fluren, Artefakte und Naturformationen. Ich habe mich in meiner Tätigkeit als Wissenschaftler und Beam-ter etliche Male mit der Definition des Begriffes ortnamn beschäftigen müssen. Es wurde dabei deutlich, daß semantische und morphologische Kriterien für die Ab-grenzung des Begriffes allein nicht genügen. Man muß auch funktionelle und soziale Aspekte beachten. Ich habe schließlich besagten Begriff wie folgt definiert: Ein Orts-name (ortnamn) ist eine während einer gewissen Zeit und in einem gewissen Kreis von Menschen eindeutige Benennung einer bestimmten geographischen Lokalität. Diese Definition liegt unter anderem der schwedischen Komiteearbeit Ortnamns värde och vård[2] zu Grunde. Ich werde das deutsche Wort Ortsname in dieser weiten Bedeutung hier verwenden. Zunächst möchte ich jedoch die verschiedenen Kompo-nenten der Definition kurz erläutern.

Unter geographischen Lokalitäten verstehe ich die obengenannten Kategorien, also administrative Bezirke, Siedlungen, Fluren, Artefakte und Naturformationen. Diese Enumeration hat einen empirischen Grund und kann modifiziert werden. Die Namen der geographischen Lokalitäten können zum Beispiel von den Namen der Geschäftshäuser unterschieden werden. Diese sind im Prinzip nicht lokalgebun-den.

Indem ich sage, daß die Benennung eindeutig sein soll, um den Charakter eines Ortsnamens anzunehmen, sondere ich die appellativen Wörter von den Ortsnamen ab. Im Prinzip ist der Ortsname monoreferentiell, das Appellativum polyreferen-tiell.

Die Spezifizierung 'in einem gewissen Kreis von Menschen' markiert die soziale Funktion der Ortsnamen. Der Kreis von Menschen kann dabei sehr groß, aber auch sehr klein sein. Formell identische Ortsnamen, zum Beispiel der Name *Kingston*, de-notieren in verschiedenen Kreisen von Menschen verschiedene Lokalitäten. Man kann in so einem Fall von Homonymie oder Polysemie sprechen.

Die Spezifizierung 'während einer gewissen Zeit' markiert, daß ein Minimum von Stabilität und Kontinuität vorliegen muß. Dieser Zug grenzt die Ortsnamen von zu-fällig monoreferentiellen Bezeichnungen in einer Gruppe von Menschen ab. Konti-nuität muß sowohl auf der Ausdrucksebene wie auf der Inhaltsebene vorliegen.

----

[2] Ortnamns rärde och vård, Statens offentliga utredningar 1982, S. 54.

Ein Wort hat normalerweise zwei Seiten, die Ausdrucksebene und die Inhaltsebene. Es besteht mit anderen Worten aus Ausdruck und Inhalt. Der Ausdruck oder die Benennung wird gewöhnlich phonetisch oder graphisch realisiert. Der Inhalt liegt im Gehirn des Menschen als Vorstellung oder als Komplex von Vorstellungen gelagert.

Wenn es sich um Ortsnamen handelt, kommt der Namenträger dazu, eine außersprachliche Komponente, die wir wissenschaftlich Denotat oder Referenten benennen. In der Metasprache kann der Namenträger irrelevant sein.

Zwischen dem Namenträger und dem Inhalt des Namens besteht eine enge Verbindung. Die beiden Begriffe dürfen jedoch nicht miteinander verwechselt werden. Dagegen besteht kein unmittelbarer Kontakt zwischen dem Ausdruck und dem Namenträger. Der Kontakt wird durch den Menschen vermittelt.

Der Ortsname ist ein Produkt des Menschen. Er wird durch den Menschen gegeben und überliefert. Daraus folgt, daß der Mensch den Namen in dessen Verhältnis zum Namenträger ändern kann. Der Mensch kann auch den Ausdruck oder den Inhalt des Namens ändern.

Die Benennung ist von einer Menge Konnotationen umgeben. Sie kann wertgeladene Assoziationen hervorrufen. Wenn man den sprachlichen Ausdruck ändert, so ändert man auch die Assoziationsfelder.

Diese Verhältnisse sind zwar dem Sprachwissenschaftler wohlbekannt, aber sie müssen stets wiederholt werden, wenn man sich mit Namengebung und Namenpflege beschäftigt. Der Laie ist oft der unklaren aber trotzdem bestimmten Meinung, daß es nur einen Namen gibt, der die richtige Benennung einer Lokalität ist. Der Laie verknüpft den sprachlichen Ausdruck unmittelbar mit dem Referenten.

Die außersprachliche Größe, der Namenträger, verändert sich oft im Laufe der Zeit, in der Regel durch menschliche Tätigkeit.

Ich habe den Begriff 'der Mensch' hier in einer etwas mehrdeutigen Weise verwendet. Unter dem Menschen verstehe ich natürlich nicht nur einen einzelnen Menschen, sondern auch Gruppen von Menschen, die Gesellschaft, im Extremfall alle Menschen. Die verschiedenen Gesellschaften setzen sich aus Individuen und Gruppen von Individuen mit verschiedenen Meinungen, Gefühlen und Intentionen und mit verschiedenen Ideologien zusammen.

Die Ortsnamen haben nicht nur eine kommunikative, sondern auch eine soziale Funktion. Der einzelne Mensch betrachtet oft den Namen seiner Heimat als einen Teil seiner Identität. Eine augenscheinlich so geringe Einzelheit wie die Änderung einer Postadresse kann starke Reaktionen hervorrufen. Solche Erfahrungen hat man in vielen Ländern gemacht.

III. Die Ortsnamen sind ein Teil des Lexikons der Sprache und folgen, was Veränderungen anbelangt, im großen und ganzen denselben Gesetzen wie der Wortschatz im übrigen. Die Namen, die vor dem Jahre 1000 gegeben wurden, haben heute in der Regel nicht mehr ihr ursprüngliches Aussehen. Wir meinen trotzdem, daß eine kontinuierliche Namenidentität vorliegen kann, selbst wenn theoretische Einwände gegen eine solche Betrachtungsweise vorgebracht werden können.

Wenn zwei Sprachen in Kontakt, zwei Kulturen in Konflikt kommen, werden die Ortsnamen oft durch Adoption oder Adaption überliefert. Manche Namentheoretiker gehen so weit, daß sie meinen, ein Ortsname werde überliefert, selbst wenn man ihn übersetzt. Wichtige Gesichtspunkte zu dieser Frage hat Stefan Sonderegger[3] geliefert. Ich teile im Prinzip St. Sondereggers Grundauffassung. Ein Binnensee in Kanada heißt *Great Bear Lake* auf englischen, *Grand Lac d'Ours* auf französischen, *Großer Bärensee* auf deutschen und *Stora Björnsjön* auf schwedischen Karten. Es ist meines Erachtens nicht zweckmäßig, hier von verschiedenen Namen oder von Namenwechsel zu sprechen.

Dagegen möchte ich St. Sonderegger darin widersprechen, daß Namenüberlieferung auch bei Fehlübersetzungen oder sogenannter Hyperkorrektion vorliegt. Der alte keltische Name *Vitodurum* wurde einmal von einem Ort getragen, an dem jetzt eine Stadt namens *Winterthur* liegt. Der ursprüngliche, unbegreifliche Name wurde auf Grund falscher Assoziationen mit dem deutschen Appellativum *Winter* und dem Flußnamen *Thur* in Verbindung gebracht und in *Winterthur* umgeändert. Meines Erachtens ist der Name *Winterthur* eine Neubildung. Aber diese hat ihre Voraussetzung in dem älteren *Vitodurum*.

Meines Wissens liegt keine allgemein bekannte und allgemein akzeptierte Definition des Begriffes Ortsnamenwechsel vor. Allgemeine Vorstellungen und der allgemeine Sprachgebrauch gestatten keine scharfen Grenzbestimmungen. Ich will hier nur einige Beispiele geben, um meine Auffassung im Hinblick auf eine Abgrenzung zwischen Namenidentität und Namenwechsel zu erläutern.

Im nordwestlichen Teil der Provinz Schonen liegt ein Dorf, dessen Name jetzt *Ingelsträde* ist. Die mundartliche Aussprache ist [ing ' elstraj']. Reichsschwedisch wird der Name [ing ' elsträ' de] ausgesprochen. Von den älteren Schriftformen seien *Ingelsröth* a. 1488, *Ingelstre* a. 1570, *Ingelsträde* a. 1765, *Ingelsträte* (!) a. 1782 erwähnt[4]. Die Entwicklung *Ingelsröth* ⟩ *Ingelstre* kann als lautgesetzlich betrachtet werden. Die Entwicklung zu *Ingelsträde* und *Ingelsträte* hat dagegen ihren Grund in der unrichtigen Assoziation mit dem Substantivum *sträte,* in schonischen Mundarten *sträde* 'Weg'. Sobald ein Namenglied eine solche Form bekommt, daß es durch das Sprachgefühl mit einem anderen Namenelement als dem ursprünglichen, noch lebenden Element assoziiert wird, hat eine Entgleisung stattgefunden. Ein Namenwechsel ist eingetreten.

In Rußland wurde im Jahre 1703 eine Stadt gegründet, die den Namen *Sankt Petersburg* erhielt. Im Jahre 1914 wurde der Stadtname in *Petrograd* umgeändert. Der Name wurde russifiziert. Das russische Schlußglied *-grad* ist mit dem deutschgeprägten Glied *-burg* nicht äquivalent. Das heißt: *Petrograd* muß meines Erachtens als neuer Name gelten. Ein neuer Namenwechsel fand im Jahre 1924 statt, als das erste Glied ausgetauscht wurde und der Name *Leningrad* entstand. *Petrograd* war ein neuer Name, der seine Voraussetzung in *Sankt Petersburg* hatte. *Leningrad* ist ein neuer Name, der seine Voraussetzung nur zum Teil in *Petrograd* hat.

Ein vollständiger Traditionsbruch trat ein, als man den Namen *Chemnitz* durch *Karl-Marx-Stadt* und *Königsberg* durch *Kaliningrad* ersetzte. Ich werde im folgenden

---

[3] Grundsätzliches und Methodisches zur namengeschichtlichen Interferenzforschung in Sprachgrenzräumen, Zwischen den Sprachen, S. 25-57.

[4] B. Ejder, Nåhra bebyggelsenamn från Luggude härad, Sydsvenska Ortnamnssällskapets Årsskrift, S. 5.

vor allem solche Namenwechsel behandeln, die einen vollständigen Traditionsbruch beinhalten. Meine Beispiele stammen aus der Zeit nach 1500.

IV. Wenn eine Behörde oder eine Gruppe von Individuen beschließt, einen Ortsnamen durch einen anderen zu ersetzen, liegt normalerweise eine bewußte Willenshandlung vor. Man will entweder einen vorliegenden Namen tilgen oder einen bestimmten Namen einführen. Bisweilen liegen natürlich beide Gründe vor. Als Beispiel der ersten Kategorie von Willenshandlungen möchte ich die Tilgung solcher Ortsnamen erwähnen, die mit dem Nationalsozialismus in Deutschland zusammenhingen, zum Beispiel *Hermann-Göring-Straße*. Als Beispiel der anderen Kategorie wäre die Einführung von Namen zu erwähnen, die in irgendeiner Weise an den mächtigen Kommunismus erinnern. Ich habe schon die Namen *Leningrad, Kaliningrad* und *Karl-Marx-Stadt* genannt und kann *Stalingrad* für älteres *Tsaritsyn* und *Ho-Chi-Minh-Stadt* für älteres *Saigon* hinzufügen. In diesen Beispielen kommt ein politisch motiviertes Streben zum Ausdruck. Eine Reihe anderer Motivierungen können natürlich auch vorhanden sein, zum Beispiel das Verlangen, störende Homonymien oder unschöne Namen zu tilgen oder aber hervorragende Kulturgestalten zu ehren (*Goethe-Platz, Tegnérlunden*).

Es lassen sich zwei Hauptlinien oder Ideologien unterscheiden, was das Bewahren beziehungsweise den Wechsel von Ortsnamen anbetrifft. Der einen Linie zufolge sind die Ortsnamen in gewissem Grade unkränkbar. Sie sind ein Teil des gemeinsamen Kulturerbes. Diese Linie kann die kulturbewahrende Linie genannt werden. Der anderen Linie oder Ideologie zufolge stehen die Namen im Dienste des Staates. Die Namen sollen demnach die Interessen des Staates fördern. Diese Linie kann man die zentralistische oder die rationalistische Linie nennen. Ich möchte die beiden Linien etwas näher erläutern.

Das Ortsnamenkomitee, das von 1980 bis 1982 in Schweden tätig war, hatte unter anderem die Aufgabe, die allgemeinen Richtlinien für die Festlegung von Ortsnamen zu formulieren und damit den Grund für eine gute Ortsnamenpolitik zu legen. Für die Pflege vorhandener Ortsnamen empfahl das Komitee unter anderem diese Regeln: Vorhandene Namen sind weitmöglichst mit unveränderter Denotation zu bewahren. Lächerliche oder anstößige Namen dürfen jedoch ersetzt werden. Bei notgedrungener Wahl zwischen vorhandenen Namen sind sowohl kulturgeschichtliche als auch funktionelle Aspekte zu beachten. Die äußere Gestalt oder Form der Namen soll erhalten bleiben, wenn diese nicht gegen die üblichen Regeln der Sprachrichtigkeit offensichtlich verstößt. Vorhandene Namen sollten bei neuen Bauvorhaben soweit wie möglich beachtet werden.

Bei neuer Namengebung sollten unter anderem folgende Regeln beachtet werden: Neugebildete Namen sollen den üblichen Regeln der Sprachrichtigkeit folgen. Neugebildete Namen sollen sich leicht auffassen, aussprechen und schreiben lassen. Sie dürfen nicht allzu lang sein. Neugebildete Namen sollen dem Muster des örtlichen oder regionalen Namenbestandes folgen. Neugebildete Namen sollen lokalisierende und identifizierende Funktion besitzen. Bei Namengebung von Flughäfen, größeren Bahnhöfen, Häfen, Leuchttürmen (und dergleichen) sollten Reichsinteressen und in gewissem Grade auch internationale Interessen beachtet werden.

Diese Prinzipien sind Ausdruck einer stark kulturbewahrenden Ideologie. Sie lassen wenig Raum für Namenänderungen oder Namenwechsel. Im großen und ganzen dürften gleichartige Prinzipien für viele westliche Länder zutreffen. Doch werden auch dort verstorbene Politiker und Kulturpersonen oft durch Wechsel von Straßennamen geehrt.

Aber, es gibt wie gesagt auch eine Doktrin, die besagt, daß die einzelnen Landesteile und deren Bewohner den Interessen des Staates und der regierenden Partei unterworfen sind. Wenn eine Namenänderung im Interesse des Staates liegt, muß sie selbst dann durchgeführt werden, wenn die Änderung mit örtlichen und individuellen Interessen kollidiert. Und wenn die Regierung, die regierende Partei und die politischen Machthaber dem Staat gleichgestellt werden, müssen die Namenänderungen durchgeführt werden, wenn sie der regierenden Partei nützen.

Ich habe hier ein Bild der Namenpolitik eines Diktaturstaates entworfen. Aber selbst in einer Demokratie muß den staatlichen, zentralistischen Interessen zuweilen der Vorzug vor örtlichen, traditionsbewahrenden Interessen gegeben werden. Bei einer Gemeindereform, bei der Anlage neuer Grundstücksregister und bei Änderungen der Postbezirke müssen Ortsnamen oder zumindest ihre Bedeutung mitunter geändert werden. Erfahrungsgemäß ist es bisweilen schwierig, zwischen den beiden Prinzipien zu wählen. In einer Demokratie können sich die Interessenkonflikte in Ortsnamenfragen oft sehr zuspitzen. Interesse steht gegen Interesse. Und die Maßregeln der Behörden werden als Eingriffe in die persönliche Integrität aufgefaßt.

V. Vor dem Hintergrund dieser theoretischen Erwägungen will ich einige Typen von Kulturzusammenstößen und Interessenkonflikten etwas näher betrachten, um zu sehen, welche onomastischen Konsequenzen diese haben können.

Ein Typ eines Kulturkonflikts entsteht durch Kolonisation, aber auch wenn die Kolonien schließlich selbständig werden. Ich möchte mit Nord-Amerika beginnen. Die Karten Nord-Amerikas zeigen enorme Mengen von Namen, die aus Europa oder den biblischen Ländern mitgebracht oder nach europäischen Mustern, das heißt, mit europäischem Sprachmaterial gebildet worden sind. Es läßt sich nicht berechnen, wieviele indianische Ortsnamen den Namen der Kolonisatoren weichen mußten. Es scheint jedoch, als seien indianische Gebirgsnamen und Gewässernamen in größerem Umfang als Siedlungsnamen von den Kolonisatoren und Kolonisten adoptiert und adaptiert worden. Offensichtlich sind daneben gewisse Naturnamen aus Indianersprachen übersetzt worden.

Zeugnisse von den onomastischen Konflikten fehlen in der Regel. Ich will jedoch einige Fälle erwähnen, die Mary R. Miller[5] in einem theoretisch interessanten Aufsatz behandelt. Mary R. Miller hebt hervor, daß die indianischen Namen, die den Kolonisten begegneten, beschreibend waren. Sie enthielten keine Personennamenelemente. Wenn diese Namen adoptiert und adaptiert wurden, erhielten sie eine ausschließlich identifizierende Funktion.

Der indianische Gewässername *Chesapeake* bedeutete 'Mutter der Gewässer'. Er wurde adoptiert und mit dem Zusatz *Bay* versehen. *Chesapeake Bay* ist heute ein

---

[5] Place-Names of the northern neck of Virginia: a proposal for a theory of place-naming, Names 24 (1976) S. 9-23.

wohlbekannter aber undurchsichtiger Name des großen Meeresarms, der sich bis zu der Stadt Baltimore hinstreckt.

In den südlichen Teil des *Chesapeake Bay* mündet ein Strom, der *Rappahannock River* heißt. Der Name *Rappahannock* ist indianisch und bedeutet 'quick-rising water'. Er spielt auf die Gezeiten an der Flußmündung an. Zu Anfang des 17. Jahrhunderts versuchte man, den Namen des Stroms entweder in *Queen's River* oder in *Pembroke River* umzuändern. Die Versuche mißlangen.

Durch die Stadt Washington D. C. fließt ein Strom namens *Potomac River*. Die Forscher meinen allgemein, daß der Name *Potomac* ursprünglich 'Handelsplatz' 'bedeutete', und wahrscheinlich hat der Name einst einen Handelsplatz am Ufer des Stroms bezeichnet. Der Name wurde adoptiert, bekam ein neues Denotat und wurde mit dem epexegetischen Zusatz *River* versehen. Man versuchte im Jahre 1612, den Namen *Potomac River* gegen *Elisabeth's River* auszutauschen. Auch dieser Versuch mißlang.

Im zentralen und südlichen Afrika finden wir zum Teil dieselben Muster wie in Nord-Amerika. Ortsnamen wie *Leopoldville, Elisabethville, Salisbury, Livingstone* und *Rhodesia* rühren von der Zeit der Kolonisation her. Sie wurden in den Karten mit Namen vermischt, die offenbar von der eingeborenen Bevölkerung gegeben und von den Kolonisten adoptiert worden waren.

Als die Kolonien ihre Selbständigkeit erhielten, wurden jene Namen getilgt, die an die Kolonialzeit erinnerten: *Leopoldville* wurde durch *Kinshasa*, *Elisabethville* durch *Lubumbashi*, *Salisbury* durch *Harare* und *Livingstone* durch *Maramba* ersetzt. Selbst die Namen der Staaten wurden geändert: *Belgisch-Kongo* heißt heute *Zaire*, *Nord-Rhodesien Zambia, Süd-Rhodesien Zimbabwe*.

Es entzieht sich meiner Kenntnis, in welchem Umfang diese neuen Namen schon vor der Kolonialzeit existierten oder parallel mit den offiziellen Namen im Gebrauch waren.

Aus Indien kann jedoch folgender interessanter Fall vermeldet werden. Im Januar 1986 wurde mitgeteilt, daß der indische Stadtname *Bombay* durch *Mumbai* ersetzt worden sei. Als Motivierung wurde angegeben, daß *Mumbai* der ältere, echte Name sei, daß dieser Name neben der Bezeichnung *Bombay* von der Bevölkerung immer schon verwendet worden wäre und daß der Name *Bombay* eine durch die Kolonisatoren verursachte Verdrehung sei. Nach zwei Monaten änderte die indische Regierung den Beschluß.

VI. Wenn sich die politische Grenze zwischen zwei gleichartigen Kulturen verschiebt, wenn Leute, die eine fremde Sprache sprechen, die Macht in einem Gebiet übernehmen, oder wenn in einem Lande eine revolutionäre Machtveränderung stattfindet, führt dieses häufig onomastische Konsequenzen mit sich. Diese haben nur teilweise denselben Charakter wie bei einer Kolonisation. Der politische Wille, die Vergangenheit auszumerzen und etwas Neues zu schaffen, ist hier stärker ausgeprägt. Ebenso wie bei einer Kolonisation spielt es eine große Rolle, daß die Ortsnamen in struktureller Hinsicht an die Sprache der fremden Machthaber angepaßt werden.

Eine umfassende Adaption fand im südlichen Teil der skandinavischen Halbinsel statt, als die Provinzen Schonen, Blekinge und Halland um die Mitte des 17. Jahrhunderts von Dänemark an Schweden abgetreten wurden. Was Schonen und Halland betrifft, sind diese Fragen im einzelnen durch Bengt Pamp[6] und Göran Hallberg[7] untersucht worden. Die Namenformen in den dänischen Grundbüchern und Steuerlisten zeigten oft Kompromisse zwischen Mundarten und dänischer Schriftsprache. Nach der Machtübernahme wurden Namenformen, die Kompromisse zwischen Mundarten und schwedischer Schriftsprache darstellten, in den schwedischen Urkunden verwendet.

Die neuen Machthaber manifestierten einige Male ihre Macht durch reine Namenwechsel. Der kleine Handelsplatz Bodekull in Blekinge bekam im Jahre 1664 von den Schweden das Stadtrecht. Nach zwei Jahren wurde der Name *Bodekull* durch *Carlshamn* ersetzt, dem verstorbenen König Carl X. Gustaf zu Ehren. Und im Jahre 1680 legte der schwedische König Carl XI. auf der Insel Trossö im östlichen Blekinge einen Flottenstützpunkt und eine Stadt an. Die Stadt erhielt jedoch nicht den Namen *Trossö* oder dergleichen, sondern *Carlscrona.*

Was den heutigen kommunistischen Machtbereich betrifft, so habe ich bereits erwähnt, auf welche Weise Städtenamen im Interesse der neuen Machthaber umgeändert worden sind. Ich will auch hervorheben, daß die sozialistisch inspirierten Namen vieler Straßen, Parkanlagen und Plätze in alten osteuropäischen Städten natürlich nicht ursprünglich sind. Eine Exemplifizierung dürfte sich erübrigen.

Ortsnamenwechsel, die im Interesse fremder Mächte oder Ideologien durchgeführt werden, kollidieren oft mit dem Willen der Bevölkerung, die Namen des eigenen Orts zu schützen. Wie diese Konflikte gelöst werden, ist eine andere Frage.

Bei der Auflösung mehr oder weniger aufgezwungener Unionen oder Abhängigkeitsverhältnisse tritt zuweilen eine Wiedereinsetzung älterer Namen ein.

Norwegen war in dem Zeitraum von 1380 bis 1814 unter unionsähnlichen Bedingungen mit Dänemark verbunden, während es von 1814 bis 1905 mit Schweden eine Union bildete. Die politische Macht lag in Kopenhagen beziehungsweise Stockholm.

Die norwegische Stadt Oslo wurde im Jahre 1624 durch Feuer zerstört. Auf königliche Initiative hin wurde in unmittelbarer Nähe davon eine neue Stadt gebaut, die nach dem regierenden dänischen König Christian IV. den Namen *Christiania* erhielt. Ab 1877 wurde der Name *Kristiania* geschrieben. Laut Beschluß des norwegischen Storthings im Jahre 1924 wird die Stadt ab 1925 *Oslo* genannt. Das heutige Oslo umfaßt sowohl die alte Stadt Oslo als auch das Christiania des 17. Jahrhunderts. Der alte Name, der bereits vor dem Schrifttum entstand, ist somit wieder eingesetzt worden.

Die Wiederbelebung alter Namen, die bei der Befreiung von Kolonien und bei der Auflösung mehr oder minder aufgezwungener Unionen stattfindet, enthält nationalromantische und nationalistische Züge. Indirekt zeigen die Namenwiederbelebungen, daß die älteren Namenwechsel oft gegen den Willen der Bevölkerung durchgeführt

----

[6] De skånska ortnamnens övergång från dansk till svensk riksspråksnorm, Stednavne i brug, S. 188-210.

[7] De halländska ortnamnens övergång från dansk till svensk skriftspråksnorm, Stednavne i brug, S. 83-96.

wurden, selbst wenn die Proteste aus natürlichen Gründen in den offiziellen Urkunden nur spärlich belegt sind.

VII. Etliche Länder haben zwei offizielle Sprachen. Und in der Regel begegnen sich hier zwei Kulturen und zwei Kulturtraditionen. Der Zustand kann mehr oder minder statisch sein. Dieses gilt unter anderem für Kanada, Belgien und Finnland. Dort kommen in gewissen Städten zwei Namen für Straßen vor. Und selbst Städte und Orte können zwei Namen tragen. Die finnische Hauptstadt heißt *Helsinki* auf finnisch und *Helsingfors* auf schwedisch. Der eine Name ist keine Übersetzung des anderen. Aber die Namen enthalten identische Wortstämme und werden leicht miteinander verbunden. Im südwestlichen Finnland liegt eine Stadt, die auf schwedisch *Åbo*, auf finnisch *Turku* heißt. Diese beiden Namen sind in keiner Weise miteinander verwandt.

Leider ist es mir nicht möglich, die Ortsnamenverhältnisse zweisprachiger Länder hier näher zu behandeln. Das Thema gehört grundsätzlich gesehen nicht zu meiner Untersuchung. Ich möchte jedoch betonen, daß die onomastischen Verhältnisse in zweisprachigen Ländern in gewissem Grade durch besondere Gesetze und Verordnungen geregelt sind.

VIII. Auch in einsprachigen Ländern, die keinen Konflikten mit Nachbarländern oder Nachbarkulturen ausgesetzt waren oder die keine Revolutionen durchgemacht haben, verändert sich der Ortsnamenbestand fortlaufend. Etymologisch unrichtige Formen schleichen sich in offizielle Urkunden ein und werden in die Umgangssprache aufgenommen. Bisweilen werden Namenteile, bisweilen ganze Namen ausgetauscht. Betreffs der nordischen Länder wurde dieses im Jahre 1975 während des schon erwähnten Symposiums im finnischen Kulturzentrum Hanaholmen erörtert.

Die negative Phase (daß man einen gewissen Namen ausmerzen will) kommt selten vor. Unschöne oder negativ charakterisierende Ortsnamen ersetzt man zuweilen, selbst wenn die nicht mehr offiziellen Namen zuweilen erstaunlich lebenskräftig sind. Gewöhnlicher ist die positive Phase. Man bildet neue Namen, um eine gewisse Person zu ehren. In Schweden bekamen früher viele Orte Namen, mit denen man königliche Personen ehren oder verherrlichen wollte. Ältere Namen mußten dabei weichen.

Aber nicht nur königliche Namen wurden verwendet. Zu der Zeit, als in der Geschichte der nordischen Länder Güter und Herrensitze entstanden, wurden viele Adelsnamen in den Ortsnamenbestand aufgenommen, wobei ältere Namen für Höfe und Dörfer verschwanden.

Neben den von Behörden, Standespersonen oder politischen Parteien geregelten Namenwechsel lassen sich auch örtlich initiierte Namenänderungen derselben Art nachweisen. Als typisches Exempel mag der heutige schwedische Stadtname *Ulricehamn* dienen. Eine Stadt in der Mitte Västergötlands trug seit dem Mittelalter den Namen *Bogesund*. Der Bürgermeister der Stadt Bogesund verlangte im Jahre 1741 im Reichstag, daß die Stadt, 'um bessere Vergünstigungen zu bekommen', der Königin Ulrica Eleonora († 1741) zu Ehren künftig *Ulricehamn* heißen sollte. Das Verlangen wurde gutgeheißen, die Privilegien bewilligt. Im gleichen Sinne wurde eine

Reihe peripherer Orte nach dem König *Gustaf* IV. *Adolf* und seiner in Deutschland geborenen Gemahlin *Fredrika Dorotea Wilhelmina* benannt. Die Gemeinde *Gustav Adolf* im nordöstlichen Schonen hieß früher *Viby.* Dieser Name ist a. 1394 zum ersten Mal belegt. Im Jahre 1791 erhielt in Värmland eine a. 1765 gegründete Filialgemeinde den Namen *Gustaf Adolf* nach demselben Fürsten, der zu der Zeit noch Kronprinz war. Die Gemeinde in Västergötland, die jetzt *Gustav Adolf* heißt, wurde früher *Fiskebäck* genannt. Dieser Name ist seit dem Jahre 1399 belegt. Die Gemeinde *Fredrika* im südlichen Lappland wurde im Jahre 1797 von der Gemeinde Åsele abgetrennt. Ihr ältester Name war *Wiska.* Der Name *Fredrika* wurde zunächst der Kirche gegeben und dann auf die Gemeinde übertragen. Die Gemeinde *Dorotea* im südlichen Lappland war im 18. Jahrhundert Filialgemeinde unter Åsele und hieß *Bergvattnet.* Im Jahre 1799 wurde sie selbständige Pfarre und erhielt den zweiten Namen der Königin. Die Gemeinde *Vilhelmina* im südlichen Lappland ist aus einer Filialgemeinde namens *Volgsjö* hervorgegangen. Diese erhielt im Jahre 1808, der Königin zu Ehren, den Namen *Wilhelmina.* Die Liste über Orte, die durch lokale Initiative ihren Namen gewechselt und königlichen Personen zu Ehren neue Namen bekommen haben, könnte schon für die nordischen Länder sehr lang werden. Die Absicht ist wohl in den meisten Fällen gewesen, eine Person zu ehren. Unzweifelhaft kommt in solchen Ortsnamen oft Servilität und Opportunismus zum Ausdruck. Über solche Namenwechsel dürfte selten völlige Einigkeit geherrscht haben.

Namenwechsel, bei dem die ehrende Funktion frei von Servilität ist, kommt jedoch häufig vor. Straßennamen wie *Dag Hammarskjölds väg* und *Dag Hammarskjölds gata,* die in etlichen schwedischen Städten vorkommen, haben zuweilen ältere Namen ersetzt.

Bisweilen entsteht ein Rückschlag nach Namenwechsel dieser Art. Der Name *Cape Canaveral* in Florida wurde nach einem schlimmen Vorfall in der Geschichte der Vereinigten Staaten durch den Namen *Cape Kennedy* ersetzt. Nach einigen Jahren wurde der ursprüngliche Name wieder eingesetzt.

In zahlreichen europäischen Gebieten führte man nach dem zweiten Weltkrieg Gemeindereformen durch. Für Teile des deutschen Sprachgebiets wurden die onomastischen Konsequenzen von Irmgard Frank[8] behandelt. In Schweden sind ab Anfang der fünfziger Jahre des 20. Jahrhunderts zwei große Gemeindereformen vorgenommen worden. Als Folge davon war auch eine reichsumfassende Reform der Grundstücksregister notwendig. Diese Reform ist noch nicht abgeschlossen. Sie gab anfangs zu heftigen Diskussionen Anlaß, und der Widerstand gegen diese Reform folgte zum Teil parteipolitischen Linien. Die Reform, die anfangs die Forderungen der Computertechnik besonders beachten sollte, ist allmählich in ruhigere Bahnen geleitet worden und wird jetzt im allgemeinen mit Rücksicht auf die Prinzipien durchgeführt, die als Exponente einer guten Ortsnamenpolitik oben dargestellt worden sind.

––––––––––

[8] Namengebung und Namenschwund im Zuge der Gebietsreform, Onoma 21 (1977) S. 323-337.

IX. Zum Schluß möchte ich einige allgemeine Betrachtungen über den sprachlichen Charakter neuer Namen anstellen. Neue Ortsnamen, die den Willen der Kolonisatoren, Eroberer oder Sieger ausdrücken, enthalten ebenso wie ehrende Ortsnamen oft ein Personennamenelement. Umgekehrt verwendet man bei politischer Umwertung bisweilen neutrale Naturnamenelemente. Neben dem Ersatz von *Kristiania* durch *Oslo* im Jahre 1924 kann der Ersatz von *Stalingrad* durch *Volgograd* im Jahre 1961 erwähnt werden. Vielleicht läßt sich der Unterschied zwischen den zwei Tendenzen statistisch nicht verifizieren. Ich habe hier nur meine subjektive Auffassung vorlegen wollen. Der Namenwechsel wird heute in den westlichen, demokratischen Ländern unter Berücksichtigung örtlicher Gesichtspunkte und Interessen durchgeführt. Örtlich geprägte Namenelemente werden oft bevorzugt. Der Name ist ein Produkt des Menschen. Der Mensch hat ein starkes Gefühl für die Tradition, wenn es sich um Ortsnamen handelt[9].

----

[9] Bei der Durchsicht des Manuskripts war Fil. dr. Peter Lafrenz behilflich. Ich danke ihm herzlich.

Birgit Christensen

Straßennamenänderungen in Sønderjylland im Jahre 1920

I. Einleitung. - Unter *Sønderjylland* versteht man nach heutigem dänischem Sprachgebrauch allgemein das Gebiet zwischen dem *Kongeå* im Norden und der deutsch-
dänischen Grenze im Süden. Dieses Gebiet, das ab a. 1864 zu Deutschland gehört
hatte, wurde im Jahre 1920 nach einer Volksabstimmung mit Dänemark wieder-
vereinigt. Das brachte mit sich, daß im Jahre 1920 in den vier Städten *Haderslev
(Hadersleben), Sønderborg (Sonderburg), Tønder (Tondern)* und *Åbenrå (Apenrade)*
die offiziellen Straßennamen geändert wurden. Im folgenden soll eine Übersicht über
diese Veränderungen gegeben werden.

Zur Vorgeschichte der Straßennamen sind einige einleitende Bemerkungen notwendig. Aufgrund der historischen Gegebenheiten wurde die deutsche Sprache (vor
der Reformation niederdeutsch, danach hochdeutsch) im zu Dänemark gehörenden
Sønderjylland als Verwaltungssprache benutzt. Bei den ältesten schriftlichen Belegen
für Straßennamen handelt es sich daher überwiegend um deutsche Formen[1], wobei
meistens eine bedeutungsmäßige Übereinstimmung zwischen der deutschen und der
dänischen Form eines Namens besteht, zum Beispiel dän. *Møllevej*, dt. *Mühlenweg*
in *Tønder*[2]. Ohne Einbeziehung der historischen Umstände läßt sich daher meist
nicht entscheiden, welche der beiden Formen die ursprüngliche ist. Bei einer Gruppe
von Straßennamen führt der Vergleich der beiden Formen allerdings eindeutig zu
dem Ergebnis, daß die dänische Form die ursprüngliche ist, nämlich in den Fällen,
in denen eine Übersetzung ins Deutsche nicht möglich war und die dänische Aussprache des Namens in deutscher Orthographie wiedergegeben wurde. Als Beispiel
sei hier dän. *Gaaskjærgade*, dt. *Goskjerstraße* in *Haderslev* angeführt, wo nur das
zweite Glied *-gade* ins Deutsche übersetzt wurde[3]. Dem zweiten Glied *-straße* entspricht ansonsten fast immer *-gade; -weg* entspricht fast immer *-vej*. Es gibt jedoch
einzelne Ausnahmen. So protestierten die Bewohner der *Lindenstraße* in *Haderslev*
dagegen, daß ihre Straße nach a. 1920 *Lindevej* heißen sollte. Sie benutzten selbst
die Form *Lindegade* und faßten die Veränderung zu *Lindevej* als Namenwechsel auf.
Für den Fall eines Namenwechsels hätten sie *Lindeallé* vorgezogen.

---

[1] Sønderjyske Stednavne, II-V.

[2] A. Bjerrum, in: M. Mackesprang, Tønder gennem Tiderne, S. 440-464. Englische
Version: A. Bjerrum, in: A. Bjerrum, Linguistic Papers, S. 51-74, hier S. 54. Die
Seitenangaben beziehen sich auf die englische Ausgabe.

[3] A. Bjerrum, Linguistic Papers, S. 54.

Über die Entstehung der alten Straßennamen schreibt Olav Christensen[4]: 'Die
Straßennamen entsprangen früher dem alltäglichen Leben, der Name entstand auf
der Grundlage einer Besonderheit der Straße und bürgerte sich allmählich in der All-
tagssprache ein, ohne daß eine offizielle Bestätigung von seiten der Stadt notwendig
war'. Da die Volkssprache in den vier Städten sowohl in älterer als auch in neuerer
Zeit der dänische Dialekt war, muß man bei den vor a. 1864 entstandenen Namen
die dänische Form als die ursprüngliche betrachten[5].

Olav Christensen[6] fährt fort: '... doch in neuerer Zeit wurde es anders. Die Namengebung wurde ein kommunales Anliegen. Und die Straßen erhielten ihre Namen
durch einen feierlichen Beschluß im Stadtrat. Das erste Beispiel, das ich für eine
derartige Namengebung finden konnte, stammt aus dem Jahre 1875, als der Stadtrat
Arbejdshusvej zu Ringgade umtaufte'. Daher muß man bei den in der deutschen Zeit
(das heißt: zwischen a. 1864 und a. 1920) entstandenen Namen die deutsche Form
als die ursprüngliche betrachten. Man kann jedoch davon ausgehen, daß die dänische
Namenform sofort hinzutrat und in dänischen Kontexten benutzt wurde. In der
Zeit bis a. 1920 existierten dänische und deutsche Formen also nebeneinander, wobei ihr Gebrauch von Situation und Person sowie vom Kontext überhaupt abhängig
war[7].

Bei der Volksabstimmung im Jahre 1920 stimmten in *Haderslev* 63 Prozent, in
Åbenrå 45 Prozent, in *Sønderborg* 44 Prozent und in *Tønder* 23 Prozent der Bevölkerung für die Wiedervereinigung mit Dänemark. Die Dänischgesinnten bildeten also
in *Haderslev* die Mehrheit. Und wenn man die 'Zugereisten' nicht miteinbezieht,
hielten sich die deutsche und die dänische Gesinnung in *Åbenrå* und *Sønderborg* die
Waage. Bei den Zugereisten handelte es sich um Personen, die nicht in *Sønderjylland*
wohnhaft, dort aber vor dem Jahre 1900 geboren waren. Stimmrecht hatten sie nur
durch einen Fehler in den Wahlbestimmungen erhalten, aus denen bei der Korrektur
ein Satz herausgefallen war, so daß der Text nicht 'Stimmrecht haben die im Landesteil geborenen und von den früheren Machthabern ausgewiesenen Personen', sondern
nur 'Stimmrecht haben die im Landesteil geborenen Personen' lautete. Dadurch erhielt eine große Zahl von Nachkommen deutscher Beamten, die nur eine schwache
Verbindung mit dem Landesteil gehabt hatten, Stimmrecht, was natürlich Folgen
für die Stimmabgabe in den Städten hatte[8].

Eine klare deutsche Mehrheit gab es also nur in *Tønder*. Daß die Stadt dennoch zu
Dänemark kam, hängt damit zusammen, daß *Sønderjylland* bei der Abstimmung in

---

[4] Indledning til fortegnelsen, S. 5.

[5] Zu den sprachlichen Verhältnissen in Tónder und Åbenrå vergleiche man A.
Bjerrum, Linguistic Papers und G. Japsen, in: J. Hvidtfeldt - P. K. Iversen, Åbenrå
bys historie, III, S. 127ff., hier S. 154f.

[6] Inledning til fortegnelsen, S. 5.

[7] Zu älteren Belegen und Deutungen von Namen vergleiche man Sønderjyske Stednavne, für *Sønderborg* J. Raben, Gadenavne i Sónderborg, S. 8-20; für Haderslevs
Straßennamen O. Christensen, SG. 15,1 (1948) S. 193-198.

[8] T. Fink, Rids af Sønderjyllands historie, S. 213.

Zonen aufgeteilt war und daß *Tønder* zu Zone I gehörte, in der die Mehrheit insgesamt für die Wiedervereinigung mit Dänemark stimmte[9].

Nach der Wiedervereinigung wurden die dänischen Straßennamen von den jeweiligen Stadträten offiziell eingeführt, nachdem zunächst Ausschüsse Vorschläge hierzu ausgearbeitet hatten. In *Haderslev* und *Sønderborg* wurden die Vorschläge der Ausschüsse in den Zeitungen veröffentlicht und die Bürger vom Stadtrat dazu aufgefordert, ihre Meinung zu den Vorschlägen zu äußern. In diesen beiden Städten und in *Tønder*, wo eine Zeitung die Leser dazu aufforderte, selbst Vorschläge für Straßennamen zu machen, wurde das Thema in den Zeitungen unter anderem in Leserbriefen diskutiert. Die Zeitungsdebatte aus *Tønder* ist bei Birgit Christensen[10] in ihrer Gesamtheit wiedergegeben.

Eine ausführliche Darstellung der Diskussion, die vor der Festlegung der dänischen Namen stattfand, würde den Rahmen dieses Aufsatzes überschreiten. Doch werden im folgenden einige (nicht angenommene) Vorschläge erwähnt, wenn sie zu einer Charakterisierung der Situation beitragen können und in der Zeitungsdebatte auftraten.

Das Ausgangsmaterial der Untersuchung bilden die Namenlisten, die nach Festlegung der dänischen Namen in den lokalen Zeitungen veröffentlicht wurden, für *Haderslev* die Namenliste bei Olav Christensen[11], da die Liste nicht in ihrer Gesamtheit in der Zeitung veröffentlicht wurde. Die Untersuchung des Materials soll folgende Fragen beantworten, wobei onomastische Fragestellungen eher im Vordergrund stehen als eigentlich lokalhistorische:

(1) In welchem Umfang werden Straßennamen ausgewechselt? Und haben die Namenwechsel in den vier Städten unterschiedlichen Umfang?

(2) Werden, wie zu erwarten wäre, besonders die in der Zeit zwischen a. 1864 und a. 1920 entstandenen Namen ausgewechselt?

(3) Werden bestimmte Typen von Straßennamen besonders häufig ausgewechselt?

(4) Gibt es bestimmte Typen von Straßennamen, die vorzugsweise zur Erstattung der alten Typen benutzt werden?

Jede der vier Städte wird zunächst getrennt behandelt, wobei die Behandlung die Grundlage für einen anschließenden Vergleich bilden soll. Die Untersuchung der Namenveränderungen stützt sich auf die hier abgedruckten Listen, die sämtliche in den Zeitungen veröffentlichten, offiziell anerkannten Namen enthalten. Das Material wurde in folgende Gruppen aufgeteilt:

Gruppe I: Es existiert eine (in der Regel ganz genaue) bedeutungsmäßige Übereinstimmung zwischen der deutschen Form und der a. 1920 beschlossenen dänischen Form eines Straßennamens. Und der Name ist in Sønderjyske Stednavne für a. 1864 oder früher belegt.

----

[9] Zur Wiedervereinigung vergleiche man T. Fink, Da Sønderjylland blev delt, I-III und E. Rasmussen, in: R. Skovmand - V. Dybdahl - E. Rasmussen, Geschichte Dänemarks, S. 325-443, hier S. 376-379, 387-390.

[10] In: B. Jørgensen, Stednavne i brug, S. 35-63.

[11] Indledning til fortegnelsen.

Gruppe II: Es existiert eine bedeutungsmäßige Übereinstimmung zwischen der deutschen Form und der a. 1920 beschlossenen dänischen Form eines Straßennamens, aber die Straße hatte früher (laut den Quellen) einen ganz anderen Namen. Obwohl damit die Möglichkeit zur Wiederaufnahme eines älteren Namens bestand, wurde der Name aus der Zeit zwischen a. 1864 und a. 1920 beibehalten.

Gruppe III. Es existiert eine bedeutungsmäßige Übereinstimmung zwischen der deutschen Form und der dänischen Form. Der Name ist vor a. 1864 nicht belegt.

Gruppe IV: Es existiert keine bedeutungsmäßige Übereinstimmung zwischen der deutschen Form und der a. 1920 beschlossenen dänischen Form. Es wird auf einen Namen aus der Zeit vor a. 1864 zurückgegriffen.

Gruppe V: Es existiert keine bedeutungsmäßige Übereinstimmung zwischen der deutschen Form und der dänischen Form. Der in der deutschen Zeit benutzte Name ist für a. 1864 oder früher belegt. Doch wird ein noch älterer Name wiederaufgegriffen.

Gruppe VI: Es existiert keine bedeutungsmäßige Übereinstimmung zwischen der deutschen Form und der dänischen Form. Ein in der deutschen Zeit entstandener Name wird durch einen ganz neuen dänischen Namen ersetzt.

Nur bei den Gruppen IV-VI handelt es sich um eigentliche Namenwechsel. Bei den Gruppen I-III wird lediglich die dänische Form eines Namens (wieder-)anerkannt. Diese Namen werden hier miteinbezogen, da sie zeigen, welche und wie viele Namen bewahrt werden.

II. Haderslev. - Im Jahre 1910 wurden einige der an *Haderslev* angrenzenden Gemeinden mit *Haderslev* zusammengelegt. Das führte sowohl in den eingemeindeten Gebieten als auch in der Stadt *Haderslev* zu einigen Veränderungen von Straßennamen. Eine kommentierte Übersicht über die Veränderungen findet sich bei Olav Christensen[12]. *Aastruperchaussee* wurde zu *Aastruperstraße* geändert, *Wilhelmstraße* zu *Kurzestraße*, *Bahnstraße* zu *Kleinbahnstraße*, *Apenraderchaussee* zu *Apenraderstraße*, *Aarösunderchaussee* zu *Aarösunderstraße* und *Herzog-Hans-Straße* zu *Bogenstraße*. Durch die letzte Änderung vermied man die Möglichkeit einer Verwechslung mit der *Herzog-Hans-Straße* in der Stadt. Es handelt sich hier um Herzog Hans den Älteren von Schleswig-Holstein (a. 1521-1580), der nicht mit dem unten im Abschnitt über *Sønderborg* erwähnten Herzog Hans dem Jüngeren identisch ist. Außerdem wurde *Skidenagstedtweg* zu *Mühlenweg* geändert, *Erlefferstraße* zu *Süderottingerstraße*, und *Dammstraße* und *Schulstraße* wurden zu *Dammstraße* zusammengelegt. *Moltruper Chaussee* wurde zu *Moltruperstraße* geändert, *Simmerstedterchaussee* zu *Simmerstädterstraße* und *Woyenserchaussee* zu *Woyenserstraße*. Während diese Veränderungen die eingemeindeten Gebiete betrafen, wurde in der Stadt *Haderslev Christiansfelderchaussee* zu *Christiansfelderstraße* geändert und *Klingenberg* in *Großer* und *Kleiner Klingenberg* geteilt. Nach einer mündlichen Mitteilung von Lektor Henrik Fangel wurde die *Kleine Goskjerstraße* wahrscheinlich auch im Jahre 1910 zu *Sturmglocke* geändert. *Sønderjyske Stednavne* enthält zwar Belege für diesen Namen aus der Zeit vor a. 1910. Diese beziehen sich allerdings auf die Bezeichnung für die Glocke.

[12] Indledning til fortegnelsen, S. 5-7.

Bei den genannten Änderungen handelt es sich zwar um eine Annäherung an die dänische Namenbildung, da das zweite Kompositionsglied *-chaussee* verschwindet, doch ist unsicher, ob der Stadtrat sich darüber im klaren war. Olav Christensen erwähnt nichts davon. Zu bemerken ist auch, daß die Änderung von *Wilhelmstraße*, die a. 1920 sicher durchgeführt worden wäre, bereits a. 1910 vorweggenommen wurde. Allerdings war die Straße (nach einem unveröffentlichten Vortragsmanuskript von Lektor Henrik Fangel) nicht nach dem deutschen Kaiser benannt, sondern nach *Wilhelm Mussmann*, dem früheren Besitzer der Grundstücke, auf denen die Straße lag. Es handelt sich um eine kleine Sackgasse, weshalb Henrik Fangel vermutet, daß die Namenänderung darauf zurückzuführen sei, daß man nicht glauben sollte, eine so unansehnliche Straße sei nach dem Kaiser des großen deutschen Reiches benannt.

In den eingemeindeten Gebieten blieben nach Olav Christensen unverändert: *Neue Alleestraße, Marienstraße, Mittelstraße, Königsweg, Langstrengweg, Lindental, Lindenstraße, Erlefferweg, Hörregaardweg, Wilstruperweg, Kalkofenweg, Wandlingerweg, Eisbüllerweg* und *Bauernhöfe*. Außerdem wurden im Jahre 1910 die folgenden neuen Straßennamen eingeführt: *Süderbrücke, Gartenstraße, Hinter dem Kirchhof, Bergstraße, Herzog-Hans-Straße, Kreishausstraße, Bahnhofstraße, Poststraße, Brauereistraße, Dammacker, Feldstraße, Dorfstraße, Stiftstraße, Luisenstraße, Am Schloßgrund, Am Hafen, Hafenstraße, Speicherstraße, Kantorsteg, Bischofsbrücke, Alter Brandweg, Toftweg, Klosterbrandweg, Neuer Brandweg* und einige Namen, die schon früher benutzt worden waren: *Klosterstraße, Nordermarkt* und *Jungferngang*. *Sønderjyske Stednavne* enthält Belege für *Süderbrükke, Bischofsbrücke, Am Schloßgrund* und *Kantorsteg* aus der Zeit vor dem Jahre 1910. Doch handelt es sich bei den ersten beiden Namen nicht um Belege für Straßennamen sondern für Brückennamen. Der ältere Beleg für *Am Schloßgrund* bezieht sich auf das gesamte Schloßgebiet, während *Am Schloßgrund* und das heutige *Slotsgrunden* nur den Platz bezeichnen, auf dem das eigentliche Schloß lag. Der ältere Beleg für *Kantorsteg* lautet *Kantorstraße*. A. 1910 wurde bei diesem Namen also nur das zweite Kompositionsglied geändert. Olav Christensen[13] schreibt über die neuen Straßennamen der Stadt *Haderslev* unter anderem: 'Nicht uninteressant ist, daß zu den alten Straßennamen, die ihre dänische Herkunft nicht verbergen können, einige hinzutraten: Hörregaardweg, Dammstraße und Dammacker. Das deutsche Damm bedeutet bekanntlich ... nicht [wie das dänische 'dam'] 'eingedämmter See', so daß die richtige Bedeutung der beiden letztgenannten Straßennamen nur von Deutschgesinnten verstanden werden konnte'. Olav Christensen erwähnt *Hörregaardweg*, weil das erste Kompositionsglied ein dänischer Hofname ist, der nicht ins Deutsche übersetzt wurde. Nach Olav Christensen wurde das Straßennetz von *Haderslev* zwischen den Jahren 1910 und 1920 noch um *Seminarstraße* erweitert.

Haderslev war, wie erwähnt, eine der Städte, in denen man vor dem Beschluß der neuen Namen die Vorschläge veröffentlichte, um die Meinung der Bürger zu hören. Das führte eine Zeitungsdebatte mit sich, unter anderem in Leserbriefen, denen der Wunsch nach Namen mit einem traditionell dänischen Klang gemein war. *Haderslev*

---

[13] *Indledning til fortegnelsen*, S. 7.

ist die größte der vier hier behandelten Städte. Im Jahre 1920 hatte sie insgesamt 92 Straßennamen, von denen 18 ausgewechselt wurden.

In einem Fall griff man zum Teil auf einen Namen aus der Zeit vor a. 1864 zurück, da *Ribervej* in der neuen Form *Ribelandevej* wiederauftritt, wobei der Stadtname *Ribe* das deutsche Suffix *-er* verlor. Im Stadtrat wurden die Namen *Ribevej* und *Ribelandevej* lebhaft diskutiert. Die Wahl von *Ribelandevej* wurde in einem Leserbrief kritisiert, dessen Verfasser die lange Form des Namens zu schwer fand und *Ribervej* vorgezogen hätte. *Ribervej* stand jedoch wegen des aus dem Deutschen entlehnten Suffixes, das im Dänischen selten ist und nur in eingelehnten Komposita auftritt[14], anscheinend nicht zur Diskussion. Und der Leserbriefschreiber, der in seinem Beitrag eine deutlich dänische Haltung zeigt, hätte den Namen wohl auch kaum vorgeschlagen, wenn er sich über die sprachlichen Zusammenhänge im klaren gewesen wäre. Der Name *Ribelandevej* wurde auch in *Tønder* gewählt[15]. Man folgte damit dem dänischen Brauch, zu einer Nachbarstadt führende Ausfallstraßen nach dieser zu benennen.

Unter den zu Gruppe IV gehörenden Namen, die ausgewechselt wurden, befinden sich zwei Namen, die auf die deutsche Verwaltung hinwiesen, nämlich *Kreishausstraße* und *Dryanderstraße*. *Dryander* war nach Olav Christensen[16] 'einer der wenig geschätzten Landräte, dessen Wirken in der Stadt keine Erinnerungen von bleibendem Wert hinterließ'.

Die Erstattung von aus der Zeit vor a. 1864 belegten Namen durch noch ältere Namen (Gruppe V) ist für *Haderslev* charakteristisch. Verhältnismäßig viele der neuen Straßennamen (Gruppe VI) beziehen sich auf Personen. Laurids Skau (a. 1817-1864) war eine führende Persönlichkeit der dänisch-nationalen Bewegung und in *Sønderjylland* und in der Gegend um *Haderslev* zu Hause. Lembcke (a. 1815-1897) war ein dänischer Dichter, der seine Sympathie für die dänische Seite im Streit um *Sønderjylland* in seiner Dichtung ausgedrückt hatte. Zwischen den Jahren 1850 und 1864 war er nach Olav Christensen[17] stellvertretender Direktor der gelehrten Schule in *Haderslev*. In den folgenden Jahren kamen weitere nach führenden dänischen Persönlichkeiten aus der Zeit zwischen den Jahren 1864 und 1920 benannte Straßen hinzu.

Diskutiert wurde auch die Wiederaufnahme eines weiteren alten Namens, *Lille Papegøjegade* (ursprünglich nur *Lille Papegøje*). Früher hatte die *Vestergade* diesen Namen getragen, nun sollte er die Namen *Platzstraße - Pladsgade* ersetzen. Es hatte früher auch eine *Store Papegøjegade* gegeben, die heutige *Storegade*, und beide Straßen hatten zu einer Stelle geführt, an der sich ein Vogelschießplatz befunden hatte. Der Name wird in einem Leserbrief behandelt, in dem vorgeschlagen wird, den Namen zwar zu bewahren, ihn aber für die Straße zu benutzen, die ursprünglich

---

[14] P. Skautrup, Det danske sprogs historie, I-V, hier III, S. 370.

[15] Sieh weiter unten.

[16] Indledning til fortegnelsen, S. 10.

[17] SG. 15,1 (1948) S. 196.

diesen Namen getragen hatte. In einem anderen Leserbrief wird Bedauern darüber
ausgedrückt, daß der Name nicht wiederaufgegriffen wurde. Aus dem Referat der
Stadtratssitzung, auf der die Straßennamen beschlossen wurden, geht hervor, daß
der Name umstritten war. Die Nichtwiederaufnahme des Namens geht nach Olav
Christensen und Henrik Fangel darauf zurück, daß in *Haderslev* die Schule für
schwach begabte Kinder in der *Vestergade* lag und im dänischen Dialekt 'Papageien-
schule' genannt wurde. Auch in *Sønderborg* weckte der Vorschlag einer *Papegøjegade* großes Aufsehen und wurde verworfen[18].

Auch die Namen hervortretender deutscher Bürger wurden für neue Straßennamen
benutzt. *Sohlsvej* wurde nach einer deutschen Kaufmannsfamilie benannt, die die
Grundstücke der Gegend besaß. Jens Johanssen (a. 1832-1896) war viele Jahre Mitglied und Vorsitzender des Bürgerkollegiums, Hæger hatte eine Stiftung gegründet.
Die lokale Zeitung schrieb, daß die Bewohner der *Hægersgade* mit dem neuen Namen unzufrieden seien. Sie hatten sich den Namen *Dannebrogsgade* gewünscht, weil
in der Straße am Tag der Volksabstimmung und am Wiedervereinigungstag überall
die dänische Flagge wehte. Die Zeitung schloß sich diesem Wunsch an und fügte hinzu, daß der Name *Hæger* ja in Verbindung mit dem Namen der Stiftung bewahrt
werde.

Der Name *Landsenervej* erinnert an die historischen Verhältnisse, als das holsteini-
sche Landsenerregiment, das von a. 1732 bis a. 1842 in *Haderslev* in Garnison lag, in
dieser Straße seinen Exerzierplatz und sein Reithaus hatte[19].

Als erstes Glied in *Toldertoftgade* wählte man einen alten Flurnamen. Mit *Fjord-
ager* wurde ein Flurname nachgeahmt, während man (inkonsequenterweise) mit
Dammacker einen Flurnamen verwarf[20].

Unter den nicht ausgewechselten Namen findet man in Gruppe III die Namen *Königsweg - Kongevej*. In den drei anderen Städten wurden Straßennamen mit *Konge-*
als erstem Glied vorgeschlagen, was für *Haderslev* nicht nötig war. Gruppe III enthält
außerdem die Namen *Louisenstraße - Louisevej*. Die Straße ist benannt nach der
Louisenschule, deren Name wiederum auf die Königin des preußischen Königs Friedrich Wilhelm III. zurückgeführt werden kann, die versuchte, Kaiser Napoleon in
seinen Forderungen gegenüber Preußen milder zu stimmen[21]. Eine Änderung dieses
Namens aus nationalen Gründen wäre zu erwarten gewesen, und der vom Stadtrat
eingesetzte Ausschuß schlug auch vor, ihn durch *Ny Skolegade* 'Neue Schulstraße'
zu erstatten. Die Beibehaltung des Namens erklärt sich daraus, daß die dänischge-
sinnte Zeitung Dannevirke bei der Einweihung der Schule im Jahre 1909 geschrieben
hatte, Dänen könnten auch an eine andere Königin Louise denken, nämlich an die
Königin Christian IX.[22].

---

18 Sieh unten.

19 O. Christensen, SG. 15,1 (1948) S. 196.

20 Nach H. Fangel, Unveröffentlichtes Vortragsmanuskript.

21 O. Christensen, SG. 15,1 (1948) S. 196.

22 Nach H. Fangel, Unveröffentlichtes Vortragsmanuskript.

Gruppe I

Deutsch a. 1920	Dänisch a. 1920
Aarösunder Straße	*Aarøsundvej*
Alleestraße	*Allegade*
Am Graben	*Gravene*
Am Naff	*Naffet*
Am Schloßgrund	*Slotsgrunden*
Apothekerstraße	*Apotekergade*
Badstubenstraße	*Badstuegade*
Bauernhöfe	*Bøndergaardene*
Bischofsbrücke	*Bispebro*
Bischofstraße	*Bispegade*
Goskjergade	*Gaaskjærgade*
Großer Klingenberg	*Store Klingbjerg*
Hohestraße	*Højgade*
Jungferngang	*Jomfrugang*
Jungfernstieg	*Jomfrustien*
Kantorsteg	*Degnegyde*
Kattsund	*Katsund*
Kleiner Klingenberg	*Lille Klingbjerg*
Kleine Schlachterstraße	*Lille Slagtergade*
Klosterstraße	*Klosteret*
Marienstraße	*Mariegade*
Mühlenplatz	*Mølleplads*
Norderstraße	*Nørregade*
Osterstraße	*Østergade*
Philosophengang	*Filosofgang*
Platzstraße	*Pladsgade*
Predigerstraße	*Præstegade*
Schiffbrückenstraße	*Skibbrogade*
Schlachterstraße	*Slagtergade*
Schloßstraße	*Slotsgade*
Schmiedestraße	*Smedegade*
Schulstraße	*Skolegade*
Wandlinger Weg	*Vandlingvej*
Zollamtstraße	*Toldbodgade*

Bemerkungen:

Aarösunder Straße - Aarøsundvej: Ein Beleg aus Sønderjyske Stednavne für a. 1804, der einzige aus der Zeit vor a. 1864, hat die Form *Die Aaroesunder Post-Straße*.

Am Naff - Naffet, Am Schloßgrund - Slotsgrunden: In der dänischen Form dieser beiden Namen fehlt die Präposition.

Kantorsteg - Degnegyde: *Kantor* ist eine nicht ganz genaue Übersetzung von dän. *degn* 'Küster'.

Klosterstraße - Klosteret: Eine Entsprechung von *-straße* fehlt in der dänischen Form des Namens, was damit zusammenhängt, daß der Name ursprünglich ein größeres Gebiet bezeichnete.

Jungfernstieg - Jomfrustien: Sønderjyske Stednavne hat keinen Beleg für diesen Namen aus der Zeit vor a. 1864, doch der Name befindet sich auf der Karte von *Haderslev* bei J. P. Trap[23].

Philosophengang - Filosofgang: In Sønderjyske Stednavne wird angenommen, daß der Name nach dem Umzug der Kathedralschule an diesen Ort in den Jahren 1853 - 1854 entstanden sei. Da es zu dem Namen keine Belege aus der Zeit vor a. 1900 gibt, kann nicht entschieden werden, ob der Name vor oder nach a. 1864 entstanden ist.

Platzstraße - Pladsgade: In den Belegen aus Sønderjyske Stednavne für die Zeit vor a. 1864 hat der Name die Formen a. 1631 niederdt. *uff dem Platz*; a. 1860 dän. *Pladsen*.

Gruppe II

Deutsch a. 1920	Dänisch a. 1920	Vor a. 1864
Am Hafen	*Ved Havnen*	*Havneplads*
Brunnenstraße	*Brøndstræde*	*Renden*
Großestraße	*Storegade*	*Store Papegøje*
Westerstraße	*Vestergade*	*Lille Papegøje*

Gruppe III

Deutsch a. 1920	Dänisch a. 1920
Aastruperweg	*Aastrupvej*
Alter Brandweg	*Gammel Brandvej*
Apenraderstraße	*Aabenraavej*
Ausbüller Weg	*Oksbølvej*
Bogenstraße	*Buegade*
Christiansfelder Straße	*Christiansfeldvej*
Dammstraße	*Damgade*
Eisbüller Weg	*Eisbølvej*
Erleffer Weg	*Erlevvej*
Hafenstraße	*Havnegade*
Hansburgstraße	*Hansborggade*

---

[23] Statistik-topografisk Beskrivelse af Hertugdømmet Slesvig, I, nach S. 10.

Herzog-Hans-Straße	*Hertug Hansgade*
Hinter dem Kirchhof	*Bag Kirkegaarden*
Hörregaarderweg	*Hørregaardsvej*
Kalkofenweg	*Kalkovnsvej*
Klosterbrandweg	*Kloster Brandvej*
Königsweg	*Kongevej*
Kurzestraße	*Kortegade*
Langstrengweg	*Langstrængvej*
Lindenstraße	*Lindevej*
Lindental	*Lindedal*
Louisenstraße	*Louisevej*
Mariengaarder Weg	*Mariegaardsvej*
Mittelstraße	*Mellemgade*
Moltruper Straße	*Moltrupvej*
Mühlenweg	*Møllevej*
Neue Alleestraße	*Ny Allegade*
Neuer Brandweg	*Ny Brandvej*
Sorgenfrei	*Sorgenfri*
Simmerstedterstraße	*Simmerstedvej*
Sturmglocke	*Ved Stormklokken*
Süderottingerstraße	*Sønderottinggade*
Theatersteig	*Teaterstien*
Terkelstraße	*Terkelsgade*
Toftweg	*Toftvej*
Wilstruper Weg	*Vilstrupvej*

Bemerkungen:
Dammstraße - Damgade: Dt. *Damm* ist eine falsche Übersetzung von dän. *dam* 'Teich'.

Gruppe IV

Deutsch a. 1920	Dänisch a. 1920	Vor a. 1864
Alte Haderslebener Landstraße	*Ribelandevej*	*Ribervej*

Die beiden Belege aus der Zeit vor a. 1864 in Sønderjyske Stednavne haben die Form a. 1761 *Riiber Vey*, a. 1803 *Ripper Weg*. Bei der a. 1920 angenommenen Form wurde das zweite Kompositionsglied, also das Glied *-vej* zu *-landevej* geändert[24].

---

[24] Sieh oben zum Suffix *-er*; zu *Tønder* sieh unten.

Gruppe V

Deutsch a. 1920	Dänisch a. 1920
Fischerstraße	*Sejlstensgade*
Nordermarkt	*Gammelting*
Südermarkt	*Torvet*
Süderstraße	*Lavgade*

Süderstraße: Der Name *Süderstraße* entstand durch eine falsche Interpretation der niederdeutschen Namensform *sidenstrate*[25].

Gruppe VI

Deutsch a. 1920	Dänisch a. 1920
An der Föhrde	*Fjordager*
Bergstraße	*Sohlsvej*
Dammacker	*Ved Banen*
Dorfstraße	*Toldertoftvej*
Dryanderstraße	*Museumsvej*
Gartenstraße	*Jens Johannsensvej*
Kleinbahnstraße	*Gartnergade*
Kreishausstraße	*St. Severinsgade*
Poststraße	*Ved Postgaarden*
Ringstraße	*Laurids Skausgade*
Seminarstraße	*Lembckesvej*
Speicherstraße	*Landsenervej*
Stiftsstraße	*Hægersgade*

III. Åbenrå. - In *Åbenrå* haben nur in geringem Umfang eigentliche Namenwechsel stattgefunden. Zumeist verlieh man der dänischen Namensform offiziellen Status. Das gilt auch für vor a. 1864 nicht belegte Namen. Nur fünf von insgesamt 43 Namen wurden ausgewechselt, wobei in zwei dieser Fälle alte Namen wiedereingeführt wurden (Gruppe V). Bei *Arnsbjerg* (statt *Fernsicht*) handelt es sich um die Wiederaufnahme eines alten Naturnamens. Die *Michael-Jepsen-Straße* trug den Namen eines hervortretenden deutschen Lokalpolitikers. Er war Erster Senator, stellvertretender Bürgermeister, Mitglied des Reichstages und später des Landtages, zweiter Vorsitzender des 'Deutschen Vereins für das nördliche Schleswig' und die Seele der deutschen Knivsbjerggesellschaft. Nach seinem Tod im Jahre 1899 schrieb der führende däni-

---

[25] Sønderjyske Stednavne, II, S. 9f.

sche Politiker H. P. Hanssen, nach dem später sowohl in *Åbenrå* als auch in *Haderslev* eine Straße benannt wurde, über ihn: 'Wir haben mit ihm einen Gegner verloren, dessen Kampfweise wir nicht billigten, dessen Überzeugung wir aber achteten, da sie ehrlich gefühlt war und in den für ihn schwierigen Tagen ihre Prüfung bestand'. Nach Michael Jepsens Tod nannte der Stadtrat von *Åbenrå Skibbroen* in *Michael-Jepsen-Straße* um[26]. Dieser Name wurde a. 1920 auf der Stadtratssitzung der Anlaß zu einer längeren Debatte. Die deutsche Fraktion wollte ihn beibehalten, die dänische Fraktion wollte ihn mit dem Argument abschaffen, daß er sich nie durchgesetzt habe und die Bevölkerung weiterhin den alten Namen benutze. Für den Kompromißvorschlag des Bürgermeisters, eine andere Straße *Michael-Jepsen-Straße* zu nennen, konnte keine Mehrheit gefunden werden.

Der nationale Gegensatz wurde auch dadurch deutlich, daß die deutschen Stadtratsmitglieder nicht für *Gammel Kongevej* (*Alter Königsweg*) eintreten konnten, sondern *Gammel Landevej* (*Alte Landstraße*) vorzogen (Gruppe IV). Über den Namen *Feldstraße* konnte man sich nicht einigen, und die Namengebung wurde verschoben. Im Jahre 1921 erhielt diese Straße und drei andere Straßen, die (wohl weil es sich nicht um offizielle Namen handelte) in der Zeitung nicht erwähnt wurden, neue Namen. *Feldstraße* wurde zu *Lavgade* 'Niederstraße'. Die Wahl dieses Namens muß als das Ergebnis des Wunsches, einen Namen mit einer langen Tradition zu wählen, angesehen werden. Für *Åbenrå* ist der Name zwar nicht früh belegt, für *Haderslev* aber schon a. 1564[27]. *Eggersgang* wurde im Jahre 1921 in *Højgade* und *Tværgade* aufgeteilt. Wie mit *Lavgade* erhielt man auch mit *Højgade* 'Hochstraße' einen traditionellen Straßennamen, der für *Åbenrå* nicht früh, für *Haderslev* aber schon für a. 1496 belegt ist[28]. *Elisabethsmindesvej* wurde zu *Callesensgade* geändert, nach dem Namen des Bauherrn, der die Häuser der Straße errichtet hatte. Der neuangelegte *Madevej*, ein früherer Steg, erhielt den Namen *Havnegade* 'Hafenstraße', der später dann zu *H.-P.-Hanssengade* geändert wurde. Die übrigen Änderungen scheinen lediglich durch Geschmacksfragen motiviert zu sein, obwohl nicht alle derartigen Änderungsvorschläge angenommen wurden, zum Beispiel der Vorschlag *Kirkegaardsvej* (*Friedhofsweg*) für *Forstallee*.

Zu Gruppe III ist zu bemerken, daß man a. 1920 die Namen *Norderchaussee* und *Süderchaussee* mit dem für die dänische Namenbildung fremdartigen zweiten Kompositionsglied *-chaussee* beibehielt. Diese Namen wurden nach dem Zweiten Weltkrieg zu *Haderslevvej* und *Flensborgvej* geändert[29].

Im Februar a. 1865 hatte man deutsche Straßenschilder neben den dänischen Straßenschildern aufgehängt[30]. Bis a. 1920 wurden die dänischen Schilder dann entfernt. Als der Stadtrat im Jahre 1920 die Namenveränderungen behandelte, schlug

---

[26] Man vergleiche H. H. Worsøe, in: J. Hvidtfeldt - P. K. Iversen, Åbenrå bys historie, III, S. 5-124, hier S. 41f.

[27] Man vergleiche Sønderjyske Stednavne, II, S. 9f.

[28] Man vergleiche Sønderjyske Stednavne, II, S. 6.

[29] B. Jørgensen, Dansk Gadenavneskik, S. 203.

[30] H. H. Worsøe, in: J. Hvidtfeldt - P. K. Iversen, Åbenrå bys historie, III, S. 122.

ein Mitglied vor, die deutschen Schilder noch einige Jahre hängen zu lassen. Der Vorschlag wurde jedoch nicht angenommen. Übereinstimmend hiermit schreibt G. Japsen[31]: 'Da dänisch die Sprache der überwiegenden Mehrheit und die dänische Partei die größte der Stadt war, mußte eine freiwillige Ordnung der Sprachverhältnisse zum Vorteil der dänischen Sprache ausfallen. Die Schilder in den Geschäften wurden schnell ganz überwiegend dänisch, zweisprachige Schilder waren Ausnahmen, rein deutsche gab es nicht mehr'.

Gruppe I

Deutsch a. 1920	Dänisch a. 1920
Barkmühlenstraße	Barkmøllegade
Fischerstraße	Fiskergade
Gildenstraße	Gildegade
Jungferngang	Jomfrugang
Karpedam	Karpedam
Kirchplatz	Kirkeplads
Kielgaard	Kielgaard
Klingenberg	Klingbjerg
Kolstrupstraße	Kolstrup
Lensnack	Lensnakke
Lindberg	Lindbjerg
Mühlenfurt	Møllegade
Neuebrücke	Nybro
Nordermarkt	Nørretorv
Petersilienstraße	Persillegade
Ramsharde	Ramsherred
Rebekkagang	Rebekkagang
Schiffbrückstraße	Skibbrogade
Südermarkt	Søndertorv
Süderstraße	Søndergade
Große Töpferstraße	Store Pottergade
Kleine Töpferstraße	Lille Pottergade
Wächterstraße	Vægterpladsen
Westerstraße	Vestergade
Am Norderthor	Nørreport
Süderthor	Sønderport

Bemerkungen:
Am Norderthor - Nørreport fehlt im Namenverzeichnis der Zeitung Hejmdal ebenso wie die deutsche Form von *Sønderport*.

---

[31] In: J. Hvidtfeldt - P. K. Iversen, Åbenrå bys historie, III, S. 162.

Møllegade: Sønderjyske Stednavne enthält Belege aus der Zeit vor a. 1864 für *Møllegade* und für *Mølleforte*. Das Element *-forte* ist ungewöhnlich als zweites Kompositionsglied von Straßennamen. *Mølleforte* wurde im Stadtrat vorgeschlagen, jedoch abgelehnt.

Kirkeplads: Sønderjyske Stednavne enthält nur einen Beleg aus der Zeit vor a. 1864 mit dem dän. *-gaard* entsprechenden zweiten Kompositionsglied *-hof*.

Kolstrup: Das Glied *-straße* wurde in der dänischen Form des Namens ausgelassen.

Gruppe II

Keine Beispiele.

Gruppe III

Deutsch a. 1920	Dänisch a. 1920
Bergstraße	*Bjerggade*
Forstallee	*Forstallé*
Freudental	*Frydendal*
Grünerweg	*Grønnevej*
Jarupweg	*Hjarupvej*
Hinter der Mühle	*Bag Møllen*
Neuerweg	*Nyvej*
Norder Chaussee	*Nørre Chaussé*
Rathausstraße	*Raadhusgade*
Süderchaussee	*Sønderchaussé*
Zum Staatsbahnhof	*Til Banegaarden*

Bemerkungen:
Rathausstraße - Raadhusgade fehlt im Namenverzeichnis in Hejmdal.

Til Banegaarden: Das Element *Staats-* wurde in der dänischen Form des Namens ausgelassen.

Forstallee: Laut Sønderjyske Stednavne wird die Straße auch *Skovallé* genannt, allerdings wird weder die Quelle noch deren Alter erwähnt.

Gruppe IV

Deutsch a. 1920	Dänisch a. 1920	Vor a. 1864
Fernsicht	*Arnsbjerg*	*Arn(s)bjerg*
Michael-Jebsen-Straße	*Skibbroen*	*Skibbroen*

Zu dieser Gruppe gehört auch der Name *Wollesgyde,* der einen Teil von *Nørretorv* bezeichnet und a. 1903 abgeschafft worden war. Der Name wurde jedoch erst a. 1928 wiedereingeführt[32].

Gruppe V

Keine Beispiele.

Gruppe VI

Deutsch a. 1920	Dänisch a. 1920
Haderslebener Landstraße	*Gammel Kongevej*
Mädchen-Mittelschulegang	*Raadhusgang*

Zu dieser Gruppe gehören auch folgende Änderungen aus dem Jahre 1921:

Deutsch a. 1920	Dänisch a. 1920	Dänisch a. 1921
Feldstraße		*Lavgade*
	Eggersgang	*Højgade*
		Tværgade
	Elisabethsmindesvej	*Callesensgade*
	Madevej	*Havnegade*

Wie die deutschen Namen für *Eggersgang* und *Elisabethsmindesvej* lauteten, ist unklar. *Madevej* war ursprünglich nur ein Steg[33].

IV. Sønderborg. - Charakteristisch für die Änderung der Straßennamen in *Sønderborg* ist, daß verhältnismäßig viele (23 Namen von insgesamt 72 Namen) Namen ausgewechselt wurden (Gruppe IV und VI), während gleichzeitig viele der in der deutschen Zeit entstandenen Namen beibehalten wurden, obwohl man sie durch Namen aus der Zeit vor a. 1864 hätte ersetzen können.

Wie erwähnt waren die Bürger vom Stadtrat dazu aufgefordert worden, ihre Meinung zu den Namensänderungen zu äußern, und in den Zeitungen sieht man, daß viele verschiedene Vorschläge gemacht wurden, ehe man die Namen fand, die vom Stadtrat angenommen wurden. In mehreren Fällen geht aus den Zeitungen hervor, daß man bei der Namenwahl die Wünsche der Bewohner einer Straße berücksichtigte.

---

[32] Mitteilung von Lektor H. Fangel, Institut für südjütländische Lokalgeschichte, Åbenrå.

[33] Man vergleiche Sønderjyske Stednavne, IV, S. 4: dän. *Madesti,* dt. *Mayfort.*

Das ist zumindest ein Teil der Erklärung dafür, daß die Gruppe II in *Sønderborg* so viele Namen umfaßt. Die Bewohner zogen *Bagergade* und *Kasernegade* den alten Namen vor. Es wurde auch vorgeschlagen, die alten Namen *Plantebedsgade* und *Lillegade* wiedereinzuführen (für *Mariegade* und *Liliegade*), doch geht aus den Zeitungen nicht hervor, ob diese Namen auf Wunsch der Bewohner der betreffenden Straßen abgelehnt wurden. *Kasernegade* wurde a. 1938 zu *Christian II's-gade* geändert (nach dem dänischen König Christian II, a. 1481-1559). In *Sønderborg* wurde nur ein Name aus der Zeit vor a. 1864 wiederaufgegriffen, nämlich *Havbogade* (Gruppe IV).

Aus den Zeitungen geht auch hervor, daß für einige der zu den Gruppen I und III gehörenden Straßen neue Namen vorgeschlagen wurden, die auf Wunsch der Bewohner nicht angenommen wurden. Dies gilt zum Beispiel für *Lerbjerg* (Gruppe I), für das eine Namensänderung zu *Galgebakke* oder *Ravnebjerg* vorgeschlagen worden war.

Eine Änderung des Namens *Goethestraße* wurde heftig diskutiert. Im Gegensatz zu den drei anderen Städten waren in *Sønderborg* in der deutschen Zeit viele Straßennamen hinzugekommen, deren erstes Glied aus den Namen deutscher Dichter bestand. Mit der Ausnahme von *Goethestraße* wurden diese Namen sämtlich ausgewechselt[34]. Die *Goethestraße* läuft durch die alte *Papageienkoppel*, in der früher Vogelschießen veranstaltet worden waren. Es wurde vorgeschlagen, die Straße *Papegøjegade* zu nennen, was aber auf heftige Proteste vonseiten der Bewohner der Straße stieß. Danach wurden andere Namen vorgeschlagen, und zwar *Skovvej*, *Herman Bangsvej* (diese beiden Namen wurden später für andere Straßen benutzt) und *Dronningensgade*. Die Straße behielt jedoch schließlich ihren Namen, da, wie ein Stadtratsmitglied in einem Zeitungsinterview sagte, 'der Name Goethe einen völlig internationalen Klang hat'.

Zu Gruppe VI ist zu bemerken, daß der größte Teil der deutschen Namen (17 Namen von 27 Namen) auf Personennamen zurückgeht. Bei den Personen, nach denen die Straßen benannt wurden, handelt es sich um literarische, politische und militärische Persönlichkeiten. Bei der Änderung dieser Namen hat man in fast allen Fällen entsprechende dänische Namen gewählt, zum Beispiel *H.-C.-Andersengade* statt *Schillerstraße* und *Oeblenschlägersgade* statt *Uhlandstraße*. Die *Theodor-Storm-Allee*, die den Namen des im deutschen Teil der Grenzregion beheimateten deutschen Dichters trug, erhielt den Namen eines dänischen Dichters aus der Grenzregion, nämlich *Brorson*. Durch die Veränderung von *Feldstraße* zu *Herman-Bangsvej* wurde der Name eines weiteren dänischen Dichters aus der Grenzregion berücksichtigt. *Lessingstraße* und *Wielandstraße* wurden zusammengelegt. Die neue Straße erhielt auf Wunsch der Bewohner den Namen *Blomstergade* 'Blumenstraße'. *Körnerstraße* wurde zu *Parkgade* geändert. Die *Geibelstraße* erhielt den Namen *Finsensgade* nach *Hilmar Finsen*, der von a. 1848 bis zu seiner Entlassung durch die Preußen am 29. Juni 1864 Bürgermeister von *Sønderborg* gewesen war. Umgekehrt wurde der nach dem deutschen Bürgermeister der Zeit von a. 1869-1883 benannte *Grimmsberg* zu *Slotsbakken* 'Schloßberg' geändert. Die *Hebbelstraße* wurde zu *Ahlmannsvej*, nach

---

[34] Sieh weiter unten.

Nicolai *Ahlmann* (a. 1809-1890), dem ersten dänisch gesinnten Repräsentanten im norddeutschen Parlament. Ein Teil der *Schulstraße* wurde nach dem dänischen Volksführer *J. P. Reimers* (a. 1826-1922) benannt, der an der Ecke dieser Straße wohnte. Die *Kaiser-Wilhelm-Allee* erhielt den Namen *Kongevejen* 'Königsweg'. Die *Bismarckstraße*, für die auch die Namen *Wilsonsgade* und *Postgade* vorgeschlagen worden waren, erhielt auf Wunsch der Bewohner den weitverbreiteten dänischen Straßennamen *Østergade*. Die nach dem Kommandanten der deutschen Marinestation für die Ostsee, Admiral Graf *Baudissin*, benannte *Baudissinstraße* erhielt nun den Namen von Generalmajor *H. C. du Plat*, der am 18. April 1864 bei *Dybbøl* gefallen war. Die *Klinkestraße*, deren Name auf den preußischen Pionier *Klinke* zurückgeht, der am 18. April 1864 die Palisaden der Schanze II von *Dybbøl* gesprengt hatte, wurde nach Leutnant *Anker* benannt, der eben diese Schanze verteidigt hatte. Die nach dem Admiral Prinz *Adalbert* von Preußen benannte *Adalbertstraße* und die nach dem Kommandanten der Festung *Sønderborg-Dybbøl* benannte *v.d.-Schulenburgstraße* erhielten keine auf Personen zurückführbare Namen, sondern andere Namen, die mit dem Krieg des Jahres 1864 in Verbindung stehen. *Adalbertstraße* wurde zu *Helgolandsgade*. Bei *Helgoland* schlugen die Dänen zwei Schraubenfregatten der österreichischen Flotte[35]. Die *v.d.-Schulenburgstraße* wurde zu *Batterivej*, nach der dänischen *Slote Batteri* von a. 1864. Die *Prinz-Heinrich-Straße* wurde in *Engelshøjgade* umbenannt, da sie nach *Engelshøj* führte. Nach wem die *Sophienterrasse* (a. 1920 *Smallegade*) benannt war, ist unsicher. *Hertug-Hansvej* enthält den Namen von *Herzog Hans* dem Jüngeren von Sønderborg (a. 1545-1622).

Die Straßennamen von *Sønderborg* wurden von J. Raben[36] und B. Jørgensen[37] untersucht. Zum Krieg des Jahres 1864 und zu dem Kampf um das unmittelbar außerhalb der Stadt gelegene *Dybbøl*, währenddessen die Stadt beschossen und schwer zerstört wurde und der für den Ausfall des Krieges entscheidend war, vergleiche man L. Rerup und R. Skovmand[38].

Gruppe I

Deutsch a. 1920	Dänisch a. 1920
Apfelstraße	*Æblegade*
Hopfenmarkt	*Humletorvet*
Kirchenallee	*Kirkeallé*
Kirchenstraße	*Kirkegade*

---

[35] L. Rerup, Slesvig og Holsten efter 1830, S. 193.

[36] Gadenavne i Sønderborg.

[37] Dansk Gadenavneskik.

[38] L. Rerup, Slesvig og Holsten efter 1830, S. 189-208; R. Skovmand, in: R. Skovmand - V. Dybdahl - E. Rasmussen, Geschichte Dänemarks, S. 174-178.

Lehmberg	*Lerbjerg*
Löngang	*Løngang*
Mittelstraße	*Mellemgade*
Mölbystraße	*Mølby*
Norderbrücke	*Nørrebro*
Perlstraße	*Perlegade*
Rönhofstraße	*Rønhavegade*
Schloßstraße	*Slotsgade*
Sternstraße	*Stjernegade*
St. Jürgensstraße	*Skt. Jørgensgade*
Süderbrücke	*Sønderbro*
Süderstraße	*Søndergade*

Bemerkungen:
Mölbystraße - Mølby: Das zweite Glied wurde in der dänischen Form des Namens ausgelassen, was damit zusammenhängt, daß der Name sowohl eine Straße als auch einen Stadtteil bezeichnet[39].

Gruppe II

Deutsch a. 1920	Dänisch a. 1920	Vor a. 1864
Bahnhofstraße	*Jernbanegade*	*Høtger-Gaden*
Bäckerstraße	*Bagergade*	*Nonne Gangen*
Bergstraße	*Bjerggade*	*Bag Mødding Gade*
Brauerstraße	*Bryggerivej*	*Silke Gade*
Große Rathausstraße	*Store Raadhusgade*	*Store Gaden*
		Vesten Raadhuset
Kasernenstraße	*Kasernegade*	*Hattemagerstræde*
Kleine Rathausstraße	*Lille Raadhus-*	*Store Gaden*
	gade	*Østen Raadhuset*
Marienstraße	*Mariegade*	*Plantebed Gaden*
Lilienstraße	*Liliegade*	*Lille Gade*
Rathausmarkt	*Raadhustorvet*	*Torvet*
Rosenstraße	*Rosengade*	*Pottemager Gade*
Steinstraße	*Stengade*	*Kjedelsmed Bjerg*
St. Jürgensberg	*St. Jørgensbjerg*	*Hans Hansens Bjerg*

Bemerkungen:
Bahnhofstraße - Jernbanegade: Hier liegt keine ganz genaue bedeutungsmäßige Übereinstimmung zwischen den ersten Gliedern vor. Durch die Wahl von dän. *jern-*

---

[39] Sønderjyske Stednavne, V, S. 5.

bane 'Eisenbahn' glich man den Namen dem gewöhnlichen dänischen Namengebrauch an[40]. Das Gleiche geschah in *Tønder*[41].

　Brauerstraße - Bryggerivej: Auch hier stimmt die Bedeutung der Namen nicht ganz überein, da dän. *bryggeri* 'Brauerei' bedeutet.

　Lilienstraße - Liliegade: Der Name entstand durch eine falsche Übersetzung des ursprünglichen Namens *Lillegade* 'kleine Straße' ins Deutsche.

　Steinstraße - Stengade: Das erste Glied der deutschen Namensform ist der deutsche Familienname *Stein*[42]. Nach J. Raben[43] wurde die Straße nach einem a. 1892 verstorbenen Kaufmann aus *Sønderborg* benannt. Bei der Übersetzung des Namens ins Dänische wurde das erste Glied als Appellativ *Stein* aufgefaßt.

Gruppe III

Deutsch a. 1920	Dänisch a. 1920
Alsenstraße	*Alsgade*
Arnkielstraße	*Arnkilsgade*
Bahngasse	*Jernbanegade*
Brandtsweg	*Brandtsgade*
Brückenstraße	*Brogade*
Düppelstraße	*Dybbølgade*
Goethestraße	*Goethegade*
Jungfernstieg	*Jomfrustien*
Kastanien-Allee	*Kastanieallé*
Kleine Hafenstraße	*Lille Havnegade*
Mühlenstraße	*Møllegade*
Neuer Weg	*Nygade*
Norderhafenstraße	*Nørrehavnegade*
Reiferstraße	*Rebslagergade*
Schulallee	*Skoleallé*
Strandweg	*Strandvejen*
Süderhafenstraße	*Sønderhavnegade*
Sundstraße	*Sundgade*
Teichstraße	*Damgade*
Wallstraße	*Voldgade*

Bemerkungen:
Neuer Weg - Nygade wird in den Zeitungen nicht erwähnt[44].
Bahngasse - Jernbanegyde: Dän. *jernbane* bedeutet 'Eisenbahn'.

─────────────

[40] B. Jørgensen, Dansk Gadenavneskik, S. 205.
[41] Sieh weiter unten.
[42] Sønderjyske Stednavne, V, S. 7.
[43] Gadenavne i Sønderborg, S. 18.

Gruppe IV

Deutsch a. 1920	Dänisch a. 1920	Vor a. 1864
Norderstraße	*Havbogade*	*Havbo Gade*

Gruppe V

Keine Beispiele.

Gruppe VI

Deutsch a. 1920	Dänisch a. 1920
Adalbertstraße	*Helgolandsgade*
Baudissinstraße	*du Platsgade*
Bismarckstraße	*Østergade*
Feldstraße	*Herman Bangsvej*
Geibelstraße	*Finsensgade*
Grimmsberg	*Slotsbakken*
Hebbelstraße	*Ahlmannsvej*
Hospitalstraße	*Klostergade*
Kaiser-Wilhelm-Allee	*Kongevejen*
Klinkestraße	*Ankersgade*
Körnerstraße	*Parkgade*
Langenvorwerkerallee	*Hertug Hansvej*
Lessingstraße	
Wielandstraße	*Blomstergade*
Prinz-Heinrich-Straße	*Engelshøjgade*
Schillerstraße	*H.-C.-Andersensgade*
v.d.-Schulenburgstraße	*Batterivej*
Schulstraße	*Reimersgade*
	Løkken
Sophienterasse	*Smallegade*
Sundewittstraße	*Brohovedvej*
Süderholzweg	*Skovvejen*
Theodor-Storm-Allee	*Brorsonsvej*
Uhlandstraße	*Oehlenschlägersgade*

---

[44] Man vergleiche jedoch Sønderjyske Stednavne, V, S. 5.

V. Tønder. - Die Änderung der Straßennamen von *Tønder* wurde in den lokalen Zeitungen lebhaft diskutiert, und eine der Zeitungen, Tønder Amts Avis, forderte die Leser dazu auf, neue Straßennamen vorzuschlagen[45].

Von den hier untersuchten Städten ist *Tønder* diejenige, in der im geringsten Umfang eigentliche Namenwechsel durchgeführt wurden. Bei 25 der 27 Straßennamen wurde lediglich die dänische Namensform offiziell anerkannt, auch bei zwei in der deutschen Zeit entstandenen Namen für alte Straßen, und zwar bei *Feldstraße* (*Markgade*) und *Wiedaustraße* (*Vidaagade*) (Gruppe II), obwohl sie die alten Namen nicht hatten verdrängen können, wie aus dem Referat eines Leserbriefs bei Birgit Christensen[46] hervorgeht.

Nur im Fall der *Abeler Chaussee* (*Ribe Landevej*) handelt es sich um einen eigentlichen Namenwechsel, da das deutsche Glied *Chaussee* durch das traditionelle dänische *Landevej* ersetzt und die Ausfallstraße, wie im Dänischen üblich, nach der Nachbarstadt benannt wird, zu der sie führt. Eine parallele Namensänderung wurde in *Haderslev* durchgeführt[47]. Mit dän. *Uldgade* 'Wollstraße' gegenüber dt. *Wolff-straße* wurde der Name gewählt, der im Volksmund, das heißt dem dänischen Dialekt, der von den meisten Einwohnern der Stadt unabhängig von ihrer Nationalität gesprochen wurde[48], allgemein üblich war[49]. Man meinte, damit den ursprünglichen Namen wiederaufgegriffen zu haben, der der lokalen Tradition zufolge auf den Wollhandel in der Gegend um *Tønder* zurückging. Von deutscher Seite wurde argumentiert, daß der korrekte dänische Name *Ulvegade* lauten müsse, da die Straße in den alten deutschsprachigen Quellen niederdt. *Wulfstraat*, hochdt. *Wolfstraße* genannt werde. Später stellte sich allerdings heraus, daß die Straße ursprünglich *Wulfs Gade* geheißen hatte, wobei es sich bei *Wulf* um einen Personennamen handelt. Dieser wurde als das Appellativ hochdt. *Wolf*, dän. *ulv* aufgefaßt, wonach der Name zu *Uldgade* umgedeutet werden konnte, da dän. *uld* und *ulv* im Dialekt der Gegend gleich ausgesprochen wurden[50]. Man meinte auch, daß der Name *Pebergade* durch eine Verwechslung mit einem ursprünglichen *Peblingegade* entstanden sein könnte und daß die Straße daher den letztgenannten Namen erhalten sollte. Der Vorschlag wurde jedoch nicht angenommen, und wahrscheinlich ist *Pebergade* auch der ursprüngliche Name[51].

Von den Straßen in Gruppe III, deren Namen bewahrt wurden, sind vier nach Personen benannt. Solche Namen wurden in den drei anderen Städten zum größten Teil

----

[45] B. Christensen, in: B. Jørgensen, Stednavne, S. 42-51.

[46] In: B. Jørgensen, Stednavne, S. 46.

[47] Sieh oben.

[48] Man vergleiche B. Christensen, in: B. Jørgensen, Stednavne, S. 41f.; P. Ch. v. Stemann, En dansk Embedsmands Odyssé, I-II, hier I, S. 68f.

[49] B. Christensen, in: B. Jørgensen, Stednavne, S. 46.

[50] C. Eskildsen, Tønder 1243-1943, S. 129f.; A. Bjerrum, Linguistic Papers, S. 71f.; B. Christensen, in: B. Jørgensen, Stednavne, S. 46-51.

[51] Man vergleiche B. Christensen, in: B. Jørgensen, Stednavne, S. 47, 51, 55.

ausgewechselt, was in der Zeitungsdebatte auch für *Tønder* vorgeschlagen wurde. Diesem Wunsch wurde jedoch von deutscher Seite wie auch von dänischer Seite entgegengehalten, daß die vier Männer, nach denen die Straßen benannt waren, etwas zum Wohle der Stadt getan hatten[52]. Struck (a. 1659-1713), Popsen (a. 1726-1800) und Richtsen († a. 1821) hatten Stiftungen gegründet. Den Vorschlag, Straßen nach ihnen zu benennen, hatte seinerzeit das dänische Stadtratsmitglied Thorvald Petersen unterbreitet, der später ein kleines Buch über sie herausgab[53]. Der deutschgesinnte Propst C. E. Carstensen hatte a. 1861 das Buch 'Die Stadt Tondern' herausgegeben[54]. Es wurde auch der Wunsch geäußert, eine Straße nach dem dänischen Dichter Brorson (a. 1694-1764) zu benennen, der von a. 1729 bis a. 1737 Priester in *Tønder* war. Er wurde in *Randerup* in der Nähe von *Tønder* geboren. Dieser Wunsch wurde, wie auch der Wunsch nach einem Straßennamen mit dem ersten Glied *Konge-*, später erfüllt[55]. Die Straßenschilder von *Tønder* haben ihre eigene Geschichte, die bei Birgit Christensen[56] ausführlich dargestellt ist und hier nur kurz angesprochen werden soll. Die ersten Straßenschilder, die a. 1850 aufgehängt wurden, waren deutsch, was in Zusammenhang mit der traditionell deutschen Verwaltungssprache und auch mit der zu diesem Zeitpunkt in der Stadt herrschenden dänischfeindlichen Stimmung gesetzt werden kann. Nach der Einführung offizieller dänischer Straßennamen im Jahre 1920 blieben die deutschen Schilder hängen. Zusätzlich wurden dänische Schilder angebracht, wobei, wie aus den Zeitungen aus dieser Zeit hervorgeht, die Frage, welche Schilder oben hängen sollten, sich zu einem Problem entwickelte. Schließlich wurden die dänischen Schilder über den deutschen Schildern angebracht. Danach war *Tønder* viele Jahre lang die einzige Stadt auf beiden Seiten der Grenze mit Straßenschildern in beiden Sprachen. Auch nachdem die Stadt im Jahre 1937 eine dänische Mehrheit und einen dänischen Bürgermeister bekommen hatte, blieben die deutschen Schilder hängen - bis zum 8. Mai 1945, als acht Postboten, begleitet von einer großen Menschenmenge und einem der Postboten auf einer Ziehharmonika, singend durch die Straßen zogen und die deutschen Schilder abnahmen.

Gruppe I

Deutsch a. 1920   Dänisch a. 1920

Großestraße   *Storegade*
Jungfernstieg   *Jomfrustien*
Kleinestraße   *Lillegade*
Kuhstraße   *Kogade*

---

[52] B. Christensen, in: B. Jørgensen, Stednavne, S. 44-46.

[53] Th. Petersen, Tønder Bys Legater.

[54] Man vergleiche Sønderjyske Stednavne, III, S. 3.

[55] Man vergleiche B. Christensen, in: B. Jørgensen, Stednavne, S. 44-46.

[56] In: B. Jørgensen, Stednavne, S. 35-63.

Kupferstraße	*Kobbergade*
Mittelstraße	*Mellemgade*
Mühlenweg	*Møllevej*
Norderstraße	*Nørregade*
Osterstraße	*Østergade*
Pfefferstraße	*Pebergade*
Schiffsbrücke	*Skibsbroen*
Schmiedestraße	*Smedegade*
Spieckerstraße	*Spikergade*
Süderstraße	*Søndergade*
Westerstraße	*Vestergade*
Wiedingharderstraße	*Viddingherredsgade*

Gruppe II

Deutsch a. 1920	Dänisch a. 1920	Vor a. 1864
Feldstraße	*Markgade*	*Bag Staldene*
Wiedaustraße	*Vidaagade*	*Bag Staldene*

Gruppe III

Alleestraße	*Allégade*
Bahnhofstraße	*Jernbanegade*
Carstensstraße	*Carstensgade*
Kirchplatz	*Kirkepladsen*
Popsenstraße	*Popsensgade*
Richtsenstraße	*Richtsensgade*
Strucksallee	*Strucks allé*

Bahnhofstraße - Jernbanegade: sieh *Sønderborg*, Gruppe II.

Gruppe IV

Deutsch a. 1920	Dänisch a. 1920
Abeler Chaussee	*Ribe Landevej*

Dieser Name fehlt in den Verzeichnissen der Zeitungen[57].

---

[57] Man vergleiche jedoch B. Christensen, in: B. Jørgensen, Stednavne, S. 55.

Gruppe V

Keine Beispiele.

Sonderfall

Deutsch a. 1920   Dänisch a. 1920

Wolffstraße   *Uldgade*

VI. Zusammenfassung. - Die in der Einleitung gestellten Fragen lassen sich nun wie folgt beantworten:

(1) Die Veränderungen der Straßennamen hatten in den vier Städten unterschiedlichen Umfang. Namenwechsel wurden in *Tønder* fast nicht, in *Åbenrå* in bescheidenem, in *Haderslev* in größerem und in *Sønderborg* im größten Umfang vorgenommen. In *Sønderborg* wurde ungefähr ein Drittel des Straßennamenbestandes ausgewechselt.

(2) Bei den Straßennamen, die ausgewechselt werden, handelt es sich wie erwartet fast ausschließlich um in der Zeit zwischen den Jahren 1864 und 1920 entstandene Namen. Doch wurden längst nicht alle Namen aus dieser Zeit ausgewechselt. In *Haderslev* wurden zusätzlich einige Namen aus der Zeit vor a. 1864 durch noch ältere Namen ersetzt.

(3) Die Straßen, deren Namen ausgewechselt wurden, waren zwar nicht ausschließlich, aber doch zum größten Teil nach Personen benannt. Eine gewisse Toleranz machte sich dadurch bemerkbar, daß in einigen Fällen Straßennamen eingeführt oder bewahrt wurden, die sich auf von beiden Nationalitäten respektierte deutsche Persönlichkeiten bezogen.

(4) Unter den nach der Wiedervereinigung hinzugekommenen Namen finden wir viele, die sich auf Personen beziehen. Außerdem wurden alte Namen aus der Zeit vor a. 1864 wiederaufgegriffen. Der Wunsch nach einem Straßennamen mit dem ersten Glied *Konge-* wurde in den drei Städten *Åbenrå*, *Sønderborg* und *Tønder* geäußert, in denen es bis dahin keine solchen Namen gab.

Daß man bei der Veränderung der Straßennamen in historischen, traditionellen und nationalen Bahnen dachte, ist für die Situation bei der Wiedervereinigung mit Dänemark insgesamt charakteristisch.

Wolfgang Laur

Ortsnamenwechsel in Schleswig-Holstein

Das Thema unseres diesjährigen Kolloquiums lautet Ortsnamenwechsel. Daher will ich mich in meinem Beitrag mit der Frage beschäftigen, was zu diesem Thema von der Namenentwicklung in Schleswig-Holstein, wie wir sie an Hand der älteren Belege beobachten können, zu sagen ist. Bei der Wahl des Themas wird wohl auch das Problem mitgespielt haben, das zum Beispiel in den entsprechenden Ausführungen von Adolf Bach[1] anklingt, inwieweit nämlich den Ortsnamen die Beständigkeit zukommt, die man ihnen allgemein zugeschrieben hat, das heißt, ob man nicht gerade in den ältesten Perioden der Namengeschichte mit einem stärkeren Wechsel zu rechnen hat. Wir werden daher ein besonderes Gewicht auf den mittelalterlichen Ortsnamenwechsel legen, werden aber auch den neuzeitlichen Ortsnamenwechsel mit behandeln. In diesem Zusammenhang ist von A. Bach selbst und anderen betont worden, daß sich die Verhältnisse in einem Gebiet nicht ohne weiteres auf ein anderes übertragen lassen. Dazu gibt es offensichtlich Gegenden, in denen ein Ortsnamenwechsel verhältnismäßig selten zu beobachten ist. Wollen wir daher an Hand unseres Materials aus Schleswig-Holstein allgemeinere Schlüsse ziehen, müssen wir immer im Auge behalten, daß es sich anderswo anders verhalten kann. Zu berücksichtigen ist ferner die verhältnismäßig späte Namenüberlieferung in Schleswig-Holstein.
A. Bach hat ferner auf Namenmoden und damit im Zusammenhang auf Ausgleichserscheinungen hingewiesen, vor allem im Rahmen seiner Erklärung der Verbreitung der einzelnen Typen auf Grund sprachlicher und kultureller Strahlungen. Hierbei spielt natürlich die Frage nach dem Wechsel bei den einzelnen Grundwörtern eine Rolle oder auch von Suffix und Grundwort, zum Beispiel -ingen und -heim oder -heim und -hausen. Damit stellt sich wiederum die Frage, was wir unter dem Begriff eines Ortsnamenwechsels zu verstehen haben, denn hier bei den zuletzt angeführten Fällen handelt es sich ja um den Wechsel nur eines Namenteils.
Der Begriff des Ortsnamenwechsels setzt natürlich voraus, daß der Namensträger der gleiche bleibt. Bei *Karl-Marx-Stadt* zum Beispiel, dem vormaligen *Chemnitz* in Sachsen, handelt es sich um die gleiche Stadt. Von einem gleichen Namensträger können wir aber auch sprechen, wenn es sich um die gleiche Siedlung am gleichen Ort handelt, der Charakter der Siedlung sich aber ändert, ein Dorf zum Beispiel

---

[1] Deutsche Namenkunde, II.2, S. 561-581; s. auch F. Debus - H.-G. Schmitz, Überblick über Geschichte und Typen der deutschen Orts- und Landschaftsnamen, Sprachgeschichte, 2.2, S. 2097.

zu einer Stadt wird, oder ein Dorf niedergelegt wird und an seiner Stelle ein Gut
entsteht, oder ein Gut parzelliert wird und daraus eine neue dörfliche Siedlung er-
wächst.

Unter einem Ortsnamenwechsel im eigentlichen Sinne haben wir einen Wechsel des
gesamten Namens zu verstehen, das heißt, daß für einen älteren Namen der Form
und der Bedeutung nach ein völlig neuer Name tritt wie eben *Karl-Marx-Stadt* für
Chemnitz. Daher müssen wir meiner Ansicht nach von einem Namenwechsel im
eigentlichen Sinne, wie wir ihn eben beschrieben, ähnliche aber andere Entwicklungen unterscheiden. Da ist einmal die Ablösung einer Doppelnamigkeit oder Mehrnamigkeit durch eine Einnamigkeit, ein Vorgang, der ja in gewisser Hinsicht einen
Namenwechsel bedeutet oder ihm ähnelt. Doppelnamigkeit oder Mehrnamigkeit
kommt meistens in mehrsprachigen oder ehemals mehrsprachigen Gebieten vor. Und
dabei kann es sich einmal um übersetzte Namen und zum anderen um sogenannte
freie Namenpaare handeln[2]. Als Beispiel für einen übersetzten Namen führe ich den
Stadtnamen *Oldenburg* in Ostholstein an. Diese niederdeutsche Namenform (bei
Adam von Bremen zu Ende des elften Jahrhunderts *Aldinburg*[3]) stellt eine Übersetzung des slawischen altpolabischen *Starigard* dar, einer Namenform, die uns Helmold
von Bosau zu Ende des zwölften Jahrhunderts überliefert. Als Beispiel für ein freies
Namenpaar seien die Namen *Hedeby* (in König Alfreds Orosius zu Ende des neunten
Jahrhunderts *Hæþum*, in Ethelwerdi Chronicon de rebus Anglicis nach 974 *Haithaby*,
in Runenschriften aus der zweiten Hälfte des zehnten Jahrhunderts *um, at Hēbaþy*)
und *Schleswig* (in den Fränkischen Reichsannalen zu Anfang des neunten Jahrhunderts *Sliesthorp*, in der Vita Anskarii des neunten Jahrhunderts *Sliaswich*, bei Thiet-
mar von Merseburg Anfang des elften Jahrhunderts *ad Sleswic*[4]) zunächst für den
frühmittelalterlichen Handelsplatz am Haddebyer Noor, heute allgemein *Haithabu*
genannt, und dessen Nachfolgerin, die heutige Stadt Schleswig, angeführt[5]. Die
nordische Namenform *Hedeby* galt übrigens auch für die Stadt Schleswig bis in den
Anfang der Neuzeit[6]. Hier haben in der Tat die Namenformen *Oldenburg* und
Schleswig die älteren Namenformen *Starigard* und *Hedeby* abgelöst. Es handelt sich
aber um keinen echten Namenwechsel, sondern um den Übergang von einer Doppelnamigkeit zu einer Einnamigkeit.

Eine weitere Entwicklung können wir als einen partiellen Namenwechsel bezeichnen. Hier wechselt nur ein Namenbestandteil, während der andere der gleiche bleibt.
Dabei kann bei gleichem Bestimmungswort das Grundwort wechseln. Ein Beispiel
dafür haben wir eben in einem anderen Zusammenhang erwähnt. Die erste überlie-

---

[2] W. Laur, Die Ortsnamen in Schleswig-Holstein, S. 42.

[3] A. Schmitz, Die Orts- und Gewässernamen, S. 231-233.

[4] Die älteren Namenformen stammen aus W. Laur, Historisches Ortsnamenlexikon
und der Materialsammlung, die der Neubearbeitung dieses Lexikons für eine Neu-
auflage zugrundegelegt wird.

[5] W. Laur, Zu den Namen von Alt-Schleswig, BSchSt. 2 (1957) S. 21-23.

[6] W. Laur, Haithabu. Eine frühmittelalterliche Namenform im modernen Sprachgebrauch, BSchSt. 14 (1969) S. 67-76.

ferte Namenform für *Schleswig,* hier auf den Handelsplatz Haithabu bezogen, lautet in den Fränkischen Reichsannalen *Sliesthorp,* während uns in der Vita Anskarii bereits *Sliaswich* begegnet. Beim gleichen Bestimmungswort as. *Slia,* dem Namen für die Schlei, hat als Grundwort *wik* ein voraufgehendes *thorp* abgelöst. Über diesen Wechsel hat man sich vielerlei Gedanken gemacht[7]. Als letzter hat dabei Leopold Schütte[8] auf die semantische Nähe von *wik* und *thorp* hingewiesen.

Gewöhnlich wechseln aber etymologisch verwandte Grundwörter, die auch eine semantische Ähnlichkeit oder Gleichheit aufweisen. Oft spielen dabei Angleichungsvorgänge und Ausgleichsvorgänge eine Rolle. So können wir einen Wechsel bei den Grundwörtern *-borstel* und *-büttel* beobachten. *Heinkenborstel* in Mittelholstein südwestlich von Rendsburg heißt zum Beispiel im Jahre 1148 in einer Urkunde Heinrichs des Löwen *Heikenbutle,* in der Rendsburger Amtsrechnung a. 1538 aber *Heykenborstell.* In gleicher Weise können im ehemals dänischen Sprachgebiet die Grundwörter *-by* und *-bøl* wechseln. *Grödersby* bei Kappeln an der Schlei nordöstlich von Schleswig erscheint zum Beispiel in König Waldemars Erdbuch a. 1231 als *Grøthæbol,* in einer Urkunde a. 1406 aber als *to Grodersbu* oder *Grødersbu.* Allerdings hat die aus der ersten Hälfte des vergangenen Jahrhunderts überlieferte Form *Grøsbøl* in der inzwischen ausgestorbenen angeldänischen Mundart das alte Grundwort bewahrt. Ein weiteres Beispiel für diese Entwicklung stellt *Pommerby* in Schwansen nördlich von Eckernförde dar, das im Registrum capituli des Schleswiger Bischofs a. 1352 als *Pomerbol* überliefert ist, in dem Registrum capituli von den Jahren 1445 bis 1450 als *Pomerbul,* im Liber censualis a. 1462 aber als *Pommerbu.* Eine etwas andere Entwicklung sehen wir wiederum bei *Schrevendorf* nordöstlich von Kiel. Dieser Ort wird in einer Urkunde a. 1240 als *Indago comitis* erwähnt, also als 'Hagen des Grafen', in einer Urkunde a. 1450 jedoch als *to Schreuendorpe,* wobei mnd. **Schrevendorp,* nnd. *Schrevendörp* aus mnd. **des grēven dorp* 'des Grafen Dorf' entstanden ist. Der Grund für diesen Wechsel von *Hagen* und *Dorf* ist wohl in der Instabilität des Grundwortes *Hagen* zu Anfang der Namengebung zu sehen[9].

An diesen und anderen Beispielen zeigt sich uns auch in Schleswig-Holstein die Erscheinung, die wir nach A. Bach einen Namenausgleich innerhalb einer Namenlandschaft nennen können. Seltener vertretene Ortsnamengrundwörter gleichen sich an häufiger vorkommende Ortsnamengrundwörter an[10]. Allerdings können wir hier einen Wechsel von *-heim* und *-hausen, -husen,* wie er anderswo auftritt, nicht beobachten. Wie auch in Niedersachsen wird bei den wenigen *heim*-Namen in Holstein das Grundwort as. *-hêm* zu *-en* oder *-e.* Eine Angleichung an *husen*-Namen findet

[7] W. Laur, Die Ortsnamen in Schleswig-Holstein, S. 328.

[8] Wik. Eine Siedlungsbezeichnung in historischen und sprachlichen Bezügen, S. 173; G. Köbler, *Civitas* und *vicus, burg, stat, dorf* und *wik,* Vor- und Frühformen der europäischen Stadt im Mittelalter, I, Abhandlungen der Akademie der Wissenschaften in Göttingen. Philologisch-Historische Klasse, 3. Folge, Nr. 83, S. 61-76; s. auch W. Laur, Orts-, Flur- und Gewässernamen auf -wik in Schleswig-Holstein, NDJB. 101 (1978) S. 129-157.

[9] W. Laur, Die Ortsnamen in Schleswig-Holstein, S. 277-279.

[10] W. Laur, Die Ortsnamen in Schleswig-Holstein, S. 77.

dabei aber nicht statt, weil einmal die Kontraktion dieses Grundwortes zu *-sen* in Schleswig-Holstein nicht verbreitet ist und weil zum anderen bei nur zwei sicheren Namen auf *-heim* von solch einer Entwicklung gar nicht die Rede sein kann[11]. Betrachten wir dazu Nordfriesland, wo *heim*-Namen in einer größeren Anzahl auftreten, so sind hier wiederum andere Bedingungen gegeben. Auf den Wechsel zwischen *-ing* und *-um* beziehungsweise *-en* als Dativ-Pluralis-Formen oder altem *-hêm* will ich hier nicht weiter eingehen. Es handelt sich um Entwicklungen, die auch in Dänemark zu beobachten sind und verschiedene Ursachen haben[12].

Es kann aber auch bei gleichem Grundwort ein anderes Bestimmungswort eintreten. Als ein Beispiel dafür können wir *Probsteierhagen* nordöstlich von Kiel anführen. Die erste Namenserwähnung dieses Kirchdorfes lautet für das Jahr 1259 einfach *Indago*, das heißt: Hagen, dann *Kersenhagen, de Kerzhagen* im Kieler Stadtbuch von den Jahren 1264 bis 1289, *thůme Kercenhagen* in einer Urkunde a. 1316, *Kerstenhagen* im Lübecker Zehntregister a. 1433, *Carstenhagen* in einer weiteren Urkunde a. 1524 und in der Landesbeschreibung von Caspar Danckwerth a. 1652 *Carstenhagendorrf jetzt Probsthagen genandt*. Davor hat eine Urkunde a. 1515 *Probsteierhagen*. Unser Dorf heißt demnach zuerst einfach *Hagen*, dann *Kerzenhagen* als eine Zusammensetzung mit dem vergangenen slawischen Flußnamen *Karzeniz* für die heutige Hagener Au. Dieses *Kerzen-* ist dann nach dem entsprechenden Rufnamen zu *Kersten-* und *Karsten-* umgedeutet worden. Und dann ist dafür als Bestimmungswort die Bezeichnung *Propst* eingetreten, bezogen auf den Klosterpropst von Preetz. Für dieses *Propst* ist dann der Landschaftsname *Probstei* eingetreten.

Als ein weiteres Beispiel für diese Entwicklung können wir *Nienborstel* bei Hohenwestedt südlich von Rendsburg nennen. Das Dorf heißt in einer Urkunde a. 1474 *Hinrikesborstel*, in einer weiteren Urkunde a. 1544 *Hinrickés Borstell*, dann aber a. 1580 *thom Wuluesbostell* und in der Rendsburger Amtsrechnung a. 1589 *Nienbostell*. Typisch für diese Entwicklung sind auch die Ortsnamen auf *-harrie* östlich von Neumünster. *Großharrie* zum Beispiel heißt a. 1141 einfach *Horgan* und a. 1164 *Haregen* zu as. *horu* 'Kot, Schmutz', a. 1238 aber *Wuluerdesharegen*, a. 1296 *in Maiori Harge* und a. 1362 *in ... Grotenbarghe*. Eine ähnliche Namengeschichte zeigt auch *Kleinharrie*, nämlich a. 1238 *Ludestesharegen*, entweder zu einem rekonstruierbaren deutschen oder einem slawischen Personennamen, a. 1349 *in Minori Harghe* und a. 1383 *tho Luttekenharghe*. In einer Urkunde a. 1349 begegnet uns das Dorf *Gripesbarghe* zu einem entsprechenden Personennamen. Diese Namenform ist bis in das 16. Jahrhundert hinein überliefert. Dann tritt in der Bordesholmer Amtsrechnung vom Jahre 1615/1616 *Viffharry* auf, heute *Fiefharrie*. Das Zahlwort *fief* 'fünf' bezieht sich hier wohl auf die Anzahl der Hofstellen. In gleicher Weise ist auch *Negenharrie* zu nd. *negen* 'neun' zu deuten. Das Dorf heißt aber in einer Urkunde a. 1408 als Ersterwähnung *to Kerstoffersharghe*, a. 1434 *Christoffersharge* zum PN *Christoffer* und dann in der erwähnten Amtsrechnung vom Jahre 1615/1616 *Negenharry*.

---

[11] Ebenda, S. 219-224.

[12] L. Weise, Danske indbyggernavne på -inge, S. 97-124; W. Laur, Besprechung von: Lis Weise, Danske indbyggernavne, BNF. NF. 20 (1985) S. 80-82.

Wir kommen nun zum eigentlichen Ortsnamenwechsel, aufgezeigt an einigen Beispielen aus Schleswig-Holstein. Typisch für diese Entwicklung ist zunächst der Name
der heutigen Industriestadt *Neumünster* in der Mitte des Landes. Nach Helmold von
Bosau zu Ende des zwölften Jahrhunderts hieß die damalige Siedlung *Faldera*, ein
Name, der nur schwer zu deuten ist und sich auch auf das umliegende Gebiet bezog.
In einer Urkunde a. 1136 wird *Wiipenthorpe* genannt, a. 1141 die *villa Wipenthorp*
und a. 1194 *Wippenthorp*. In der gleichen Urkunde a. 1136 ist aber auch von *Novum
Monasterium* die Rede, bezogen auf das im zwölften Jahrhundert von Vicelin be-
gründete Augustiner-Chorherrnstift. Diese lateinische Form lebt in lateinischen Quellen noch lange fort. Seit dem Beginn des vierzehnten Jahrhunderts tritt dann die
niederdeutsche Form *Niemünster* auf und seit dem siebzehnten Jahrhundert die
hochdeutsche Form *Neumünster*. Hier hat also die Bezeichnung für das neu gegründete Kloster den älteren Ortsnamen oder die älteren Ortsnamen verdrängt, wobei
das Verhältnis von *Wippendorf* und *Faldera* nur schwer zu klären ist. Es kann sich
um den Namen für zwei nebeneinander liegende Siedlungen gehandelt haben oder
auch um zwei Namen für den gleichen Ort[13]. In der Ablösung des alten Ortsnamens
oder der alten Ortsnamen durch die ursprüngliche Klosterbezeichnung *Neumünster*
haben wir übrigens eine auffällige Parallele zum Namen der westfälischen Landes-
hauptstadt *Münster*, denn auch hier war ja der frühmittelalterliche ursprüngliche
Ortsname *Mimigernaford*[14].
Mit der Bezeichnung lat. *monasterium*, dt. *Münster*, für ein Kloster oder eine klo-
sterähnliche Siedlung ist der Ortsname *Münsterdorf* gleich südwestlich von Itzehoe
im südwestlichen Holstein zusammengesetzt: a. 1189 in einer Urkunde, die nur in
einem Abdruck des achtzehnten Jahrhunderts erhalten ist, *Münsterdorp*, a. 1304
villam Munsterdorp oder a. 1576 *Münsterdorff*. Das Dorf ist nach der Zelle, also
einem kleinen Kloster benannt worden, das Ebo von Reims hier im Jahre 822 als
Stützpunkt für die nordelbische Mission angelegt hatte. Die Vita Anskarii, die von
diesem Ereignis berichtet, erwähnt den Ort unter dem Namen *Welanao*. Auch hier
hat demnach ein Ortsname, der auf die Bezeichnung für eine kirchliche Gründung
zurückgeht, einen älteren Ortsnamen abgelöst. Freilich muß in diesem Fall die
Namenentwicklung etwas differenzierter betrachtet werden. Der Name, den die
Vita Anskarii als *Welanao* angibt, lebt nämlich als *Welna*, *Welne*, *Welle* und *Wellen*
bis in das achtzehnte Jahrhundert hinein fort, gegenüber *Münsterdorf* aber mehr in
einem geistlichen Zusammenhang, so auf die Propstei bezogen, wie das Siegel zeigt,
oder als Name für ein Gut. Namen wie *Wellenberg* und *Wellenkamp* leben noch
heute fort.
Bleiben wir noch sozusagen im kirchlichen Bereich, so ist der Ortsname *Mönkebüll*,
heute ein Ortsteil von Langenhorn, nördlich von Husum in Nordfriesland zu erwähnen. Er begegnet uns in einem Flensburger Gildebuch a. 1377 als *Munkebyl* und im
Zinsbuch des Schleswiger Bischofs a. 1509 und der folgenden Jahre als *Monkebull*.

---

[13] L. Boigs, Mittelalterliche Fernstraßen um Neumünster, ZGSchHG. 91 (1966)
S. 43-92.

[14] H. Tiefenbach, Mimigernaford-Mimegardeford. Die ursprünglichen Namen der
Stadt Münster, BNF. NF. 19 (1984) S. 1-20.

Der Name dieses Dorfes, der zu nd. *Mönk*, dän. *munk* 'Mönch' gehört, wird auf eine Zugehörigkeit zum Rüdekloster an der Stelle des heutigen Schlosses Glücksburg bei Flensburg zurückgeführt. In einer Urkunde a. 1458 taucht nun dafür der Name *in Rodesike* auf. Da diese Namenform nur einmal erwähnt wird und zudem nach der Ersterwähnung von *Mönkebüll*, fällt es schwer, das Verhältnis beider Namenformen zueinander näher zu bestimmen.

In der westlichen Wilstermarsch südwestlich von Itzehoe treffen wir in einer Urkunde a. 1438 auf einen Namen *Brodesende*. Nach ihm wird eine Ducht, das heißt die Unterabteilung eines Kirchspiels, bis in die sechziger Jahre des vergangenen Jahrhunderts *Brosinder Ducht* genannt. Seit dem ausgehenden sechzehnten Jahrhundert kommt aber für die Siedlung der Name *Achterhörn* auf.

Als letztes Beispiel sei ein Ortsnamenwechsel im Zusammenhang mit *Stein* nordöstlich von Kiel angeführt. Dieses Dorf erscheint in einer Urkunde a. 1240 als *Indago domini Tymmonis*, das heißt: 'Hagen des Herrn Timmo', wobei es sich um den auch sonst urkundlich bezeugten Adligen Timmo von Postfeld handelt. Jedoch bereits zehn Jahre später erscheint a. 1250 als Ortsname lateinisch *ad Lapidem*, in einem bischöflichen Register a. 1286 *Sten* und in einer Preetzer Urkunde a. 1448 *to Stene*. Namengebend wird wohl ein Findling am Strande der Ostsee gewesen sein. Der frühe Namenwechsel hängt aber offensichtlich mit dem Erwerb des Dorfes zwischen 1240 und 1250 durch das Kloster Preetz aus dem Besitz des erwähnten Timmo von Postfeld zusammen[15].

Auf dem VIII. Nordischen Namenforscherkongreß im Juni 1980 in Mariehamn auf den Ålandinseln habe ich auf einen Wechsel bei bestimmten Ortsnamen hingewiesen, der zwar nicht aus der Überlieferung hervorgeht, jedoch auf Grund der 'Bedeutung' der betreffenden Namen vorausgesetzt werden muß[16]. So finden wir südwestlich von Schleswig *Dörpstedt*: a. 1462 im Liber censualis des Schleswiger Bischofs *in Dorpstede*. Der Name geht auf ein Appellativ mnd. *dorpstēde* 'Dorfstelle' zurück, der als Flurname weit verbreitet ist und Dorfwüstungen bezeichnet. Das Dorf *Dörpstedt* muß also an der Stelle eines ehemaligen wüst gewordenen Dorfes entstanden sein. Dieses wird natürlich einen Namen getragen haben, den wir aber nicht mehr kennen. Das gleiche wird bei einer Reihe von Ortsnamen zu vermuten sein, die als Bestimmungswort, nicht als unterscheidenden Zusatz, nd. *oold* 'alt' enthalten, denn man wird ja nicht von Anfang an ein Dorf als ein altes Dorf bezeichnet haben. So heißt zum Beispiel *Oldenborstel* bei Schenefeld nördlich von Itzehoe in einer Urkunde a. 1450 einfach *tome Borstel*, in der Rendsburger Amtsrechnung a. 1538 aber bereits *Aldenborstel*. Wie der Fall *Dörpstedt* zeigt, braucht dabei jedoch keine ausgesprochene Kontinuität hinsichtlich einer Siedlung bestanden zu haben, so daß ein Name den anderen abgelöst hätte. Der Ortsname und Flurname *Oldenburg*, zum Beispiel, bezeichnet im niederdeutschen Bereich anscheinend nicht nur eine alte

---

[15] J. v. Schröder - H. Biernatzki, Topographie der Herzogthümer Holstein und Lauenburg, II, S. 479; F. Bertheau, Beiträge zur älteren Geschichte des Klosters Preetz, ZGSchHG. 46 (1916) S. 147.

[16] W. Laur, Nogle stednavne på *-by* i Sydslesvig (Einige Ortsnamen auf -by in Südschleswig), StNF. 63 (1982) S. 38-46.

Burganlage, sondern meistens wohl eine alte verlassene Burganlage. Auf Wüstungen weist ebenfalls im Dänischen der Flurname *Gammelby*, das heißt: 'altes Dorf', hin. Tritt nun dieser Name wie mehrere Male im Schleswigschen als der eines Ortes auf, so ist ebenfalls anzunehmen, daß er auf eine ältere Siedlung hinweist, die ursprünglich dann einen anderen Namen getragen haben wird. In meinem genannten Beitrag[17] habe ich noch auf andere dänische Ortsnamen mit dem Grundwort -*by* wie *Adelby*, so bei Flensburg, oder *Medelby, Mejlby, Mehlby* hingewiesen, die ebenfalls in bestimmten Fällen auf eine solche Entwicklung hindeuten könnten.

Zum Schluß will ich noch einige neuzeitliche Beispiele anführen. So trägt das Gut *Karlsburg* in Schwansen nördlich von Eckernförde erst etwa seit dem Jahre 1800 diesen Namen, und zwar nach dem Statthalter in den Herzogtümern, Carl, Landgraf von Hessen-Kassel. Davor hießen das Gut und die Siedlung, aus der es hervorgegangen ist, *Gereby*, so zum ersten Mal in den Registern des Schleswiger Bistums im vierzehnten und fünfzehnten Jahrhundert überliefert. In der gleichen Landschaft liegt das Gut *Ludwigsburg*, das so im Jahre 1768 nach Ludwig von Dehn benannt wurde. Vorher hieß es *Koböved*, wie die Überlieferung des fünfzehnten Jahrhunderts zeigt.

Jüngere Umbenennungen und dabei gar aus ideologischen oder politischen Motiven sind in Schleswig-Holstein eigentlich nicht zu erkennen. Zusammenlegungen im Rahmen neuer Gemeindebildungen und Ämterbildungen haben eine Reihe von Ortsnamen verschwinden lassen, wohlgemerkt aber nur aus den amtlichen Verzeichnissen und nicht aus dem Sprachgebrauch. Ältere Landschaftsnamen sind zu Namen für neue Ämter geworden. Und es sind auch neue Namen für Landgemeinden und eine neue Stadt (*Norderstedt* bei Hamburg) entstanden. Dabei handelt es sich aber nicht um einen Namenwechsel im eigentlichen Sinne.

Abschließend können wir feststellen, daß uns mehrere Beispiele für einen Ortsnamenwechsel, und zwar für einen mittelalterlichen Ortsnamenwechsel, auch in Schleswig-Holstein begegnen. Häufiger vertreten ist allerdings ein Wechsel entweder beim Grundwort oder auch beim Bestimmungswort. Zu einer vermutbaren Instabilität der frühen Namengebung läßt sich aber auf Grund der späten Überlieferung nichts sagen.

---

[17] StNF. 63 (1982) S. 38-46.

Hans-Georg Maak

Pirremunt - Petri mons - Pyrmont

Dem Namen des bekannten niedersächsischen Staatsbades im Rahmen eines dem Ortsnamenwechsel gewidmeten Kolloquiums zu begegnen mag zunächst befremden. Gilt doch seit Jahrzehnten als geradezu urkundlich erwiesen, daß er sein Dasein einem einmaligen Namengebungsakt verdankt[1]. In einem Lehnsbrief vom 2. April des Jahres 1184 erklärt der Kölner Erzbischof Philipp von Heinsberg, daß er seine auf dem Allod Udistorp (Oesdorf) neuerbaute Burg (die heutige Ruine auf dem Schellenberg) mit dem Wappen des heiligen Petrus versehen habe, weil sie 'a Petro ... Petri Mons nuncupatum est'[2]. Der Name *Pyrmont* ginge danach auf ein dem aus linksrheinischem Gebiet stammenden Erzbischof[3] vertrautes und geläufiges *Pierremont*, die französische Entsprechung eines dt. *Petersberg*, zurück.

Die *Petri-mons*-Hypothese läßt sich bis zum Jahre 1680 zurückverfolgen[4], war aber lange Zeit nur eine Deutungsmöglichkeit unter vielen. Die durch Berücksichtigung und Einbeziehung der historischen Fakten und Gegebenheiten überzeugende Fassung hat sie erst im Jahre 1936 durch E. Schröder[5] erhalten. In dieser Form hat sie sich rasch durchgesetzt. Über ihre Schwächen sah man hinweg.

E. Schröder[6] selbst hat lange gezögert, bis er sich für diesen Weg der Namendeutung entschied, 'denn wie sollte ich mir ... das völlig isolierte französische Wort da unten im Weserlande erklären'. Den Ausschlag gab erst die Lektüre von E. Nicks[7] Aufsatz über die gleichnamige Eifelburg, die nun eindeutig dem französischen Ein-

---

[1] A. Bach, Deutsche Namenkunde, II, 2, S. 233: 'Der Name von *Pyrmont* in Hannover haftete ursprünglich an einer Bergfeste auf dem nahen Schellenberg. ... Die Burg auf dem Schellenberg nannte Erzbischof Philipp *Pirremont* ... . Die Burg führt damit einen Namen, der in Frankreich nicht selten ist'.

[2] Den Lehnsbrief von 1184 zitiere ich nach H. Engel, Die Geschichte der Grafschaft Pyrmont, S. 35, A. 18.

[3] E. Schröder, Pyrmont und die französischen Burgennamen auf deutschem Boden, ZONF. 12 (1936) S. 51.

[4] H. Engel, Die Geschichte der Grafschaft Pyrmont, S. 58.

[5] ZONF. 12 (1936) S. 49-53.

[6] Ebenda, S. 49.

[7] Zum Ursprung der Namen Monreal und Pyrmont, Eifel 36 (1935) S. 168-170.

flußbereich angehört. An der Identität beider Namen war nicht zu zweifeln, so daß die Erklärung des einen die des anderen einschließen mußte.

Die Ortsnamenforschung ist E. Schröders Argumentation mit einer Ausnahme gefolgt. Die Pyrmonter Lokalforschung hat die Deutungsversuche aus germanischem Wortgut nie aufgegeben, nicht nur, um die für das Pyrmonter Tal so schicksalhaften Quellen auch als namengebend erweisen zu können[8], sondern auch, weil ihr das Befremdende eines französischen Ortsnamens im rein niederdeutschen Sprachgebiet am unmittelbarsten zum Bewußtsein kommen mußte. Stellvertretend für eine ganze Reihe hierherzurechnender Veröffentlichungen sei eine Arbeit von R. Götte[9] genannt, der eine einem Ortsnamenwechsel nahekommende Vermischung eines älteren, lautlich ähnlichen heimischen Namens mit dem neugegebenen Namen franz. *Pierremont* vermutet und damit einerseits eine Erklärung für die von der *Petri-mons*-These offengelassene Frage der problemlosen Übernahme und Einbürgerung des fremden Namens bietet, andererseits aber an ihrem Fundament, der Benennung der Burg nach dem Apostel Petrus, nicht rüttelt, in der richtigen Erkenntnis, daß heute für eine mit wissenschaftlichem Anspruch auftretende Namenforschung an einer urkundlich bezeugten Tatsache kein Weg mehr vorbeiführt. Aber ist ein solcher Namengebungsakt denn wirklich urkundlich bezeugt?

Ihren entschiedensten Verfechter hat die *Petri-mons*-These nicht unter den Namenforschern, sondern unter den Historikern gefunden. In seiner die ältere Geschichte der Grafschaft Pyrmont behandelnden Münchner Dissertation gibt sich H. Engel[10] alle erdenkliche Mühe, auch den letzten Zweifler davon zu überzeugen, daß nur eine Herleitung des 'nomen Pyrmontanum' vor dem strengen Urteil der Wissenschaft bestehen könne, nämlich die aus franz. *Pierremont*. Dem Historiker dient dabei als wichtigstes Beweismittel die Urkunde a. 1184. Wenn H. Engel[11] in diesem Zusammenhang ihre 'textnahe Gesamtinterpretation' als unerläßlich ansieht, ist ihm unbedingt beizupflichten. Leider hat er selbst sich nicht immer an diesen Grundsatz gehalten. Auch er[12] behauptet, daß Philipp von Heinsberg nach der Narratio des Lehnsbriefes seine Burg zu Ehren des Apostelfürsten und Kölner Schutzheiligen *Petri mons* genannt habe. Nun erklärt der Erzbischof[13] zwar mit aller für ein Rechts-

---

[8] Diesen Gesichtspunkt betont besonders E. Müller, Pyrmonts Name klingt so ausländisch, Pyrmonter Nachrichten vom 3.6.1969.

[9] Pyrmonts Vergangenheit, V, 1971. In Teil II, 1961, S. 19ff., sah auch R. Götte in engem Anschluß an E. Schröder franz. *Pierremont* noch als alleinigen Ausgangspunkt für den Namen *Pyrmont* an.

[10] Er hält die Diskussion für abgeschlossen. Sieh Die Geschichte der Grafschaft Pyrmont, S. 181: 'Mein Exkurs ... beendet somit das jahrhundertelange Rätselraten um die Herkunft und Deutung des Nomen Pyrmontanum'.

[11] Ebenda, S. 34.

[12] Ebenda, S. 58. Ähnlich S. 60: 'das Eigentumsrecht der Kölner Kirche wird ... herausgehoben. Erstens durch das Anbringen des Wappens Petrus an der Burg und zweitens durch die Namengebung'.

[13] Sieh A. 2.

instrument nötigen Deutlichkeit, daß er das Allod Udistorp gekauft (emimus) und
dem heiligen Petrus übergeben habe (tradidimus), ebenso, daß es ihm beliebt habe,
darauf eine Burg zu bauen (placuit nobis castrum edificare), an der er das Wappen
des Apostels angebracht habe (insignavimus). Daß er sie aber nach ihm benannt
habe, sagt er nicht. Der auf den Namen bezügliche Passus erscheint lediglich als Be-
gründung der Wappenverleihung und lautet: 'A petro namque petri mons nuncupatum est'. Das kann der Philologe nur verstehen und übersetzen als: 'denn nach Petrus
ist sie Petersberg genannt'. Damit bricht aber die ganze These von der urkundlich
bezeugten Namengebung in sich zusammen. Was hier urkundlich bezeugt ist, ist nur
die Tatsache, daß der Erzbischof den nicht von ihm stammenden Namen als 'Petri
mons' verstanden hat. Wer aber garantiert dafür, daß hier nicht ein Mißverständnis
vorlag?

In der zweiten Hälfte des 15. Jahrhunderts, zur Zeit des Frühhumanismus, nennt
der letzte Graf aus dem Hause Schwalenberg-Pyrmont seinen natürlichen Sohn in
irriger Beziehung seines Namens auf gr. πῦς 'Feuer' und lat. *mons* 'Berg' Johann
Feuerberg oder Vürberg[14]. Welcher ernst zu nehmende Namenforscher würde diese
Interpretation heute noch zum Ausgangspunkt einer Theorie über den Ursprung des
Namens *Pyrmont* machen? E. Schröder[15] spricht zu Recht von 'mehr oder weniger
kindlichen etymologischen Versuche[n]'. Worin besteht aber der Unterschied zwischen diesem 'Feuerberg' und dem 'Petri mons' des Philipp von Heinsberg? Doch nur
in dem Interpretationshintergrund, in dem der Deutung zugrunde liegenden Welt-
bild. Der Kölner Erzbischof ist ein Mensch des Hochmittelalters, das die Welt noch
im Sinne des Physiologus 'mit den Fäden allegorischer Bedeutsamkeit'[16] durchwirkt
sieht. Wie leicht konnte der mit Sicherheit zweisprachige Kirchenfürst aus einem
an franz. *Pierremont* anklingenden Namen eine besondere Beziehung zum heiligen
Petrus heraushören. Es besteht der dringende Verdacht, daß E. Schröder hier das
Opfer einer 'Physiologusetymologie' geworden ist. Soviel steht jedenfalls fest: Ein
Deutungsversuch des Namens Pyrmont darf nicht von Interpretamenten wie 'Feuerberg' oder 'Petersberg' ausgehen, sondern nur von den überlieferten alten Namensformen selbst.

Bezeichnenderweise findet sich nun die bei Entlehnung aus *Pierremont* zu erwartende und auch durch das mittelhochdeutsche Lehnwort *fier* 'stolz'[17] (aus franz.
fier) bezeugte diphthongische Schreibung nur in zwei sozusagen unter den Augen
des Erzbischofs entstandenen Schriftstücken, einer Urkunde a. 1185 und einem im
Jahre 1191 abgeschlossenen Güterverzeichnis[18], und dann erst wieder in einer aus

---

[14] R. Gabert, Die Familie Feuerberg in Lügde, S. 43.

[15] Die Ortsnamen Schulenburg und Pyrmont, NSJLG. 13 (1936) S. 243.

[16] H. de Boor, Die deutsche Literatur, I, S. 124.

[17] M. Lexer, Mittelhochdeutsches Handwörterbuch, III, Sp. 338.

[18] Ausstellungsort und Datum der Urkunde: Regesta Historiae Westfaliae, II, S.
68; Pyrmont im Güterverzeichnis: Die Regesten der Erzbischöfe von Köln im Mittelalter, II, S. 278.

dem benachbarten Lügde stammenden handschriftlichen Chronik a. 1657[19], die Pyrmonts Ursprung und Namen auf einen von Karl dem Großen mit der Grafschaft beschenkten Franzosen namens Mauritius de Piermont zurückführt. Abgesehen von diesen wenigen Ausnahmen, wechseln im ersten Namenglied e und i beziehungsweise y, im zweiten Namenglied u und o. Die Mehrzahl der Belege zeigt Fugen-e, vor dem meist Doppel-r erscheint. In den Kölner Urkunden vom Ende des 12. Jahrhunderts ist die Form *Pirremunt* die Regel[20]. Wie kann nun ein so geschriebener Name gedeutet werden?

Die Anhänger der *Petri-mons*-These[21] weisen auf eine Reihe französischer 'Petersberg'-Namen mit und ohne *saint* hin mit Erststellung und Zweitstellung des Bestimmungswortes. Ein einziger vergleichbarer Name aus der unmittelbaren Nachbarschaft würde sie alle an Beweiskraft weit übertreffen und die Herkunftsfrage der Lösung ein gutes Stück näherbringen. Er ist meines Wissens bis heute nicht genannt worden. Doch gibt es ihn.

Daß die Pyrmont-Forschung ihn so ganz übersehen hat, ist um so erstaunlicher, als die Übereinstimmung sich nicht nur auf den Namen, sondern auch auf die Sache erstreckt. Auch hier handelt es sich um eine Burg, ein Dynastengeschlecht und eine Grafschaft, nur einige dreißig Kilometer weiter östlich, jenseits der Weser gelegen. Hiermit enden allerdings die Gemeinsamkeiten. Während Pyrmont sich nicht nur als mehr oder weniger selbständiges Staatsgebilde bis zum Untergang der Monarchie in Deutschland behaupten konnte, sondern in der Folge auch als Badestadt internationalen Ruhm erlangte, hat die von der Natur weniger ausgezeichnete Nachbargrafschaft das Ende des Mittelalters nicht überlebt. Dieselben Grafen von Spiegelberg, die nach dem Aussterben des alten Grafenhauses ihre Ansprüche auf die Grafschaft Pyrmont gegenüber ihrem Lehnsherrn, dem inzwischen an Kurkölns Stelle getretenen Bischof von Paderborn, und dem von ihm begünstigten Mitbewerber, dem Edelherrn zur Lippe, so erfolgreich verteidigten[22], gerieten ein halbes Jahrhundert früher bei einem ähnlichen Versuch östlich der Weser in eine erbitterte Auseinandersetzung mit den dortigen Obereigentumsinhabern, den Herzögen von Braunschweig und Lüneburg[23], in deren Verlauf die namengebende Burg so gründlich dem Erdboden gleichgemacht wurde, daß sich ihre Spur für lange Zeit verlor[24]. Die Grafschaft ging

---

[19] H. Engel, Die Geschichte der Grafschaft Pyrmont, S. 30, A. 1.

[20] R. Götte, Pyrmonts Vergangenheit, V: 'an das Staats-Archiv nach Düsseldorf ... wandte ich mich mit der Frage, wie man die Pyrmonter Gegend um 1180 ... bezeichnet habe. Ich bekam die wörtliche Antwort: 'Die Bezeichnung Petrimons tritt in den ... Urkunden nicht auf, sondern in der Regel 'Pirremunt' ...'.

[21] E. Schröder, ZONF. 12 (1936) S. 51. H. Engel, Die Geschichte der Grafschaft Pyrmont, S. 61.

[22] Ebenda, S. 129-133: 'Der unmittelbare Erbstreit um die Grafschaft Pyrmont (1494-1525)'.

[23] W. Hartmann, Die Spiegelberger Fehde 1434-1435, NSJLG. 13 (1936) S. 60-95.

[24] Die Kunstdenkmale des Kreises Springe, S. 77: 'Die Stätte der Burg blieb lange verschollen'.

im welfischen Territorium auf, und ihr Andenken würde nur noch in der Geschichte
fortleben, wenn nicht 270 Jahre nach ihrer Einziehung noch einmal ein um das Wel-
fenhaus hochverdientes Adelsgeschlecht mit ihr belehnt worden wäre[25], aus dem im
19. Jahrhundert ein deutscher Dichter hervorging, der, wenn er auch, aristokratisch
von Geburt wie in seinen formstrengen Sonetten und Ghaselen, nie besondere Po-
pularität erlangt hat, doch wenigstens dem Namen nach weiteren Kreisen bekannt
geworden ist. Ich spreche von August Graf von Platen und der Grafschaft Hallermund.

Wenn der Name *Hallermund* in der Forschung nicht annähernd die *Pyrmont* zuteil
gewordene Beachtung gefunden hat, so liegt das zum einen gewiß an seiner Unbe-
kanntheit und relativen Bedeutungslosigkeit, zum andern aber auch daran, daß seine
Erklärung weniger Schwierigkeiten bereitet oder zu bereiten scheint. Zumindest
über den ersten Namensteil besteht völlige Klarheit. Es handelt sich um das Flüßchen
Haller, das seine Quelle an der Deisterpforte, südwestlich der Stadt Springe, vormals
Hallerspringe, hat und oberhalb der Marienburg in die Leine mündet. Hinsichtlich
des zweiten Gliedes sind zwei Erklärungsversuche hervorgetreten. Die mit den örtlichen Verhältnissen nicht vertrauten Forscher[26] verbinden den Namen *Hallermund*
mit Namen wie *Travemünde, Swinemünde*, eine Zusammenstellung, die aus doppel-
tem Grunde nicht möglich ist. Einmal, weil die inzwischen durch Bodenuntersu-
chungen ermittelte Burgstelle auf dem Hallermundskopf im Kleinen Deister der
Hallerquelle viel näher liegt als ihrer Mündung[27], und zum andern, weil das Element
*mund 'Mündung' in deutschen Ortsnamen nur in der abgeleiteten Form *(ge)münde*
aufzutreten scheint[28].

Ganz anders wird der Name denn auch in der Lokalforschung interpretiert. 'Nach
dem Berge und Bergschlosse des Kleinen Deisters, dessen Fuß die Haller bespült,

---

[25] J. Wolf, Versuch die Geschichte der Grafen von Hallermund der der Stadt
Eldagsen zu erläutern, S. 45: 'Nachdem die Grafschaft Hallermund schon 270 Jahre
lang erloschen war, wurde sie 1706 auf eine gewisse Art dadurch wieder hergestellt,
daß der Herzog von Braunschweig Georg I. den Grafen Franz Ernst von Platen mit
derselben belehnte'.

[26] Sieh E. Förstemann, Altdeutsches Namenbuch, II,1, Sp. 1214: 'Hallermund, Ort
an der mündung der Haller in die Beber, nbfl. der Leine, Kr. Springe'. Ebensowenig
wie ein Leinenebenfluß Beber im Kreis Springe findet sich in den MGH., Scriptores,
VII, S. 858 eine Schreibung *Halremund* mit *d* für gewöhnliches *t*.

[27] Die Kunstdenkmale des Kreises Springe, S. 77: 'Die Grafen von Hallermunt besaßen sowohl in der Nähe der Quelle der Haller eine Burg - die Bergveste auf dem
mons Halleriae, dem 'Hallermundskopf' - als auch nicht weit von der Mündung die
Veste Hallerburg, eine Wasserburg'.

[28] Die bei E. Förstemann, Altdeutsches Namenbuch, II,2, Sp. 350f. zusammenge-
stellte Namenliste enthält keinen einzigen eindeutig hierhergehörigen deutschen
-mund-Namen. Das Befremdende eines Namengrundworts *-mund* 'Mündung' erhellt
auch aus der in den meisten Nachschlagewerken zu findenden, willkürlichen Umformung des Namens *Platen Hallermund* in *Platen Hallermünde* (schon auf den Titel-
blättern der zu Lebzeiten des Dichters erschienenen Werke).

nach dem mons ... Halleriae, dem Hallermunt, nannte sich das Geschlecht, das hier gebot'[29]. In der Tat kann der Name *Hallermund* aus topographischen Gründen nichts anderes als 'Hallerberg' bedeuten, und sein Grundwort gibt sich dann als vor allem in Bergnamen des ehemals römisch besetzten Gebiets, zumindest in Namen wie *Kalmunt, Kallmünz* aber auch jenseits des Limes begegnendes *munt* 'Berg'[30] zu erkennen. Damit ist aber zugleich ein entscheidender Hinweis für die Deutung des Namens *Pirremunt* gewonnen, und es wäre nun zu prüfen, ob auch sein erster Teil auf einen dem Flüßchen Haller entsprechenden, zur Charakterisierung eines Berges geeigneten Naturgegenstand bezogen werden kann.

Südlich von Lügde, am südöstlichen Rande des Pyrmonter Talkessels erhebt sich der Bierberg, dessen Name wohl als Umdeutung eines älteren *Pirreberg* angesehen werden muß, da für den Umkreis einer an seinem Fuß entspringenden Quelle der Flurname *In der Pirre* überliefert ist[31]. Dieser Flurname hat bei der Herleitung des Namengliedes *Pyr-* aus germanischem Wortgut schon des öfteren[32] zur Stützung einer Bedeutung 'sprudelndes Wasser, Quelle' gedient. E. Schröder[33] weist zwar mit Recht darauf hin, daß mit dem stimmlosen labialen Verschlußlaut beginnende Wörter im Germanischen äußerst selten begegnen. Deshalb braucht aber ein Wort wie *Pirre* noch nicht außergermanischen Ursprungs zu sein. Es kann zur Klasse der den Lautgesetzen weniger unterworfenen Schallwörter gehören, auf die in diesem Fall auch das Nebeneinander von *i* und *e*, der Wechsel von Kürze und Länge[34] sowie eine Reihe *Per-, Pier-* oder *Pur(r)bäche* beziehungsweise *-beke*[35] deuten, denen sich wiederum ein aus Gryphius bezeugtes lautmalendes *pur*[36] zugesellt, das das Rauschen des Wassers veranschaulichen soll. In Schriftsprache und Literatur treten diese Bil-

---

[29] W. Görges - F. Spehr, Vaterländische Geschichten und Denkwürdigkeiten, II, S. 11.

[30] A. Bach, Deutsche Namenkunde, II, 2, S. 80f.

[31] R. Götte, Pyrmonts Vergangenheit, V: 'Der verdiente Kenner und Pfleger unserer Heimat, Oskar Zetzsche ..., schrieb vor 50 Jahren: 'Südlich von Lügde liegt der sogenannte Bier-Berg. ... An seiner ... westlichen Seite führt der Berg den Flurnamen 'In der Pirre'. Die Pirre ist eine Quelle ..., die vor einziger Zeit zugedeckt worden ist ...'".

[32] Sieh noch Chronik von Bad Pyrmont, S. 311.

[33] ZONF. 12 (1936) S. 50.

[34] Von der Umdeutung *Bierberg* vorausgesetzte Länge wird durch mundartliche Aussprache bestätigt. Sieh R. Götte, Pyrmonts Vergangenheit, II, S. 21: 'In manchen 'plattdeutschen' Dörfern kann man heute noch hören: 'Permunt', vielleicht auch 'Peermunt'".

[35] Sieh etwa E. Förstemann, Altdeutsches Namenbuch, II,2, Sp. 479f. H. Bahlow hält dieses *per-, pier-* und ähnliches im Hinblick auf seinen Anlaut für vorgermanisch Sieh Deutschlands Geographische Namenwelt, S. 371: 'pers (per), das schon am p-Anlaut als undeutsch erkennbar ist'.

[36] J. Grimm - W. Grimm, Deutsches Wörterbuch, II, Sp. 545: 'ich bin der lebendige bronnen,/ pur, pur, pur,/ ich habe wasser gewonnen,/... purre, purre, purre'.

dungen selten in Erscheinung und sind daher auch in den Wörterbüchern nur vereinzelt bezeugt. Für das Schleswig-Holsteinische ist ein auf den Regen bezogenes Ver-
bum *pirren* gebucht[37]. Von einem Substantiv **Pirre* 'Quelle' fehlt lexikographisch
jede Spur. Andererseits sprechen die rheinischen Belege (neben der nachweislich[38]
auf einem Quellberg gelegenen Eifelburg erscheint noch ein Pyrmont an der Mosel[39])
nachdrücklich für ihre einstige Existenz. Es dürfte sich um eine sehr alte Bildung
handeln. Wie lange sie in den niederen Sprachschichten weitergelebt hat, ob sie
schon, worauf die Interpretation 'Petri mons' zu deuten scheint, zur Zeit Philipps
von Heinsberg im Weserland nicht mehr verstanden wurde, wird sich kaum feststellen lassen. Der mittelniederdeutschen Gemeinsprache hat sie jedenfalls nicht mehr
angehört. Die gewöhnliche mittelniederdeutsche Quellbezeichnung, auch für die
Pyrmonter Quellen, war *born*[40].

Der Vergleich mit dem Namen der Nachbarburg Hallermund legt es nahe, im Bestimmungswort des Namens Pyrmont das erschlossene germ. **pirre* 'Quelle' zu
sehen. Beide Burgennamen lassen sich dann demselben Bergnamentypus zuordnen.
Wie der Burgberg im Kleinen Deister nach der an ihm vorbeifließenden Haller benannt worden ist, so sein Gegenstück im Pyrmonter Tal nach einer ihm entspringenden Quelle.

Der hier vorgetragene Deutungsversuch des Namens *Pyrmont* hat allen bisher be-
kanntgewordenen Hypothesen[41] voraus, daß er zur Deutung nur tatsächlich bezeugte Namen und Namenselemente der unmittelbaren Nachbarschaft heranzieht. Doch
kann natürlich auch er nicht alle Probleme lösen und muß vor allem zwei Fragen
offenlassen.

Die eine Frage ist sprachwissenschaftlich-namenkundlicher Natur und betrifft das
Namenselement *-munt,* über das sehr widersprüchliche Äußerungen[42] vorliegen. Ob
es sich um eine Entlehnung aus dem Keltischen, Lateinischen oder Romanischen
handelt und wann und für welches Gebiet diese Entlehnung stattgefunden hat, ist
noch völlig ungeklärt. Vielleicht fällt von dem hier zum erstenmal erbrachten Nach-

---

[37] O. Mensing, Schleswig-Holsteinisches Wörterbuch, III, Sp. 1036: 'de Regen pirr
in fien Fetzen vun'n Himmel'.

[38] E. Nick, Eifel 36 (1935) S. 168: 'Dieser Erklärer nimmt Bezug auf eine Quelle
am Fuße des Burgberges, von der der Schloßweiher gespeist werde, und die wahrscheinlich auch das Wasser zu dem 50 Meter tiefen Burgbrunnen liefert'.

[39] F. Cramer, Rheinische Ortsnamen, S. 80.

[40] So wurde der Pyrmonter Brodelbrunnen nach dem Zeugnis des Dominikaner-
mönchs Heinrich von Herford († 1370) *sedeborn* genannt. Sieh J. Garfs, Bad Pyrmont, S. 15.

[41] Auch der von A. C. Schoener, Fremdes in einigen Gewässer- und Höhennamen,
MRLA. 8 (1932/33) S. 132, für den Namen der Eifelburg aufgestellten Hypothese,
die zwar hinsichtlich der für ihn ermittelten Bedeutung ('Quellenkuppe') mit der
hier vorgelegten weitgehend übereinstimmt, sich durch seine Rückführung auf eine
früheuropäische Ursprache aber wesentlich von ihr unterscheidet.

[42] Sieh H. Dittmaier, Siedlungsnamen und Siedlungsgeschichte, S. 8.

weis alter *munt*-Namen im Weserbergland neues Licht in das über seinem Ursprung liegende Dunkel[43].

Die andere Frage geht die Lokalforschung sowie die Vor- und Frühgeschichte an und gilt den historisch-topographischen Voraussetzungen. Besteht die Möglichkeit, daß der von Philipp von Heinsberg für seinen Burgenbau gewählte Schellenberg ursprünglich *Pirremunt* hieß, oder ist doch mit einer von einigen Quellen[44] geradezu behaupteten, durch die Äußerungen anderer[45] nahegelegten Vorgängerburg zu rechnen, die dann vielleicht auf dem der ehemals befestigten, alten fränkischen Kilianskirche benachbarten Bierberg zu suchen ist? Für die Wanderung von Burgennamen bietet ja gerade Pyrmont mit der Übertragung des Namens der seit über zweihundert Jahren verlassenen Höhenburg auf das kilometerweit entfernte Wasserschloß in der Emmerniederung ein überzeugendes Beispiel[46].

Wenden wir uns am Ende unserer Untersuchung noch einmal der Frage zu, ob im Falle *Pyrmont* von Ortsnamenwechsel gesprochen werden kann. Gewiß nicht in dem Sinne, daß hier ein älterer Name durch einen jüngeren Namen ersetzt worden wäre. Der Name ist immer derselbe geblieben. Was gewechselt hat, waren nur seine Auslegungen. A. Bach[47] faßt als Ortsnamenwechsel aber auch die assoziative oder volksetymologische Umdeutung eines Namenselements, insbesondere des Grundworts. Wenn ein ursprüngliches Namenselement *-munt* heute in der Eifel als *-mont* erscheint, so kann dieser Vokalwechsel auf rein lautgesetzlichem Wege zustande gekommen sein[48]. Nicht so dagegen bei seiner westfälischen Entsprechung. Die sächsischen Mundarten des Weserberglandes kennen, wie das Beispiel Hallermund zeigt, die fränkische Senkung nicht[49]. Wenn trotzdem in *Pyrmont* das *o* festgeworden ist,

---

[43] Bei dieser Gelegenheit sei auch auf ein in altenglischen Texten nicht selten begegnendes Appellativum *munt* 'Berg' hingewiesen. Sieh J. Bosworth - T. N. Toller, An Anglo-Saxon Dictionary, Sp. 701a.

[44] So berichtet Heinrich von Herford: *Item Phylippus hic construxit de novo castrum Peremont.* Sieh Liber de rebus memorabilioribus sive Chronicon, S. 168. H. Engel sucht die Glaubwürdigkeit dieses Zeugen in Frage zu stellen. Sieh Die Geschichte der Grafschaft Pyrmont, S. 41f.

[45] So die Äußerungen des erwähnten Güterverzeichnisses, das unter den *allodia, que dominus Coloniensis Archiepiscopus acquisivit* an erster Stelle nennt: *Castrum Pierremont et allodium in Udistorp.* Sieh H. Engel, Die Geschichte der Grafschaft Pyrmont, S. 40.

[46] Spätestens im Jahre 1263 haben die Grafen von Pyrmont ihren Sitz von der kurz darauf zerstörten Burg auf dem Schellenberg in die von ihnen gegründete Stadt Lügde verlegt. Im Jahre 1526 beginnt Graf Friedrich von Spiegelberg, seit dem Jahre 1525 im unbestrittenen Besitz der Grafschaft Pyrmont, mit dem Schloßbau im 'Speckholz'. Sieh H. Engel, Die Geschichte der Grafschaft Pyrmont, S. 95, 145.

[47] Deutsche Namenkunde, II, 2, S. 571-575.

[48] V. M. Schirmunski, Deutsche Mundartkunde, S. 246: 'Der Hauptteil der fränkischen Mundarten hat *i > e, u > o* ... gesenkt'.

[49] A. Lasch, Mittelniederdeutsche Grammatik, S. 105: 'Im allgemeinen ist in der mnd. periode *u* vor nasal festgeblieben. *o* für *u* erscheint nur im äussersten westen

so muß das eine andere Ursache haben. Als Name eines souveränen Territoriums sowie eines Fürstenbades und Modebades in Latein und Französisch sprechenden Kreisen nicht unbekannt, ist *Pyrmont* hier den lateinisch-französischen *-mons/-mont*-Namen angeschlossen worden. Das lateinische Adjektiv tritt stets in der Form *Pyrmontanus* auf. In diesem Sinne ist also auch für *Pyrmont* Ortsnamenwechsel festzustellen. Denn daß die etymologisierende Schreibung der Wirklichkeit näher kommt als mancher wissenschaftliche Herleitungsversuch und daß die Umformung die zugrunde liegende indogermanische Wurzel unberührt läßt, ändert nichts an der Tatsache, daß hier eine Umformung stattgefunden hat.

Ob *Pyrmont* nun aber in den namenkundlichen Handbüchern in einem Kapitel Ortsnamenwechsel erscheint oder nicht, als Beispiel für eine französisierende Benennungsmode[50] wird man diesen Ortsnamen nicht mehr in Anspruch nehmen können. Viel eher legt dieser Ortsname Zeugnis ab für die so oft bemerkte und hervorgehobene Beharrlichkeit und Überlieferungstreue des Stammes, der ihn geprägt und über die Jahrhunderte festgehalten hat.

---

unter ndfrk. einfluss ... . Selten auf dem übrigen gebiet'.

50 E. Nick, Eifel 36 (1935) S. 170: 'Aus Edward Schröders Forschungen ... wissen wir, daß auf dem Gebiete der Benennung von Burgen die jeweilige Mode eine große Rolle spielte. Um 1200 herrschte ... die Sitte, auch deutschen Burgen französische Namen zu geben'.

Ernst Eichler - Hans Walther

Ortsnamenwechsel im Elbe-Saale-Gebiet

Wandlungen der Siedlungsstrukturen
und ihre Auswirkungen auf die Siedlungsnamen

In den letzten Jahren hat sich die Aufmerksamkeit der onomastischen Forschung,
parallel zur Entwicklung in der allgemeinen Sprachwissenschaft, mehr und mehr auf
die kommunikativen, sprich gesellschaftlichen Voraussetzungen und Rahmenbedingungen für Benennungsvorgänge aller Art verschoben. Letztere waren schon von den
Linguisten der Prager Schule (so von Vilém Mathesius[1]) in den Vordergrund gerückt
worden, wurden aber erst nach dem Zweiten Weltkriege auch für die Onomastik
fruchtbar gemacht[2]. Heute rücken vor allem die Motivationen der Sprecher und der
Sprechergemeinschaften bei den Prozessen der Erstbenennung, des andauernden Na-
mengebrauchs und auch des Namenwechsels in den Mittelpunkt des Forschungsin-
teresses. An dieser Stelle soll einigen Problemen des Namenwechsels bei Siedlungsbe-
nennungen nachgegangen werden, die mit den politischen und sozialökonomischen
Wandlungen verknüpft sind, die sich aus der deutschen Überformung des historisch
vorgebildeten altsorbischen Siedelgebietes im Zuge der deutschen Ostexpansion und
Ostsiedlung ergaben. Dieses Ereignis des europäischen Mittelalters war nun kein zeitlich eng begrenztes Geschehen, sondern vollzog sich in Etappen und zeitigte noch
langanhaltende Nachwirkungen auch im Bereich des Siedlungswesens und damit des
Siedlungsnamengebrauchs. So haben wir es hier vor allem mit den bereits vielbe-
schriebenen Erscheinungen des toponymischen Sprachkontaktes und der (zunächst
gegenseitigen, dann aber bald einseitigen) Namenadaptation durch Sorben beziehungsweise Deutsche zu tun, die auch nachkontaktionelle Auswirkungen aufweisen
(im heute zweisprachigen Gebiet der Oberlausitz und Niederlausitz noch in Gestalt
der Namenpaare, die sich in verschiedene Typen gliedern lassen), ferner mit absolu-
ten Neubenennungen von Altsiedlungen und Neusiedlungen durch die deutschen
Eroberer und Neusiedler. Damit bilden die Zusammenhänge von Siedlungskontinui-

---

[1] Sieh: Věstník Královské České Společnosti Nauk. Třída filozoficko-historicko-
jazykozpytná. Nr. 2, S. 1-24. Sieh auch die englische Übersetzung A Prague school
reader in linguistics, S. 1-32.
[2] Sieh R. Šrámek, Onoma 17 (1972/1973) S. 55-75 (und zahlreiche weitere Arbeiten in tschechischer Sprache, zum Beispiel in der Zeitschrift Slovo a slovesnost).

tät und Siedlungsdiskontinuität mit Namenkontinuität und Namenwechsel entsprechend unserem Thema das Zentrum unserer Ausführungen[3].

Nun ist es bereits ein weithin bekanntes Faktum, daß die übergroße Mehrzahl der bei Beginn der deutschen Feudalherrschaft im Ostsaalegebiet vorhanden gewesenen altsorbischen Siedlungen und Siedlungsnamen zwecks Sicherung der Kommunikation zwischen 'Eroberern und Eingesessenen' (G. Schramm) bestehen blieben, da in dieser ersten Etappe generell noch keine bäuerliche deutsche Ansiedlung einsetzte. Demnach haben wir als sicher anzunehmen, daß etwa ein altsorbischer Ortsname *Lipsk* oder *Lipsko* 'Lindenort' (altsorb. *lipa* 'Linde') im Sorbischen weiter verwendet wurde, während im Deutschen die daraus abgeleitete (besser entlehnte) Namenform *Lipzig*, dann *Leipzig*, entstand. Altsorb. *Lipsko* und dt. *Lipzig*, nhd. *Leipzig*, wird man als selbständige Einheiten der jeweiligen Namensysteme des Sorbischen und des Deutschen anzusprechen haben und nicht als Erscheinung des Ortsnamenwechsels. Lediglich dann, wenn ein Ortsname (seinerseits altsorbischer Herkunft) wie etwa *Lochau* (zu einem altsorbischen Personennamen *Łoch*, gebildet mit dem possessivischen Suffix *-ov-*, also altsorb. *Łochov-*), der erst einer wüsten Siedlung zukam, dann aber ein Städtchen bezeichnete (so im Jahre 1528), aufgegeben wurde, weil er von seiten der herrschenden Klasse (in diesem Falle durch *Anna*, die Gattin des Kurfürsten August von Sachsen) den Namen *Annaburg* erhielt, haben wir einen Ortsnamenwechsel vor uns. Doch sind die beiden Namen nach Herkunft und sozialer Verankerung ganz verschieden zu beurteilen.

Nach einhundertfünfzig bis zweihundert Jahren deutscher Herrschaft hatte sich der Gebrauch der altsorbischen Siedlungsnamen auch durch die deutschen politisch-militärischen Kräfte im Lande so sehr gefestigt, daß auch die dann einsetzende bäuerliche deutsche Zuwanderung daran kaum etwas ändern konnte. So fand in überwiegendem Maße eine partielle lautlich-morphologische und, das jedoch sehr eingeschränkt, eine semantische Adaptation der altsorbischen Siedlungsnamen im ostelbisch-ostsaalischen Raum statt, wie jeder schon an den Städtenamen der DDR wie *Leipzig, Dresden, Bautzen, Cottbus, Potsdam, Schwerin, Rostock, Pasewalk* (und so weiter) erkennen kann.

Weitaus seltener gab es im deutsch-sorbischen beziehungsweise deutsch-polabischen Überschichtungsgebiet Siedlungswüstungen durch Kriegsereignisse oder herrschaftlich veranlaßte Siedlungsverlegungen und Siedlungskonzentrationen, die ebenfalls oft mit Siedlungsnamenverlust oder Siedlungsnamenwechsel verknüpft waren. Vom Begriff des Namenwechsels besser auszuschließen ist der Typ der sogenannten Misch-

---

[3] Zum Grundsätzlichen sieh H. Walther, Namenkundliche Beiträge zur Siedlungsgeschichte des Saale- und Mittelelbegebietes; H. Walther, Linguistische Studien 129/II, S. 391-399; H. Walther, Vom Mittelalter zur Neuzeit. Zum 65. Geburtstag von Heinrich Sproemberg, S. 77-89; H. Walther, Leipziger namenkundliche Beiträge, II, S. 19-28; H. Walther, PBB. 88 (Halle 1967) S. 467-476. - S. auch E. Gringmuth-Daller, Die Entwicklung der frühgeschichtlichen Kulturlandschaft auf dem Territorium der DDR. - Aus der älteren Literatur sieh in diesem Zusammenhang unter anderem J. Scheidl, ZONF. 1 (1925/1926) S. 178-186; F. Gause, Neue Ortsnamen in Ostpreußen seit 1800, S. 4ff.

namen (auch Kontaktnamen, onymische Hybride oder Hybridnamen genannt), die lexikalische Bildungsmittel aus beiden kontangierenden Sprachen enthalten. Auch Namenübersetzungen können nur bedingt unter dem Begriff Namenwechsel subsumiert werden.

Ein Siedlungsname kann grundsätzlich wechseln (1.) auf mehr oder weniger willkürliche Veranlassung einer politisch-gesellschaftlich höheren Autorität, etwa des feudalen Dorfherrn beziehungsweise Grundherrn, eines Gebietsherrn oder Territorialherrn, in jüngerer Zeit einer Verwaltungsinstanz, (2.) auch bei und durch die unmittelbaren Bewohner und Nachbarn infolge eines grundlegend veränderten Siedlungsstatus beziehungsweise einer neuen Siedlungsfunktion oder Siedlungsstruktur und (3.) aus einem eine neue Determination oder Differenzierung notwendig machenden oder aus einem zumindest erwünschten, veränderten kommunikativen Bedürfnis heraus. Hinsichtlich dieser Benennungsbedürfnisse oder Neubenennungsbedürfnisse wirkt die gesellschaftliche Gesetzmäßigkeit der permanenten Anpassung der Einzelbenennung an das wesenhaft veränderte Denotat beziehungsweise an die grundlegend andere Sehweise, Bewertung und Einordnung des Denotats in einem veränderten Gesamtzusammenhang. Man kann das auch als das Gesetz der relativen Wahrung der Adäquatheit einer Benennung bezeichnen, die für den onymischen Bereich grundsätzlich (jedoch mit bestimmten Einschränkungen) ebenso gilt wie für den appellativischen Bereich. Hier wie dort spielen gewandelte Interessenlagen und Bedürfnislagen der Kommunikanten neben dem Denotatswechsel die zentrale Rolle, das heißt also die Kommunikationsdeterminanten insgesamt.

Im Rahmen von Überlegungen zur Benennungsproblematik bei den sogenannten Wüstungsnamen, die für die Siedlungsnamenveränderung in gleichem Maße relevant sind, wurde auch auf die Siedlungsindiznamen im Sinne von Hans Kuhns sogenannten eigentlichen, echten Wüstungsnamen hingewiesen, auf Namen, die sekundär die Stelle einer abgegangenen Siedlung, einer Wüstung, benennen, ohne dabei den ursprünglichen eigentlichen Namen der verschwundenen Siedlung zu verwenden, also etwa Benennungen wie das *alte Dorf, Dörfling, Dorfstatt, die Höfe, die Wüstung, Wüsten,* viele mit *Mark* gebildete Bezeichnungen (und so weiter). Diese Namenart kann freilich auch unter dem Begriff des Namenwechsels mit erfaßt werden. Doch handelt es sich bei ihr noch mehr um appellativische Benennungen, die auf der Grenze zu den Eigennamen (meistens Flurnamen) stehen. Bei nur partiellen oder Interims-Wüstungen bleibt demgegenüber der primäre Siedlungsname in vielfach verstümmelter Gestalt, unkommentiert oder durch einsichtige Zusätze kommentiert (sieh zum Beispiel *Babitz → Papstmühle, Bolechina → Polkenberg, Domelitz → Tumultsbrücke, Mietitz → Mietsanger, Schortewitz → Schürzwiese, Strossen → Straußhof* [und so weiter]) erhalten.

Etwa folgende Veränderungen stehen sich im Siedlungswesen und Benennungsprozeß gegenüber und üben wechselseitigen Einfluß aufeinander aus:

Siedlungen	Benennungen
Siedlungsanlage, Siedlungsgründung	Namenbildung, Namenverleihung (Einnamigkeit, Mehrnamigkeit)

Unveränderter Fortbestand der Siedlung	Namenkontinuität
Siedlungswachstum, Siedlungsausbau	Namenwandel
Siedlungsschrumpfung	Namenreduktion
Siedlungsaufgabe, Siedlungsverlust	Namenschwund, Namenuntergang
Siedlungsfunktionswandel	Sekundärnamenbildung
Siedlungsstrukturwandel	Teilumbenennung
Siedlungskonzentration	Sammelbenennung
Siedlungsverlagerung (Standortwechsel)	Namenverlagerung, Namenübertragung
Siedlungsinsassenwechsel	Namenadaptation
Siedlungsunterstellungswechsel	Namenwechsel, Namenverdrängung

Wir lassen nun einige Beispiele folgen, bei denen ursprüngliche altsorbische Siedlungen (überwiegend Kleinsiedlungen aus der Zeit vor der Mitte des zwölften Jahrhunderts) durch Aufhebung, Umstrukturierung, Erweiterung oder Verlegung, Zusammenlegung mit deutschen Neusiedlungen und ähnlichem verschwanden und/oder eine deutsche Neubenennung erfolgte. Die Probleme der ansonsten weithin vorherrschenden Namenkontinuität, die hier als Gegenerscheinung nicht behandelt werden können, hat im deutsch-slawischen Kontaktgebiet eingehend W. H. Fritze[4] untersucht.

Heutiger Name	Ursprünglicher Name	Ursache des Namenwechsels
Flemmingen[5] sw. Naumburg	a. 1154 *in villa Tribune* a. 1152 *Hollandini qui et Flamingi*, a. 1209 *grangia Flaminghe*, a. 1213ff. *Flamingen, Flemingen*	Auflösung des altsorbischen Dorfes, Anlage eines Wirtschaftshofes des Klosters Pforta, Neuansiedlung von Niederländern

---

[4] Deutsch-slawische Namenforschung. Vorträge und Berichte aus Anlaß der wissenschaftlichen Tagung des J. G. Herder-Forschungsrates über Probleme der deutsch-slawischen Namenforschung am 21. und 22. Oktober 1976, S. 1-39; wieder abgedruckt in: W. H. Fritze, Frühzeit zwischen Ostsee und Donau. Ausgewählte Beiträge zum geschichtlichen Werden im östlichen Mitteleuropa vom 6. bis zum 13. Jahrhundert, S. 382-422.

[5] E. Eichler - H. Walther, Untersuchungen zur Ortsnamenkunde und Sprach- und Siedlungsgeschichte, S. 142f.

Wüstung *Selzen*[6] sö. Zeitz (bis um a. 1500 bestehende Siedlung)	a. 1168 *Sylezen vel villa Ernesti (Ernstdorf)*	Der Zweitname *Ernstdorf* wird nur einmal erwähnt, der Ministeriale Ernst und sein gleichnamiger Sohn (a. 1139 bis 1190).
Weidau[7] nw. Zeitz	a. 976 *Bisilouua*, a. 1251 *villa Pizelowe vel Widen*, danach *Wide(n)*	Grund für Umbenennung unbekannt.
Grimschleben[8] nö. Bernburg	a. 978 *in castello ... Sclavomice quondam Budizco, nunc autem Theutonice, Grimmerslovo* (ähnlich a. 979, a. 983, a. 1024)	Umbenennung infolge deutscher Burgbelegung seit circa. a. 950
Wüstung *Frankendorf*[9] ö. Wettin (bis circa a. 1450 bestehende Siedlung)	a. 1184 *Frankendorp que et Liubanuwiz*, seit a. 1288 nur noch *Vrankendorp*, a. 1485 *Franckendorffmarcke*	Umbenennung infolge Besetzung mit deutschen Siedlern
Mehltheuer[10] s. Riesa	a. 1264ff. *Nuendorph*, a. 1424 *Meltewer*, a. 1501 *Mehltheuer* oder *Nawendorf*	Nach a. 1501 ist der Erstname *Naundorf* nicht mehr bezeugt, wegen seiner Häufigkeit wohl aufgegeben
Naundorf[11] nö. Dessau	a. 1159 *Nuzedele et Nimiz*	Zusammenlegung und deutsche Umbenennung (Übersetzung)
Wohlsdorf[12] w. Köthen	a. 986 *villam quandam Zitowe vocatam*, 14. Jahrhundert Marginale auf Kopie der Urkunde von a. 986: *que nunc dicitur Wolestorpe*, um a. 1360 *Wolstorp*	Umbenannt nach einem Reichsministerialen *Wale* (erwähnt a. 986)
Utenbach[13] s. Naumburg	vermutlich Nachfolgename des a. 976 an dieser Stelle genannten *Cesice*	Zweitname *Utenbach* vermutlich durch Adelsfamilie von *Utenbach* bei Apolda übertragen

----

[6] Ebenda, S. 293.   [7] Ebenda, S. 322.

[8] D. Freydank - K. Steinbrück, WBUHW. 26 (1966) S. 101.

[9] A. Richter, Die Ortsnamen des Saalkreises, S. 85.

[10] E. Eichler - H. Walther, Die Ortsnamen im Gau Daleminze, I, S. 192.

[11] E. Weyhe, Landeskunde des Herzogtums Anhalt, II, S. 390.

[12] Ebenda, S. 501.

Nicht ganz selten sind in der weiteren, interndeutschen Entwicklung die Fälle, in denen ein hochmittelalterlicher oder jüngerer Burgname den Namen der anschließenden meist älteren dörflichen oder frühstädtischen (suburbanen) Siedlung verdrängte. Beispiele sind (Bad) Liebenstein b. Bad Salzungen (bis zum 19. Jahrhundert Sauerborn, Heilquelle); Ehrenstein Kreis Arnstadt (bis nach a. 1600 Teichmannsdorf). Mit Einschränkung gehört hierher auch der Name der Stadt Altenburg (a. 976ff. Altenburg), das bis in das elfte Jahrhundert auch noch mit seinem alten Namen Plisna/Plisina bezeichnet wurde, der aber ganz außer Gebrauch kam (a. 1064 Blisna, a. 1113 olim Plisna). Umgekehrt behauptete sich der alte slawische Name Kabelitz (ö. Tangermünde) trotz zeitweiliger Verdrängung durch den Namen der havelbergischen Bischofsburg Marienburg bis heute: a. 1150 Marianburg urbem que et Cobelitze dicitur, a. 1157 Kobelitz que et Marienburg.

Herrschaftliche Umbenennungen von Siedlungen erfolgten verstärkt im Zeitalter des Absolutismus durch die Landesfürsten und auch kleinere Potentanten, vielfach im Zusammenhang mit der Errichtung von Schlössern und Nebenresidenzen, Rittergütern (und so weiter). Anfänge davon finden sich bereits im 16. Jahrhundert: Jahnishausen[14] s. Riesa: a. 1506 Jhon (a. 1503 Jhan) von Schleynitz zu Jhonßhausen, im dorfe Watzcewicz, iczunder Jhonshaußen genant; Erffa nw. Gotha erhielt a. 1689 den Namen des a. 1680 angelegten Schlosses Friedrich(s) Werth nach dem Herzog Friedrich von Gotha; Naundorf nnw. Altenburg wurde a. 1738 in Rautenberg umbenannt nach dem Rittergutsbesitzer Karl Siegmund von Rautenkranz, zugleich Stadtkommandant von Altenburg; Lochau[15] nö. Torgau: seit a. 1572/1573 Annaburg, nach der sächsischen Kurfürstin Anna (Umbenennung anläßlich eines Schloßneubaus); Klipphausen[16] n. Wilsdruff: a. 1286 Rudhingesdorf, a. 1458 das cleyne Rudigistorff, a. 1554 Kliphausen, so hiebevorn Rürsdorff genant gewest. Den Namen Klipphausen gab a. 1528 Hieronymus von Ziegler dem Dorfe Rürsdorf und dem von ihm erbauten Schloß; Muldenstein[17] nö. Bitterfeld: bis a. 1578 Lausick (a. 1445 Lusk, a. 1501 Lussigk, a. 1531 Steinlausick). Der Ort wurde vom neuen Rittergutsherrn und Dorfherrn von Gleißenthal (seit a. 1555) in Mildenstein (Milde 'Mulde') umbenannt (a. 1578); Thangelstedt[18] s. Bad Berka s. Weimar hieß bis a. 1739 Saufeld (a. 954 Suveldun). Die Dorfherrenfamilie von Thangel nahm a. 1739 die Neubenennung vor, wohl wegen der Anstößigkeit des alten Namens.

---

[13] E. Eichler - H. Walther, Untersuchungen zur Ortsnamenkunde und Sprach- und Siedlungsgeschichte, S. 216f.

[14] E. Eichler - H. Walther, Die Ortsnamen im Gau Daleminze, I, S. 122.

[15] B. Wieber, Die Ortsnamen des Kreises Torgau, S. 57f.

[16] E. Eichler - H. Walther, Die Ortsnamen im Gau Daleminze, I, S. 136.

[17] D. Freydank, Ortsnamen der Kreise Bitterfeld und Gräfenhainichen, S. 53.

[18] H. Walther, Namenkundliche Beiträge zur Siedlungsgeschichte des Saale- und Mittelelbegebietes bis zum Ende des 9. Jahrhunderts, S. 283.

Zuweilen konkurrierten kirchliche und ältere nichtkirchliche Benennungen einer Siedlung miteinander, bis sich die eine oder die andere Benennung amtlich durchsetzte. Aus diesen vorhandenen Doppelbenennungen (Namendubletten) ergab sich so meist ein nur scheinbarer Namenwechsel[19]. Beispiele sind *Frauendorf*[20], Ortsteil von Kuckeland nw. Leisnig: a. 1234 *Nidabudowiz*, a. 1254 *Nydabudowiz* und *Vrowendorf*; Umbenennung wegen Gütererwerbs im Ort Nydabudowiz durch das Kloster *Buch* (*St. Marienthron*, Zisterzienser) bei Leisnig; *Münchhof*[21] nnö. Döbeln: a. 1213 *villa Begerwitz*, a. 1224 *Begarwiz*, a. 1466 *Monchhof*; Aufhebung des Dorfes durch Anlage eines Klosterhofes des Klosters *Buch* im 14. bis 15. Jahrhundert; *Mertendorf*[22] sö. Naumburg: vermutlich Nachfolgename des schwer identifizierbaren a. 976 *Gruza in pago Uueta*, a. 1178 *Mertindorf*; wohl nach dem heiligen *Martin* vom Bischof Zeitz-Naumburg vor a. 1178 umbenannt; *Neukloster*[23], Kreis Wismar: um a. 1165 *Cuzin*, a. 1219 *Cuszin*, mit Kloster *Campus Solis*, a. 1243ff. *Novum claustrum*, a. 1374ff. *Nyenkloster*. Die Benennung gewann rasch den Vorrang vor dem alten Dorfnamen.

Mit der zur Gegenwart hin fortschreitenden administrativen und agrarökonomisch-organisatorisch notwendigen Großgemeinde beziehungsweise der Großagrarkomplexbildung unserer Zeit verschwinden wiederum vielfach die Namen der bisherigen Einzelgemeinden. Und es werden verschiedentlich völlig neue Namen für die neue Gesamtgemeinde geschaffen. Die neuen Gemeindekomplexe erhielten in der DDR die Bezeichnung Gemeindeverband. Über diesen Prozeß und seine Folgen für die Benennungsentwicklung hat zuletzt K. Hengst[24] informiert. Die neuen Gemeindeverbandsnamen zeigen überwiegend einen landschaftlich-territorialen Bezug. Sieh etwa *Treuener Land, Saalfelder Höhe, Bielathal, Muldenthal, Schwartenberg, Thümmlitzwald* (und so weiter). Eine Zwischenstufe ohne Neunamengebung stellt die Koppelung zweier bisheriger Gemeindenamen (etwa die der bedeutendsten Gemeinden bei noch mehreren Gemeinden) dar. Sieh *Dommitzsch-Trossin, Gornsdorf-Auerbach, Leipzig-Nord* (und so weiter). Als Beispiel für eine schon im Jahre 1938 erfolgte Vereinigung zweier Gemeinden unter einem neuen Namen sei das Ostseebad *Kühlungsborn* erwähnt, dessen Name an einen Küstenwaldstreifen *Die Kühlung* anknüpfte. Die zwei früher selbständigen Gemeinden hießen *Arendsee* und *Brunshaupten*.

Die gewaltsame Verdeutschung slawischer Ortsnamen in der Zeit der faschistischen Herrschaft richtete sich vor allem gegen die sorbische Nationalität in der Oberlausitz

---

[19] Dazu H. Walther, Ebenda, S. 72ff.

[20] E. Eichler - H. Walther, Die Ortsnamen im Gau Daleminze, I, S. 77.

[21] Ebenda, S. 211.

[22] E. Eichler - H. Walther, Untersuchungen zur Ortsnamenkunde und Sprach- und Siedlungsgeschichte, S. 220.

[23] R. Trautmann, Die slavischen Ortsnamen Mecklenburgs und Holsteins, S. 88.

[24] Beiträge zur Theorie und Geschichte der Eigennamen, S. 102-109.

und Niederlausitz, aber auch gegen stark slawisch geprägte Namenlandschaften wie
die des Altenburger Landes[25].

Die genannten Erscheinungen lassen folgendes deutlich erkennen: Der Namengebrauch wurde und wird auch noch heute durch das praktische gesellschaftliche Leben bestimmt. Im engeren Umkreis erhält oder trägt mancher Ort einen volkstümlichen Namen, den die unmittelbaren Umwohner geben beziehungsweise verwenden
und der mit einem nach anderen Gesichtspunkten verliehenen amtlichen Namen
konkurriert. Auf derselben Linie liegt die Fülle der Ortsschelten und Bewohnernecknamen, die den amtlichen Namen dadurch in seiner Funktion auf kommunikativer
Ebene nicht beeinträchtigen. Der offizielle, amtliche Siedlungsname trägt, auch
wenn er semantisch durchsichtig (motiviert) ist, wesentlich stärker etikettierenden,
plakativen Charakter als ein zuweilen neben ihm stehender volkssprachlicher Name,
der um seiner Aussagekraft willen viel häufiger appellativnahe, beschreibend-kommentierende Qualität besitzt. Bei stärkerer Lockerung landschaftlicher und örtlicher
Bindungen der Bewohner beziehungsweise der Nachbarn ist ein inoffizieller, herrschaftlich oder rechtlich nicht sanktionierter Siedlungsname eher dem Untergang
geweiht als ein herrschaftlich oder amtlich anerkannter Siedlungsname. Dem späteren Betrachter kann ein solcher Vorgang als Siedlungsnamenwechsel erscheinen. Es
braucht jedoch nicht unbedingt ein Siedlungsnamenwechsel zu sein.

---

[25] H. Walther, Namenkundliche Beiträge zur Siedlungsgeschichte des Saale- und
Mittelelbegebietes bis zum Ende des 9. Jahrhunderts, S. 73 (mit Literatur); H. Herz,
JBRG. 1 (1965) S. 81-88 (u.a.).

Jürgen Udolph

Zum Problem der Slavisierung
alteuropäischer Gewässernamen in Franken

In der slavischen Namengebung ist 'das mit Abstand häufigste Suffix im Bereich der Derivation von Toponymen aus Appellativen ... -ica, das in Verbindung mit -ov- als -ovica und mit -ъn- als -ъnica erscheint'. Mit diesem Satz leiten E. Eichler und H. Walther[1] den Abschnitt 'Ableitung mittels Suffixen' bei der Diskussion der slavischen Ortsnamenbildungen der Oberlausitz ein. Einer neueren polnischen Publikation kann man weitere Einzelheiten über die Genese und Verbreitung dieses Wortbildungselementes (vor allem im Westslavischen) entnehmen[2]. Eine Kartierung der dieses Suffix enthaltenden altslavischen Gewässernamen zeigt die hohe Produktivität dieses Suffixes[3]. Es handelt sich zweifellos um ein Element, das im Slavischen sehr lebendig gewesen ist. Belege lassen sich seit altkirchenslavischer Zeit beibringen[4].

Die hohe Produktivität im onymischen Bereich zeigt sich auch einem sprachwissenschaftlichen Laien, wenn er zum Beispiel bei einer Autofahrt nach Berlin Ortsnamen wie *Paplitz, Köpernitz, Dörnitz, Nahmitz, Drewitz, Steglitz* und anderen mehr begegnet[5] und wenn er weiß, daß er damit ehemals slavisches Siedlungsgebiet erreicht beziehungsweise durchquert hat. Es fragt sich aber, ob jéder Name, der ein Suffix -itz oder -ica enthält, auch wirklich slavischer Herkunft ist. Mit dieser Problemstellung ist der sprachwissenschaftliche Laie überfordert, und die Frage ist an den Namenforscher und Linguisten weiterzugeben. Dessen Aufgabe ist es also, im Einzelfall zu klären, aus welchen Bestandteilen ein Name 'zusammengesetzt' ist, welche Wurzel, welcher Stamm, welches Suffix oder Grundwort und Bestimmungswort zugrunde

---

[1] Ortsnamenbuch der Oberlausitz, II, S. 72f.

[2] E. Rzetelska-Feleszko, Rozwój i zmiany toponimicznego formantu -ica; sieh dazu aber auch E. Eichler - H. Walther, Untersuchungen zur Ortsnamenkunde, S. 65 mit A. 110.

[3] J. Udolph, Studien zu slavischen Gewässernamen, S. 561-563 mit Karte 96.

[4] Sieh zum Beispiel W. Vondrák, Vergleichende slavische Grammatik, I, S. 613-615.

[5] Wir gehen an dieser Stelle nicht auf das Problem ein, daß sich hinter dem eingedeutschten -itz auch slavische Suffixe wie *-ъcъ, -ici und andere mehr verbergen können.

liegen dürfte. In Bereichen, in denen Kontakte zwischen zwei oder mehreren Sprachen stattgefunden haben, ist nun ein sekundärer Angleichungsprozeß an ein besonders lebendiges Element der Superstratsprache keine außergewöhnliche Erscheinung.
Bei A. Bach[6] heißt es dazu: 'Deutsche Namen werden durch Analogie auch an die
slav. auf -itz angeglichen ...: *Churschütz* b. Lommatsch hieß nach seinem Gründer
Conrad ... a. 1180 *Conradesdorf*, woraus *Conraditz* und schließlich *Churschütz* wurde. Die Nachbardörfer *Albertitz*, *Arntitz*, *Berntitz* hießen ursprünglich ... *Alberts-
dorf*, *Arndsdorf* und *Bernsdorf'*. Entsprechendes findet sich in einigen Bänden der
Deutsch-slawischen Forschungen zur Namenkunde und Siedlungsgeschichte[7]. Zahlreiche Fälle dieser Erscheinung hat E. Schwarz[8] in dem Abschnitt 'Zu Unrecht als
slawisch erklärte Namen' seiner grundlegenden Abhandlung angeführt. Daraus sei
nur ein resümierender Satz zitiert: 'Es ist bekannt, daß deutsche genetivische ON im
Laufe der Entwicklung in der Schrift und auch in der Mundart ein -itz angenommen
haben, das sekundär ist, aber Laien täuschen kann'[9]. E. Schwarz weist unter anderem auf Ortsnamen wie *Ködritz*, *Kodlitz*, *Modlitz*, *Schossaritz* und *Nasnitz* hin. Mit
diesen Bemerkungen haben wir uns bereits dem Frankenland zugewandt. Es empfiehlt sich jedoch vor einer Diskussion der alteuropäisch-slawischen Problematik in
diesem Gebiet ein Blick auf eine andere Kontaktzone, nämlich den slawisch-balti-
schen Grenzraum.

Durch die in jüngster Zeit verstärkte Bearbeitung dieser Region[10] ist die Material-
basis erheblich verbessert worden. Der oben angesprochene Einfluß eines slawischen
Suffixes läßt sich auch in diesem Kontaktbereich nachweisen. H. Górnowicz[11] un-
terstreicht in der Diskussion um den Seenamen *Sowica* (auch *Sowicy*) bei Prabuty/
Riesenburg in Pomesanien, der vor dem Jahre 1330 als *lacus Sobis*, *Sobizin* belegt ist
und dt. *Zuweiser See* hieß, die baltische Herkunft dieses Namens und das Einwirken
des slawischen Suffixes *-ica*. J. Prinz[12] bringt einen litauischen Ortsnamen *Obelitė*
aus dem ehemaligen Gouvernement Suwałki (Nordostpolen) bei, der polonisiert als
Obelica erscheint und wo das litauische Suffix *-yt-* 'durch das slav. Suffix *-ica* gedeutet wird'. Zur Frage, wie Toponyme fremden Ursprungs dem System der eigenen
Sprache angepaßt werden, äußert J. Prinz[13]: 'Bei der morphologischen Anpassung

---

[6] Deutsche Namenkunde, II, 2, § 761, S. 574.

[7] Deutsch-slawische Forschungen zur Namenkunde und Siedlungsgeschichte, Band
1ff., Halle/Saale, später Berlin, 1956ff.

[8] Sprache und Siedlung in Nordostbayern, S. 305-308.

[9] Ebenda, S. 305.

[10] Sieh vor allem die in der Reihe Pomorskie Monografie Toponomastyczne seit
dem Jahre 1974 erschienenen Bände der Danziger Onomastischen Arbeitsgruppe
(s. dazu J. Udolph, ZOF. 30 [1981] S. 75-95) und die von W. P. Schmid neu heraus-
gegebene Reihe Hydronymia Europaea, Lieferung 1ff., Wiesbaden-Stuttgart 1985ff.

[11] Toponimia Powiśla Gdańskiego, S. 264; verwandte baltische Namen behandelt
K.-O. Falk, Wody wigierskie i huciańskie, S. 188ff.

[12] Die Slavisierung baltischer und die Baltisierung slavischer Ortsnamen, S. 115.

[13] Ebenda, S. 96.

spielen die S u f f i x e eine überragende Rolle, da sie vielgestaltiger sind als die Präfixe und Endungen, sehr viel häufiger in Ortsnamen auftreten als die Präfixe und
einen umfangreicheren und konstanteren Lautkörper besitzen als die Endungen, die
zudem noch dem flexionsbedingten Wechsel ihrer Gestalt unterliegen'.

Wir haben gesehen, daß eine Slavisierung mittels des Suffixes -ica sowohl im sla-
visch-deutschen wie im slavisch-baltischen Berührungsgebiet beobachtet werden
kann. Es fragt sich nun, ob diese Erscheinung auch bei der Slavisierung älterer, vorslavischer Namen zu beobachten ist. Nach einem Blick in die polnische Hydronymie
und einer kurzen Betrachtung entsprechender Verhältnisse im deutsch-slavischen
Grenzgebiet werden wir uns dann dem Frankenland zuwenden.

Im heutigen Polen lassen sich nicht wenige Fälle einer Slavisierung mit Hilfe des
hier in Rede stehenden Suffixes nachweisen. Ich denke an folgende Gewässernamen:
1. *Wierzyca*, dt. *Ferse*, a. 1198 *Verissa*, a. 1229 *predictae Verisse* und so weiter, a.
1341 *bey der Veritz*[14], Nebenfluß der unteren Weichsel. 'Die Polonisierung des Namens als *Wierzyca* erfolgte unter Einfluß des in der pommerschen Hydronymie häufigen Suff. -ica'[15]. Der Name enthält die in alteuropäischen Gewässernamen häufige
Wurzel *$u\breve{e}r$- 'Wasser, Feuchtigkeit' und ist vorslavischer Herkunft[16]. 2. *Pilica*, a.
1136 *Pelza*, a. 1228 *citra Pilciam*, a. 1229 *Pylcze* (und so weiter[17]), ein Nebenfluß
der mittleren Weichsel, weist ein sekundäres -ica auf. Die Grundform kann als *$*P\c{l}ti\bar{a}$
angesetzt werden. Auf die Verwandtschaft mit der *Fulda* ⟨ *$*P\c{l}t\bar{a}$ und die Etymologie
ist an anderer Stelle schon eingegangen worden[18]. 3. *Regalica*, dt. *Reglitz*, Oderarm
bei Stettin, a. 1212 *Regala*, a. 1254 *Regelitz* (und so weiter[19]). Der Name ist zusammen mit dem der *Rega* (Zufluß zur Ostsee), dem des *Regen* und *Regensburg* sowie
weiterer Hydronyme zur Wurzel idg. *$*re\hat{g}$- 'feucht, bewässern, Regen' zu stellen[20].
Das slavische Suffix -ica ist sekundär angetreten.

Auch im deutsch-slavischen Kontaktgebiet ist mit der Existenz voreinzelsprachlicher, alteuropäischer Gewässernamen zu rechnen. Aus der jüngsten Veröffentlichung
E. Eichlers und H. Walthers[21] ergibt sich, daß auch die Möglichkeit von Slavisierun-
gen alter Gewässernamen mit Hilfe des slavischen Suffixes -ica in Betracht gezogen
werden muß. In Frage kommen zwei Namen aus dem Kreis Merseburg: *Ber(it)ze*,

---

[14] Zu Belegen und bisheriger Literatur s. H. Gornowicz, Gewässernamen im Flußgebiet der unteren Weichsel, S. 36f.

[15] Ebenda, S. 37.

[16] Sieh ausführlich dazu J. Udolph, Die Stellung der Gewässernamen Polens innerhalb der alteuropäischen Hydronymie (in Vorbereitung).

[17] St. Kozierowski, Badania nazw topograficznych, II, S. 18.

[18] J. Udolph, BNF. NF. 16 (1981) S. 95-99.

[19] E. Rzetelska-Feleszko - J. Duma, Nazwy rzeczne Pomorza, S. 97.

[20] Sieh G. Schlimpert, ZS. 17 (1972) S. 441; demnächst sieh ausführlich dazu J.
Udolph, Die Stellung der Gewässernamen Polens innerhalb der alteuropäischen
Hydronymie (in Vorbereitung).

[21] Untersuchungen zur Ortsnamenkunde.

Ber(is)se, *Birze*, eine Ortswüstung mit dem Bachnamen *die Berse, Bersche*[22], ein Name, der möglicherweise 'germ. **Berisa* zu ide. **bher-* 'aufwallen, aufquellen, sieden, wogen' enthalten könnte'[23]. 'Dieses **Berisa* könnte als **Berica* sorabisiert worden sein'[24]. Der andere Fall dürfte im Namen der Ortswüstung *Epitz* bei Merseburg vorliegen, 'da die Wüstung ... an einem Bach, dem heutigen Floßgraben, zu suchen ist'[25]. An eine mutmaßliche Grundform '**Epe, *Episa* o.ä. müßten ... die umwohnenden Sorben das Suffix *-ica* bzw. *-ici* angefügt haben'[26].

Nach diesen Ausführungen, die dazu dienen sollten, die Produktivität des slavischen Suffixes *-ica* bei Übernahme und Slavisierung von Toponymen nichtslavischer Herkunft deutlich zu machen, können wir zu einigen Gewässernamen in Franken übergehen. Das hier angesprochene Integrationsproblem läßt sich meines Erachtens an den fränkischen Flußnamen und Ortsnamen *Pegnitz*, *Rednitz* und *Weidnitz* darstellen.

Abschließend soll ein Blick auf das fränkisch-bayerische Grenzgebiet geworfen werden. Daraus wird sich die auffällige Erscheinung ergeben, daß alteuropäische *-nt*-Bildungen ihre Grundform (die einfache *-ā-* beziehungsweise *-os*-Ableitung) im Osten besitzen.

1. *Pegnitz*. Die ältesten Belege für diesen Namen hat R. Sperber[27] zusammengestellt. Daraus seien hier genannt: a. 912 *Paginza*, a. 1021 *inter suababa et pagenza fluuios*, a. 1047 *circa Pagenza*. Der erste Beleg mit *-itz* begegnet a. 1196: *iuxta flumen Begnitz*. Der slavische Anklang des Namens hat in älterer Zeit dazu verführt, an eine Verbindung mit einem slavischen Appellativum zu denken, nämlich russ., ukrain. (und so weiter) *bagno* 'Sumpf, Morast'[28]. In diesem Sinne sprachen sich Bogenhardt[29] in einem Beitrag aus dem Jahre 1871 und C. Beck[30] in seinen Studien aus. Ihr Ansatz **Bagъnьcь* (der im Slavischen durchaus belegt werden kann[31]) läßt sich jedoch mit der älteren Überlieferung des Ortsnamens und Gewässernamens *Pegnitz*, die auf eine **-nt*-Ableitung weisen, nicht vereinbaren[32]. Daß jedoch die

---

[22] Ebenda, S. 119.   [23] Ebenda, S. 23.

[24] Ebenda, S. 24.   [25] Ebenda, S. 140.

[26] Ebenda, S. 140. Bei beiden Namen ist jedoch nicht zuletzt aufgrund der Verbreitung (zu *Beritze* sieh etwa den schlesischen Ortsnamen und Gewässernamen *Bieraw[k]a* und die Ausführungen bei J. Udolph, Die Stellung der Gewässernamen Polens innerhalb der alteuropäischen Hydronymie [in Vorbereitung].) der verwandten Namen auch voreinzelsprachliche Herkunft zu erwägen.

[27] Das Flußgebiet des Mains, S. 128.

[28] Zu diesem Wort s. J. Udolph, Studien zu slavischen Gewässernamen, S. 324-336.

[29] Zu "Rednitz" und "Regnitz", Mittheilungen aus dem Archive des Voigtländischen alterthumsforschenden Vereins in Hohenleuben, S. 30-38, hier S. 33.

[30] Die Ortsnamen der Fränkischen Schweiz, S. 96f.

[31] Sieh J. Udolph, Studien zu slavischen Gewässernamen, S. 329.

[32] Ebenda, S. 324-336.

Verknüpfung mit dem slavischen Wasserwort ihre Berechtigung hat, wird noch behandelt werden.

Die Aufdeckung der alteuropäischen Hydronymie durch H. Krahe hatte auch für den fränkischen Namen Konsequenzen. Morphologisch ließen sich genaue Parallelen in der europäischen Gewässernomenklatur nachweisen, man vergleiche: (a) a. 1377 *Begnicz*, heute verschwundener Bachname in der Rhön[33]; (b) *Baganza*, Flußname in Norditalien (dazu die Ortsnamen *Baganzola* und *Baganzolina* in der Provinz Parma)[34]. Dieser Vergleich löst den Namen *Pegnitz* aus der Isolation und erlaubt die Verknüpfung mit einer indogermanischen Sippe von Appellativen und Namen. In aller Kürze seien hier genannt: germ. *baki-, *bakja- in ahd. *bah*, as. *bece* 'Bach', mittelir. *búal* ⟨ *bhog-lā* 'fließendes Wasser', slav. *bagno* ⟨ *bāgъno* 'Sumpf, Morast', nasalinfigiert lit. *bangà* 'Welle'[35].

Bei den Namen ist im Wurzelauslaut ein Schwanken zwischen *-g- und *-k- zu beobachten, ein Wechsel, der gerade in Verbindung mit Nasalinfigierung besonders häufig beobachtet werden kann[36]. Neben den schon genannten *-nt*-Ableitungen sind noch die eine germanische Grundform *Bak-ino* voraussetzenden Flußnamen *Beke* und *Bigge*[37] (im Gebiet der Lippe beziehungsweise Lenne), *Beke*, Nebenfluß der Wümme[38] und der a. 903 erwähnte Flußname *Bachinaha flumen* in Oberösterreich[39] anzuführen. A. Greule[40] stimmt in diesem Zusammenhang der Auffassung von D. Schmidt zu, die 'eine Entscheidung, ob der FlN. *Bakino aus vorgerm. *bhogina mit *Bagantia zusammen einer voreinzelsprachlichen FlN.-Sippe angehört oder einer germ. Bildung entstammt, für kaum möglich hält', denn 'zum Beweis einer gar alteuropäischen Sippe ist das Material neben *Bagantia und *Bakino doch zu gering'[41]. A. Greule hat dieser Sippe neben dem schon erwähnten oberösterreichischen Namen noch die elsässische *La Béchine* (ebenfalls ⟨ *Bakino*) hinzugefügt und auf den größten Fluß dieses Namenkomplexes, den *Südlichen Bug* ⟨ *Bogъ*[42] in der Ukraine, aufmerksam gemacht. Wenn man sich die Verbreitung der Appallative im Slavischen, Germanischen, Keltischen und der Namen in der Ukraine, im Baltikum[43] und in

---

[33] H. Krahe, BNF. 4 (1953) S. 43.

[34] Ebenda, S. 43.

[35] Ebenda, S. 43f.; weiteres germanisches Material sieh jetzt bei P. Hessmann, Gießener Flurnamen-Kolloquium, S. 191f.

[36] Dazu wird an anderer Stelle zurückzukommen sein.

[37] D. Schmidt, Die Namen der rechtsrheinischen Zuflüsse zwischen Wupper und Lippe, S. 17-19.

[38] A. Greule, Vor- und frühgermanische Flußnamen am Oberrhein, S. 31.

[39] Ebenda, S. 31.

[40] Ebenda, S. 31.

[41] Ebenda, S. 31.

[42] Zu den Einzelheiten s. J. Udolph, IF. 88 (1983) S. 98-108.

[43] Nasalinfigierte Toponyme bietet V. N. Toporov, Prusskij jazyk, I, S. 192.

Mitteleuropa betrachtet, wird man sich aber doch fragen müssen, ob man dieser Sippe nicht doch das Etikett 'alteuropäisch' verleihen darf. Die entscheidende Frage ist dabei der aus dem appellativischen Bereich der indogermanischen Sprachen ähnlich. Auch dort gibt es 'bislang überhaupt keine verbindlichen Kriterien dafür ..., was den Anspruch darauf erheben kann, in das gemeinsame Formelinventar aufgenommen zu werden'[44].

Aus dieser Diskussion ist für den Namen *Pegnitz* und für unsere Fragestellung festzuhalten: Der Name ist voreinzelsprachlicher Herkunft. Seine heutige, slavisch anmutende Lautung ist Folge eines sekundären Prozesses, dem auch unser nächster Fall, der Name der *Rednitz*, unterworfen gewesen ist.

2. *Rednitz.* Dieser Teilabschnittsname des Flußlaufes *Rezat-Rednitz-Regnitz* zeigt in seinen ältesten Belegen wie die *Pegnitz* ein -*nt*-Suffix: a. 810 und öfter *Radantia* (und so weiter)[45]. Ältere Deutungsversuche verzeichnet H. Krahe[46]. Unter Einbeziehung von Namenparallelen sowie des häufigen griechischen Quellnamens Ἀρέϑουσα kommt er zu dem Schluß, daß eine vor allem in Gewässernamen nachweisbare Wurzel **redh-/rodh-* 'fließen, Flußlauf' angesetzt werden darf. Die Entwicklung zur heutigen Form hat E. Schwarz[47] dargestellt: 'Die späteren Schreibungen 1007 *Ratenza* ..., 1069 *Retneza* ..., 1327 *Redentz* ..., spiegeln die Entwicklung im deutschen Munde wider, indem Umlaut eingetreten ist und -*neza*, -*niza* für geschwächtes -*entia* begegnet. Aus der Schreibung und Aussprache -*nitz* ist also nicht auf einen slawischen Namen zu schließen, wie die ältere Forschung gemeint hat'. Es verwundert außerordentlich, daß diese treffenden Bemerkungen zum Teil doch unbeachtet geblieben sind. So heißt es in einem im Jahre 1980 erschienenen Beitrag von S. Rospond[48]: 'M. Vasmer engte die Deutung der Basis *rad*- dadurch ein, daß er sie an slaw. *radъ* 'gern' anschloß und den Bachnamen *Rednitz* in Franken als **Radętja* deutete, statt ihn einfach aus **Radnica* vom Morphem urslaw. *rad*- als Fortsetzung von ide. **rōd*- 'schaben, graben', auch 'schnell fließen' (bei Gewässernamen), anzusehen'. Diese kritische Bemerkung enthält mehrere schwere Fehler[49], sowohl in der Beurteilung des Wurzelvokals wie in der des Wurzelauslauts und schließlich auch im Hinblick auf das anzusetzende Suffix. Wie gerade die ältesten Belege des Namens deutlich machen, ist keinesfalls von einem slavischen -*ica*-Suffix auszugehen, sondern von einem -*nt*-haltigen Bildungselement. Der Name der *Rednitz* zeigt keinerlei Spuren einer Slavisierung. Sämtliche zu erschließenden und zu beobachtenden Lautveränderungen können ohne Berücksichtigung des Slavischen erklärt werden.

---

[44] W. P. Schmid, Indogermanistische Modelle und osteuropäische Frühgeschichte, S. 4.

[45] Die Belege für diesen Flußnamen hat R. Sperber, Das Flußgebiet des Mains, S. 133f. zusammengestellt.

[46] BNF. 4 (1953) S. 44-47.

[47] Sprache und Siedlung in Nordostbayern, S. 21.

[48] Beiträge zur Onomastik, S. 157.

[49] Zu den Einzelheiten siehe J. Udolph, BNF. NF. 17 (1982) S. 86.

Für unser eigentliches Thema bringt uns dieser Name somit keine wesentlichen Erkenntnisse. Das Slavische spielt aber doch eine gewichtige Rolle, die ich im folgenden wenigstens kurz vortragen möchte. Wie schon im Fall der *Pegnitz* bietet das heutige slavische Siedlungsgebiet Namenparallelen, die bisher nur wenig beachtet wurden, aber für unseren fränkischen Namen von großer Bedeutung sind.

Einerseits ist zu konstatieren, daß im polnischen Sprachgebiet genaue Entsprechungen nachgewiesen werden können, andererseits ist auffällig, daß (wie im Fall von *Pegnitz*) der Osten die einfache *-ā/-os*-Ableitung kennt. Man vergleiche: *Radęca*, dt. *Radenza* (auch umbenannt in *Radenz*), Flußname im Gebiet der Barycz/Bartsch im heutigen Westpolen, a. 1303 *Radancza*, a. 1541/1545 *Radzancza*, a. 1595 *Radecza*, *rzeki Radenczy*, a. 1615 *nad rzeką Radecą*[50]. Der Name eines Sees bei Inowrocław (heute nicht mehr bestehend) ist wie folgt überliefert: a. 1065 (?) bis ungefähr a. 1155 (?) *Radence*, *Radzencze*, a. 1103 *Radencze*, a. 1249 *cum ... lacubus Tirlang et Razancze*, a. 1459 *Razancze*, a. 1463 *Radzynyecz* (Slavisierung ?!), a. 1463 (Abschrift) *Razącze*[51]. Schließlich ist zu nennen der Flußname *Reda*, dt. *Rheda*, in Westpreußen, dessen alte Belege (a. 1230 und öfter *ad Radam, Rada, Rada* [und so weiter][52]) unter Berücksichtigung des kaschubischen Lautwandels *ra-* ⟩ *re-* auf eine Grundform **Radā* zurückgeführt werden können.

Ich übergehe an dieser Stelle weitere, sicher hier anzuschließende Hydronyme wie *Radew/Radüe, Radunia/Radaune, Radynia, Raduszka, Radusza*[53], die Problematik des Wurzelvokals (die schon dazu geführt hatte, daß man die Verbindung zwischen *Rednitz* und *Radęca* für fraglich erklärte[54]), die kritischen Bemerkungen von A. Tovar[55], daß die den *Radantia*-Namen zugrundeliegende Wurzel 'wohl immer von unsicherer Etymologie bleiben wird', da H. Krahe den Vergleich mit dem griechischen Quellennamen 'selbst als nicht gelungen betrachtete, denn in seinen endgültigen Katalog der alteuropäischen Hydronymie (1962) hat er *Radantia* nicht mehr aufgenommen'[56], und verweise ganz allgemein auf die schon mehrfach vertretene These, daß die Nichtberücksichtigung des osteuropäischen Materials zu falschen Schlüssen führt[57]. Wie wir schon im Fall der *Pegnitz* sehen konnten, finden sich gerade dort die einfache *-ā-/-os*-Ableitung und zahlreiche Namenparallelen, deren

---

[50] Kodeks dyplomatyczny Wielkopolski, II, S. 218; S. Kozierowski, Badania nazw topograficznych, II, S. 117.

[51] Codex diplomaticus et commemorationum Masoviae generalis, I, S. 14; S. Kozierowski, Badania nazw topograficznych, S. 98.

[52] E. Rzetelska-Feleszko - J. Duma, Nazwy rzeczne Pomorza, S. 97.

[53] Sieh vorerst J. Udolph, BNF. NF. 15 (1980) S. 32f.

[54] M. Vasmer, Zur slavischen Namenforschung: 4. *Radęca*, in: M. Vasmer, Schriften zur slavischen Altertumskunde und Namenkunde, I, S. 72; sieh dazu jetzt aber W. P. Schmid, ZOF. 28 (1979) S. 410f.

[55] Krahes alteuropäische Hydronymie, S. 20.

[56] Ebenda, S. 20.

[57] J. Udolph, Kratylos 22 (1977 [1978]) S. 123-129.

Wert nicht hoch genug eingeschätzt werden kann. Das trifft auch für unseren dritten Namen, den Namen des Ortes *Weidnitz* in der Nähe von Lichtenfels, zu.

3. *Weidnitz*. Die Kenntnis der ältesten Belege dieses Ortsnamens verdanke ich der Vermittlung R. Schuhs und dem Entgegenkommen des Bearbeiters des Historischen Ortsnamenbuches Lichtenfels, D. George. Beiden sei an dieser Stelle für ihre Hilfe herzlich gedankt. Demnach ist der Ortsname wie folgt überliefert: a. 1180 *Rudolf de Widence*, a. 1194 (Kopie unbekannten Datums) *Rudolf de Widelize*, a. 1207 *Rudolf de Widenze*, a. 1207 *Rudolf de Widenze*, a. 1216 (zeitgenössische Kopie) *Widenz*, ca. a. 1225 *Rudolf de Widinze* (und so weiter), a. 1323/1328 (erste Schreibung mit Diphthong) *Weidencz* (und so weiter), a. 1346 (erste Schreibung mit *-n*-Metathese) *Weidniz*[58].

Die bisherigen Deutungen gehen von einem slavischen Namen aus. Sowohl E. Eichler[59] wie E. Schwarz[60] haben *Weidnitz* als ursprüngliches **Vidonici* aufgefaßt und mit dem slavischen Personennamen *Vidon'* verbunden. Zugrunde liegen soll der slavische Stamm *viděti* 'sehen'.

Nun zeigen jedoch die ältesten Belege (wie in den Fällen von *Pegnitz* und *Rednitz*) kein *-ic*-Suffix, sondern eine *-nt*-Bildung, so daß an eine Grundform **Vīdentjā* oder ähnlich gedacht werden kann. Geht man unter dieser Voraussetzung an die Durchsicht des osteuropäischen Materials, so wird man ebenfalls fündig. Jedoch führen die neu gewonnenen Parallelen zu einer ganz anderen Etymologie. Zu vergleichen sind meines Erachtens: der Seename *Wdzydze* (im Gebiet und durchflossen von der *Wda*, dt. *Schwarzwasser*, heute auch *Czarna Woda*) in Nordpolen, a. 1258 *in stagno Videncze*, a. 1284 (Abschrift 1400) *in stagno dicto Wydencz* (und so weiter)[61], dessen Grundform als **Vīdentjā* angesetzt werden kann[62]. Zu beachten ist dabei die Parallelität der Bildungen: **Vīdā (Wda)*[63] : **Vīdentjā (Wdzydze)* - **Līu̯ā (Liwa)*[64] : **Līu̯ent- (Liwieniec)*[65]. In beiden Fällen liegt in dem Namen des von einem Fluß durchflossenen Sees eine *-nt*-Ableitung des Flußnamens vor, eine Erscheinung, die (soweit ich sehe) bisher nur in Pommern nachgewiesen werden konnte.

Polen bietet aber noch weitere Parallelen zu *Weidnitz*. Der Oberlauf der *Małostaw*, dt. *Schwarz Bach*, in Pommern ist a. 1564 als *Vidante* belegt[66]. Schließlich wird auch in dem Namen eines Bruches bei Kamień Pomorski, dt. *Kammin*, eine entsprechende Bildung vermutet werden können: *Wdzięcko*, dt. *Videnzig (-Bruch)*.

Polen bietet somit sowohl genaue Entsprechungen zum *Weidnitz*-Namen wie auch die einfache *-ā*-Ableitung. Die Namen gehören zu der indogermanischen Wurzel **u̯eid-* 'drehen, biegen', über die ich im Zusammenhang mit dem Ortsnamen *Wien*

---

[58] R. Schuh und D. George brieflich vom 9. Oktober 1984.

[59] Beiträge zur deutsch-slawischen Namenforschung, S. 281f.

[60] Sprache und Siedlung in Nordostbayern, S. 258f.

[61] H. Górnowicz, Gewässernamen im Flußgebiet der unteren Weichsel, S. 155f.

[62] Ebenda, S. 156.   [63] Ebenda, S. 36.

[64] Ebenda, S. 18.   [65] Ebenda, S. 98.

[66] E. Rzetelska-Feleszko - J. Duma, Nazwy rzeczne Pomorza, S. 129.

an anderer Stelle ausführlich gesprochen habe[67]. Dort sind auch weitere Namenparallelen angeführt.

Die hier vorgeschlagene Etymologie für den Ortsnamen *Weidnitz* enthält jedoch noch Schwachpunkte. So hat R. Schuh brieflich darauf verwiesen, daß *Weidnitz* immer nur als Siedlungsname und nicht als Gewässername belegt ist, zugleich aber die Möglichkeit angesprochen, daß ein kleines Seitenbächlein des Mains (der *Weidnitzer Mühlbach*) einmal so geheißen haben könnte. Dieser Zufluß des Mains fällt in der Tat durch seinen noch heute erkennbaren krümmungsreichen Verlauf auf[68]. Der Flurplan Burgkunstadts aus dem Staatsarchiv Bamberg[69], den mir D. George dankenswerterweise in Kopie zugänglich gemacht hat, zeigt darüber hinaus im Südsüdwesten der Ortschaft Weidnitz eine auffallende Schleife des Mühlbachs. Semantisch scheint demnach eine Verbindung mit der Wurzel idg. *$\mathring{u}$eid-* 'biegen, krümmen' durchaus überzeugend zu sein, und die Tatsache, daß ein Gewässername nur in einem Ortsnamen überlebt hat, ist bekanntermaßen keine unwahrscheinliche Annahme. Unsere Etymologie enthält jedoch auch ein lautliches Problem.

Ein Ansatz *$\mathring{U}$eid-* hätte in fränkischen Ortsnamen und Gewässernamen zu einer heutigen Form *$\mathring{W}$eiß-* (sicher unter volksetymologischem Einfluß des Farbwortes) führen müssen. Die heutige Form *Weidnitz* widerspricht eigentlich der Verbindung mit der genannten indogermanischen Wurzel. Betrachtet man jedoch die außergermanischen Gewässernamen dieser Namensippe in ihrer geographischen Verbreitung[70] (die von Frankreich und den Britischen Inseln bis zum Balkan und Baltikum reicht), so zeigt sich bei der Rückführung auf einen Ansatz *$\mathring{u}$eid-/$\mathring{u}\mathring{\imath}d$-* 'drehen, biegen' eine Lücke zwischen den Niederlanden und Frankreich einerseits und Osteuropa andererseits. Dazwischen, also grob gesprochen in Deutschland, gibt es jedoch ebenfalls Namen, die ein wurzelauslautendes -d- zeigen. Neben unserem Namen *Weidnitz* sind es fast durchgehend Gewässernamen, so *Weid*, Zufluß zur Ulster nahe der Rhön, a. 836 *Uueitaha*[71], *Weida*, Nebenfluß der Weißen Elster, a. 1122 *Mosilwita* (mit dem Ortsnamen *Weida*, a. 1122 *Withaa*, a. 1143 *Weida* (und so weiter)[72], *Weide*, Nebenfluß der Querne bei Querfurt[73], *Wieda*, Nebenfluß der Zorge im Südharz[74], *Wied*, Rheinzufluß mit den Ortsnamen *Alt-Wied*, *Neu-Wied*[75], *Vidå*, Nordseezufluß in Däne-

---

[67] J. Udolph, ÖNF. 13 (1985) S. 81-97.

[68] Meßtischblatt 5833.

[69] Aus dem Jahre 1851; Signatur N.W. XCVI. 11.

[70] Sieh dazu vorerst J. Udolph, ÖNF. 13 (1985) S. 81-97; s. demnächst ausführlich J. Udolph, Die Stellung der Gewässernamen Polens in der alteuropäischen Hydronymie (in Vorbereitung).

[71] H. Walther, Namenkundliche Beiträge zur Siedlungsgeschichte des Saale- und Mittelelbegebietes, S. 228.

[72] Ebenda, S. 259.   [73] Ebenda, S. 259.

[74] Ebenda, S. 259.

[75] Zu diesem Namen nahmen bisher H. Kaufmann, Die Namen der rheinischen Städte, S. 221 und R. Schützeichel, BNF. 9 (1958) S. 236, A. 106, Stellung.

mark, mit Ortsname *Vidå*, a. 1271 *de Withæa* (und so weiter)[76], schließlich der a. 801 (Kopie Anfang des zehnten Jahrhunderts) überlieferte Gewässername *UUidapa* bei Lüdinghausen[77]. Diese Namen sind bislang teils mit dem Namen der *Weide*, teils mit altnordisch *viðr* 'Baum, Wald, Holz' und schließlich auch mit dänisch *vid* 'weit' verbunden worden.

Ich möchte einen weiteren Vorschlag in die Diskussion einbringen, der den Vorteil hätte, daß die Lücke zwischen den westeuropäischen und osteuropäischen Namen mit Hilfe der oben genannten deutschen Hydronyme geschlossen werden könnte. W. P. Schmid[78] hat in letzter Zeit mehrfach auf einen vor allem im Germanischen auftretenden Wechsel im Wurzelauslaut zwischen Tenuis und Media aufmerksam gemacht. Für unseren Fall ist das Nebeneinander von **-t-* im Germanischen (mit der regelgerechten Weiterentwicklung über *-þ-* zu *-d-*) und **-d-* in anderen indogermanischen Sprachen von besonderer Bedeutung.

Idg. **-d-* enthalten	dagegen **-t-*
altind. *nid-, nidā, nidá* 'Schmähung, Tadel, Verachtung'	got. *neiþ* 'Neid'[79]
altind. *chēda-* 'Schnitt, Abschnitt'	got. *skaidan* 'scheiden'[80]
lit. *svidùs* 'blank, glänzend'	ahd. *swidan* 'brennen'[81]

Für unsere Gewässernamensippe heißt das, daß Entsprechungen im Germanischen altes **-t-* mit der Weiterentwicklung zu hochdt. beziehungsweise niederdt. *-d-* enthalten können. Die Schreibungen mit *-th-* in den älteren Belegen der Hydronyme können auf die zu erwartende Zwischenstufe **-þ-* hinweisen.

Der Vorteil dieser These liegt auf der Hand. Die Lücke in der alteuropäischen Gewässernamengebung wäre geschlossen, die deutschen Flußnamen würden aus ihrer relativen Isolierung geführt und fänden, auch semantisch überzeugend, Anschluß an ein Wasserwort, dessen Wurzel in zahlreichen Namen Europas belegt werden kann.

---

[76] Die Zuflüsse zur Nord- und Ostsee von der Ems bis zur Trave, S. 199. Bisher behandelt von W. Laur, Ortsnamen in Schleswig-Holstein, S. 344 und G. Kvaran Yngvason, Untersuchungen zu den Gewässernamen, S. 28f.

[77] H. Dittmaier, Das apa-Problem, S. 23. Zur Deutung dieses Namens sieh ebenda sowie M. Gysseling, Toponymisch Woordenboek, II, S. 1072 und G. Kvaran Yngvason, Untersuchungen zu den Gewässernamen, S. 28f.

[78] Onomastica 27 (1982) S. 64f.

[79] J. Pokorny, Indogermanisches etymologisches Wörterbuch, I, S. 760; sieh auch S. Feist, Vergleichendes Wörterbuch der gotischen Sprache, S. 374: 'idg. Wzl. *neit-*, wohl Doppelform der Wzl. *neid-*'.

[80] S. Feist, Vergleichendes Wörterbuch der gotischen Sprache, S. 427, bemerkt: '... ist von vorgerm. Wzl. *skeit-* ... auszugehen ...; sonst nur idg. Wzl. *skeid- (skheid-)*'.

[81] J. Pokorny, Indogermanisches etymologisches Wörterbuch, I, S. 1042, ergänzt dazu: 'ein ähnliches **sueit-* aber in der Bed. 'sengen, brennen' in aisl. *svīda*, ...'.

Eine Bestätigung dieser These kann darüber hinaus in dem Ortsnamen, Gaunamen und Gewässernamen *Wethau/Weta(u)* im Kreis Naumburg gefunden werden, den E. Eichler und H. Walther[82] auf eine Ablautvariante unserer Wurzel, nämlich auf **u̯oid-*, zurückgeführt haben.

Mit diesem neuen Vorschlag können wir die Diskussion um *Weidnitz* schließen. Es sei aber noch bemerkt, daß die von A. Bach[83] im Anschluß an H. Eberl vertretene These, in unserem Namen begegne das 'offenbar noch produktive weibl. Suffix *-enz(e)*', von E. Schwarz[84] abgelehnt wurde, 'weil das Suffix *-enze* in dt. ON nicht vorkommt'.

Als Zwischenergebnis können wir jetzt schon festhalten: Bei allen drei bisher behandelten Namen (*Pegnitz, Rednitz, Weidnitz*) ist slavische Namengebung unwahrscheinlich. Das auf den ersten Blick slavisch anmutende Suffix muß als ein Ergebnis deutscher Sprachentwicklung verstanden werden. An einem letzten *-itz*-Namen, der eindeutig außerhalb des slavischen Siedlungsgebietes liegt, kann diese These erhärtet werden. Gemeint ist der Name der

4. *Wörnitz*, die bei Donauwörth in die Donau einmündet. Die ältesten Belege dieses Namens erweisen erneut ein *-nt*-haltiges Suffix (neuntes Jahrhundert *Warinza*, a. 1053 *Werinze*, a. 1262 *Wernze*, 15. Jahrhundert *Wernitz*). Der Name wird übereinstimmend auf eine Grundform *Varantia zurückgeführt[85] und im allgemeinen zur Wurzel idg. **u̯er-* 'Wasser, Regen, Flüssigkeit' gestellt[86]. Die Kartierung der zu diesem Wasserwort gehörenden Namen bei A. Tovar[87] ist ergänzungsbedürftig, vor allem im osteuropäischen Bereich[88]. Gerade das Baltikum bietet zahlreiche Hydronyme, die hier angeschlossen werden müssen. Auch ist die einfache *-ā*-Erweiterung im Osten nachweisbar[89]. Auch die *Wörnitz* enthält somit kein slavisches Suffix. Sie zeigt uns aber nochmals deutlich, daß auch außerhalb des slavischen Siedlungsgebietes mit slavisch aussehenden Bildungselementen zu rechnen ist, und mahnt uns dadurch auch, nicht jeden *-itz*-Namen innerhalb des ehemaligen und jetzigen slavischen Siedlungsbereiches unbesehen für slavisch zu erklären.

Mit dieser Konsequenz, die vor allem durch die grundlegende Arbeit von E. Schwarz über die Sprache und Siedlung in Nordostbayern wesentlich gestützt wird, können wir unsere Erörterungen abschließen. Ich möchte jedoch nicht versäumen, auf ein weiteres, für die Frage der Gliederung der alteuropäischen Hydronymie wichtiges Ergebnis dieser Betrachtung zu verweisen. Alle behandelten fränkischen Namen be-

---

[82] Untersuchungen zur Ortsnamenkunde und Sprach- und Siedlungsgeschichte, S. 328f.

[83] Deutsche Namenkunde, II,1, § 241, S. 215.

[84] Sprache und Siedlung, S. 298.

[85] Sieh E. Schwarz, Sprache und Siedlung, S. 11 (mit Literatur).

[86] Sieh H. Krahe, BNF. 3 (1954) S. 240f.

[87] Krahes alteuropäische Hydronymie, S. 39.

[88] Sieh J. Udolph, Kratylos 22 (1977) S. 125.

[89] Ebenda, S. 125.

sitzen im Osten die 'schlichteste und sehr häufige Form' der alteuropäischen Hydronymie ('in gewissem Sinne das Fundament für die ganze übrige Vielfalt der Möglichkeiten'[90]), die darin besteht, 'daß an ein wurzelhaftes Element ein einfaches, den
Flexionsstamm abgebendes -$\bar{a}$ antritt ... seltener ... finden sich Maskulina auf ursprüngliches -os, ...'[91]. Aus der Tatsache, daß gerade der Osten wichtige Parallelen
für mitteleuropäische Gewässernamen aufweist, ergibt sich meines Erachtens eine
neue Aufgabe für die Slavistik, die jetzt nicht nur für die Sprachgeschichte des Slavischen, sondern auch für die Sprachgeschichte benachbarter Sprachen und Sprach-
familien erhebliche Bedeutung zu haben scheint.

---

[90] H. Krahe, Unsere ältesten Flußnamen, S. 62.
[91] Ebenda, S. 62.

Hans Jakob

Über siedlungsgeographische und ethnische Ursachen des Ortsnamenwechsels im östlichen Franken

Mit drei Karten

Auf den ersten Blick scheint das Thema Ortsnamenwechsel eine klar zu definierende Sache zu sein. Wenn man aber die nachstehend aufgeführten Beispiele näher betrachtet, so wird offenkundig, daß es (erstens) hierbei graduelle Abstufungen gibt und daß (zweitens) in der Region der frühmittelalterlichen Mainwenden und Regnitzwenden, das heißt: in der Kontaktzone zweier gentes in Oberfranken, eine klare Begriffsbestimmung für einen ethnisch bedingten Ortsnamenwechsel leider noch aussteht. Hier werden vermutlich die Anschauungen der Geographen und Linguisten auseinandergehen, weil erstere im Hinblick auf Identitätsnachweise und Lokalisation von historischen Ortsnamen strenge Maßstäbe setzen müssen.

Aus diesem Grunde ist auch die Frage zu diskutieren, ob man generell die Eindeutschung ursprünglich slavischer Ortsnamen als Ortsnamenwechsel ansehen kann, wozu der Verfasser neigt. Dabei wird man unterscheiden müssen, ob es sich um reine Übersetzungen, um Mischbildungen oder um phonetische Angleichungen, aber mit völlig anderer Wortbedeutung handelt.

Man wird ferner zu beachten haben, ob ein permanenter oder nur temporärer Ortsnamenwechsel vorliegt. Dem Typus nach wäre zu unterscheiden zwischen totalem und partiellem Ortsnamenwechsel. Als Ursachen des Ortsnamenwechsels werden vom Verfasser temporäre Wüstungsvorgänge, Übertragung von Wüstungsnamen, Siedlungsausweitung, Siedlungsverlagerung und Besitzwechsel sowie alle ethnisch bedingten Assimilierungsvorgänge nachgewiesen. Die grob skizzierte Typologie des Ortsnamenwechsels überschneidet sich in mancher Hinsicht, sowohl in der Sache als auch in den Ursachen, so daß eine strenge Trennung in der Darstellung der Beispiele nicht möglich ist. Das zeigt ganz deutlich der Fall *Kottendorf*, in dem ein mehrmaliger Ortsnamenwechsel infolge verschiedener Ursachen stattgefunden hat, eine wahrhaft singuläre Erscheinung.

I. Kottendorf. - Dieser Ort liegt im kleinen Lautertal an der Ostabdachung der Haßberge. Er ist eine der wenigen temporären Wüstungen des Bamberger Umlandes. Am 10. März 1396 wird in einem Verkaufsbrief des Grafen Johann von Truhendingen die Siedlung *Kottendorff* als noch bestehend aufgeführt. Dagegen ist in der ältesten Huldigungsliste des Amtes Baunach vom 20. Juli 1459 *Kottendorf* nicht mehr enthalten. Somit muß dieser Ort zwischen a. 1396 und a. 1459 verödet sein.

Die Flur wurde aber von Bauern aus den umliegenden Dörfern Breitbrunn, Salmsdorf, Priegendorf, Kirchlauter und Pettstadt weiterbebaut, da a. 1541 zwölf Teilhaber den Zins von der *Kottendorffer wustung* entrichteten.

Über die mögliche Wüstungsursache gibt ein urbarialer Eintrag vom Jahre 1590 Aufschluß: *Das Dorff Kottendorf, hatt gleichergestalt einen Schöpffen an das Gericht gein Baunach stellen müssen, Ist vor Langen vnerdencklichen Jaren verwustett zerschlaifft vnnd gar eingangen, deßwegen bißhero vnbepawt blieben, vnd Jtztmals mehr nit alda, dan ein geringe Pachmul vnnd ein kleines Seldenn heußlein, welches Alles nicht hochschetzig, Ist auß erzelten vrsachen dieser schopffen stuhl auch abgangen.* Die Formulierung *verwustett zerschlaifft* läßt darauf schließen, daß das Dorf durch kriegerische Ereignisse, sei es eine lokale Fehde oder durch die Hussiteneinfälle, zerstört wurde.

Unter dem 19. Februar 1693 schrieb der Castner im Amt Baunach in seinem Verzeichnis der bereits im Amt gebauten ehemaligen öden Hofstätten, Häuser und Städel, daß zu *Marquardsdorf* zehn Häuser gebaut worden wären. Die Städel würden folgen. So leisteten dann am 22. Mai 1693 zu *Marquardsdorf* bereits 16 Untertanen die Erbhuldigung. Das revitalisierte Dorf erhielt somit zu Ehren des Erbauers Fürstbischof Marquard Schenk von Stauffenberg dessen Namen, der sich aber nur in der Kanzleisprache eine zeitlang hielt. Im Volksmund hieß der Ort nach seiner Erbauung *Neudorff,* wie eine Beschwerde der Gemeinde Lußberg vom 27. Juni 1712 zeigt. Diese beklagte sich, daß die Gemeinde *Neudorf* weder die alten noch die neuen Marksteine und Flursteine wolle gelten lassen. A. 1714 lesen wir aber den ursprünglichen Siedlungsnamen, als die ganze *Gemeinde zu Kottendorf Amts Baunach wegen ihrer vor 60 Jahren neu erbauten Dorf Gerechtsamen* untertänigst eine Supplikation einreicht. Hierdurch wird der Beginn des Wiederaufbaues von *Kottendorf,* alias *Neudorf,* alias *Marquardsdorf,* auf das Jahr 1654 festgelegt.

Die primäre Ursache des Ortsnamenwechsels war also ein temporärer Wüstungsvorgang. Sekundär wirkten sich dabei Unterschiede in der Kanzleisprache (Besitztitel) und in der Volkssprache (*Neudorf*) aus. Es gibt ja hierzulande mehrere Beispiele, in denen wir neben einer Wüstung unbekannten Namens, wie *Altes Dorf* oder *Wusting,* ein *Neudorf, Neuses* oder *Neusig* finden. Daß im Falle *Kottendorf* nach Jahrhunderten wieder der alte Name gewählt wurde, hängt wohl damit zusammen, daß er sich als Flurname *Kottendorfer Wüstung* am Standort der ehemaligen Siedlung erhalten hat[1].

II. - Als Beispiel für den Ortsnamenwechsel durch Übertragung eines Wüstungsnamens möge das heutige *Kaider* im Lautergrund östlich Staffelstein genannt werden. A. 1264 verkaufte cunemundus de Sunnenberg seine Güter in *Dabermarstorff* dem Kloster Langheim für 50 Pfund Bamberger Denare. Circa 1390 schreibt sich der Ort *Abermanstorff.* Und a. 1586 steht in einem Urbar und Zinsbuch der Vermerk: *Abermanßdorff. Vor zeiten do es zum Closter kommen Dabermanßdorff, aber jtzo Keyter genant wird.* Der Ortsname enthält den slavischen Personennamen *Dobromir,* welcher mit *Dabermar* eingedeutscht wurde, und zwar unter Anfügung des Gewässernamens *-dorf* (siehe *Ebermaresstat = Ebermannstadt* zum Wechsel von *-mar* in *-man*).

---

[1] H. Jakob, FL. 1 Nr. 2 (1953) S. 6. - BHStAM., HStB., Urkunde 1936 III 10.

Das ursprüngliche *Kaider* lag am oberen Kaiderbach in der Flur: a. 1586 *im wusten Keyter,* a. 1731 *das wüste Kaydter.* Ob dieser Ortsname deutsch oder slavisch ist, konnte noch nicht definitiv geklärt werden. Jedenfalls wurde er vor a. 1586 auf das alte *Dobromiř* übertragen, wohl unter Auflassung des *Wüstenkaider* durch Wegzug der Bewohner nach *Dabermarsdorf* (*Dobromiř*)[2].

III. - *Schlüsselau* liegt im Tal der Reichen Ebrach und ist ein Beispiel für Siedlungs-erweiterung und Besitzwechsel. A. 1109 hieß der Ort *Seppendorf,* wohl eine Grün-dung des achten und neunten Jahrhunderts mit dem Personennamen *Seppo.* Um a. 1280 wurde bei dem Dorf, das schon vorher in den Besitz der Schlüsselberger gelangt war, von dieser Familie ein Zisterzienserkloster gegründet und *Ager Clavium,* das ist Schlüsselau, benannt. Der im Jahre 1283 verstorbene *Eberhard IV. de Sluzzelberch* war der Gründer und Ausstatter der *incohata plantacio nova zu Sluzzelowe.* Aber noch bis a. 1424 hat sich in verschiedenen Urkunden der alte Ortsname *Seppendorf* erhalten. Das Gründungsmotiv dieses Frauenklosters ist sicherlich im Religiösen zu suchen. Die Lage in der breiten Talaue und der Name des Gründers bestimmten die Art des Ortsnamenwechsels[3].

IV. - Am 2. März 1349 herrschte zwischen Ludwig Pottensteiner und St. Theodor in Bamberg Streit wegen des Klosterhofes zu *Minneberge.* A. 1358 ist ein Baumgar-ten gelegen zu *Minberg* beurkundet. A. 1364 werden Güter des Klosters in *Mindberg* genannt. Nach R. Zink[4] wurde der umfangreiche Urhof in zwei existenzfähige Höfe zerteilt. A. 1372 sind Hölzer *am Minnenberg* erwähnt. A. 1471 werden Äcker und Wiesen *zu Mynberg* überliefert. A. 1490 ist ein *Hans Sau zu Minperg* bezeugt. Und a. 1589 lautet ein urbarialer Eintrag *Minberg jetzt Höuen genandt.*
Der primäre Ortsname *Hof zu Minneberg* wurde durch Vergrößerung der Siedlung im Grundwort inhaltlich unhaltbar und unter Wegfall des Bestimmungswortes kon-trahiert zu dem heutigen *Höfen* an der Itz bei Rattelsdorf. Der Ort liegt auf einem spornartigen Ausläufer der Dolomitischen Arkose des Mittleren Burgsandsteins und ist aus einem Flurnamen entstanden. Ob man *Minneberg* sprachlich gleichsetzen kann wie mit *Liebsberg,* mögen die Germanisten entscheiden.

V. - In den Haßbergen nördlich von Gemeinfeld liegt der Ort *Greßelgrund,* der a. 1541 erwähnt wird. Ursprünglich stand aber auf der Anhöhe südlich davon bei der Bastenmühle das a. 1232 erwähnte *Cresselberc,* welches a. 1435 als wüst bezeichnet wird. Wir haben es hier zweifellos mit einer Siedlungsverlagerung zu tun, wobei die Topographie für den Ortsnamenwechsel, aber nur für das Grundwort bestimmend war, so daß man von einem partiellen Ortsnamenwechsel sprechen kann. W. Schmie-

---

[2] F. Geldner, Das älteste Urbar des Cistercienserklosters Langheim, S. 33, 89ff. - H. Jakob, ZA. 16 (1982) S. 102. - StAB. (Staatsarchiv Bamberg), StB. Nr. 4073, f. 1 u. 5, StB. Nr. 4075/1.

[3] St. Nöth, Ager Clavium, S. 7ff.

[4] St. Theodor in Bamberg, S. 260. - BHStAM., HStB. Urkunde Nr. 154, 157, 159. - StAB., Ortsurkunde Nr. 2199 - StB. Nr. 650, f. 87'.

del[5] leitet das Bestimmungswort von mhd. *graz*, Diminutivum *grezzel* 'junges Nadel-holz' ab.

VI. - A. 1114 wird das *predium Bennendorf* erwähnt. A. 1149 schenkt Gnanno de Bennendorf sein Eigentum in Bodelstadt, Großheirath (et cetera) dem Kloster Banz. A. 1159 testiert ein *Gnanno de Pennindorf.* A. 1232 wird *bennendorff* zur Pfarrei Ebern geschlagen und am 25. August 1288 schenkten Wolfram von Rotenhan und seine Frau Sophie ihren Besitz in Kaltenbrunn dem Kloster Banz. Man kann nur ver-muten, daß nach Aussterben der Ministerialen *de Pennindorf* beziehungsweise durch Besitzwechsel der Ortsname geändert wurde[6].

VII. - Für den Ortsnamenwechsel aus ethnischen Ursachen sei als Beispiel für eine reine Übersetzung das am 30. November 1298 erwähnte *Guote zv Grotze bi wazzer-lose* angeführt, das nur ein einziges Mal bezeugt ist. Die Lokalisierung erwies sich als sehr schwierig, da es oberhalb Scheßlitz ein *Weichenwasserlos* und ein *Dörnwasserlos* gibt. Die Überarbeitung aller einschlägigen Quellen erbrachte so lange keinen Hin-weis, bis der Verfasser durch E. Eichler die Erklärung von *Grotze* aus *grod-c-* 'kleine Burg' erhielt. Nun wurden die Archivalien noch einmal durchgearbeitet. Und tat-sächlich stand in einer Adelsurkunde derer von Giech vom 14. April 1523 folgender Hinweis: *Ein gut zu Rostock* (heute *Roßdach*) ... *ein ort holz im Tiefental vnd ein ort holz im Burgstall genannt.* Spätere Lehensvermerke brachten die volkstümliche Übersetzung von *Grotze*, nämlich 'Bürglein': a. 1586 besitzt Hans Heidenreich *Ein Hub zu Rostok* (bei *Weichenwasserlos*) *und 2 Tagw. vffm Burglein.* A. 1731 heißt es *Bürglein.* Ende des 18. Jahrhunderts wird der *Bürgles Stauden acker* erwähnt, a. 1808 schreibt man *Börglesstauden*, das *Börglein, bei dem Börgla* und auch *Berglein*, eine mundartliche Entrundungserscheinung von *ü* über *ö* zu *e.* Man vergleiche auch bei *Kemmern* mitten in der breiten Maintalebene den Flurnamen *Berg*, ein topogra-phischer Unsinn, der sich ursprünglich aus die *Bürg* über *Börg* zu *Berg* entwickelt hat, wobei landfremde Katasterbeamte die Mundart verhochdeutscht haben. Die Realprobe im Gelände zeigte dann, daß tatsächlich auf der Pl. Nr. 190 dicht am Steilabfall des Malm beta auf der Höhe 500 sich ein ovaler Turmhügel befand, etwa 4,5 Meter hoch, 55 Meter lang und 28 Meter breit, unser gesuchtes Gut Grotze. Das Beispiel lehrt auch, daß jede Eindeutschungsform eines slavischen Ortsnamens als Ortsnamenwechsel angesehen werden muß, da sonst Identifizierungen und Lokali-sierungen für den Geographen kaum durchführbar sind.

Analoge Übersetzungen sind auch a. 1586 die *Graitz*, die a. 1850 *Alte Wacht* und a. 1429 *der Greyczperg* in der Nähe des *Staffelberges*, jetzt *Alter Staffelberg* genannt wird. Beide tragen kleinere Abschnittsbefestigungen[7].

---

[5] Landkreise Ebern und Hofheim, S. 73. - L. G. Lehne, AVU. 7 (1843) S. 82.

[6] E. v. Guttenberg, Die Territorienbildung, S. 152, 398f., 415. - I. Maierhofer, Historischer Atlas von Bayern. Teil Franken, S. 45, 50, 95.

[7] Ausführlich hierüber H. Jakob, OSG. 3 (1967) S. 165ff. - H. Jakob, ZA. 16 (1982) S. 104ff.

VIII. - Die Wüstung *Pölnitz* bei.Hallstadt leitet über zu direkten Tautologien. A. 1417 wird geschrieben *In der Polnitz*, a. 1464 *In der Boltz*, a. 1593 *In der pöltz*, von slav. *pole* 'Feld', daraus *Pol'anici* 'Leute auf dem Feld'. Die Flur heißt heute *Pelzfeld*. Dicht daneben liegt das Gewann *Pelz*[8].

Auf der Wüstung *Schlammersdorf* bei Rattelsdorf findet man die Drachengasse von slav. **dorga* 'Weg, Gasse'. Nach den Ausführungen von E. Schwarz erfolgte nach a. 800 die Liquidenumstellung, so daß *dorga* nunmehr *droga* gesprochen wurde. Dieses wurde dann volksetymologisch zu *Drache* umgewandelt. Keramikfunde bestätigen ein Nebeneinander von Slaven und Deutschen schon im 8. Jahrhundert[9].

In der Gemarkung *Ehrl* bei Scheßlitz wird noch a. 1728 der Flurname *Deinitz Beünd* überliefert, von slav. *tyn* 'eingezäunter Ort', was auch das ahd. *biunta* bedeutet[10].

Zwischen Ützing und Serkendorf im oberen Lautergrund ist uns a. 1586 der Flurname *Burgk Culm*, auch *Burgkhculm* überliefert. Hier muß sich einst ein Turmhügel ähnlich dem von Grotze befunden haben. Denn Culm entspricht dem slav. *cholm* 'kleiner Hügel'[11].

Alle diese Beispiele sind Zeugnisse für das enge Zusammenleben von Deutschen und Slaven schon ab dem achten und neunten Jahrhundert und lehren, daß es im Untersuchungsgebiet wenigstens eine Zeitlang Doppelsprachigkeit gegeben hat. Ein Ortsteil von Ützing hieß *Theisenort*, von slav. *tis* 'Eibe'. Gerade das Vorkommen von slavischen Flurnamen in deutschen Ortsgemarkungen ist ein weiteres Indiz für eine regionale Mischbevölkerung, aus der der ethnisch bedingte Ortsnamenwechsel resultiert[12].

IX. - Geradezu ein Paradebeispiel für die Bildungen von sogenannten Mischnamen ist *Daschendorf* bei *Baunach*. Am 4. Juli 804 schenken Gerhart und sein Bruder Ippin Besitzungen an das Kloster Fulda, unter anderem *in Eibingono marcu id est in Bunahu et in Tasu*. Damit sind *Ebing* am Main, *Baunach* an der Baunach und *Daschendorf* an der Itz gemeint. Nachfolgend die Schreibweisen für *Daschendorf*: a. 1341 *Thassendorf*, a. 1396 *Taschendorff*, a. 1402 *Dachssendorf*, a. 1525 Schloß *Dachsen*, a. 1584 *Taschendorf* und a. 1630 *Daschendorff*.

Zur Namenserklärung sei das Gutachten von Ernst Schwarz vom 4. Juli 1971 angeführt: 'An das Wort Tasche kann nicht gedacht werden. Der älteste Beleg 804 Tasa stimmt nicht mit dem ahd. *tasca* überein, auch machen die späteren Bildungen Schwierigkeiten. Ich denke an den altslawischen Personennamen Taš, der in slawischen Ortsnamen wie Tašovice vorliegt und eine Weiterbildung zum Personennamen

[8] J. Looshorn, Das Bisthum Bamberg, S. 157. - StAB., StB. Nr. 549, f. 98.

[9] H. Jakob, WDSl. NF. 5. 26 (1981), hier S. 164ff.

[10] Sieh H. Jakob, OSG. 3 (1967) S. 172.

[11] StAB., StB. Nr. 4073, f. 342' u. 390.

[12] Zu den Flurnamen sieh als vorläufige Ergebnisse E. Eichler - H. Jakob, LANFSG. 2 (1962) S. 283ff.

Tach ist, das in Tachau vorkommt. Die Bildung wäre *Tasjь oder Tachjь 'Ort eines Tach oder Taš'. Da mit solchen einstämmigen Ortsnamen aber keine Orte benannt zu sein pflegen, würde ich an einen Hofnamen denken, wodurch sich die Endung -a erklären läßt, 'Hof eines Tach oder Taš'. Bei Entstehung eines Dorfes bildeten die Deutschen Tassendorf, Taschendorf, wobei ss und sch Vertreter eines slaw. š sind. Ein sch kann in süddeutschen Mundarten vor n zu chs = ks übergehen. Das bekannteste Beispiel dafür ist süddeutsches Meichsner neben dem Familiennamen Meißner, auch der Ort Meißen, auf sorbischem Mišno beruhend, heißt in Süddeutschland gelegentlich Meichsen. Dann erklärt sich auch die Teilung in den Schloßnamen Dachsen und den Dorfnamen Daschendorf'.

Soweit die Ausführungen von E. Schwarz, die sich mit den historischen Fakten und der Realprobe absolut decken. Der Urhof, königliches Gut, Reichslehen von a. 1396 und nachfolgend Adelssitz, lag auf einem kleinen Sporn des Kreibergs, das sich später entwickelnde Dorf lag zu dessen Füßen auf einer schmalen Itzterrasse beim Brunnbächlein. Im Bauernkrieg a. 1525, als der Ansitz zerstört wurde, hat man im Lager der Aufständischen noch klar zwischen dem ursprünglichen Urhof *Tasjь (Schloß Dachsen) und dem Ort Daschendorf unterschieden, ein Zeichen dafür, wie lange sich manche Erscheinungen der Siedlungsentwicklung in der mündlichen Tradition erhalten haben. Im übrigen ist das eines der seltenen Beispiele, in denen ein slavischer Kurzname mit -j-Suffix erweitert wurde und dann das Grundwort -dorf erhielt[13]. Für eine Erweiterung eines deutschen Ortsnamens sei Frauendorf im Lautergrund östlich Staffelstein angeführt, welches a. 1071 Vrouua geschrieben wurde, a. 1272 aber Frauwendorf[14].

Obwohl manche Slawisten das -j-Suffix bei Tasa für ungewöhnlich halten, weil man eher ein -ov oder -ovice erwartet hätte, so besteht die Deutung von E. Schwarz doch zu Recht. Denn aus Tašov wäre wie in anderen Fällen ein Tassova und letztlich Tassau geworden. Gerade einen solchen Fall können wir bei Haßfurt nachweisen. Zwischen a. 1112 und a. 1143 erfolgte ein Gütertausch zwischen Bischof Otto I. und Abt Wolfram vom Kloster Michelsberg in Bamberg. Dabei wird ein Praedium apud Dahsovva aufgeführt, welches mit der Flur Tassau am Sterzelbach, etwa 1,5 Kilometer nördlich Augsfeld, identifiziert werden konnte. A. 1480 war dieser Gutshof bereits wüst und die Flur zum Teil mit Wald angeflogen[15].

X. - Für phonetische Eindeutschungen möge das Beispiel des einstigen Kreuzhofes bei Freudeneck an der Itz dienen, der erst um a. 1830 aufgelassen wurde. Im ältesten Urbar der Domprobstei Würzburg aus der Zeit um a. 1270 steht der Eintrag: Criuez tota decima. Am 24. April 1386 erhielt Albrecht von Lichtenstein zu Heiligisdorf den hoff zu Kreybicz, gelegen in der Mark Freudeneck. A. 1406 entstand ein Streit wegen eines Schiffes auf der Itsch (Itz) zu Kreibts. A. 1510 ist wiederum der howe

---

[13] J. F. Dronke, Codex Diplomaticus Fuldensis, Nr. 219. HStAM., HStB., Fasz. Nr. 357, Urkunde von a. 1341, StAB., Lehenbuch Nr. 1, f. 33'.

[14] Sieh H. Jakob, ZA. 16 (1982) S. 98.

[15] J. F. Schannat, Vindemiae literariae. Collectio prima, S. 46, StBB., M.v.O. H.e. f. 1/1.

zu Kreits erwähnt, der sich a. 1566 *Greitz* oder *Creits* schreibt. Auch a. 1590 ist für den *Hoff zu Kreitz* ein Beleg vorhanden. Ab 6. August 1624 tauchen nun fortlaufend der oder die *Creutzhöff* auf. A. 1822 bewohnten den *Kreutzhof* ein Bürger und neun Seelen. E. Schwarz[16] deutet den Namen aus **Krivica* 'krumme Flur' von *krivy* 'krumm', was mit der Realprobe übereinstimmt.

Ohne archivalische Forschung hätte niemand hinter dem *Kreuzhof* einen ursprünglich slavischen Flurnamen vermutet. Wie schon weiter vorn angeführt, gibt es auch den Flurnamen *Graitz*, welcher sich von slav. *grod-c-* 'kleine Burg' ableitet. Dieses *Graitz* wird aber in der Mundart *gräds* gesprochen, so auch der *Grädsberg* (Alter Staffelberg). Ob also ein *Graits - Kreitz* von *krivy* oder *grod-c-* abzuleiten ist, kann nur mittels Archivmaterial und Mundartforschung geklärt werden.

XI. - Am Fuße des Burgberges von Lichtenfels lag nach J. B. Müller einst der Königshof *Lützelau*. In dem um a. 800 entstandenen Banzer Reichsurbar wird unter anderem eine *curia in Luzelowa - Lucelowa* neben anderen Huben erwähnt, die das Zentrum einer ausgedehnten Gutsherrschaft bildete. Sprachlich richtig verhochdeutscht lebt der Ortsname als *Kleinau* im heutigen Lichtenfels, wenn auch nur als Ortsteil, weiter. Nun wird in Angelegenheiten des Klosters Banz a. 1195 ein *nemus Lovecilove*, der heutige Lichtenfelser Forst erwähnt, den J. Schütz von slav. *loveči love* 'Jagdweide, Jägerrevier, Jagdrevier' ableitet, ihn mit Recht in die altslavische Siedlungszeit am Obermain stellt und in Verbindung bringt mit dem *Luzelowa* des Reichsurbars. Wir halten das für eine phonetische Eindeutschung, da Kleinau in Anbetracht der breiten Maintalaue zwischen Lichtenfels und Kösten der Realprobe nicht standhält[17]. Gerade die Benennung der Landesnatur, wie Höhen, Tiefen, Gewässer und große Waldbezirke in slavischer Sprache deutet auf eine originäre, autonome slavische Immigration in Oberfranken spätestens in der zweiten Hälfte des siebten Jahrhunderts hin. Auch das Bestimmungswort in *Banzgau*, zu dem der Lichtenfelser Forst gehört, wird sowohl von J. Schütz als auch von H. Kunstmann[18], wenn auch in unterschiedlicher Interpretation, aus dem Slawischen erklärt.

Diese Beispiele des Ortsnamenwechsels im östlichen Franken sind ein instruktiver Querschnitt, sowohl der Typologie nach als auch im Hinblick auf die möglichen Ursachen. Historiker und Sprachwissenschaftler werden vermutlich nicht allen Beispielen des Ortsnamenwechsels aus ethnischen Gründen zustimmen. Jedoch sei nochmals

---

[16] Der wüste 'Hof zu Kreybicz'. Eine abgegangene Einzelhofsiedlung bei Freudeneck Unterfranken, FL. 2 Nr. 15 (1954) S. 58f. - E. Schwarz, Sprache und Siedlung, S. 253.

[17] J. B. Müller, GO. 12 (1979/1980) S. 23ff.

[18] J. Schütz, JBFLF. 28 (1968) S. 309ff. - H. Kunstmann, WDSl. NF. 5. 26 (1981) S. 62ff. - H. Kunstmann, WDSl. NF. 6. 27 (1982) S. 352ff. - J. Schütz hält *Banz* für gekürzt und für das Zweitglied eines Namens vom elbslawischen und ostseeslawischen Typ *Darghebanz, Ghorebanz, Chotibanz*. Dagegen leitet H. Kunstmann das Toponym vom slavischen Substantiv *pǫtъ* 'Straße, Weg' ab. Der Banzgau ist somit der Straßengau, weil sich hier zwei alte nordsüdliche und westöstliche Fernverkehrsstraßen kreuzen, was archivalisch belegt werden kann.

betont, daß jede Veränderung eines Ortsnamens, auch die partielle Veränderung, die historische Geographie vor Identifizierungsprobleme und Lokalisierungsprobleme stellt. Man denke nur an a. 630/631 *Wogastisburc,* a. 1017/1150 *Wugastesrode* und a. 1062 *Zuegastesriuth,* welche als Beispiele für Ortsnamenverkürzungen angesehen werden können.

XII. - 1. *Zuegastesriuth* wird a. 1062 zum Zubehör von Forchheim in der Restitutionsurkunde König Heinrichs IV. aufgezählt, welches E. v. Guttenberg richtig mit *Reuth* bei Forchheim identifizierte. Während E. Schwarz beim weggefallenen Bestimmungswort an einen slavischen Personennamen **Svojgost* oder **Svegost* denkt, hat der Verfasser hierin eine präpositionale Wortbildung *Zue-gastes-riuth* gesehen, zumal solche Bildungen im elften und 12. Jahrhundert häufig bei Ortsnamen in der Umgebung Forchheims auftreten. H. Kunstmann[19] hat dieser Anschauung voll zugestimmt, wobei er als erster die oben erwähnten drei Ortsnamen mit *-gast* in einem sprachlichen Zusammenhang würdigte.

2. *Wugastesrode* konnte der Verfasser aufgrund historischer und siedlungsgeographischer Fakten mit dem heutigen *Roth* bei Zapfendorf identifizieren, welches fälschlicherweise von Frank und Frinta mit *Wogstisburc* gleichgesetzt wurde, das man auf dem Staffelberg vermutete[20]. Da in den Fuldaer Traditionen (CDF. Nr. 490) bei der Schenkung der Geschwister Gerlinde und Irmintrude a. 836 in Sondheim/Rhön auch ein *Vogast* testiert, ein Name, der von der Sprachwissenschaft leider noch nicht beachtet wurde, so kann es durchaus möglich sein, daß in unserem *Wugastesrode* ein derartiger Personenname enthalten ist, so daß das Problem des *v*-Vorschlags entfällt. R. Konrad[21] hat bereits auf diese *-gast*-Sippe, wie *Ratgast* a. 795, a. 836 und a. 838, *Uagast* a. 826, *Suabgast* a. 836, *Altgast* a. 838, *Uargast* a. 857 und *Hruotgast* a. 867 hingewiesen, die alle bei Schenkungen im Raume Sondheim, Jüchsen, Römhild, Suhl, also im Grabfeld als Zeugen, somit als Freie, auftreten. Er sieht hierin eine gewisse Verbindung mit der neuen Politik des Grafen der Sorbenmark Tacholf gegenüber den Slaven. Es ist außerordentlich wichtig zu klären, welche der *-gast*-Namen nun deutsch oder slavisch sind, besonders im Hinblick auf die Lokalisierung von *Wogastisburc.*

3. *Wogastisburc* als Schlachtort und Handelsplatz hat seit über hundert Jahren zu den verschiedensten Lokalisierungsversuchen geführt. Sieht man im Ortsnamen eine

---

[19] Sieh E. v. Guttenberg, Die Territorienbildung, S. 117. - E. Schwarz, Sprache und Siedlung, S. 211. - H. Jakob, WDSl. NF. 7. 28 (1983) S. 171ff., hier S. 173. - H. Kunstmann, Noch einmal Samo und Wogastisburc, WDSl. NF. 7. 28 (1983) S. 354ff., hier S. 359.

[20] Darüber ausführlich H. Jakob, FF. 37 (1963) S. 44ff. Das in *Roth* ehemals ansässige Ministerialen-Geschlecht *de Wuosten - Wüstenrode* dürfte seinen Namen von einer phonetisch-kontraktiven Angleichung oder Eindeutschung des Bestimmungswortes *Wugastes-* erhalten haben, da *Roth* niemals wüst war, wenn auch *Wugastes-* stark und *Wuosten-* schwach flektiert ist. Zur Urkunde von a. 1017 sieh auch E. Herrmann, BHVB. 117 (1981) S. 41ff.

[21] Zu der *-gast*-Sippe Näheres bei R. Konrad, Adel und Herrschaft, S. 106ff.

mögliche Wortverkürzung, so ist es logisch, einen Ortsnamen auf -*burc* zu suchen. Denn ein so frühzeitig bezeugter und historisch bedeutsamer Ort konnte nicht gänzlich aus den Quellen verschwinden. Der einzige Ort in Nordostbayern ist nun *Burk* (*c=k*) bei Forchheim. Und es ist das große Verdienst des Paläoslawisten H. Kunstmann[22], diesen Sachverhalt erkannt und mit völlig neuer, präpositionaler Betrachtungsweise *Wogstisburc* als *vъ gosti (bu) s burc*, das ist 'zu der Gäste Burg, zu der Fremden Burg, zu der Kaufleute Burg', gedeutet zu haben. Daß *Wogastisburc* ein wichtiger Handelsplatz zwischen Franken und Slawen an einer westöstlichen Fernhandelsstraße gewesen sein muß, wird von Historikern und Archäologen nicht mehr bestritten. Geht man davon aus, daß alle die im Capitulare a. 805 genannten Handelsplätze beziehungsweise Kontrollstationen für den Waffenhandel mit den Slawen schon Vorläufer hatten, so trifft das besonders auf *Forchheim* zu, welches der Verfasser als *Altenforchheim* links der Regnitz in der Dreiheit von *Burk* (*Wogastisburc*) mit einem merowingerzeitlichen Kastell an Stelle der Kirche alias *oppidum Berleich*, der Altenburg und dem wirtschaftlichen Gutsbezirk auf der Pilodes-Flur nachgewiesen hat[23]. Wenn nun erst a. 805 *Hallstadt* am Obermain und *Forchheim* an der Regnitz in der Karolingerzeit Handelsstellen und Kontrollstellen mit den Slawen waren, so kann erst recht nicht bereits zur Merowingerzeit ein derartiger Umschlagplatz in Böhmen gelegen haben, sondern dieser muß, wie oben erwähnt, als Vorläufer links der Regnitz zu suchen sein, eben unser *Burk-Altenforchheim* alias *Wogastisburc*, wie auch immer man den Namen definitiv erklären sollte. Daß *Burk* der zentrale Ort war, beweist die wenn auch späte Formulierung von a. 1121/1124: *Heinricus de Altenvorcheim ex cognatione Hermanni de Burch, unus de his, qui dicuntur fri forcheimeri*[24].

Die Darlegungen zum Ortsnamenwechsel haben an wenigen Beispielen deutlich gemacht, wie vielfältig die Ursachen und Abstufungen für diesen Ortsnamenwechsel sind. Es wurde ferner gezeigt, wie wichtig für den Geographen eine exakte Ortsnamenanalyse ist. Denn ohne eine solche Analyse sind Identifizierungen und genaue Lokalisierungen unmöglich.

---

[22] Grundlegend und umfassend hat H. Kunstmann wiederholt über *Wogastisburc* gehandelt: WDSl. NF. 3. 24 (1979) S. 1ff. - H. Kunstmann, WDSl. NF. 3. 24 (1979) S. 225ff. - H. Kunstmann, WDSl. NF. 7. 28 (1983) S. 354ff. - Ob der a. 836 bezeugte Personenname *Vogast* schon um a. 630 gebräuchlich war, wird von H. Kunstmann nach mündlicher Diskussion bezweifelt. Sollte dieser aber deutsch sein, dann liegt *Wogastisburc* erst recht nicht in Böhmen, was bereits E. Schwarz, Sprache und Siedlung, S. 212ff. angedeutet hat. - Weiterhin zum Thema wichtig H. Kunstmann, WDSl. NF. 4. 25 (1980) S. 293ff. - H. Kunstmann, WDSl. NF. 5. 26 (1981) S. 67ff.

[23] H. Jakob, WDSl. NF. 4. 25 (1980) S. 39ff. - H. Jakob, WDSl. NF. 7. 28 (1983) S. 171. Zu ergänzen ist, daß a. 869 (CDF. Nr. 607) der Personenname *Bereleih et uxur eius cum filiis* bezeugt ist, worüber die Linguisten urteilen mögen.

[24] E. v. Guttenberg, Die Territorienbildung, S. 346.

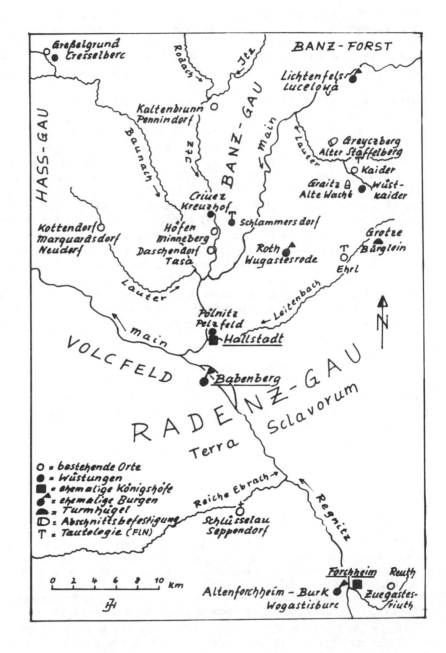

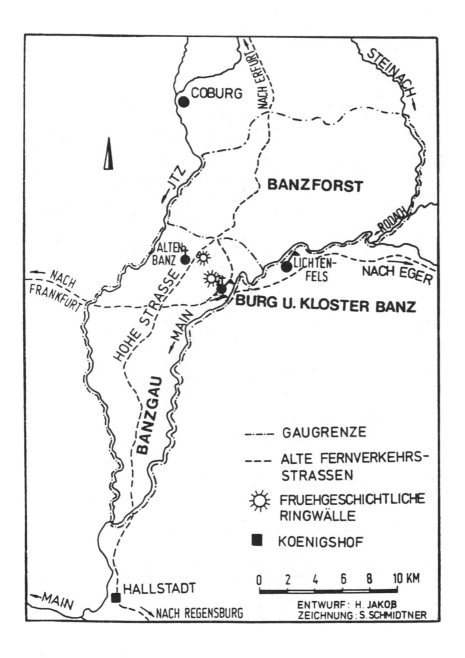

BANZFORST

COBURG

NACH ERFURT

STEINACH

JTZ

RODACH

ALTEN-
BANZ

LICHTEN-
FELS

NACH EGER

NACH
FRANKFURT

HOHE STRASSE

MAIN

BURG U. KLOSTER BANZ

BANZGAU

GAUGRENZE

ALTE FERNVERKEHRS-
STRASSEN

FRUEHGESCHICHTLICHE
RINGWÄLLE

KOENIGSHOF

0 2 4 6 8 10 KM

HALLSTADT

MAIN

NACH REGENSBURG

ENTWURF: H. JAKOB
ZEICHNUNG: S. SCHMIDTNER

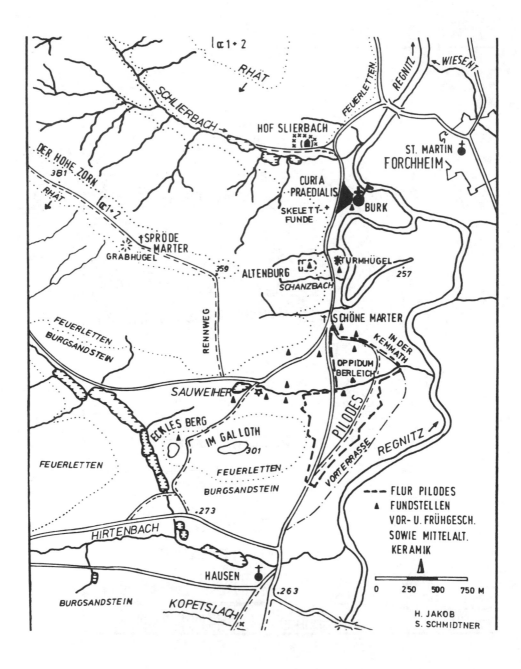

Situationsplan Burk - Altenforchheim

Erwin Herrmann

Das Altenstadt-Problem

Beispiele für Namenwechsel und Namenverlust
im nordostbayerischen Raum

I. Im nordostbayerischen Raum, hier im wesentlichen die beiden Regierungsbezirke
Oberfranken und Oberpfalz, sind Vorgänge wie der Wechsel von Ortsnamen oder
ihre teilweise Änderung nicht sehr häufig. Namenverluste hat es allerdings in den
verschiedenen Wüstungsperioden gegeben[1]. Nur selten sind einmal aufgegebene Dörfer und Höfe später wieder der menschlichen Siedlung unterzogen worden, vor allem
deswegen, weil die landwirtschaftliche Nutzfläche dieser Wüstungen bald nach ihrer
Aufgabe in der Regel (so im Fichtelgebirge) wieder dem Wald anheimfiel, oder auch,
weil die herrenlosen Flächen von Nachbarsiedlungen okkupiert wurden. Bei Wiederbesiedlung wurden aber meist die vorherigen Namen, mit wenigen Ausnahmen, wie-
derverwendet. Einfache Namenänderungen, wohl meist durch Besitzerwechsel ausgelöst, hat es bei einigen Mühlen und Eisenhämmern gegeben, deren Namen ohnehin zu
den am wenigsten stabilen unter den Siedlungsnamen gehören (ähnlich, wie kleine
Bäche und Gerinne öfters ihre Namen wechselten beziehungsweise auf relativ kurzen
Strecken ganz verschieden bezeichnet wurden und werden).
Als Beispiele für Fälle von Doppelbenennungen und einfachen Namenänderungen
(Ersetzungen) können nur relativ wenige Namen genannt werden. Ein ausgesprochener Sonderfall ist der kleine Ort *Leimersberg* südlich von Gößweinstein in Oberfranken. Schon im Jahre 1926 wurde durch Zufall bei einer Begehung festgestellt, daß
hier im Volksmund neben dem offiziellen (deutschen) Namen noch ein zweiter
(slawischer) Name existiert, nämlich *Nemsgor,* was als 'Deutschenberg' zu 'übersetz-
zen' ist[2]. Die Bevölkerung verstand die Bezeichnung nicht mehr (heute gebrauchen
zwar noch viele Leute den Namen, doch im Unterricht in Heimatkunde und Sach-
kunde in der Grundschule wird davon meist nicht gesprochen, weil der Sachverhalt
natürlich auch den Lehrern unbekannt ist). Man hatte sich, wie bei vielen 'schwieri-

---

[1] Sieh G. Leingärtner, Die Wüstungsbewegungen; W. Müller, Mittelalterliche
Wüstungen in Oberfranken, AO. 35 (1951) S. 40-68; A. Schuster, Eingegangene
Siedlungen im Fichtelgebirge, DSSt. 20 (1951) S. 18-21.

[2] Sieh J. Pfanner, Landkreis Pegnitz, S. 31f. Im Jahre 1631 wird *Leymersberg* genannt, a. 1801 *Nemsgar.* Sieh ferner G. Vollnhals, Nemsgor, DOPf. 20 (1926) S.
194-196.

gen' Namen, eine volksetymologische Pseudoerklärung zurechtgelegt[3]. Die Existenz dieser Doppelbezeichnung bis ins 20. Jahrhundert ist immerhin ein illustratives Beispiel für das lange Zusammenleben fränkischer und slawischer Bauern in diesem Gebiet und seine namenkundlichen Auswirkungen.

Zwei Namen, allerdings mit derselben 'Bedeutung', gab es zumindest zeitweise für den Ort Pleofen im Landkreis Kulmbach. *Pleofen* 'bedeutet' 'Pechofen'. Gemeint ist damit nicht einer der üblichen, bearbeiteten Pechschmelzsteine, die sich mehrfach erhalten haben, sondern eine kleine Anlage mit Lehmkuppel oder Lehm-Steinkuppel, dem mit Kanälen ausgestatteten Stein mit Schmelzloch, einer Auffanganlage und einer Feuerungsanlage[4]. E. v. Guttenberg[5], der den Ortsnamen *Pleofen* an sich richtig erklärt, dachte offenbar nicht an einen Pechofen, weil er eine Nennung a. 1727 *Pechofen* mit einem Ausrufezeichen versieht. Die beiden Bezeichnungen *Pleofen* und *Pechofen* wurden also mindestens im 18. Jahrhundert nebeneinander verwendet. Endgültig durchgesetzt hat sich dann *Pleofen*.

Das Patrozinium einer Pfarrkirche konnte in manchen Fällen auch bei Existenz eines älteren Ortsnamens namengebend wirken. Das Dorf namens *Trebgast* bei Bayreuth, wohl einst zu der Wallfestung Altentrebgast zugehörig, die schon a. 1149 im sogenannten Giechburgvertrag genannt wird[6] (die große Wallanlage wurde erst im Jahre 1980 aus der Luft entdeckt), wurde im Spätmittelalter nach dem Kirchenheiligen *St. Johannis* genannt. Der Name (heute als Bayreuther Stadtteil) hat sich gehalten[7].

Ein Wechsel im Bestimmungswort ergab sich beim Flurnamen *Aglasterberg* bei Tannfeld, im Jahre 1526 genannt (Landkreis Kulmbach). Im Jahre 1629 wird dieselbe Flur als *Hetzenberg* bezeichnet, welcher Name stabil blieb[8]. Die 'Bedeutung' 'Elsternberg' ist bei beiden Namen gleich. Das einst am Rand der Gemarkung von Marktschorgast gelegene *Eigenz* (a. 1111 *Engilhartaigen;* a. 1360 *Eigencz*)[9] verlor seinen Namen nach dem Jahre 1360 und ging in dem größeren Marktort auf.

Ein ursprünglicher Flurname, *Moosig*, bereits im Jahre 1529 als *Moßig* überliefert, wird bis heute mundartlich für den Ort Oberprex (bei Rehau/Oberfranken) gebraucht. Bei *Oberprex*, im Jahre 1605 erstmals als *Hohen Prex* genannt, scheint es

---

[3] Nach dieser 'Erklärungssage' sollen Zigeuner Wäsche von der Leine gestohlen haben. Als die Bäuerin das bemerkte und sah, daß nur noch ein Hemd vorhanden war, rief sie im Zorn 'Nimm's gor!', woraus *Nemsgor* entstanden sei.

[4] Sieh zu einem archäologisch erschlossenen Beispiel H. Höllerich, Pechsteine und vorindustrielle Teergewinnung, AO. 66 (1986) (im Druck); K. Dill, Kleindenkmäler, S. 73, 105, 158.

[5] Land- und Stadtkreis Kulmbach, S. 127f.

[6] Sieh B.-U. Abels - H. Losert, Eine mittelalterliche Wehranlage in Bayreuth-Laineck, AO. 63 (1983) S. 7f.

[7] So Nennung a. 1576 *Altentrebgast, itzt Sanct Johanns* genannt. Sieh A. Ziegelhöfer - G. Hey, Die Ortsnamen, S. 4.

[8] Sieh Land- und Stadtkreis Kulmbach, S. 2, 58.

[9] Ebenda, S. 32.

sich um eine Kanzleischöpfung zu handeln, die jedoch als offizieller Name fungiert[10]. Der mundartliche Name wurde dadurch aber nicht verdrängt.

Der Ort *Hausgrün* bei Rehau, vom Jahre 1317 bis zum Jahre 1727 belegt[11], wobei jedoch die Siedlung nur bis zum Jahre 1502 nachweisbar ist, wurde Wüstung. Voran ging eine schon im Jahre 1390 wüstgefallene Siedlung *Hausgrune in dem Walde*. Der Platz wurde jedoch wieder besiedelt (wenngleich wohl nicht genau die alten Hofstandorte). Seit dem Jahre 1633 ist für die Nachfolgesiedlung auf dem Grund des Klosters Himmelkron der Name *Nonnenwald* belegt (welchem Namen die Bezeichnung *Klosterholz* vorausging). Der Name wurde amtlicher Ortsname bis zur Gegenwart.

Ein gutes Beispiel für mehrfachen Namenwechsel bietet die Timpermühle bei Selb. Sie war nach dem ersten bekannten Besitzer benannt (erster Beleg für die Mühle a. 1563). Der Name taucht zuletzt um das Jahr 1770 auf als *Tümpermühle*. Bereits im Jahre 1581 ist in der Hofer Grenzbeschreibung die Rede von der *Harstmühle* (wohl nach einem Waldstück namens *Harst*). Der Name verschwindet jedoch wieder, war vielleicht nur eine Kanzleiform. Seit dem Jahre 1794 gibt es dann den Namen *Hammermühle,* ebenso im Jahre 1818, während vom Jahre 1827 bis zur Gegenwart wieder das ursprüngliche *Timpermühle* in Gebrauch kam[12].

Mühlennamen haben eben öfters geringe Stabilität gezeigt, ebenso Hammernamen. So wurde aus dem Gütlein *Hungerspühel* (beziehungsweise *Hungerbühl* in den Jahren 1439 und 1541) schließlich ein *Hammerbühl* (bei Pegnitz)[13] und aus dem im Jahre 1326 erwähnten *de malleo Pognerinne* seit dem Jahre 1406 der *Fischstein, vormals der Pognerin Hammer.* Namengebend war offenbar ein Fischwassergrenzstein, wie er in Oberfranken in Fischwasserbeschreibungen einige Male vorkommt, so eben hier im Jahre 1327 bei einer Schenkung des Bischofs von Bamberg an Kloster Michelfeld *infra lapidem piscium prope fluvium Pegniz*[13]. Im Jahre 1802 wurden bei Pegnitz die drei Dörfer *Bronn, Neuendorf* und *Kaltenbronn* abgebrannt. Letzterer Name ist eine typische Grenzbezeichnung[14] und zeigt die damalige Südgrenze des zollerschen Markgrafentums gegenüber den bambergischen Besitzungen im Veldensteiner Forst an. Das Dorf fiel eine Zeitlang wüst, wobei der alte Name verlorenging. Die Nachfolgesiedlung heißt *Lüglas*[15]. Auch dieser Ort liegt in Grenzlage.

Auch aus der mittleren Oberpfalz seien einige einschlägige Fälle gebracht, wie *Krottensee* bei der Vilsquelle bei Kleinschönbrunn (Landkreis Amberg), das im Jahre 1285 mit sechs Lehen erwähnt wird. Bereits im Jahre 1413 heißt es aber *Krotensee*

---

[10] Sieh R. Höllerich, Rehau - Selb, S. 55.

[11] Ebenda, S. 21. Zu *Nonnenwald* sieh ebenda, S. 47.

[12] Ebenda, S. 84.

[13] Sieh J. Pfanner, Landkreis Pegnitz, S. 13f. (alle genannten Nachweise); A. Ussermann, Episcopatus Bambergensis, Anhang, S. 191, Urkunde nr. CCXXI vom 30. April 1327.

[14] Sieh E. Herrmann, Grenznamen, Gießener Flurnamen-Kolloquium, S. 304-315.

[15] J. Pfanner, Landkreis Pegnitz, S. 24, 34.

ist ein Öd[16]. Der Name ging verloren, das Gebiet ist heute bewaldet. *Krottensee* im früheren Landkreis Eschenbach entstand als *Neuenreuth* erst im 14. Jahrhundert. Der Namenwechsel zu *Krottensee* trat wohl in der Zeit des Dreißigjährigen Krieges ein[17]. Das heutige *Kröttenhof* bei Betzenstein (Landkreis Bayreuth) dagegen hieß a. 1348 *Kroppendorf*, a. 1540 *Kreppendorf*, a. 1582 *Krepenhof*. Dann erfolgt die volkstümliche Umdeutung zu *Kröte*, weil der zugrunde liegende slawische Eigenname (*Krěp*) nicht mehr verstanden wurde[18]. Ähnliches ging bei *Creez* bei Bayreuth vor sich, das ebenfalls von *Krěp* abzuleiten ist[19].

Übrigens sei noch ein Wort gesagt zu den häufigen *Krottensee*-Namen (oder zum Beispiel altbayerisch der *Protzenweiher* in Stadtamhof bei Regensburg; *Protz* 'Kröte'). Zumal wenn keine einfache nasse Wiesenlandschaft vorhanden ist, die optimale Bedingungen für die Erdkröte (und die vorkommenden Unken) bietet, sondern etwa ein schnellfließender Bach oder ein größerer See mit Schilfzone, dann ist mindestens manchmal nicht an die Erdkröte zu denken, an Bufo bufo, sondern an die früher häufigere Schildkröte, die in der Mundart ebenfalls als *Krott* bezeichnet wurde[20]. Eine Entscheidung im Einzelfall zu treffen, dürfte aber schwierig sein.

Daß ein Besitzername bei einer Mühle die ursprüngliche Lagebezeichnung verdrängen kann, ist nichts Seltenes. Der Fall liegt vor bei der *Böcklmühle* (Landkreis Amberg), a. 1495 *Mittermül*, um das Jahr 1500 *Mittern Mule*, dann a. 1714 *Mittere* oder *Pöckhlmüll*[21].

Alte Fernstraßenbezeichnungen, die gar nicht so selten vorkommen, sind Zusammensetzungen mit *Dieb*. Im Jahre 1387 wird bei Vilseck der *Hammer zu Diebsfurtt* genannt, a. 1481 *zum Diebsfurt*. Im Jahre 1812 wird dann der Name, offenbar durch die Einwohner, absichtlich in *Neuhammer* geändert, welches auch heute die offizielle Form ist[22].

Wüstenau bei Sulbach-Rosenberg wird um das Jahr 1285 als *Wustenlawn* genannt, a. 1569 als *Wüstenlaun die Ödt*. Der ursprüngliche Ortsname ist wohl *Laun* gewesen (von slaw. *lawan* auch in Österreich vorkommend). Nach der Verödung erhielt die Flur den Namen *Wüstenlaun*. Erst im Jahre 1859 wurde dort wieder ein Hof errichtet, die Ortsnamenschreibung blieb schwankend bis zum Jahre 1877. Seitdem setzte

---

[16] Sieh H. Frank, Stadt= und Landkreis Amberg, S. 55.

[17] Sieh H. Frank, ebenda, S. 55, mit weiteren Literaturangaben.

[18] Sieh J. Pfanner, Landkreis Pegnitz, S. 29.

[19] *Creez*, heute Gemeinde Hummeltal, ist erstmals genannt als *Creboz* a. 1253 (vom Personennamen slaw. *Krep*). Sieh K. v. Reitzenstein, Genealogische Noten zur fränkischen Geschichte, AO. 8 (1861) S. 7-12. - Weitere Nennungen a. 1398 als *Kreptz*, a. 1419 *Kreetz*.

[20] So dürfte der Name der Stadt *Selb* von der slawischen Bezeichnung für Schildkröte abzuleiten sein. Sieh R. Höllerich, Rehau-Selb, S. 103; E. Schwarz, Sprache und Siedlung, S. 318 (von *žely* beziehungsweise **želvina* 'Schildkrötenbach'). Erste Nennung um das Jahr 1135 *Selwen*.

[21] H. Frank, Stadt= und Landkreis Amberg, S. 17.

[22] Ebenda, S. 65.

sich *Wüstenau* durch als Ersatz für das den Zeitgenossen unverständliche *Wüstenlaun*[23].

Schließlich sei der Name *Nanselsdorf* erwähnt. Es handelt sich um einen mehrfach genannten Ort in unmittelbarer Nähe der Stadt Amberg, in dem sechs Mansen in der Zeit der Jahre 1108 bis 1138 insgesamt dreimal als Schenkungsobjekt auftauchen. Wir möchten annehmen, daß der Name aufgegeben wurde, weil die Ortsflur in die Erweiterung der Siedlung Amberg einbezogen wurde. Tatsächlich läßt sich dort ein geschlossener Flurblock nachweisen[24].

Nicht nur Ortsnamen, auch Flurnamen und Gewässernamen waren von Änderungstendenzen betroffen, wobei recht unterschiedliche Gründe mitspielen konnten. So wurde der slawisch-deutsch benannte *Kulmbach,* der für die Stadt namengebend wurde, seit dem 17. Jahrhundert zu *Koblenbach* verballhornt, ein Vorgang, der rational nicht nachzuvollziehen ist[25].

Der Bachname *Schwesnitz* (bei Rehau) bezeichnet im Jahre 1125 noch den gesamten Lauf. Der alte Name wird vereinzelt bis ins 18. Jahrhundert gebraucht. Doch setzt sich seit ungefähr dem Jahre 1412 die Benennung *Gryna* (*Grüna*) durch. Mit der Errichtung des markgräflichen Perlenregals und der Bestallung eines Perlenfischers im Jahre 1732 ändert sich der Name in *Perlenbach,* der amtlich wurde[26].

Der Bergname *Junger Kornberg* mußte einem herrschaftlich begründeten neuen Namen weichen, nämlich dem Burgennamen *Hirschstein* (a. 1317 *der Kurnberg*; a. 1426 *Hirschstein*)[27]. Ein vergleichbarer Vorgang betraf den *Kulm* oder *Kulmberg* bei Bayreuth (a. 1398 *Kulme*). Ab ungefähr dem Jahre 1670 wurde auf dem Bergplateau für die Markgräfin Sophie ein Schloß gebaut, die Sophienburg. Seitdem hat sich der Name *Sophienberg* durchgesetzt.

Auch alte Straßen konnten umbenannt werden. So geht aus dem Gebiet der Trebgast (Landkreis Kulmbach) vom Altsiedelort Harsdorf aus eine alte Straße nach Norden, die letztlich nach Thüringen führt. Sie war zunächst offenbar *ulice* benannt (slaw. 'Straße, Gasse'), wie der Einzelhof *Unitz* zeigen dürfte (die Namenverschleifung *Ulitz* zu *Unitz* kommt in Nordostbayern einigemale vor). Seit dem Spätmittelalter heißt diese wichtige Verbindung *Markgrafenweg*[28].

In Trebgast bei Kulmbach entstand wohl nach dem Jahre 1500 der Name *Gubsenweg,* eine Wallfahrerstraße, die nach dem Kloster St. Jobst bei Nemmersdorf zog. Da das Kloster bereits im Jahre 1529 in der Reformation des Markgrafentums aufgelöst wurde, wird die Straße zwar im Jahre 1547 noch als *Jobstgasse* erwähnt, doch verschwindet der Name in der Folgezeit[29].

---

[23] Ebenda, S. 101f.

[24] Sieh ebenda, S. 64; A. Dollacker, AB. 1 (1928) S. 10; E. Herrmann, Zur Stadtentwicklung in Nordbayern, AO. 53 (1973) S. 31-79.

[25] Land- und Stadtkreis Kulmbach, S. 83 (a. 1466 als *Culmach* genannt).

[26] Sieh R. Höllerich, Rehau-Selb, S. 24.

[27] Ebenda, S. 24.

[28] Sieh H. Gruber, Harsdorf/Landkreis Kulmbach, AO. 45 (1965) S. 5-87; E. Herrmann, HBASchRO. 89 (1982) S. 1ff.; E. Schwarz, Sprache und Siedlung, S. 297.

II. In einem zweiten Abschnitt seien herrschaftlich bedingte Änderungen der
Rechtsverhältnisse und der Rechtsausstattung von Orten behandelt, die zu recht
eigenartigen Namenänderungen beziehungsweise Namenverlusten führten. Wir meinen das sogenannte *Altenmarkt/Altenstadt*-Problem. Es gibt in Süddeutschland und
Österreich und eben auch in Nordostbayern eine nicht geringe Anzahl von Orten,
die im Laufe der Zeit, sei es durch Planung, sei es durch das Eintreten günstiger
Umstände, eine gewisse Zentralität entwickelten, vor allem durch Marktfunktionen.
Andererseits scheint vielen Grundherren der Gedanke nicht fremd gewesen zu sein,
durch zielgerichtete Investitionen eine Erhöhung ihrer Einnahmen durch den Handel zu erreichen, und so kam es zu einer Reihe von Marktverlegungen beziehungsweise Marktneugründungen, wobei die alten Marktorte in aller Regel ihrer diesbe-
züglichen Rechte entblößt wurden, und zwar nicht nur ihrer Rechte, sondern auch
ihres Namens. Der alte Name ging entweder auf den neuen Markt über, oder dieser
erhielt einen völlig neuen Namen. Dann ging aber der Name des älteren Ortes meist
auch verloren und wurde durch die (ab-)klassifizierende Bezeichnung *Alten-* ersetzt.
Das ist in Kürze der Kern des sogenannten *Altenmarkt/Altenstadt*-Problems. Beide
Namen kommen für Vorgängerorte vor. Waren dort Pfarrrechte vorhanden, so wurden diese meist sofort, in einigen Fällen aber auch mit einer gewissen Verzögerung
auf die Neugründung übertragen. Vor allem aber wurde der Fernstraßenverlauf geändert zugunsten des neuen Marktes (ein klassisches Beispiel: Die Umlegung der Salz-
straße im Jahre 1158 von Oberföhring nach München durch Heinrich den Löwen.
Allerdings behielt *Oberföhring* seinen Namen, wohl, weil es zu weit von München
entfernt war).

Die *Alt*-Orte wurden also empfindlich geschädigt, fielen zum Teil wüst oder blieben
klein und im Status von Dörfern oder allenfalls von Vorstädten. Der Beispiele gibt es
so viele, daß man dem Phänomen einmal eine eigene Studie widmen müßte[30].

Es hat sich dabei jedenfalls um ein grundherrliches Verlegungsschema und Ausstat-
tungsschema von großer Stabilität und weiter Verbreitung gehandelt. So wurde der
erste Markt *Innsbruck* beim Kloster Wilten durch die Grafen von Andechs auf die
andere Seite des Inns verlegt, wo sich dann die andechsische Stadt entwickelte. In
Voitsberg, Fürstenfeld und *Windisch-Graz* blieben die alten Siedlungen als Dörfer
bestehen. In Radkersburg bildete der erste Ort schließlich die Vorstadt *Gries* (also
völlige Umbenennung). In Leoben, Bruck und Schladming verfielen die Erstsiedlun-
gen. Doch blieben für eine Übergangszeit die Pfarrkirchen noch erhalten, in *Alten-*
stadt bei Schongau bis heute. Bei Radstadt/Tauern blieb *Altenmarkt* in der Nähe
bestehen[31].

----

29 Sieh dazu E. Wiedemann, Trebgast, Landkreis Kulmbach, AO. 52 (1972) S.
117-186, besonders S. 148; E. Herrmann, Reichsforsten.

30 Sieh unter anderen H. Wengert, Die Stadtanlagen der Steiermark; H. Knittler,
Städte und Märkte; H. Fischer, Die Siedlungsverlegung; F.-H. Hye, Glurns und die
Tiroler Städte, DASt. 6 (1979) S. 121-135; E. Herrmann, Zu den Stadtrechtsver-
leihungen der Grafen von Andechs, OA. 107 (1982) S. 179-184.

31 Auf einen vergleichbaren Fall geht ein E. W. Huth, Widersprüche in der Darstellung der Entstehungsgeschichte Altenburgs vom 9. bis 13. Jahrhundert und deren
Lösung, SHB. 25 (1979) S. 1-25.

Den Typus dieses Vorgangs gab es nun auch in Nordostbayern. *Alten*-Siedlungen in verschiedener Größe und Funktion gibt es zum Beispiel bei Pegnitz (heute Vorstadt noch teils ländlichen Charakters, durch eine Bachaue von der Stadt getrennt)[32], bei Hof, das um das Jahr 1200 eine erste Marktanlage hatte, die *Altstadt*, während die (neue) Stadt im Rechtssinn stets nur die *Neustadt* war, mit der *Altstadt* als Suburbium[33], bei Weiden/Oberpfalz[34], bei Neustadt/Waldnaab[35], bei Pleystein[36] und bei Vohenstrauß[37]. Das zum Jahre 1003 bei Widukind von Corvey erwähnte *Crusni castellum* ist das heutige *Altencreußen*, an der Quelle der Creußen gelegen. Der Name wanderte dann zur Marktneugründung *Creußen*, die am Roten Main liegt[38]. *Kemnath* am Rauhen Kulm schließlich ist eine von Anfang an als Stadt konzipierte Neugründung. Die einstige alte, a. 1009 erwähnte Straßenstation *Altenkemnath* ist heute eine unbebaute Flur. Die noch im 16. Jahrhundert stehende ehemalige Pfarrkirche wurde nach der pfälzischen Reformation abgerissen[39]. Schließlich sei *Altenstadt* bei Bayreuth genannt. Das Dorf namens *Altenstadt*, heute Bayreuther Stadtteil, war vor der Gründung Bayreuths (um das Jahr 1160) Straßenstation. Die Fernstraße Nürnberg-Kronach-Thüringen ging dort durch eine Furt des Mistelbachs. Vorhanden waren eine St. Nikolaus-Kirche, eine Schmiede, ein Ansitz. Nach der durch den Giechburg-Vertrag im Jahre 1149 erzwungenen Aufgabe der zentralen Festung *Vetus Trebegast* gründeten die Grafen von Andechs *Bayreuth* als neuen Mittelpunkt ihrer

---

[32] Sieh J. Pfanner, Landkreis Pegnitz, S. 39; mit a. 1119 *villa Begenz* ist Altenstadt gemeint, weil der neue Markt erst zwischen den Jahren 1347 und 1357 von den Landgrafen von Leuchtenberg gegründet wird; erst im Jahre 1876 zu einer Gemeinde vereinigt. Sieh A. Schädler, Die Kunstdenkmäler von Oberfranken. II. Landkreis Pegnitz.

[33] Im Jahre 1214 als *curia Rekenz* als Sitz eines Pfarrers bezeugt. Sieh K.-H. Otto - J. Herrmann, Siedlung; F. Händel, Der mittelalterliche Stadtgrundriß Hofs als Geschichtsquelle, Frankenwald 44 (1973) S. 68ff. - Zu vergleichen mit Hof sind die Verhältnisse in Weißenfels/Saale, dessen heutige Nikolai-Vorstadt (bis ins 18. Jahrhundert *Alte Stadt*) das einst wendische Dorf Tauchlitz war. Sieh W. Müller, HBASchRO. 47 (1975) S. 11.

[34] Sieh dazu G. Weiß, Das "Alte Dorf" bei Weiden, OH. 4 (1959) S. 83-94; G. Glockner, Der Zehnt zwischen den Wegen zu der Weiden, OH. 13 (1969) S. 132-139.

[35] M. Hardt, Geschichte von Altenstadt/WN; G. Zückert, Urpfarrei Altenstadt WN, OH. 19 (1975) S. 53-62.

[36] Sieh S. Poblotzki, Die Altstadt Pleystein, OH. 17 (1973) S. 76-84.

[37] Sieh V. Wappmann, Zur Geschichte von Altenstadt bei Vohenstrauß, OH. 22 (1978) S. 85-90.

[38] Sieh J. Pfanner, Landkreis Pegnitz, S. 9; E. Herrmann, Spehteshart, Crusenareforste und Kitschenrain, JBFLF. 46 (1986) (im Druck).

[39] Sieh R. H. Seitz, Zur Entwicklung der Stadt Kemnath, OH. 15 (1971) S. 97-112; A. Reger, Aus der Geschichte der Stadt Kemnath; H. Sturm, Kemnath; E. Herrmann, Altenkemnath, Festschrift zur 975-Jahrfeier der Stadt Kemnath, S. 272-285.

Herrschaft am Obermain und zogen die Rechtsausstattung der Altenstadt konsequent auf die neue Marktgründung, so die Pfarrei, die Straßenstation, das Herrschaftszentrum (das Alte Schloß in Bayreuth), sogar die Fernstraße wurde weiträumig verlagert und über den neuen Straßenmarkt geleitet. Und schließlich wurde sogar die Nikolauskirche als entbehrlich abgebrochen (die Altenstadt bekam erst nach dem Zweiten Weltkrieg wieder eine Kirche). Ein selten rigoroser Fall totaler Ausstattungsentblößung eines Ortes[40] liegt hier vor. Nun ist der Name *Altenstadt* natürlich nicht der originäre Name. Es gibt die These, daß das Dorf schon *Bayreuth* geheißen habe, was wenig wahrscheinlich ist, oder daß die sporadische Nennung eines Ortsadels von *Reuth*, das sonst unbekannt ist, darauf zu beziehen wäre. Auffällig ist allerdings, daß Nennungen von zwei Orten in einem Bamberger Obleistiftungsverzeichnis immer *Tröbersdorf* bei Bayreuth und ein unbestimmbares *Zlawendorf* zusammen nennen (zuletzt im Jahre 1234 so genannt). Das Verzeichnis führt dann später *Tröbersdorf* und *Altenstadt* auf[41]. Es wäre also denkbar, daß *Zlawendorf* (das einen Ansitz hatte) der einstige Name der *Altenstadt* war. Durch den Abzug aller Rechtspositionen unter den Andechsern ging der Name verloren. Die neue Bezeichnung wäre also an den üblichen Benennungstypus angepaßt worden. Völlige Sicherheit läßt sich jedoch nicht gewinnen. Übrigens sei erwähnt, daß die neuen Märkte tatsächlich wirtschaftlichen Erfolg hatten und häufig schon um die Jahre 1230 bis 1250 die Stadtrechte erhielten (in Oberfranken mehr als ein halbes Dutzend Beispiele). Die grundherrliche Investitionsentscheidung war also in aller Regel richtig. Von dieser Überlegung her kann man im Rückschluß versuchen, die Faktoren zu eruieren, die für einen erfolgreichen Markt wichtig und anscheinend den Grundherrn bekannt waren. Doch das ist nicht Sache dieser Untersuchung.

III. Zum Schluß sei in einem dritten Abschnitt auf einige Sonderfälle von Namenwechsel, Namenänderung oder Namenverlust hingewiesen. Die Stadtrechtsverleihung konnte solches bewirken. So wird *Weißenkirchen* (nördlich des Fichtelgebirges) zuerst im Jahre 1299 erwähnt als *circa Albam Ecclesiam*. Und noch a. 1348 Januar 8 und 13 nennen die beiden Burggrafen Johann und Albrecht *Weyssinkirchen*[42]. Der Name muß um das Jahr 1350 geändert worden sein in *Weißenstadt,* so a. 1353 *Weyßenstat*[43]. Er blieb bestehen.

---

[40] Sieh K. Hartmann, Zur Geschichte Altbayreuths, AO. 29 (1926) S. 3-31; E. Herrmann, 750 Jahre Stadt Bayreuth, AO. 61 (1981) S. 11-32; H. Fischer, Zur Entwicklung Bayreuths, AO. 53 (1973) S. 80-110; K. P. Dietrich, Territoriale Entwicklung.

[41] Sieh A. Wendehorst, Urbare und Wirtschaftsordnungen, I, S. 116, 152f. - Die Urkunde a. 1129 mit der ersten Erwähnung Zlawendorfs ist ediert JBFLF. 99 (1979) S. 9.

[42] A. Ziegelhöfer - G. Hey, Die Ortsnamen, S. 240; Urkunden, MZ. III, S. 173f., nr. 196, 197.

[43] Zu *Weyßenstat* sieh W. Stadelmann, Kurze Geschichte der sechs Aemter, AO. 8 (1860) S. 19-50, hier S. 36f. - K. Puchner, Die Ortsnamen auf -kirchen in Bayern (Schluß), BONF. 12 (1971) S. 1-11, hier S. 5.

Ein seltsames Schicksal hatte die Benennung eines alten Bergwerksortes in der Oberpfalz bei Grafenwöhr, bei dem Bleiseifen abgebaut und verarbeitet wurden. Im Jahre 1700 gibt es die Nennung *Blauen Sau-Sack*, a. 1762 *Plauensausackh*. Der Name bleibt bis zum Jahre 1842 und ist mundartlich heute noch in Gebrauch[44]. Da auch *Blauenseysach* vorkommt, kann es sich nur um eine Seigeranlage handeln, einen Seig-Sack oder Sau(ch)-Sack, also einen gängigen Begriff aus der frühen Berg-werks- und Hammersprache. Der Name wurde offenbar im 19. Jahrhundert nicht mehr verstanden. Und wegen der Form *sau* im Namen wurde er im Jahre 1856 kur-zerhand amtlich in *Blauenneuschacht* geändert, eine immerhin interessante Verball-hornung.

Einem mundartlichen 'Erklärungs'-Vorgang wurde der in Aichig bei Bayreuth vor-kommende slawische Flurname und Hofname *Most* unterworfen (*Mostholz*, *Most-hügel*)[45]. Der unverstandene Name wurde im Fall des Hügels mit einem Einzelhof in *Mooshügel* geändert (so schon auf einer Karte des 18. Jahrhunderts).

Eine gewisse Anpassung an gewohnte Ortsnamen fand wohl auch bei *Moggast* (in der Fränkischen Schweiz) statt. Im Jahre 1310 wird der Ort *Mochcus* genannt, a. 1313 *Mokos*, a. 1500 *Mockes*, a. 1791 *Mockas*, a. 1801 dann *Moggast*, also wohl eine Angleichung an die in Oberfranken nicht seltenen -*gast*-Namen[46]. Die Bezeichnung kommt vom slawischen Personennamen (theophoren Namen?) *Mokoš*. Zusammen mit *Mockes* wird auch *das velt auf dem windischen gesteyg* genannt. Es war hier also offenbar zeitweise eine gewisse Zentralisierung slawischer Einsiedlung. Die Moggaster Höhle könnte eventuell rituellen Zwecken gedient haben[47]. Ebenfalls einem Aus-gleichungsprozeß wurde der zwar häufige, aber anscheinend in der Neuzeit nicht durchwegs noch verstandene Befestigungsname *Wal*, *Waal* unterworfen. Ein Waal war ein befestigter Ansitz mit umgebendem Wassergraben, wobei das ausgehobene Erdvolumen des Grabens zur Aufschüttung eines Hügels verwendet wurde. Selten sind Anlagen mit zwei Gräben. Der Beispiele gibt es soviele, daß sich urkundliche Hinweise erübrigen. In der Neuzeit nun wurde die Bezeichnung *Wal/Waal* häufig mißverstanden und im Volksmund zu *Wald*- verändert, so im Falle von *Waldgarten*

---

[44] Sieh H. Frank, Stadt= und Landkreis, S. 16f.

[45] Eine Waldabteilung Mostholz gibt es bis heute (danach die moderne *Mostholz-straße*). Der Mosthügel ist ein einstiger Turmhügel, sowohl an einer Altstraße wie in einer Bachschleife günstig placiert. Grabungen wurden noch nicht durchgeführt. Ein Wallabschnitt ist erkennbar. Mit slaw. *most* 'Brücke' hat der Name nichts zu tun. Eher ist eine Ableitung von slaw. *město* 'Stadt, Befestigung' anzunehmen. Ursprüng-lich gehörte wohl das Mostholz zu dem Turmhügel. - Sieh auch als Parallele E. Moor, Die slawischen Ortsnamen der Theissebene, ZONF. 6 (1930) S. 3-37.

[46] Sieh J. Pfanner, Landkreis Pegnitz, S. 35f.

[47] Sieh H. Jakob, Moggast vulgo Mokoš, AO. 61 (1981) S. 185-195; H. Jakob, Zur Gentilaristokratie der Main- und Regnitzwenden, AO. 62 (1982) S. 13-20. - Beach-tenswert ist der Hinweis von J. Hanika auf eine slawische Vegetationsgottheit namens *Zelu* (von *Zelún*), deren Ritus möglicherweise auch außerhalb der engeren slawischen Siedlungsgebiete bekannt war. Sieh dazu J. Hanika, "Nomen ydoli vocabatur Zelu", Münchener Beiträge zur Slavenkunde. Festgabe für Paul Diels, S. 213-227.

(von *Walgarten*), eines Burgstalls in Krötensee bei Rehau[48]. Ein wohl recht alter Name wurde durch einen jüngeren Rodungsnamen nahe bei Kulmbach verdrängt. In *Mangersreuth*, heute Kulmbacher Stadtteil, steht eine Marienkirche, bei der vor der Reformation eine rege Wallfahrt bestand. Ein eigener Prozessionsweg führte von Kulmbach herauf. Die Kirche hatte den Beinamen *Maria zu den Stäben*, ein Name, der zum Beispiel auch in Oberitalien überliefert ist (*Santa Maria ad perticas*). Gemeint ist hiermit wohl eine durch Stäbe abgegrenzte Gerichtsstätte, die für eine zugeordnete Kirche namengebend wurde. Offensichtlich trat der alte Name im Hochmittelalter, als seine Bedeutung vergessen war, langsam gegenüber dem Namen des jüngeren Rodungsortes zurück, um schließlich ganz zu verschwinden[49].

Zwei verschiedensprachige Namen waren in Gebrauch für den Ort *Mähring* bei Tirschenreuth, nahe der Grenze zur Tschechoslowakei. *Mähring* ist kein *ing*-Ortsname, vielmehr abzuleiten von mhd. *merunge* 'Vermehrung, Ausbau'. Der Ort wird erwähnt zu a. 1181 in einer Urkunde Herzog Friedrichs von Böhmen für Kloster Waldsassen, worin dieser dem Kloster Besitzungen in Böhmen bestätigt und einen Distrikt an der Grenze, der offenbar nach alter Terminierungssitte durch einen Umritt festgelegt worden war. Die Urkundenstelle lautet: ... *quendam ambitum, Ugiez boemice appellatum, theutonice nomine Meringe* ... *Ugiez* ist das tschech. *ujezd*, ein recht häufiger Ortsname in Böhmen. Lat. *ambitus* ist nur Übersetzung von *ujezd*. Es waren also für den Ort und seine Gemarkung sowohl ein deutscher wie ein tschechischer Name in Gebrauch. Der Name *Mähring* setzte sich dann in der Folgezeit durch. *Ugiez* ging verloren[50].

Genug der Exempla aus Nordostbayern. Vollständigkeit in der Erfassung der Fälle von Namenverlust, Namenwechsel und Namenänderung ist weder beabsichtigt noch überhaupt möglich. Es könnte durch die gebrachten Beispiele jedoch wohl gezeigt worden sein, welche vielfältigen Prozesse und unterschiedlichen Faktoren in die Namenwelt der Region eingegriffen haben und welche Palette von Auswirkungen möglich war.

[48] Sieh R. Höllerich, Rehau-Selb, S. 69.

[49] Sieh zu *Mangersreuth*: R. Lenker, Mangersreuth bei Kulmbach, AO. 57/58 (1978) S. 137-186; R. Lenker, GO. 5 (1968/1969) S. 67-77. - *Ad perticas* in Oberitalien: s. S. Gasparri, La cultura tradizionale dei Longobardi.

[50] Sieh dazu H. Gradl, Das Egerland; H. Sturm, Districtus Egranus; E. Schwarz, Sprache und Siedlung, S. 382; E. Herrmann, Zur frühen Siedlungsgeschichte des Tirschenreuther Umlandes, Tirschenreuth im Wandel der Zeiten, III, S. 75-98.

Helmuth Feigl

Änderungen von Siedlungsnamen in Österreich

I. Zum Begriff. - Viele Gemeinden Niederösterreichs feierten in den letzten Jahren ein Jubiläum der ersten Erwähnung ihres Namens in einer mittelalterlichen Urkunde. Die Anzahl von Jahren, die als Anlaß zu einem Fest, zu einer Wappenverleihung an die Gemeinde beziehungsweise zur Bestätigung eines bisher geführten Wappens durch die Landesregierung, zu einer Markterhebung oder Stadterhebung und in vielen Fällen auch zur Herausgabe einer Ortskunde genommen wurde, schwankt im allgemeinen zwischen siebenhundert und tausendeinhundert Jahren. In dieser Periode (vom neunten bis zum 13. Jahrhundert) sind die meisten heute noch bestehenden Siedlungen gegründet und errichtet worden, und damals erhielten sie einen Namen, den die meisten Siedlungen noch heute tragen. Nur wenige Namen haben ihre ursprüngliche Form unverändert beibehalten. Die allgemeine sprachliche Entwicklung spiegelt sich selbstverständlich auch in diesem Namengut wider und führt bei vielen Siedlungsnamen zu Änderungen in der Aussprache. Eine fixierte Schreibweise für Ortsnamen, die nur mit behördlicher Genehmigung verändert werden darf, gibt es erst seit der Mitte des 19. Jahrhunderts[1]. Vorher zeigt sich gerade bei der Schreibung der Namen oft eine große Anzahl von Varianten, die offensichtlich nichts mit Unterschieden in der Aussprache zu tun hat. Veränderungen, die in der Sprachentwicklung oder in den Schreibgewohnheiten einzelner Epochen oder Persönlichkeiten begründet sind, können selbstverständlich nicht als Namensänderung im eigentlichen Sinn des Wortes angesehen werden. Allerdings gibt es zwischen den hier erwähnten Änderungen und den sogenannten volksetymologischen Neudeutungen Übergänge, die es praktisch unmöglich machen, exakte Zahlen über die Änderung von Siedlungsnamen anzugeben.

II. Rechtliche Voraussetzungen zur Namensänderung. - Weistümer, Dorfordnungen, landesfürstliche Patente und andere Rechtssatzungen aus dem sogenannten Feudal-

---

[1] Diese Fixierung ist eine Folge des Provisorischen Gemeindegesetzes vom 17. März 1849, Reichsgesetzblatt Nr. 170, und der im Zusammenhang damit angelegten amtlichen Gemeindeverzeichnisse und Ortsverzeichnisse. Die strenge Regelung der Orthographie galt zunächst nur für Gemeindenamen, wurde aber bald stillschweigend auch auf andere Ortschaften und auf die Bezeichnung von Ortsteilen erstreckt. Ältere diesbezügliche Arbeiten wie etwa J.W.C. von Steinius, Topographischer Landschematismus, waren privater Natur und daher nicht normenbildend, wenn sie auch die Schreibgewohnheiten beeinflußten.

zeitalter, das in Österreich bis zur Revolution des Jahres 1848 dauerte, behandeln die Frage einer Ortsnamenänderung nicht. Das Problem trat offensichtlich zu selten auf, um Aktualität zu erlangen, und man maß ihm offenbar nur geringe Bedeutung bei. Die Entscheidung, ob ein Name verändert werden darf, kann oder soll, lag offenbar bei den in der Ortschaft begüterten Herrschaften. Wenn es sich um eine Siedlung handelte, in der mehrere Grundherren begütert waren, lag die Entscheidung in erster Linie bei jenem, dem die ortsobrigkeitlichen Rechte zukamen[2]. In einzelnen Fällen mag auch der zuständige Pfarrer Einfluß genommen haben. Diese Fragen sind nur mit Vermutungen zu beantworten, da es für derartige Vorgänge an Quellen fehlt. Im Zuge der Verfassungsreformen und Verwaltungsreformen der Jahre 1848 bis 1850 wurde festgelegt, daß die Änderung des Namens einer Gemeinde einer behördlichen Genehmigung bedarf. Es war allerdings längere Zeit unklar, ob die entsprechende Kompetenz dem Ministerium des Innern zusteht, das hierbei das Einvernehmen mit dem Finanzministerium und eventuell auch mit dem Justizministerium pflegen mußte, oder ob sie bei der Landesbehörde liege, die hierzu den Landesausschuß beiziehen sollte. In der Praxis wurden die Bescheide teils durch das Ministerium, teils durch die Landesbehörde ausgestellt[3]. Im Jahre 1885 erging ein Erlaß des Ministeriums des Innern, demzufolge 'die Änderung des Namens einer Ortsgemeinde, Steuergemeinde oder einzelnen Ortschaft behufs gleichmäßiger Wahrung der hierbei eintretenden öffentlichen Rücksichten den beteiligten Zentralstellen vorbehalten bleibt'[4].

Die Bundesstaatliche Verfassung der Republik Österreich[5] wies die Kompetenz für derartige Namensänderungen den Bundesländern zu. In Niederösterreich wurde diese Materie im Jahre 1926 durch ein Landesgesetz geregelt[6], demzufolge 'zur Änderung des Namens einer Ortsgemeinde, Katastralgemeinde oder Ortschaft ein Landtagsbeschluß' erforderlich war. Im Jahre 1973 trat eine neuerliche Kompetenzänderung ein. Die renovierte niederösterreichische Gemeindeordnung, die in diesem Jahr vom Landtag beschlossen wurde, machte Namensänderungen von einem Beschluß der Landesregierung abhängig und setzte fest, daß dieselbe diesbezügliche Anträge nur dann ablehnen dürfe, wenn durch den neuen Namen öffentliches Ärgernis erregt werden kann oder wenn derselbe mit dem Namen einer anderen Gemeinde des Bundesgebietes gleichlautend oder verwechselbar ähnlich ist. Bei der Vereinigung, Trennung oder Neubildung von Gemeinden hat die Landesregierung nach Anhörung der Beteiligten den Namen zu bestimmen[7]. Das oberwähnte Gesetz aus dem Jahre 1926 und die Gemeindeordnung vom Jahre 1973 enthalten auch die Bestimmung, daß

---

[2] H. Feigl, FLNÖ. 16 (1964) S. 122-143.

[3] E. Mayrhofer - Graf Anton Pace, Handbuch für den politischen Verwaltungsdienst, I, S. 281f.

[4] Ministerium des Innern, Erlaß vom 13. Mai 1885, Zl. 21.078 ex 1884.

[5] W. Brauneder - F. Lachmayer, Österreichische Verfassungsgeschichte, S. 187-223.

[6] Gesetz vom 17. Juni 1926, betreffend die Namen und die Bezeichnung von Gemeinden, LGBl. NÖ. Nr. 145.

[7] Niederösterreichische Gemeindeordnung 1973, LGBl. NÖ. 1000 - 0, § 2.

allfällige Kosten, die aus solchen Namensänderungen entstehen, von der Gemeinde zu tragen sind. Der Gesetzgeber ist also der Meinung, daß diese Verwaltungsakte im allgemeinen auf Wunsch und im Interesse der Gemeinde erfolgen.

Der praktische Vorgang spielt sich auf folgende Art und Weise ab. Zunächst erfolgt ein Meinungsbildungsprozeß innerhalb der Gemeinde, der zu einem Gemeinderatsbeschluß hinsichtlich eines Antrages an die Landesregierung bezüglich einer Namensänderung führt. Dieser Antrag wird der für Gemeindeangelegenheiten zuständigen Abteilung der Niederösterreichischen Landesregierung[8] zur Behandlung zugewiesen und in der Regel von derselben dem Landesarchiv zur Stellungnahme übergeben. Von der obengenannten Abteilung wird der Antrag nach entsprechender Bearbeitung[9] zur Beschlußfassung an die Landesregierung weitergeleitet.

III. Quellen für Änderungen von Siedlungsnamen. - Landtagsbeschlüsse beziehungsweise Regierungsbeschlüsse über die Änderung von Ortsnamen werden seit dem Ersten Weltkrieg im Landesgesetzblatt verlautbart[10]. Im übrigen geben die Ortsverzeichnisse des seit dem Jahre 1865 erscheinenden 'Niederösterreichischen Amtskalenders'[11] einen guten Überblick hinsichtlich der Veränderungen an Ortsnamen. Für die Zeit vom Ende des 18. Jahrhunderts bis zum Jahre 1865 wäre vor allem auf die im Niederösterreichischen Landesarchiv verwahrten Steuerfassionen[12] und Steuerkataster[13], auf die historisch-statistischen Materialien der Landstände[14], auf die topographische Literatur[15] und schließlich auf die Landschematismen und Ortsverzeichnisse[16] hinzuweisen. Für den Zeitraum vom Frühmittelalter bis zum 18. Jahrhundert aber gibt das von Heinrich Weigl bearbeitete historische Ortsnamenbuch von

---

[8] Derzeit Abteilung II/1.

[9] Einwendungen des Landesarchivs gegen Wünsche von Gemeinden werden nicht immer berücksichtigt. Hierdurch kommen gelegentlich Namensänderungen zustande, die aus philologischer, historischer oder geographischer Sicht nicht als glücklich bezeichnet werden können.

[10] Beispiele seit dem Jahr 1970: LGBl. NÖ. 1200/1-0ff.

[11] Seit dem Jahr 1919: Österreichischer Amtskalender. Erscheint jährlich. Lücke in den Jahren 1939 bis 1948, bedingt durch den Zweiten Weltkrieg.

[12] Josephinische Steuerfassion, 1785-1787, nach den damals geschaffenen Katastralgemeinden gegliedert. Mit der Angabe der Namen von Ortsteilen, Streusiedlungen und Einzelhöfen sowie zahlreichen Flurnamen.

[13] Franziszeischer Steuerkataster, 1817-1830. Parzellenprotokolle und Pläne (Katastralmappen) mit eingehenden topographischen Angaben.

[14] Ende des 18. Jahrhunderts planten die Landstände die Herausgabe einer Topographie und beauftragten Adrian Rauch mit der Beschaffung entsprechender Unterlagen. Das Werk kam schließlich nicht zustande, aber die Materialien haben sich teilweise erhalten und werden im Niederösterreichischen Landesarchiv aufbewahrt.

[15] Eine Zusammenstellung derselben findet sich im Handbuch der historischen Stätten, I, S. 804-808. Fortan abgekürzt: HBHStÖ.

[16] S. A. 1.

Niederösterreich[17] über die älteste Nennung, die sprachliche Entwicklung und über Änderungen von Siedlungsnamen erschöpfend Auskunft. Dieses Werk bildet auch die Grundlage für die folgenden Ausführungen.

IV. Namenänderung durch sogenannte volksetymologische Deutungen. - Nach langwierigen Verhandlungen wurde im Frühjahr des Jahres 1515 ein Bündnisvertrag zwischen Kaiser Maximilian I., König Ladislaus II. von Böhmen und Ungarn sowie König Sigismund von Polen, der auch eine zweifache Eheverbindung zwischen den Dynastien der Habsburger und der Jagellonen enthielt, reif für den Abschluß. Die Unterzeichnung und die Doppelhochzeit wurden für Wien vereinbart. Um die letzten Detailfragen zu klären, wurde ein Zusammentreffen der drei Monarchen auf einem Hügel in der Nähe von *Trautmannsdorf* an der Leitha vereinbart, das am zehnten Juli des Jahres 1515 stattfand. Für die folgende Nacht wurde König Ladislaus das Schloß Trautmannsdorf als Quartier zugewiesen. Der kaiserliche Rat Johann Jakob Fugger auf Kirchberg und Weißenhorn, der in einem im Jahre 1555 abgeschlossenen historiographischen Werk 'Spiegel der Ehren des hochlöblichen Kaiser- und königlichen Erzhauses Österreich' hierüber berichtet, erzählt, man habe diesen Platz und dieses Schloß gewählt, damit der Name *Trautmannsdorf* den argwöhnischen Ungarnkönig veranlassen möge, dem Kaiser mehr Vertrauen zu schenken[18]. Diese Episode zeigt, daß das durch Plautus überlieferte geflügelte Wort Nomen atque omen[19] auch an der Wende vom Mittelalter zur Neuzeit Beachtung fand. Hieraus läßt sich das Bestreben erklären, Siedlungsnamen, deren ursprüngliche 'Bedeutung' nicht mehr erkannt wurde, einen neuen Sinn zu geben. Dieser Vorgang läßt sich sehr häufig beobachten. In dieser Abhandlung können nur einige wenige Beispiele geboten werden.

In den Jahren 1143/50 wird erstmals ein Ort *Mertinesdorf* genannt. Die Etymologie bereitet keinerlei Schwierigkeiten. Es handelt sich um das 'Dorf eines Mannes namens Martin'. Bis in das 15. Jahrhundert entsprach die Veränderung des Ortsnamens der allgemeinen sprachlichen Entwicklung. So erscheint im Jahre 1432 die Form *Merttersdorf,* und auch der Personenname *Martin* erscheint in dieser Zeit häufig in der Kurzform *Mert(t)*. Im 16. Jahrhundert wurde eine volksetymologische Umdeutung vorgenommen. A. 1564 erscheint erstmals die heute noch gebräuchliche Form *Mörtersdorf*[20], die als 'Dorf des Mörders' gedeutet wurde. Dieser Name beschäftigte die Phantasie und führte zur Ausbildung folgender Sage. Der Ort *Mörtersdorf* befand sich längere Zeit im Besitz der Kuenringer, des vielleicht bedeutendsten Ministerialengeschlechtes der Markgrafen beziehungsweise Herzoge von Österreich

---

[17] Sieben Bände und ein Ergänzungsband, Wien 1964-1981. Fortan abgekürzt: HONB.

[18] Fuggers 'Ehrenspiegel' wurde im Jahre 1668 von den Nürnberger Buchdruckern Michael Endtel und Johann Friedrich Endtel herausgebracht. Das hier erwähnte Ereignis findet sich auf S. 1322-1327 dargestellt. Sieh hierzu H. Feigl, FLNÖ. 20 (1974) S. 47-50.

[19] G. Büchmann, Geflügelte Worte, S. 108.

[20] HONB., IV, S. 181, Nr. M 269. - *Mörtersdorf,* Dorf u. KG., OG. *Rosenburg-Mold,* GB. u. VB. *Horn.*

im zwölften und 13. Jahrhundert. Im 14. Jahrhundert verloren die Kuenringer einen großen Teil ihres Besitzes, ihrer Macht und ihres Einflusses, und nach seinem Aussterben wurde das Geschlecht zum Prototyp der bösartigen Raubritter[21]. Nach der vorerwähnten Sage saßen zwei Brüder aus dem Geschlecht der Kuenringer auf Burgen in Mödring und in dem heutigen Ort *Mörtersdorf*. Der Mörtersdorfer liebte seine Mödringer Schwägerin, und, von wilder Leidenschaft verblendet, lud er seinen Bruder auf seine Burg ein und ließ ihn auf der Rückkehr durch gedungene Banditen ermorden. Vor seinem Ableben belastete diese Untat sein Gewissen schwer, und er setzte den Sohn seines ermordeten Bruders zu seinem Erben ein, der diese Zusammenhänge erkannte. Der neue Besitzer ließ die Burg niederreißen, verteilte den Grundbesitz an siedlungswillige Bauern und gründete auf diese Weise eine Ortschaft, die den Namen *Mörtersdorf* erhielt[22].

Am Nordrand des Tullnerfeldes liegt der Ort *Königstetten*[23]. Auch seine Etymologie ('Platz, Stätte des Königs') bot zu einer Sage Anlaß. Eine Anhöhe hinter diesem Ort diente als Feldherrnhügel, von dem aus Karl der Große im Jahre 791 die Schlacht gegen die Awaren leitete, die sich in den Hängen des Wienerwaldes auf die für sie typische Weise in einem Ring verschanzt hatte[24]. Dieser Umstand sei der Grund für die Benennung des am Fuße dieses Hügels gelegenen Ortes nach der siegreichen Schlacht gewesen. Auch hier liegt eine volksetymologische Umdeutung vor. Die älteste Nennung, Ende des zehnten Jahrhunderts, lautet *Chunihestetin* beziehungsweise *Chunihohestorf*[25], also 'Stätte, Platz beziehungsweise Dorf eines Mannes namens Chunihoh'. Die Umbenennung erfolgte in der zweiten Hälfte des 13. Jahrhunderts. A. 1250/1260 findet sich noch die Form *Chunihohsteten*, a. 1292 bereits die Form *Chunigsteten*[26].

Im Jahre 1226 wird erstmals die Ortschaft *Widungesowe* genannt, was 'Au eines Mannes namens Widung' 'bedeutet'. Bis in das 15. Jahrhundert entspricht die Entwicklung des Namens den Lautgesetzen. Noch im 13. Jahrhundert erfolgt die Diphthongierung des *i* zu *ei*, wodurch bis a. 1256/1294 die Namensform *Weidungsawe* entstand. Dann fiel das unbetonte *e* am Wortende ab: a. 1406 *Weidungsaw*. Im Verlauf des 16. Jahrhunderts kommt es zu einer etymologischen Neudeutung, indem in den Namen ein *l* eingefügt wird: a. 1536 *Weidlingsaw*. Manche dachten hier offenbar an einen Weidling. Im Jahre 1600 ist auch das bei dieser Umdeutung sinnlos gewordene Genetiv-*s* abgefallen, so daß die Form *Weidlingau*[27] entstand. Die Deutung 'Au

---

[21] Die Kuenringer. Das Werden des Landes Niederösterreich. Niederösterreichische Landesausstellung im Stift Zwettl 16. Mai - 26. Oktober 1981.

[22] M. Schindler, Die Kuenringer in Sage und Legende, S. 72f.

[23] Markt, KG. u. OG., GB. u. VB. *Tulln.*

[24] Topographie von Niederösterreich, V, S. 288.

[25] HONB., III, S. 281, Nr. K 263. - Beide Namensformen finden sich in derselben Quelle.

[26] HONB., III, S. 281, Nr. K 263.

[27] HONB., VII, S. 70, Nr. W 135. - KG. im 14. Wiener Gemeindebezirk.

in der Form eines Weidlings' hält der Realprobe stand. Zwischen zwei Engen weitet sich das Tal des Wienflusses in der Nähe der Ortschaft *Weidlingau* in einer Form, die man mit jener eines Weidlings[28] vergleichen kann.

Im Jahre 1149 wird erstmals ein Ort *Tragebotinstetten* genannt. Das Beiwort enthält den Personennamen *Trageboto,* der bereits im 13. Jahrhundert kaum mehr gebräuchlich war. Das führte zu einer Reihe von Deutungsversuchen, die sich in Namensformen wie *Trabstetten* (a. 1160), *Trausteten* (a. 1190), *Trasteten* (a. 1254), *Trostetten* (a. 1360), *Traustetten* (a. 1587/1593) und *Drottenstätten* (a. 1591) manifestiert. Weder die Assoziation zum Wort 'drohen' ('bedrohliche Stätte') noch jene zu 'trauen' ('vertrauenswürdige Stätte') konnte sich auf die Dauer durchsetzen. Im Jahre 1525 tauchte erstmals die Form *Driesteten* auf. Auf ihr aufbauend setzte sich seit dem 17. Jahrhundert die Form *Dreistetten*[29] durch.

Neudeutungen von Siedlungsnamen, weil die in jenen enthaltenen Personennamen ungebräuchlich geworden waren und daher nicht mehr verstanden wurden, liegen unter anderem auch bei folgenden Ortschaften vor. Das a. 1120/1130 genannte *Gnan(n)endorf,* dem ein Personenname *Gnanno* zugrunde liegt, wird im 17. Jahrhundert zu *Gnadendorf*[30] ('Dorf der Gnaden'). Das nach einem Mann mit dem Namen *Nasco* genannte *Naschendorf* ändert im 18. Jahrhundert seinen Namen zu *Aschendorf*[31]. Von einem Personennamen *Hepho* leitet sich das a. 1175 erstmals genannte *Hepfengeswende* her. Im Jahre 1357 taucht erstmals die Namensform *Öphelgeswent* auf, die sich dann als *Äpfelgschwent*[32] endgültig durchsetzte. Im Jahre 1271 erscheint erstmals der Name *Huetenberg,* in dem der Personenname *Huoto* enthalten ist. A. 1569 lag der Ort *Huetnperg* öde, nach seinem Wiederaufbau erscheint der Name als *Hirtenberg*[33]. Der nach einem Mann namens *Herto* benannte Ort *Hertenssteten* (älteste Nennung a. 1258/1259) wurde im 16. Jahrhundert in *Hirschstetten* umbenannt[34]. Er liegt nahe den Donauauen, die wegen ihrer Hirsche

------

[28] *Weidling* oder *Weitling* bedeutet in Bayern und Österreich 'große, nach oben sich stark verbreiternde Schüssel' s. J. Ebner, Wie sagt man in Österreich?, S. 243.

[29] Dorf, KG. u. OG., GB. u. VB. Wiener *Neustadt.* - HONB., II, S. 71, Nr. D 271.

[30] Dorf, KG., OG. u. GB. *Laa an der Thaya,* VB. *Mistelbach.* - HONB., II, S. 314f., Nr. G 164. - Topographie von Niederösterreich, III, S. 475-479. - In *Gnadendorf* bestand keine Wallfahrt, welche diese Namensdeutung rechtfertigen würde.

[31] Dorf u. KG., OG. *Hart-Aschendorf,* GB. u. VB. *Hollabrunn.* - HONB., I, S. 75, Nr. 235. - Topographie von Niederösterreich, I, S. 85f.

[32] Bis a. 1938 Dorf u. KG., OG. *Edelbach,* GB. *Allentsteig,* VB. *Zwettl.* A. 1939/1940 wurde die Bevölkerung ausgesiedelt und die Ortschaft zwecks Anlegung des Truppenübungsplatzes *Döllersheim* zerstört. - HONB., I, S. 64, Nr. A 201. - Topographie von Niederösterreich, II, S. 9. - HBHStÖ., I, S. 229f.

[33] KG. u. OG., GB. *Pottenstein,* VB. *Baden.* - HONB., III, S. 108, Nr. H 346. - Topographie von Niederösterreich, IV, S. 285-287. - F. Hanauska, Heimatbuch, S. 130-135.

[34] Ehemals Dorf, eigene KG u. OG.; heute Bestandteil des 22. Wiener Gemeindebezirkes. - HONB., III, S. 107, Nr. H 343. - Topographie von Niederösterreich, IV, S. 284f.

in Jägerkreisen noch heute ganz besonders geschätzt werden. Im Jahre 1304 wird erstmals eine Siedlung *Hiltteinsdorf* genannt. Der Name erscheint a. 1349 als *Hiltreinsdorf* und geht auf einen Personennamen *Hiltram*, eventuell auch *Hiltwin* zurück. Im Jahre 1586 taucht erstmals die heute übliche Bezeichnung *Hintersdorf*[35] auf. Der Ort liegt tatsächlich abseits aller Hauptverkehrswege in einem vor der Motorisierungswelle sehr abgeschiedenen Teil des Wienerwaldes. Auch die a. 1316 erstmals genannte Siedlung *Haertweigsperg* enthält einen Personennamen. Im 15. Jahrhundert und 16. Jahrhundert suchte man nach einer etymologischen Neudeutung, wie die Namensformen *Happnsperg* (a. 1490) und *Hetmannsperg* (a. 1522) beweisen. Ende des 16. Jahrhunderts war sie gefunden. In den Jahren 1587/1593 taucht erstmals die Form *Hauptmansberg*[36] auf. Ein *Huc* war für die Siedlung *Hugesprunne* namengebend, die schon im 13. Jahrhundert in *Hausbrunn* umbenannt wurde[37]. *Hagen* ist ein durch das Nibelungenlied bis heute sehr bekannter männlicher Vorname. Er war aber in Niederösterreich seit dem Spätmittelalter nicht besonders populär[38]. Das beweist nicht nur die Tatsache, daß nur sehr wenige adelige Angehörige und kaum Angehörige der bürgerlich-bäuerlichen Bevölkerungsschichte nachweisbar sind, die diesen Namen trugen, sondern auch die Umbenennung der a. 1105/1122 genannten Siedlung *Haganvelt* in *Hainfeld* bereits zu Anfang des 13. Jahrhunderts. Die Siedlung liegt tatsächlich in einem ausgedehnten Waldgebiet. Im 19. Jahrhundert vermuteten Heimatforscher aufgrund des Ortsnamens eine Siedlungsgründung an der Stelle eines heiligen Heines der 'alten Deutschen'[39].

Die Namengebung einer erstmals a. 1180 *Wiganstorf*, dann a. 1248 *Weigantstorf* genannten Siedlung geht auf einen Personennamen *Wigant* zurück. Im 15. Jahrhundert und 16. Jahrhundert wußte man mit diesem Namen wenig anzufangen. Es finden sich Formen wie *Weygenstorf* (a. 1434) und *Weigerstorf* (a. 1584). Im 18. Jahrhundert fand eine Neudeutung auf *Weiersdorf* (a. 1683) statt. Heute lautet die offizielle Schreibung *Weyersdorf*[40]. Nach dem Personennamen *Wiggo* ist eine Siedlung benannt, die a. 1250/1260 unter dem Namen *Weichendorf*, a. 1376 als *Weykendorf*

[35] Dorf, KG. u. OG., GB. u. VB. *Tulln.* - HONB., III, S. 103, Nr. H 326. - Topographie von Niederösterreich, IV, S. 275.

[36] *Hauptmannsberg*, Weiler in der KG. *Abetzberg*, OG. *Aschbach-Markt*, GB. *St. Peter in der Au*, VB. *Amstetten*.

[37] A. 1294: *Hausprvnne*. - Markt, KG. u. OG., GB. *Poysdorf*, VB. *Mistelbach.* - HONB., III, S. 70, Nr. H 194. - Topographie von Niederösterreich, IV, S. 134f.

[38] Der Popularitätsverlust mag übrigens mit der Verbreitung der Kenntnis der Nibelungensage zusammenhängen, in welcher der 'grimme Hagen' eine überwiegend negative Rolle spielt.

[39] *Hainfeld*, Stadt, KG. u. OG., Sitz eines BG., VB. *Lilienfeld.* - HONB., III, S. 34f., Nr. H 86. - Topographie von Niederösterreich, IV, S. 58f. - HBHStÖ., I, S. 305f. - ÖStB., IV/2, S. 43. - Im letztgenannten Werk wird *Haganvelt* nicht vom Personennamen *Hagen* abgeleitet, sondern als 'umhegtes, eingezäuntes Feld' gedeutet.

[40] Dorf u. KG., OG. *Karlstetten*, GB. u. VB. *St. Pölten.* - HONB., VII, S. 71, Nr. W 138.

erscheint. Im 16. Jahrhundert erfolgte eine Umbenennung, wobei man zunächst zwischen *Weittendorf* (a. 1587/1593) und *Weidendorf* (a. 1641) schwankte. Die Entscheidung erfolgte schließlich zuungunsten der Weiden. Der Weiler heißt heute *Weitendorf*, eine Benennung, die angesichts seiner nur drei Häuser und des geringen Ausmasses der Flur (Flächenausmaß der Katastralgemeinde 58,49 Hektar) unbegründet erscheint[41]. Der a. 1285 erstmals genannte Ort *Weymaresuelde* ist nach einem Mann namens *Wayemar* benannt. Im 16. Jahrhundert wußte man mit diesem Namen nicht viel anzufangen, wie die a. 1569 aufscheinende Form *Wamesfeld* bezeugt. Dann brachte man ihn mit der Jagd in Verbindung und benannte ihn in *Waidmannsfeld*[42]. Der Personenname *Siggo* findet sich in der a. 1139 erstmals genannten Ortschaft *Sichindorf*, die a. 1140/1141 als *Sicchendorf* und a. 1162/1164 als *Sikkendorf* erscheint. Schon im 13. Jahrhundert fand eine Neudeutung des Namens statt, wie die Formen *Sitigendorf* (a. 1280) und *Sitendorf* (a. 1285) zeigen, wobei man an mhd. *site*, 'Art zu Leben, Anstand' dachte. Folgerichtig heißt der Ort heute *Sittendorf*[43].

Neben jenen Fällen, in denen man für nicht beziehungsweise nicht mehr verstandene Namen eine neue Sinndeutung suchte, stehen auch etliche, wo, zweifellos bewußt, eine Umdeutung vorgenommen wurde. Ein schönes Beispiel hierfür bietet *Neunkirchen*. Die ältesten Nennungen lauten *Niuwenchirgun* und *Niunchirchen* (a. 1094/Anfang des zwölften Jahrhunderts beziehungsweise a. 1136), was 'neue Kirche' 'bedeutet'. Dieser Siedlungsname kommt öfters vor und entwickelte sich in allen andern Fällen zu *Neunkirchen*. In unserem Fall blieb das *n* erhalten (um a. 1180 *Neunchirchen*), und bereits im 14. Jahrhundert findet sich die Deutung mit der Zahl neun: a. 1363 *de Novem Ecclesiis* ('Siedlung mit Neunkirchen'). Diese Deutung des Ortsnamens bestätigt auch das seit dem Jahre 1511 nachweisbare Marktwappen, das neun Kirchen zeigt. Diese Etymologie hält einer Realprobe nicht stand. In dem kleinen Markt (erst im Jahre 1920 wurde *Neunkirchen* zur Stadt erhoben) gab es nie mehr als zwei Kirchen, die Pfarrkirche Mariä Himmelfahrt und das Kirchlein St. Oswald auf der Steinplatte. Auch wenn man den ehemaligen Karner und andere kleine Kapellen hinzurechnet, wird die Zahl neun nicht erreicht[44]. Im Jahre 1147 erscheint erstmals eine Siedlung mit dem Namen *Stadelhoven*. Mhd. *stadel* bedeutet 'Scheune'. Ein Stadelhof mußte daher ein Hof mit einer besonders großen Scheune sein. Solche Getreidespeicher besaßen vor allem die Zehnthöfe, deren Inhaber den Getreidezehnt einhoben und lagerten. Der Ausdruck *Stadel* war allerdings in Niederösterreich in älterer Zeit nicht volkstümlich. Getreidespeicher wurden in diesem Raum vorwiegend *Kasten* genannt. Das mag der Grund sein, weshalb a. 1227 die Form *Stalhoven* erscheint, woraus sich das heutige *Stollhof* entwickelte, das als 'Hof

---

[41] *Weitendorf*, Weiler u. KG., OG. *Gerersdorf*, GB. u. VB. *St. Pölten*. - HONB., VII, S. 95, Nr. W 206.

[42] Dorf, KG. u. OG., GB. u. VB. *Wiener Neustadt*. - HONB., VII, S. 38, Nr. W 35.

[43] Dorf, KG. u. OG., GB. u. VB. *Mödling*. - HONB., VI, S. 129, Nr. S 361.

[44] HONB., V, S. 22f., Nr. N 70. - HBHStÖ., I, S. 439f. - ÖStB., IV/2, S. 305-318.

mit einem großen Stall' gedeutet werden kann[45]. Die Geschichte des Dorfes ist nur unzulänglich erforscht, so daß hier auch eine andere Deutungsmöglichkeit offen bleiben muß. Durch eine Umstellung des Wirtschaftsschwerpunktes vom Getreidebau auf Viehwirtschaft könnte anstelle eines Zehnthofes mit großem Stadel ein Meierhof mit großen Stallungen getreten sein.

V. Neudeutung bei der Eindeutschung slawischer Siedlungsnamen. - Zumindest seit dem neunten Jahrhundert lebten im Gebiet des heutigen Niederösterreich Slawen und Bayern nebeneinander. Hierdurch kam es zur Übernahme zahlreicher slawischer Flußnamen, Siedlungsnamen und Bergnamen in die deutsche Sprache[46]. Viele dieser Namen wurden stark verändert, um sie für bayerische beziehungsweise deutsche Zungen leicht aussprechbar zu machen und ihren Klang der deutschen Sprache anzugleichen.

Als Beispiel sei hier zunächst der Name *Rubinicha* genannt, der auf slaw. *ryba* 'Fisch' zurückgeht und 'Fischbach' bedeutet. Er wurde über *Rubnich* (a. 1189) und *Remnik* (a. 1364) beziehungsweise *Ravminkch* (a. 1367) im 16. Jahrhundert zu *Raming*[47]. Von slaw. **berza* 'Birke' leitet sich der a. 834 erstmals genannte Flußname *Bersnicha* ab, der im 15. und 16. Jahrhundert zunächst in *Persing* und schließlich in *Perschling* umgewandelt wurde[48]. Etymologische Schwierigkeiten gibt es bei dem zweifellos slawischen Flußnamen *Pistnicha* (a. 1020). Sowohl die Deutung 'Teufelsbach' als auch die Deutung 'Sandbach' erscheinen möglich. Der Name erhielt seinen slawischen Charakter bis ins 15. Jahrhundert (a. 1402 *Piestnichk*) und wurde in der zweiten Hälfte dieses Säkulums in das deutsch klingende *Piesting* umgewandelt[49].

Bei diesen Beispielen ging es nur um das Herstellen eines deutschen Klanges. Des öftern aber war hiermit auch der Versuch einer neuen Sinngebung verbunden. Als Beispiele seien die folgenden Fälle angeführt. Der a. 1108 genannte Flußname und Ortsname *Widenicbe* geht auf eine Wurzel idg. **veidho/widhu* 'Baum, Holz, Wald' zurück und hat die Bedeutung 'Waldbach'. Der Name entwickelte sich über *Widnik* (um a. 1220) und *Weidnigk/Weidnik* (a. 1262/1407) in der Mitte des 15. Jahrhunderts zu *Weydling* (a. 1448). Wie bei dem obenerwähnten *Weidlingau* dachte man auch hier an ein Tal in der Form eines Weidlings[50]. Um die Jahre 1144/1150 wird

―――――――――

[45] Dorf u. KG., OG. *Hohe Wand*, GB. u. VB. *Wiener Neustadt.* - HONB., VI, S. 195, Nr. S 524

[46] P. Wiesinger, in: Die Bayern und ihre Nachbarn, I, S. 321-367, hier S. 321, A. 1 mit der wichtigsten älteren Literatur.

[47] HONB., V, S. 130, Nr. R 61 u. R 63. - P. Wiesinger, in: Die Bayern und ihre Nachbarn, I, S. 347.

[48] HONB., I, S. 137f., Nr. W 158. - P. Wiesinger, in: Die Bayern und ihre Nachbarn, I, S. 349.

[49] HONB., I, S. 173, Nr. B 238 a u. b. - P. Wiesinger, in: Die Bayern und ihre Nachbarn, I, S. 350.

[50] Fluß, Dörfer, *Weidling* und *Weidlingbach*, OG. u. GB. *Klosterneuburg*, VB. *Wien*-Umgebung. - HONB., VII, S. 69, Nr. 133. - P. Wiesinger, in: Die Bayern und ihre Nachbarn, I, S. 337.

erstmals eine Siedlung *Raduwanes* genannt. Es handelt sich um einen genitivischen Ortsnamen, abgeleitet von einem slawischen Personennamen *Radovan*[51]. Der Name entwickelte sich über *Radewans* (a. 1188) zu *Radwans* (a. 1208). Dann wurde er im Sinne eines Rodungsnamens umbenannt. Im Jahre 1240 taucht erstmals die Namensform *Radenreute* auf, die im 16. Jahrhundert in *Rornreit* umbenannt und umgedeutet wurde. Hierdurch wurde ein Bezug zu mhd. *ror/rohr* 'Schilf' hergestellt, ein Wort, das sowohl starke als auch schwache Biegung aufwies. Man dachte wohl an eine 'Rodung im Schilf'. Der Ort wird heute *Rohrnreit*[52] geschrieben.

Der letztgenannte Ort führt zu der großen Gruppe von Siedlungsnamen, die aus einem deutschen Grundwort und einem slawischen Bestimmungswort bestehen. Hierzu gehören auch die Namen *Grizanstein* (a. 1115)[53] und *Grizansteten* (a. 1105/ 1120)[54], die auf einen slawischen Personennamen *Krican* zurückgehen. Der Personenname entwickelte sich über *Greitz(en)* zu *Kreuz*, so daß die Namen *Kreuzenstein*[55] und *Kreuzstetten*[56] entstanden, die man offenbar mit dem Lehnwort *Kreuz* (lat. *crux*) in Verbindung brachte.

Ein slawischer Personenname (*Cudobela* oder ähnlich) steckt in dem a. 1146 genannten *Subellendorf*, das im gleichen Jahrhundert auch als *Subensdorf* und als *Sudersdorf* erscheint. Der Name wurde bereits im 13. Jahrhundert zu *Soubersdorf* (a. 1262) transformiert und lautet heute *Saubersdorf*[57], wobei man offenbar an das deutsche Wort *sauber* in der Bedeutung 'rein' dachte. Aus einem slawischen Personennamen in Verbindung mit dem deutschen Grundwort *Au* ist der Siedlungsname *Bobsouua* gebildet. Eine Umdeutung wurde bereits im 13. Jahrhundert vorgenommen, in dem erstmals der Name *Votsowe* ('Au des Vogtes') erscheint. Mit dieser Deutung gab man sich bis zum 15. Jahrhundert zufrieden. Dann suchte man nach einer neuen Sinngebung. So erklären sich die Namensformen *Vatzau* (a. 1587/1593) und *Fützau* (a. 1693). Seit dem 18. Jahrhundert setzte sich dann *Veitsau*[58] 'Au eines Mannes namens Veit' durch.

----

[51] W. Steinhauser, in: Akademie der Wissenschaften in Wien. Philosophisch-historische Klasse. Sitzungsberichte, 206. Band, 1. Abhandlung, S. 38f. - Die Lokalisierung der Ortschaft durch W. Steinhauser wurde von H. Weigl richtiggestellt: HONB., V, S. 214, Nr. R 313.

[52] Dorf u. KG., OG. *Großgöttfritz*, GB. u. VB. *Zwettl*.

[53] HONB., III, S. 304, Nr. K 318.

[54] HONB., III, S. 305f., Nr. K 319 u. K 320.

[55] *Burg*, KG. u. OG. *Leobendorf*, GB. u. VB. *Korneuburg*. - Topographie von Niederösterreich, V, S. 490-498.

[56] *Niederkreuzstetten* und *Oberkreuzstetten*, Dörfer u. KG., OG. *Kreuzstetten*, GB. *Wolkersdorf*, VB. *Mistelbach*. - Topographie von Niederösterreich, V, S. 499-507.

[57] Dorf u. KG., OG. *St. Egyden am Steinfeld*, GB. u. VB. *Neunkirchen*. - HONB., VI, S. 13, Nr. S 31.

[58] Dorf, KG. u. OG. *Berndorf*, GB. *Pottenstein*, VB. *Baden*. - HONB., II, S. 194 u. 8, 88, Nr. F 33. - Zur Problematik der Identifizierung des a. 1035 genannten *Bob-*

Von besonderem Interesse ist die Entwicklung des Namens der im Jahre 1108 erstmals genannten Siedlung *Boreistorph*, in dem sich das deutsche Grundwort *Dorf* mit dem slawischen Personennamen *Borej/Boris* verbindet. Seit der Wende vom 13. Jahrhundert zum 14. Jahrhundert suchte man nach einer neuen Sinndeutung, was zu Formen wie *Parersdorf* (a. 1303/1306), *Pareistorf* (a. 1340) und *Poresdorf* (a. 1354) führte. Im Jahre 1380 findet sich erstmals die Form *Parisdorf*, die sich aber erst im 16. Jahrhundert endgültig durchsetzte. *Paris* aber war ein in der bäuerlichen Bevölkerungsschicht ungebräuchlicher und kaum volkstümlicher Name. Daher müssen wir den Namengeber in jenen Kreisen suchen, die, beeinflußt durch die Strömungen der Renaissance, die antiken Sagen kannten: Im Adel oder in Kreisen des gehobenen Bürgertums. Wichtigster Grundherr in *Parisdorf* wurde im Jahre 1321 ein Bürger der Stadt Horn, Christoph der Weikersdorfer, der damals das Dorf von dem adeligen Ulrich Thanner erwarb. Sein Nachkomme Stephan der Weikersdorfer übertrug diesen Besitz auf das von ihm gestiftete Horner Bürgerspital, dessen Vorsteher, ein aus der bürgerlichen Oberschicht der Stadt Horn erwählter 'Spitalmeister', fortan die wichtigsten obrigkeitlichen Rechte im Ort Parisdorf ausübte. Sgraffitodarstellungen auf den Fassaden einiger Bürgerhäuser des 16. Jahrhunderts, deren Inhalt auf antiken Sagen, griechischer und römischer Mythologie oder auf den Geschichtsdarstellungen antiker Autoren basiert, bezeugten das Interesse dieser Bevölkerungsschicht für die antike Sagenwelt. Das Bürgergeschlecht der Weikersdorfer und ihre Rechtsnachfolger als Spitalmeister dürften die Namensform *Parisdorf* erfunden und durchgesetzt haben[59].

Wenn wir nach Motiven für eine Änderung oder Neudeutung eines Ortsnamens suchen, so sind wir für das Mittelalter und die frühe Neuzeit durchweg auf logische Schlüsse beziehungsweise Vermutungen angewiesen, da über diese Vorgänge keine schriftlichen Unterlagen vorhanden sind. Diese Situation ändert sich erst im 19. Jahrhundert. Ein Beispiel für eine Neudeutung in dieser Epoche bildet der Name *Eipeltau*, der durch Verballhornung eines slawischen Siedlungsnamens entstand. *Alpiltowe*, wie der Name bei seiner ersten Erwähnung um a. 1130 lautet, dürfte auf slaw. *alba dovo 'Schwanendorf' zurückgehen. An der Wende vom 18. Jahrhundert zum 19. Jahrhundert läßt sich in Niederösterreich ein großer Aufschwung des Interesses für regionalgeschichtliche Belange feststellen, was im Projekt zur Herausgabe einer Landestopographie durch die Stände des Erzherzogtums Österreich unter der

---

souua s. H. Fichtenau - E. Zöller, Urkundenbuch zur Geschichte der Babenberger in Österreich, IV/1, S. 12f., Nr. 565. Sieh auch H. Feigl, in: Siedlung, Macht und Wirtschaft. Festschrift Fritz Posch zum 70. Geburtstag, S. 51ff.

[59] *Parisdorf*, Dorf u. KG., OG. u. GB. *Ravelsbach*, VB. *Hollabrunn*. - HONB., I, S. 103, Nr. B 42. - Topographie von Niederösterreich, VIII, S. 37-39. - F. Forstreiter, JLNÖ. 31 (1953/54) S. 34-80. - Das Sgraffitohaus von Retz enthält neben biblischen Darstellungen Bilder aus der griechischen Fabelwelt. Sieh Die Kunstdenkmäler Österreichs · Niederösterreich, S. 279, jenes von Gmünd eine Darstellung der Medea (s. ebenda, S. 78), das Weitraer Sgraffitohaus Szenen aus der römischen Frühgeschichte nach Livius (s. W. Katzenschlager, Weitra-Stadtführer). Diese Beispiele ließen sich vermehren.

Enns gipfelte[60]. Hierdurch wurde unter anderem auch die Tatsache bekannt, daß
Markgraf Leopold vom Stift Klosterneuburg *Markgrafneusiedl*, *Pirawarth* und *Pircha*
gegen das Dorf *Alpiltowe* eintauschte[61]. Man meinte, daß es sich hierbei um den
heiliggesprochenen Markgrafen Leopold III., den Stifter Klosterneuburgs, handelt.
Nach neuesten Forschungen war es dessen gleichnamiger Sohn Leopold IV., dem
die Augustiner Chorherren den Besitz in diesem Ort verdanken, und man sah in dem
damals gebräuchlichen *Eipeldau* eine Verballhornung von *Eupoltau* und führte eine
vermeintliche Rückbenennung auf *Leopoldau* durch[62].

VI. Die Umbenennung von Orten mit negativer Bedeutung. - Der Glaube an den
Grundsatz nomen atque omen führte dazu, daß man Ortsnamen mit vermeintlich
negativer Aussage änderte. So wurde der erst a. 1358 genannte Ort *Schergenprunne
auf der Leitach*, da die Schergen zu den 'unehrlichen Leuten' gehörten, im 16. Jahrhundert in *Schedingbrunn* umbenannt, was wieder mit dem Wort 'Schaden' zusammenhängt. Im 18. Jahrhundert wurde daher, vermutlich von Seiten der Obrigkeit,
eine neuerliche Umbenennung in *Schönabrunn* durchgeführt[63]. In gleicher Weise
wurden auch Siedlungsnamen als negativ empfunden, die das Wort 'Hunger' enthalten. In Niederösterreich gab es zwei Weiler, die den Namen *Hungerberg* trugen, und
eine Siedlung *Hungerbach*. Bei *Hungerberg* handelt es sich um einen ursprünglichen
Flurnamen, der 'Berg mit kargem Boden und schlechtem Ertrag' bedeutet. *Hungerbach* ist ein Gewässername und deutet auf einen Bach mit nur wenig Wasser hin.
In allen drei Fällen trat an die Stelle des Bestimmungswortes 'Hunger' das Bestimmungswort 'Hummel'. Die Namen wurden also in 'Berg beziehungsweise Bach, auf
beziehungsweise an dem viele Hummeln fliegen' umgedeutet[64]. Im Jahre 1180 ist
erstmals ein Gewässername und Siedlungsname *Eiterbach* genannt. Er dürfte von
mhd. *eiten* 'brennen, kochen, sieden' herzuleiten sein und auf ein Gewässer mit
warmen Quellen hinweisen. Die Form *Aiter* deutet jedoch darauf hin, daß man
schon im zwölften Jahrhundert an mhd. *eiter* 'Gift' dachte. Da nun niemand an

---

[60] F. Raimann, Die landeskundlichen Bestrebungen der niederösterreichischen
Stände 1791-1833. - H. Feigl, AIStIG. 7 (1981) S. 199-226.

[61] H. Fichtenau - E. Zöller, Urkundenbuch zur Geschichte der Babenberger in
Österreich, IV/1, S. 67f., Nr. 645.

[62] HONB., IV, S. 49, Nr. L 130. - Topographie von Niederösterreich, V, S. 793.

[63] *Schönabrunn*, Dorf u. KG. u. OG., GB. *Hainburg*, VB. *Bruck an der Leitha*. -
HONB., VI, S. 62, Nr. S 161.

[64] 1. *Hummelberg* bei *Hinterholz*, auch *Hummelberg* bei *Pyhra* genannt, Weiler u.
KG., OG. *Pyhra*, GB. u. VB. *St. Pölten*. - HONB., III, S. 164, Nr. H 509. - Topogra-
phie von Niederösterreich, IV, S. 440. - 2. *Hummelberg* bei *Kasten*, Weiler u. KG.,
OG. *Kasten* bei *Böheimkirchen*, GB. u. VB. *St. Pölten*. - HONB., III, S. 164, Nr. H
510. - Topographie von Niederösterreich, IV, S. 440. - *Hummelbach*, Rotte u. KG.,
OG. *Kilb*, GB. *Mank*, VB. *Melk*. - HONB., III, S. 164, Nr. H 508. - Topographie von
Niederösterreich, IV, S. 439. - Auch einige Einzelhöfe wurden von *Hungerberg*,
Hungerhof und *Hungerleiten* auf *Hummelberg*, *Hummelhof* und *Hummelleiten* um-
benannt.

einem 'giftigen Bach' wohnen möchte, nahm man im 15. Jahrhundert eine Umbenennung in *Lauterbach*[65] 'Bach mit reinem, klarem Wasser' vor und verkehrte so
den früheren Sinn des Namens in sein Gegenteil. Anfang des 14. Jahrhunderts wird
erstmals eine Siedlung *Lugendorf* genannt. Der ursprüngliche Sinn des Namens ist
nicht mehr erkennbar. Möglicherweise enthält das Bestimmungswort einen bei der
ältesten Nennung bereits veränderten Personennamen, vielleicht wäre auch an mhd.
luoge 'Versteck, Höhle' zu denken. Das Wort wurde jedenfalls mit mhd. *luge* 'Lüge'
in Verbindung gebracht und dementsprechend als 'Dorf der Lügen' gedeutet. Um
diese negative Aussage zu entkräften, erfolgte im 16. Jahrhundert eine Umbenennung in *Lobendorf*[66], wobei man an 'Lob, lobenswert' dachte. Im Jahre 1369 wird
eine Rotte *Diebischhof* genannt. Auch hier ist der ursprüngliche Sinn der Namensgebung nicht erkennbar. In der zweiten Hälfte des 14. Jahrhunderts mußte man
jedenfalls an eine Ableitung von mhd. *diep* 'Dieb' denken. Noch im 17. Jahrhundert
finden wir die Form *Diebeshöff*, was eindeutig als 'Höfe eines Diebes'[67] zu deuten
ist. In jüngerer Zeit nahm man daher eine Umbenennung der kleinen Siedlung in
Kibitzhöfe vor, wobei man offenbar an die Vogelart Kibitz[68] dachte. Im Jahre 1108
wird erstmals die Siedlung *Hŭnindorf* genannt. Bestimmungswort dürfte ein Personenname, vielleicht ein Beiname 'der Hunne' sein. Der Siedlungsname wurde aber
jedenfalls bereits im 13. Jahrhundert als 'Dorf der Hunnen' gedeutet, wobei dieser
Name damals einen Sammelbegriff für aus dem Osten kommende, nomadische Rei-
tervölker war. Da die Hunnen als besonders barbarische und grausame Heiden galten,
war der Name mit einer negativen Aussage verbunden, und man suchte bereits in der
zweiten Hälfte des 14. Jahrhunderts nach einer Neudeutung, wie die Namensformen
Haeumdorf (a. 1374) und *Hawndarff* (a. 1393) beweisen. Um die Mitte des 15. Jahrhunderts war der neue Sinn gefunden. Im Jahre 1446 erscheint erstmals die Form
Heindorf. Die heute übliche Schreibweise *Haindorf*[69] zeigt, daß man hierbei an *Hain*
'Waldstück' dachte, obwohl die Gegend, in welcher die Siedlung liegt, waldarm ist.
Aus einem Flurnamen hervorgegangen ist der erstmals a. 1150 erwähnte Siedlungs-
name *Unrechtsliuten*, der zweifellos mit mhd. *unreht* 'unrecht, ungerecht, falsch' im

---

[65] Dorf u. KG., OG. *Karlstetten*, GB. u. VB. *St. Pölten*. - HONB., IV, S. 22, Nr. L
78. - Topographie von Niederösterreich, V, S. 693.

[66] Dorf u. KG., OG. *Groß Heinrichsschlag*, GB. *Spitz*, VB. *Krems*. - HONB., IV, S.
71f., Nr. L 197. - Topographie von Niederösterreich, V.

[67] Rotte (a. 1971 bestehend aus vier Häusern mit neun Einwohnern), KG. u. OG.
Thaya, GB. u. VB. *Waidhofen a.d. Thaya*. - HONB., III, S. 233, Nr. K 108. - Topographie von Niederösterreich, III, S. 444. - Noch im 19. Jahrhundert schwankte die
Schreibung dieses Ortes in den Repertorien und auf der Administrativkarte. Es finden sich die Formen *Gibishöfe*, *Dibishöfe*, *Kibitzhöfe* und *Kübitzhöfe*.

[68] *Kiebitz* ist auch die Bezeichnung für einen Unbeteiligten, aber lästigen, weil oft
dazwischenredenden Zuschauer beim Kartenspiel und Schachspiel.

[69] Ehemals Dorf, heute Teil der Stadt *Langenlois* u. KG., OG. u. BG. *Langenlois*,
VB. *Krems*. - HONB., III, S. 34, Nr. H 85. - Topographie von Niederösterreich, IV,
S. 57.

Zusammenhang steht. Vielleicht führte eine unrechtmäßige Aneignung des Grundes zur Namensgebung. Im 16. Jahrhundert empfand man die negative Aussage des Namens störend und benannte ihn in *Hunderßleithen* um. Hieraus entwickelte sich die moderne Form *Hundertleiten*[70], wobei allerdings zu bemerken ist, daß eine Verbindung des Zahlwortes *hundert* mit dem Grundwort *Leite* (mhd. *lite* 'Bergabhang') keinen Sinn ergibt.

In den folgenden Fällen können wir den Vorgang der Namensänderung genau verfolgen. Im Viertel unter dem Manhartsberg liegt der erstmals a. 1250/1260 genannte Ort *Gunestorf*, der nach einem Personennamen *Guni* benannt ist. Der Name entwickelte sich über *Ganeinsdorf* durch Diphthongierung des *u* zu *Gaunesdorf* und durch volksetymologische Deutung zu *Gaunersdorf* (erstmals a. 1460). Aus dem 'Dorf eines Mannes namens Guni' war das 'Dorf des Gauners' geworden. Hierbei hat man damals an einen Personennamen (nord. *Gunnar* und ähnlich) gedacht. Im 18. Jahrhundert jedoch erhielt das Wort *Gauner* seine heutige Bedeutung 'Falschspieler, Betrüger, Spitzbube'[71]. Der Siedlungsname der zu einem bedeutenden Markt gewordenen Ortschaft wurde nunmehr als anstößig empfunden. Aus diesem Grund beantragte die Gemeinde im Jahre 1917 eine Namensänderung und wählte als neue Ortsbezeichnung, wohl beeinflußt durch die neoromantische Welle, *Gaweinstal*[72]. Im Jahre 1270 wird erstmals ein Weiler *Gothamsperge* genannt. A. 1294 erscheint die Form *Gothalasperig*, aus der der Personenname des Bestimmungswortes klar erkennbar ist: 'Berg eines Mannes namens Gothalm'. Da dieser Name im 14. Jahrhundert kaum gebräuchlich war, kam es zu verschiedenen Umdeutungen. Im Jahre 1344 erscheint die Form *Gothartsperg* und a. 1525 *Gotschalichperg*. Im Jahre 1591 schließlich erscheint der Name als *Gotlesberg*, woraus sich die Form *Gottlosberg* entwickelte. Nach dem Ende des Zweiten Weltkrieges gab es auch in Österreich eine Periode gesteigerter Religiosität. Da wollten die Bewohner des kleinen Weilers[73] nicht einen auf Gottlosigkeit hindeutenden Namen ihrer Siedlung haben. Sie beantragten daher eine Namensänderung in *Gotthartsberg*, die im Jahre 1963 von der Niederösterreichischen Landesregierung genehmigt wurde[74]. Hierher gehörten auch die Umbenennungen von *Sumpersbach* in *Alpeltal*[75], weil das Wort *Sumper* in jün-

---

[70] Rotte, KG. *Stephanshart*, OG. *Ardagger - Stephanshart*, GB. u. VB. *Amstetten*.- HONB., III, S. 165, Nr. H 511. - Topographie von Niederösterreich, IV, S. 441.

[71] F. Kluge, Etymologisches Wörterbuch, S. 236. - Duden. Etymologie, S. 199.

[72] Markt, KG. u. OG., GB. u. VB. *Mistelbach*. - HONB., II, S. 279, Nr. G 59. - Topographie von Niederösterreich, III, S. 338-344. - HBHStÖ., I, S. 261f.

[73] Bei der Volkszählung a. 1971 bestand *Gotthartsberg* aus vier Häusern mit insgesamt 14 Einwohnern.

[74] *Gotthartsberg* (vor a. 1963 *Gottlosberg*), Weiler u. KG., OG. *Murstetten*, GB. *Neulengbach*, VB. *St. Pölten*. - HONB., II, S. 333, Nr. G 213. - Topographie von Niederösterreich, III, S. 601f. - LGBl. 1963, Nr. 288.

[75] *Alpeltal*, zerstreute Häuser u. KG., OG. *Kirchberg am Wechsel*, GB. *Aspang*, VB. *Neunkirchen*. - HONB., VI, S. 220, Nr. S 587. - LGBl. NÖ.

gerer Zeit die Bedeutung 'Spießer, Banause' erhielt[76], und jene von *Kühfressen* in *Waldberg*[77].

Seit der Mitte des 16. Jahrhunderts bemühten sich Landesfürsten und Grundherren, den 'tugendsamen Lebenswandel' zu fördern und Laster und Unsitten zu bekämpfen[78]. Diese Bestrebung führte auch zur Änderung von Ortsnamen. In Niederösterreich gab es zwei Ortschaften, welche den Namen *Minnbach* trugen. Der erste Teil des Namens ist wohl von mhd. *minner* 'kleiner an Größe, geringer' herzuleiten. Die Bedeutung des Gewässernamens ist also wohl 'kleinerer Bach'. Der Name wurde aber in beiden Fällen mit mhd. *minne* 'Liebe' in Verbindung gebracht, und man dachte an einen 'Liebesbach'. Das Wort *minne* erfuhr im ausgehenden Mittelalter eine Abwertung und wurde zur Bezeichnung der geschlechtlichen Liebe in moralisch bedenklichen Formen[79]. In einem der beiden Orte namens *Minnbach*[80] wurde a. 1269 ein Dominikanerinnenkloster gegründet. Im 16. Jahrhundert hielt man es für untragbar, daß Nonnen an einem *Liebesbach* genannten Ort ihren Wohnsitz haben, und änderte den Namen in *Imbach*. Vielleicht dachte man bei dieser Umbenennung an mhd. *imbe, imme* 'Bienenschwarm, Bienenstand, Biene', was eine Namensbedeutung 'Bach, an dem viele Bienen schwärmen' oder 'Bach, an dem viel Bienenzucht betrieben wird' ergäbe. Vielleicht suchte man auch nur nach einem ähnlich klingenden Namen ohne neue Sinngebung[81]. Ein zweiter Ort namens *Minnbach* wurde im 16. Jahrhundert in *Scheideldorf* umbenannt, doch konnte sich dieser völlig neue Name lange nicht durchsetzen. So finden wir im Jahre 1567 eine Nennung *Minpach, wird sonsten Scheitzlendorf genannt,* und im Jahre 1659 ist von *Scheidldorff, vor alter Münnpach genannt,* die Rede[82]. Der a. 1108 erstmals genannte Berg und Ort *Puseinperge* ist nach einer Person namens *Boso* oder *Buso* benannt. Im 15. Jahrhundert findet sich die Form *Pusenberg*, die man zweifellos mit dem Wort *busen* 'weibliche Brüste' in Zusammenhang brachte. Die 'Bedeutung' 'Berg in der Form weiblicher Brüste' hält allerdings einer Realprobe nicht stand. Im Jahre 1564 finden wir

----

[76] J. Ebner, Duden. Wie sagt man in Österreich?, S. 220. - Zur älteren Bedeutung s. J. A. Schmeller, Bayerisches Wörterbuch, II, Sp. 283f.

[77] Erstmals a. 1311/1315 *Chufrezz* genannt, von mhd. **küevretze* 'Kuhweide'. - W. Steinhauser, Akademie der Wissenschaften in Wien. Philosophisch-historische Klasse. Sitzungsberichte. 206. Band, 1. Abhandlung, S. 57. - HONB., III, S. 327, Nr. K 386. - LGBl. NÖ. 1929, Nr. 87. - *Waldberg*, Dorf u. KG., OG. *Windigsteig*, GB. u. VB. *Waidhofen a.d. Thaya*.

[78] H. Feigl, MOLA. 14. Band. Beiträge zur Neueren Geschichte. Festschrift für Hans Sturmberger, S. 149-175.

[79] J. A. Schmeller, Bayerisches Wörterbuch, II, Sp. 1617-1619. - F. Kluge, Etymologisches Wörterbuch, S. 479.

[80] Heute *Imbach*, Dorf u. KG., OG. *Senftenberg*, GB. u. VB. *Krems*.

[81] HONB., III, S. 177, Nr. I 117. - Topographie von Niederösterreich, IV, S. 448-458. - HBHStÖ., I, S. 335.

[82] *Scheideldorf*, Dorf u. KG., OG. *Göpfritz an der Wild*, GB. *Allentsteig*, VB. *Zwettl*. - HONB., VI, S. 34, Nr. S 82.

204   Helmuth Feigl

die Form *Pisenberg,* woraus sich die heutige Form *Bisamberg*[83] entwickelte. *Bisam,* mhd. *bisem,* ist eine Eindeutschung des mittellateinischen Wortes *bisamum* 'Moschus', das seinerseits aus hebr. *besem* abzuleiten ist[84]. Die Beziehung zu dem Berg und Ort nordöstlich Wiens wurde willkürlich hergestellt. Das Wort *zagel* 'Schwanz'[85] wurde häufig bei der Bildung von Flurnamen verwendet. Man bezeichnete damit Grundparzellen, Bodenerhebungen, Auen oder andere Geländeteile, die eine schmale, längliche und gekrümmte Form haben. In einigen Fällen wurden solche Flurnamen auch zu Siedlungsnamen. *Zagel* war auch eine der Bezeichnungen für das männliche Glied[86]. Deshalb wurde das Wort an der Wende vom Mittelalter zur Neuzeit als anstößig empfunden und alle dasselbe enthaltenden Siedlungsnamen und Flurnamen geändert. So wurden zwei Orte *Zagelaw* beziehungsweise *Zaglaw* in *Haslau* 'Au mit Haselstauden'[87] umbenannt. Der erste Ort liegt bei Altenmarkt[88] und wird erstmals a. 1584 *Haselau* genannt[89]. Der andere Ort liegt bei Ottenschlag[90]. Das Dorf verödete an der Wende vom 15. Jahrhundert zum 16. Jahrhundert und wurde nach der Wiederbesiedlung im Jahre 1720 *Klein-Haslau* genannt[91].

VII. **Namensänderung mit politischem oder wirtschaftlichem Hintergrund.** - Im Jahre 1830 gab es in Niederösterreich eine große Überschwemmung der Donau, die schwere Schäden an vielen Siedlungen und Fluren anrichtete. Besonders stark betroffen war der Ort *Kimmerleinsdorf.* 62 Gebäude stürzten ein, viele Bewohner kamen ums Leben, und fast das gesamte Nutzvieh ertrank. Nur einige besonders massiv gebaute Häuser wie die Kirche, der Pfarrhof, das Schulhaus, die Brauerei und ein Gasthaus überstanden die Überschwemmung. Das Dorf wurde an einer anderen, weniger hochwassergefährdeten Stelle wieder aufgebaut. Nach den damals herrschenden Grundsätzen war es Pflicht des Grundherrn, Hilfe und Unterstützung zu gewähren, wenn seine Untertanen ohne eigenes Verschulden in Not gerieten. Der größte Teil der Häuser zu *Kimmerleinsdorf* unterstand der Herrschaft Orth, die in den Jahren von 1824 bis 1918/1919 Eigentum des sogenannten 'allerhöchsten Privatfonds und Familienfonds'[92], also Privatbesitz der Dynastie war. Kaiser Franz I. kam seinen

---

[83] *Berg,* Dorf, KG. u. OG., GB. u. VB. *Korneuburg.* - HONB., I, S. 183, Nr. B 264. - Topographie von Niederösterreich, II, S. 171-174. - HBHStÖ., I, S. 216f.

[84] F. Kluge, Etymologisches Wörterbuch, S. 79.

[85] Ebenda, S. 874.

[86] J. A. Schmeller, Bayerisches Wörterbuch, II, Sp. 1089f.

[87] Ebenda, Sp. 1174.

[88] *Haslau,* zerstreute Häuser, KG. u. OG. *Altenmarkt* im Yspertale, GB. *Persenbeug,* VB. *Melk.*

[89] HONB., III, S. 63, Nr. H 169. - Topographie von Niederösterreich, IV, S. 123.

[90] *Klein-Haslau,* Dorf u. KG., OG. *Sallingberg,* GB. *Ottenschlag,* VB. *Zwettl.*

[91] HONB., III, S. 64 u. VIII, S. 352, Nr. H 173. - Topographie von Niederösterreich, IV, S. 122f.

[92] HBHStÖ., I, S. 452f. - R. Büttner, Burgen und Schlösser in Niederösterreich. Vom Marchfeld bis Falkenstein, S. 30-33.

Verpflichtungen in großzügiger Weise nach. Das veranlaßte die Gemeinde, den Kaiser um die Bewilligung zu bitten, den wiederaufgebauten Ort nach ihm *Franzensdorf* nennen zu dürfen[93]. Die Umbenennung galt als Zeichen der Liebe und der Verehrung der Bevölkerung für den Monarchen.

Entsprechend diesem Beispiel gab es eine Reihe von Umbenennungen und Neubenennungen nach dem Vornamen oder Zunamen des Grundherren, wofür hier einige Beispiele geboten werden sollen. In dem Ort oder nahe bei dem Ort *Aspersdorf* befand sich ein Schloß, das von der Mitte des 15. Jahrhunderts bis zur Mitte des 16. Jahrhunderts nach dem jeweiligen Besitzer genannt wurde: a. 1435 und a. 1455 *Neu Wolfenreut* nach dem Besitzer Georg von Wolfenreut, der eine neue Feste anstelle eines Wirtschaftshofes erbaut haben dürfte; um a. 1454 *Techenstein* nach Bernhard von Techenstein, der die Feste mit Zubehör von Georg von Wolfenreut kaufte. Techensteins Besitznachfolger wurde Ulrich von Grafenegg, oberster Feldhauptmann Kaiser Friedrichs III. Nach einem Zerwürfnis fiel Ulrich im Jahre 1472 vom Kaiser ab und unterstellte sich dem Schutz des Ungarnkönigs Matthias Corvinus. Durch Vermittlung des Erzbischofs von Gran, Johann Beckenschlager, kam es im Jahre 1477 zu einem Vergleich, demzufolge der Grafenegger gegen eine Entschädigung von 15.000 Florin auf seine niederösterreichischen Besitzungen verzichtete. In diesem Vertrag wird auch die Feste *Neu-Wolfenreut* genannt. Das auf diese Weise in landesfürstlichen Besitz gelangte Schloß wird in den folgenden Jahren wieder *Aspersdorf* genannt. Im Jahre 1495 wurde es mit Zubehör von Maximilian I. an Sigmund Prüschenk Freiherrn zu Stettenberg verkauft. Der neue Besitzer ließ das Schloß renovieren und nannte es *Neustettenberg*. Julius I. Graf zu Hardegg, Glatz und im Marchfeld, ein Sohn des vorerwähnten Sigmund Prüschenk, verkaufte im Jahre 1534 die Herrschaft *Neustettenberg* an Adam von Schwetkowitz und dessen Familienangehörige. Die Schwetkowitz verkauften diese Besitzungen bereits im Jahre 1536 für 26.000 Florin Rheinisch an Bernhard Turczo von Bethlenfalva. In diesem Vertrag ist von Herrschaft und Schloß *Neustettenberg, so edwan Escherstorf und Gravenegg genannt worden*, die Rede. Von den drei hier genannten Namen hat sich in der Folge *Grafenegg* durchgesetzt, was insofern überraschend ist, als Ulrich von Grafenegg Schloß und Herrschaft nur kurze Zeit besaß, hier offensichtlich keine nennenswerte Bautätigkeit entfaltete und wegen seiner Gewalttätigkeit sowie seinem Konflikt mit dem Kaiser kein gutes Andenken hinterließ[94].

----

[93] *Franzensdorf,* Dorf, KG. u. OG., GB. *Groß-Enzersdorf,* VB. *Gänserndorf.* - HONB., III, S. 238, Nr. K 124. - Topographie von Niederösterreich, III, S. 174f.

[94] *Grafenegg,* Dorf, Schloß u. KG., OG. *Etzdorf - Haitzendorf,* GB. *Langenlois,* VB. *Krems.* - Das Schloß *Grafenegg* wurde von August Graf von Breuner (a. 1796-1877) im Stil des Historismus (englische Tudorgotik) umgebaut und zum Aufstellungsort bedeutender Kunstsammlungen gemacht. Das Schloß wurde im Jahre 1945 devastiert, die Sammlungen vernichtet beziehungsweise entfremdet. Seit dem Jahre 1970 wird das Schloß restauriert und als Zentrum für kulturelle Veranstaltungen revitalisiert. Besonders hingewiesen sei auf die Niederösterreichischen Landesausstellungen über das Zeitalter Kaiser Franz Josephs I. - HONB., II, S. 347, Nr. G 255. - Topographie von Niederösterreich, III, S. 625-637. - HBHStÖ., I, S. 278f. - Österreichische Kunsttopographie, I, Beiheft über Grafenegg.

Im Jahre 1710 übergab der letzte männliche Sproß eines altösterreichischen Adels-
geschlechtes, Franz Anton Graf von Puchheim, Bischof von Wiener Neustadt, die
Herrschaft *Göllersdorf* dem aus den Rheinlanden stammenden Reichsvizekanzler
Friedrich Karl Grafen von *Schönborn*, Fürstbischof von Bamberg und Würzburg.
Gleichzeitig erfolgte eine Namensvereinigung und Wappenvereinigung, durch welche
die Grafen von *Schönborn* seither den Namen *Schönborn-Buchheim* zu tragen haben.
Der Reichsvizekanzler zählte zu den bedeutendsten Bauherren und Mäzenen seiner
Zeit. Er machte diesem Ruf auch in *Göllersdorf* Ehre und ließ, obwohl im Markt
bereits ein im wesentlichen aus der Epoche der Renaissance stammendes Schloß vorhanden war, einige Kilometer südwestlich des Ortes anstelle eines älteren Edelmann-
sitzes *Mühlburg* ein neues Schloß erbauen und betraute hiermit einen der führenden
Architekten dieser Epoche: Johann Lukas von Hildebrandt. Dem neuen Schloß
gab er den Namen *Schönborn*, um auf diese Weise ein Wahrzeichen für den Glanz
und Ruhm seines Geschlechtes in der neuen, niederösterreichischen Umgebung zu
setzen[95].

Auf dem Boden eines Römerlagers entstand im Hochmittelalter der in einer a. 1071
datierten, allerdings gefälschten Urkunde erstmals genannte Ort *Sunilburk*, vermutlich nach einer Frau namens *Sunhilt* benannt. Nach ihm nannte sich ein bedeutendes
Adelsgeschlecht, die Sunilburger, das vor a. 1136 ausstarb. Unter ihren Erben verfiel
die *Sunilburg*, und das Geschlecht der Zacking-Sumerauer erbaute ungefähr drei
Kilometer donauabwärts eine neue Burg *Sumerau*. Konrad von Sumerau beteiligte
sich am Aufstand der österreichischen Ministerialen gegen Albrecht I., floh nach der
Niederlage der Rebellen zu König Adolf von Nassau und verlor fast alle seine Besitzungen. Die Güter um *Sunilburg-Sumerau* wurden von Albrecht I. an die Wallseer gegeben, ein schwäbisches Adelsgeschlecht, das mit den Habsburgern nach Österreich
zog und eine wesentliche Stütze Albrechts in seinem Kampf gegen die Opposition
des einheimischen Adels war. Die Wallseer ließen die Burg *Sumerau* verfallen (sie
wird im Jahre 1383 zum letzten Mal genannt) und erbauten zwischen den Jahren
1383 und 1388 an der Stelle der alten *Sunilburg* eine neue Feste, der sie mit landes-
fürstlicher Bewilligung den Namen *Wallsee* gaben. Auch in diesem Fall sollte die
Neubenennung die Ansässigkeit des zugewanderten Geschlechtes in Österreich de-
monstrieren. Bereits ab dem Jahre 1362 hatten die Wallseer den Markt *Sunilburg*,
der sich am Donauufer befand, auf die Anhöhe in die Nähe des Burgstalles transfe-
riert. Auch er erhielt nunmehr den Namen *Wallsee*. Aus *Sunilburg* entwickelte sich
die Ortsbezeichnung *Sindelburg*, die in der Folge nurmehr für die Pfarrkirche und
die Häuser in ihrer nächsten Umgebung verwendet wurde[96].

---

[95] *Schönborn*, Schloß, Häusergruppe u. KG., OG. *Göllersdorf*, GB. u. VB. *Hollabrunn*. - HONB., VI, S. 68, Nr. S 176. - Topographie von Niederösterreich, III, S.
355-359. - HBHStÖ., I, S. 271-273.

[96] *Wallsee*, Markt, Schloß u. KG.; *Sindelburg*, Rotte (a. 1971: 17 Häuser u. 86
Einwohner), KG. *Ried*; OG. *Wallsee-Sindelburg*, GB. u. VB. *Amstetten*. - HONB.,
VII, S. 47, Nr. W 61; VI, S. 125, Nr. S 351. - HBHStÖ., I, S. 602f. - R. Büttner,
Burgen und Schlösser in Niederösterreich. Zwischen Ybbs und Enns, S. 66-71.

Großer Wert wurde von Fürsten und Hocharistokraten darauf gelegt, daß ihre Residenzen keine Namen trugen, die herabmindernd wirken konnten. Auch hierfür sollen zwei Beispiele geboten werden. Am Wienfluß unterhalb des Dorfes Hietzing befand sich, seit der zweiten Hälfte des zwölften Jahrhunderts urkundlich nachweisbar, der Kleinadelssitz *Chaternberch*, für den ab der Mitte des 13. Jahrhunderts der Name *Chatrenburch* üblich war. Die wichtigste wirtschaftliche Stütze des Adelsgutes war die dazugehörige Mühle, die *Kattermul* (a. 1437). Vor den Jahren 1467 und 1529 abgebrannt, wurden *mül oder hof an der Wienn ... die Katerburg* durch den Wiener Stadtrichter Hermann Bayer wieder aufgebaut. Im Jahre 1569 erwarb Kaiser Maximilian II. diesen Besitz durch Kauf und ließ hier ein Jagdschloß mit Park und Teichen errichten, das im Jahre 1605 beim Einfall ungarischer Truppen unter István Bocskay wieder zerstört wurde. Das wiederaufgebaute Jagdschloß wurde im 17. Jahrhundert als Witwensitz für Angehörige des Kaiserhauses verwendet. Nach dem Sieg über die Türken, die das Schloß im Jahre 1683 abermals verwüstet hatten, faßte Leopold I. den Entschluß, an dieser Stelle eine Sommerresidenz für seinen ältesten Sohn Joseph I. errichten zu lassen. In den Jahren 1692/1693 legte der Barockarchitekt Johann Bernhard Fischer von Erlach einen Entwurf vor. Im Jahre 1700 war der Mitteltrakt im Rohbau fertiggestellt. Die überlieferten Namen *Katterberg, Kattermühle* und *Katterburg,* bei denen man volksetymologisch an *Kater* oder *Gatter* 'Zaun' dachte, wie der in der Gegend nachweisbare Flurname *Gatterhölzel* zeigt, schienen für eine kaiserliche Residenz wenig repräsentativ. Man benannte daher das neue Schloß nach einem in der Gegend üblichen Flurnamen *Schönbrunn*[97]. Noch deutlicher zeigen sich diese Tendenzen bei der Siedlung und beim Schloß von *Krotendorf.* Erstmals a. 1158 in der Form *Chrotendorf* genannt, 'bedeutet' der Name 'Dorf der Kröten', 'Dorf, in oder bei dem es viele Kröten gibt'. Da diese Tiere allgemein negative Affekte auslösen und auch als Symbol für schlechte Eigenschaften gelten, erfolgte im 17. Jahrhundert eine Umbenennung in *Froschdorf,* wobei einige Zeit lang beide Bezeichnungen nebeneinander bestanden. Im Jahre 1822 verkaufte Johann Ernst Graf von Hoyos die Herrschaften *Froschdorf, Katzelsdorf* und *Pitten* an Caroline Gräfin von Lipona, die Schwester Napoleons I. und frühere Gemahlin Joachim Murats, des Königs von Neapel. Von ihr ging dieser Besitzkomplex über den russischen General Yermoloff und die herzogliche Familie Blacas im Jahre 1844 an Maria Theresia von Angoulême Gräfin von Marnes, eine Tochter König Ludwigs XVI. von Frankreich, über. Frohsdorf wurde in den folgenden Jahrzehnten Sitz der infolge der Revolutionen der Jahre 1830 und 1848 erneut aus Frankreich vertriebenen Borbonen, insbesondere des Grafen Chambord, der nach der Niederlage Napoleons III. im deutsch-französischen Krieg der Jahre 1870/1871 als Heinrich V. den Thron Frankreichs zu besteigen trachtete. Das niederösterreichische Schloß war in dieser Zeit Zentrum der französischen Legitimisten und konservativer Kreise aus ganz Europa. Die Meinung, die Franzosen hätten das Wort *Froschdorf* nicht aussprechen können,

---

[97] *Schönbrunn,* Schloß mit Nebengebäuden und großem Park, heute Bestandteil des 13. Wiener Gemeindebezirkes. - HONB., III, S. 218, Nr. K 73 u. VI, S. 68, Nr. S 178. - R. Groner - F. Czeike, Wien wie es war, S. 291 u. S. 514-516. - F. Czeike, Wiener Bezirkskulturführer, XIII Hietzing, S. 41f.

weshalb der Ort in *Frohsdorf* umbenannt wurde[98], ist sicher unrichtig. Eine Schreibung *Frohsdorf* findet sich bereits in der Josephinischen Steuerfassion. Entscheidend für die Umbenennung in 'frohes Dorf' war wohl der Umstand, daß Exköniginnen und Thronprätendenten nicht ohne Prestigeverlust in einem 'Dorf der Frösche' residieren können[99].

Auch Umbenennungen von Ortschaften nach dem Namen des Grundherrn sind mehrfach nachweisbar. So entwickelte sich als Vorort von Litschau westlich des Reißbaches eine Siedlung mit eigener Gemeindeverwaltung, die zwischen den Jahren 1789 und 1800 durch Förderung des Grundherrn Christian August Reichsgraf von Seilern erweitert und in *Seilerndorf* umbenannt wurde[100]. Im Jahre 1683 erwarb Georg Rättweger von Rittersfeld den *Pruelhof* oder *Mühlhof* bei Traismauer, der in der Folge nach den neuen Besitzern umbenannt wurde. Im Jahre 1730 verlegte Joseph Freiherr von Fiali eine Papiermühle von St. Georgen an der Traisen hierher, die Bartholomäus Freiherr von Tinti im Jahre 1756 erwarb. Anfang des 19. Jahrhunderts wurde das Objekt von den Brüdern The Loosen aus Eupen in Holland erworben. Sie stellten den Betrieb im Jahre 1814 auf Seidenerzeugung um. Die 'K.k. priv. Rittersfelder Tuchfabrik' war in den folgenden Jahrzehnten ein florierender Betrieb mit einer Niederlassung in Wien und Export nach Griechenland, in die Türkei und in die übrige Levante, der im Jahre 1836 ungefähr fünfhundert Arbeitern Beschäftigung bot. Um ihnen eine entsprechende Unterkunft zu bieten, wurde ab dem Jahre 1825 am linken Traisenufer eine Siedlung errichtet, die, nach dem früheren Grundherrn, ebenfalls *Rittersfeld* benannt wurde[101].

----

[98] F. Halmer, Burgen und Schlösser im Raume Bucklige Welt Semmering Rax, S. 13-16.

[99] Der Topographische Landschematismus von Niederösterreich, Ausgabe aus dem Jahr 1795, führt drei Namen für den Ort an: 'Froschdorf, auch Frostorf und Krotendorf' (S. 153), die Ausgabe aus dem Jahr 1822 kennt nurmehr den Namen *Frohsdorf* (S. 174). Die Durchsetzung dieses Namens bildete offenbar eine Voraussetzung für einen günstigen Verkauf durch die Grafen von Hoyos. - *Frohsdorf*, Dorf, Schloß u. KG., OG. *Lanzenkirchen*, KG. u. VB. *Wiener Neustadt*. - HONB., II, S. 246, Nr. F 195. - Topographie von Niederösterreich, III, S. 225f. - R. Lorenz, UH. 30 (1959) S. 189-205. - K. Augustin, Die Revitalisierung des Schlosses von Frohsdorf, S. 17.

[100] *Litschau-Seilerndorf*, Stadtteil, KG., OG. u. BG. *Litschau*, VB. *Gmünd*. - HONB., VI, S. 105, Nr. S 286. - ÖStB., IV/2, S. 214f.

[101] *Rittersfeld*, Dorf und Schloß, KG. u. OG. *Traismauer*, GB. *Herzogenburg*, VB. *St. Pölten*. - HONB., V, S. 198, Nr. R 270. - ÖStB., IV/3, S. 166 u. 168f. Im übrigen kam es in der Neuzeit mehrfach vor, daß neugegründete Siedlungen oder Siedlungsteile nach dem Vornamen des Grundherrn benannt wurden, von dem die Initiative zur Schaffung der neuen Siedlung ausgegangen war. Hierzu einige Beispiele. Zwischen a. 1674 und a. 1680 (in der Regierungszeit Kaiser Leopolds I.) wurden im kaiserlichen Waldamt des Wienerwaldes im Quellgebiet der Schwechat eine Holzhackersiedlung und 'Klausen' (= Schleusen) errichtet, um das geschlägerte Holz durch Schwemmen auf dem Fluß preisgünstig abtransportieren zu können. Die Ortschaft erhielt den Namen *Klausen-Leopoldsdorf*: Dorf, KG. u. OG., GB. u. VB. *Baden*. - HONB.,

Eine Reihe von Umbenennungen von Orten hatte nationale Gründe. Nach dem Ersten Weltkrieg gab es in Österreich eine starke deutsch-nationale Welle, die nicht zuletzt durch die Gebietsforderungen der neuentstandenen slawischen und romanischen Nachbarstaaten ausgelöst wurde, zu deren Untermauerung auch die Namenkunde herangezogen worden ist. Im Norden Niederösterreichs nahe der mährischen Grenze befindet sich eine Ortschaft, die a. 1055 als *Crobetten* erstmals genannt wird. Dieser Name deutet auf eine Ansiedlung von Kroaten, also von Südslawen, hin, was für diese Gegend zweifellos eine Besonderheit darstellt. Aus *Crobeten* entwickelte sich im 13. Jahrhundert die Form *Chrut*, in der Neuzeit meist *Krut* geschrieben. Um den Ort von dem nahgelegenen *Dürnkrut* zu scheiden, wurde schon in der zweiten Hälfte des 14. Jahrhunderts die Beifügung *Pehemisch/Böhmisch* üblich. Nachdem die tschechoslowakische Republik im Jahre 1919 nicht nur den Anschluß der deutschsprachigen Gebiete des alten Königreiches Böhmen an die Republik Österreich verhindert hatte, sondern der junge Staat auch in Feldsberg[102] und in der Umgebung von Gmünd Gebiete an die Tschechoslowakei abtreten mußte[103], die seit altersher

---

III, S. 258, Nr. K 164. - A. Schachinger, Der Wienerwald, S. 300f. - Unmittelbar anschließend an den Ort *Pfaffendorf* ließ der Grundherr Karl Fürst von Auersperg im Jahre 1792 eine sogenannte 'Kolonie', eine aus Kleinhäusern bestehende, nichtbäuerliche Siedlung errichten und benannte sie *Karlsdorf*: Dorf u. KG., OG. *Pernersdorf*, GB. *Haugsdorf*, VB. *Hollabrunn*. - HONB., III, S. 213, Nr. K 59. - Topographie von Niederösterreich, V, S. 46. - In ähnlicher Weise wurde ab a. 1769 durch Carl Fürst von Batthýany-Strattmann die Kolonie *Karlsdorf* bei *Enzersdorf an der Fischa* geschaffen: *Karlsdorf*, Dorf, KG. u. OG. *Enzersdorf an der Fischa*, GB. u. VB. *Bruck an der Leitha*. - HONB., III, S. 213, Nr. K 58. - A. Grund, Die Veränderungen der Topographie im Wiener Walde, S. 156. - Es gab aber vereinzelt auch Fälle, wo eine derartige Benennung nicht durchgesetzt werden konnte. Im Jahre 1826 erwarb der Hofjuwelier Josef Wieser vom Benediktiner-Ordensstift Seitenstetten den Mönchshof zu *Tulbing* mit Gründen im Ausmaß von 557 Joch, darunter 498 Joch an Waldungen im Bereich des Tulbingerkogels. Er ließ einen erheblichen Teil des Waldes schlägern, errichtete zwei Meierhöfe und verkaufte sodann diese Liegenschaften an August Freiherrn von Thysebaert. Bereits während der Schlägerungen hatte J. Wieser auf den waldfrei gewordenen Gründen eine Häuslerkolonie für Holzhacker und Taglöhner errichtet. Baron Thysebaert wollte für sie die Bildung einer eigenen Katastralgemeinde erreichen, die grundherrschaftlichen Rechte erwerben und sie nach seinem Sohn *Karlsdorf* benennen. Seine Wünsche wurden nicht verwirklicht, da der Besitzer der Herrschaft *Königstetten* Einspruch erhob. Die Kolonie erhielt den alten Bergnamen und Flurnamen *Tulbingerkogel*, doch erhielt sich daneben auch der Name *Karlsdorf*. Bis vor wenigen Jahren standen beide Bezeichnungen auf der Straßentafel, die den Autofahrern den Beginn der Siedlung anzeigt. - *Tulbingerkogel*, Rotte und Berghotel, KG. u. BG. *Tulbing*, GB. u. VB. *Tulln*. - Sieh A. Schachinger, Der Wienerwald, S. 344. - Auf die mehrfach diskutierte Frage, inwiefern in der Hauptkolonisationsepoche des Mittelalters entstandene Orte nach Grundherren benannt wurden, kann hier nicht eingegangen werden, denn sie würde zu weit vom Thema abführen.

[102] Heute *Valtice*.

[103] E. Zöllner, Geschichte Österreichs, S. 493f. - K. Gutkas, Geschichte des Landes Niederösterreich, S. 489f.

zu Österreich unter der Enns gehört hatten, fand man diesen Ortsnamen untragbar. Er wurde im Jahre 1923 in *Großkrut*[104] umbenannt. Eine der recht zahlreichen Siedlungen namens *Haslau* liegt an der Donau zwischen Fischamend und Petronell. Der Ort verödete in der zweiten Hälfte des 15. Jahrhunderts und wurde ab dem Jahre 1575 mit Kroaten, die vor den Türken aus ihrer Heimat geflohen waren, besiedelt. Der Ort erhielt in der Folge den Namen *Kroatisch-Haslau*, im Gegensatz zu dem an der ungarischen Grenze nahe Hainburg gelegenen *Deutsch-Haslau*[105]. Nach dem Ersten Weltkrieg wurde der Ort in *Haslau an der Donau* umbenannt, eine Bezeichnung, die übrigens schon im 15. Jahrhundert gelegentlich gebraucht wurde. So wird a. 1424/1428 eine *veste Haslaw auf der Tunaw*, a. 1470 ein *schloß Haslew bei der Tunaw* erwähnt[106]. Auf dem Haltestellenhüttchen der Lokalbahn Wien-Preßburg, die im Jahre 1914 fertiggestellt wurde und die seit dem Zweiten Weltkrieg nurmehr bis zum Grenzort Wolfsthal verkehrt[107], konnte man bis zu der erst vor wenigen Jahren erfolgten Renovierung noch das nur mangelhaft übertünchte *Kroatisch-Haslau* lesen. Hierher gehörte auch die Umbenennung der Ortschaft *Heinrichs an Böhmen* in *Heinrichs bei Weitra*[108]. Der Beiname *an Böhmen*, der 'an der böhmischen Grenze' 'bedeutet'[109], konnte als Aufforderung an das Nachbarland für Forderungen nach einer Grenzrevision mißdeutet werden.

Romantisch-nationale Gründe hat möglicherweise die Namensänderung von *Simonsherberg* in *Sigmundsherberg*, durch welche anstelle des aus dem Hebräischen stammenden Apostelnamens *Simon* der durch die Heldensage im 19. Jahrhundert und im 20. Jahrhundert wieder sehr beliebt gewordene deutsche Vorname *Sigmund* trat[110].

----

[104] Markt, KG. u. OG., GB. *Poysdorf*, VB. *Mistelbach*. - HONB., I, S. 204, Nr. B 340. - Topographie von Niederösterreich, V, S. 558-560. - LGBl. NÖ. a. 1922, Nr. 7.

[105] *Deutsch-Haslau*, Dorf, KG. u. OG., GB. *Hainburg*, VB. *Bruck an der Leitha*.

[106] *Haslau* an der Donau, Dorf u. KG., OG. *Haslau-Maria Ellend*, GB. *Hainburg*, VB. *Bruck an der Leitha*. - HONB., III, S. 63 u. VIII, S. 243, Nr. H 170. - Topographie von Niederösterreich, IV, S. 123. - R. Büttner, Burgen und Schlösser zwischen Wienerwald und Leitha, S. 157.

[107] J. Matznetter - J. Schwarzl, Die historische Entwicklung des Bahnnetzes in Niederösterreich. Karte im Atlas von Niederösterreich (und Wien), Lieferung III/5, Karte Nr. 106.

[108] Dorf u. KG., OG. *Unserfrau - Altweitra*, GB. *Weitra*, VB. *Gmünd*. - Topographie von Niederösterreich, IV, S. 179. - LGBl. NÖ. a. 1931, Nr. 73.

[109] So erscheint a. 1581 die Bezeichnung *Hainrichs am Böheimischen gemerk*: HONB., III, S. 79, Nr. H 230.

[110] *Sigmundsherberg*, Markt, KG. u. OG., GB. *Eggenburg*, VB. *Horn*. - HONB., VI, S. 123, Nr. S 345. - Der Topographische Landschematismus von Niederösterreich, Ausgabe 1785, gibt die Namen *Sigmundsherberg* oder *Simonsherberg* an, die Ausgabe vom Jahre 1822 kennt nurmehr *Sigmundsherberg*. Die Umbenennung dürfte Ende des 18. Jahrhunderts erfolgt sein und sich in den ersten Jahrzehnten des 19. Jahrhunderts durchgesetzt haben.

In diesem Zusammenhang wäre auch auf die Namensänderungen einzugehen, die während der Okkupation Österreichs durch das Deutsche Reich vom nationalsozialistischen Regime vorgenommen wurden. Sie waren an Zahl sehr gering, wenn man davon absieht, daß eine Reihe von Orten Zusatzbezeichnungen wie *an der Donau* erhielt, um die Möglichkeit zur Verwechslung mit gleichnamigen Siedlungen in anderen Gauen des Großdeutschen Reiches hintanzuhalten. Ideologisch bedingt war die Umbenennung des Ortes *Wöllersdorf* in *Wöllersdorf-Trutzdorf*[111]. Die österreichische Regierung hatte dort nach der Ausschaltung des Parlaments im Jahre 1933 und der Beseitigung der demokratischen Verfassung im Jahre 1934 ein Konzentrationslager errichtet, in dem Nationalsozialisten, Sozialdemokraten und Kommunisten festgehalten wurden. Sie alle wurden nach der Okkupation im Jahre 1938 freigelassen und die Baracken im Rahmen einer Feier niedergebrannt. Zum Andenken an die Nationalsozialisten, die dort der österreichischen Regierung 'getrotzt' hatten, wurde nun der Namenszusatz *Trutzdorf* eingeführt. Er wurde nie populär, so daß man nach dem Jahr 1945 eine offizielle Rückbenennung für nicht notwendig hielt[112]. Aus dem radikalen Antisemitismus der Nationalsozialisten läßt sich die Umbenennung von *Judenhof* in *Berghof* erklären, die im Jahre 1939 erfolgte und nach dem Jahr 1945 nicht rückgängig gemacht wurde[113].

Wenn eine Ortschaft, deren Name das Grundwort *Dorf* enthält, zu einem Markt oder einer Stadt erhoben wird, so wird die Aussage des Namens unrichtig. Wenn man von einer Stadt *Drosendorf*, einer Stadt *Zistersdorf* oder einer Stadt *Gänserndorf* spricht, so liegt hier eigentlich eine contradictio in adjecto vor. Trotzdem führte die Verleihung von Marktprivilegien und Stadtprivilegien in Niederösterreich zu keinen Namensänderungen, hingegen gibt es hierfür Beispiele aus dem benachbarten Land ob der Enns. So wurde die Ortschaft *Vekkelsdorf* beziehungsweise *Vokhleinstorff* nach ihrer Marktwerdung in *Veclamarkt*, heute *Vöcklamarkt* umbenannt[114], und *Swans* erhielt nach der a. 1627 erfolgten Stadterhebung den Namen *Schwanenstadt*[115]. Eine Änderung der Siedlungsform ist die Ursache der Umbenennung von

---

[111] Verordnungsblatt des Landeshauptmannes von Niederdonau a. 1938, 14, Nr. 20. - G. Jagschitz, in: Vom Justizpalast zum Heldenplatz, S. 128-151.

[112] W. Goldinger, in: Geschichte der Republik Österreich, S. 145-272.

[113] Heute *Berghof*, Rotte und KG. in einem Einzelhofgebiet und Streusiedlungsgebiet, OG. *Neustadtl* an der Donau, GB. u. VB. *Amstetten*. Bis zur Gemeindestrukturreform in den Jahren 1965 bis 1972 eigene Ortsgemeinde und zum GB. *Ybbs* gehörig. - HONB., III, S. 192f., Nr. J 44. - Topographie von Niederösterreich, IV, S. 535. - Verordnungsblatt für den Amtsbereich des Landeshauptmannes von Niederdonau a. 1939, S. 106, Nr. 203. - An dieser Stelle sei bemerkt, daß die viel bekanntere und größere Ortschaft *Judenau* (Markt u. KG., OG. *Judenau-Baumgarten*, GB. u. VB. *Tulln*) ihren Namen auch während der Herrschaft des Nationalsozialismus beibehielt.

[114] VB. *Vöcklabruck*. - K. Schiffmann, Historisches Ortsnamenlexikon des Landes Niederösterreich, I, S. 302. - HBHStÖ., I, S. 128.

[115] VB. *Vöcklabruck*. - K. Schiffmann, Historisches Ortsnamenlexikon des Landes Niederösterreich, II, S. 395 u. III, S. 421. - HBHStÖ., I, S. 112f.

Haidfoltsdorf beziehungsweise *Haikkerstorff* in *Haigelhof*, die im 16. Jahrhundert erfolgte. Das Dorf verödete in der zweiten Hälfte des 15. Jahrhunderts oder zu Anfang des 16. Jahrhunderts. Ende des 16. Jahrhunderts befand sich an seiner Stelle ein Gutshof, weshalb anstelle des Grundwortes *-dorf* das Grundwort *-hof* trat. Gleichzeitig setzten Versuche einer Neudeutung des Bestimmungswortes ein, da der Personenname *Haidfolch*, der dem Namen des Dorfes zugrunde lag, nicht mehr gebräuchlich war. Hieraus erklärt sich die a. 1598 nachgewiesene Form *Hacklhof*[116]. In ähnlicher Weise trat anstelle des öden Dorfes *Helma* der *Helmahof*[117].

Aus wirtschaftlichen Gründen erfolgen Änderungen von Ortsnamen vor allem dann, wenn sich die Gemeinde hierdurch eine Förderung des Fremdenverkehrs erhofft. So gibt es heute in Niederösterreich fünf Ortschaften, die vor ihrem althergebrachten Siedlungsnamen offiziell die Bezeichnung *Bad* führen. Sie alle haben dieses Prädikat zwischen den Jahren 1926 und 1957 beziehungsweise 1966 erhalten. Als erste Gemeinde ist *Pirawarth* hierum eingekommen und war im Jahre 1926 erfolgreich, doch haben die nationalsozialistischen Behörden im Jahre 1943 eine Umbenennung in *Markt Pirawarth* verfügt. Im Jahre 1966 erreichte die Gemeinde zum zweiten Mal die Umbenennung in *Bad Pirawarth*[118]. Im Jahre 1928 erhielten drei niederösterreichische Kurorte diesen Zusatz: *Deutsch-Altenburg, Fischau* und *Vöslau*[119]. Es folgte *Schönau im Gebirge*, das in *Bad Schönau* umbenannt wurde[120]. In den letzten Jahren wurde der Siedlungsname eines Ortsteiles von *Harbach* in *Moorbad Harbach* umbenannt[121]. Die Gemeinde *Mitterbach* erhoffte sich eine Steigerung der Einnahmen aus dem Fremdenverkehr, wenn ihre Lage in der Nähe eines Sees bekannter wäre. Daher kam es im Jahre 1961 zu einer Umbenennung in *Mitterbach am Erlaufsee*, obwohl der Ortskern des Dorfes ungefähr drei Kilometer vom Strand entfernt

---

[116] *Haiglhof*, KG. *Preinsbach*, OG., BG. u. VB. *Amstetten*. - HONB., III, S. 30 u. VIII, S. 314, Nr. H 65.

[117] *Helmahof*, Meierhof u. KG., OG. *Deutsch-Wagram*, GB. u. VB. *Gänserndorf*. - HONB., I, S. 83 u. VIII, S. 134 beziehungsweise S. 277, Nr. H 244. - Topographie von Niederösterreich, IV, S. 184. - H. Feigl, in: Mittelalterliche Wüstungen in Niederösterreich, S. 22-54.

[118] Markt, KG. u. OG., GB. u. VB. *Gänserndorf*. - HONB., I, S. 181 u. VIII, S. 36, Nr. B 259. - HBHStÖ., I, S. 467, Nr. - LGBl. NÖ. a. 1926, Nr. 145. - Verordnungs- und Amtsblatt für Niederdonau a. 1943, Nr. 76. - LGBl. NÖ. a. 1966, Nr. 493.

[119] *Bad Deutsch-Altenburg*, Markt u. OG., GB. *Hainburg*, VB. *Bruck an der Leitha*. - *Bad Fischau*, Markt u. KG., OG. *Bad Fischau-Brunn*, GB. u. VB. *Wiener Neustadt*. - *Bad Vöslau*, Stadt, KG. u. OG., GB. u. VB. *Baden*. - LGBl. NÖ. a. 1928, Nr. 50, Nr. 8, Nr. 49.

[120] Dorf, KG. u. OG., GB. *Kirchschlag*, VB. *Wiener Neustadt*. - LGBl. NÖ. a. 1955, Nr. 3.

[121] *Harbach*, Dorf, KG. u. OG., GB. *Weitra*, VB. *Gmünd*. - LGBl. NÖ. a. 1985, 1200/11-0.

liegt[122]. Einen wichtigen wirtschaftlichen Faktor für die Gemeinde *Petronell* bilden die Ausgrabungen der antiken Stadt Carnuntum, die sich zum Teil auf ihrem Gebiet, zum Teil auf jenem der Nachbargemeinde Bad Deutsch Altenburg befinden. Die Gemeindeväter erhofften sich eine Steigerung der Besucherzahl und wohl auch eine Hebung des Prestiges ihres Ortes, wenn er in *Petronell-Carnuntum* umbenannt wird. Sie erreichten dieses Ziel im Jahre 1966, doch ist auch diese Namensgebung nicht unproblematisch, weil weder eine Kontinuität zwischen der antiken Stadt und dem modernen Markt, noch ein Nebeneinanderbestehen zweier Siedlungen gegeben ist[123]. Zu den beliebtesten 'Hausbergen' der Wiener Touristen gehört die Raxalpe. Den bisherigen Höhepunkt hinsichtlich der Zahl der Wanderer, Bergsteiger und Kletterer erreichte das Bergmassiv zwischen den beiden Weltkriegen. Nach dem Jahr 1945 konnte diese Frequenz nicht mehr erreicht werden. Das zeitigte für viele Bewohner der umliegenden Orte in wirtschaftlicher Hinsicht nachteilige Folgen. Um ihre Lage an diesem landschaftlich schönen Bergmassiv schon durch den Namen in Erinnerung zu rufen, beantragten die Vertreter der Gemeinde *Reichenau*, daß die zu ihr gehörigen Katastralgemeinden *Edlach, Hirschwang, Prein* und *Reichenau* fortan als Namensbestandteil den Zusatz *an der Rax* erhalten[124].

In den Gebieten Niederösterreichs mit vorherrschender Sammelsiedlung ist seit dem Spätmittelalter die Bildung von Gemeinden nachweisbar. Schon damals wurde das Herzogtum beziehungsweise Erzherzogtum Österreich unter der Enns ein Land von Kleingemeinden und Kleinstgemeinden. Selbst Weiler mit nur sechs bis zehn Bauernhöfen bildeten ein eigenes Gemeinwesen. Unter Aufsicht der Grundherren und ihrer Beamten fristeten diese Gemeinden bis zum Jahre 1848 ein bescheidenes Dasein[125]. Die durch Aufhebung der bäuerlichen Untertänigkeit notwendig gewordene umfassende Reform der Verfassung und Verwaltung vermehrte den Aufgabenkreis der Gemeinde bedeutend und erhöhte ihre Eigenständigkeit. Die Beamten der niederösterreichischen Statthalterei waren der Meinung, daß kleine Gemeinden diesen Anforderungen nicht gerecht werden könnten, weil ihre Finanzkraft sehr gering sei, so daß sie keine Beamten in den Dienst stellen und besolden könnten, und weil der Kreis der Ortsbewohner, die für die Übernahme ehrenamtlicher Gemeindefunktionen in Frage kämen, sehr beschränkt wäre. Die Behörde schlug daher die Bildung größerer Gemeinden vor, die im allgemeinen mehrere Ortschaften zusammenfaßten, stieß damit aber auf den Widerstand der Bevölkerung, welche die Beibehaltung der bisherigen Struktur wünschte. Da die Regierung, die in der neoabsolutistischen Periode nach der Niederwerfung der Revolution des Jahres 1848 keinen leichten Stand

---

[122] *Mitterbach am Erlaufsee*, Dorf, KG. *Mitterbach-Seerotte*, OG., GB. u. VB. *Lilienfeld.* - HONB., IV, S. 164, Nr. M 212. - LGBl. NÖ. a. 1961, S. 371, Nr. 418.

[123] *Petronell-Carnuntum*, Markt, Schloß, KG. u. OG., GB. *Hainburg*, VB. *Bruck an der Leitha.* - HONB., I, S. 149 u. VIII, S. 32, Nr. B 184. - HBHStÖ., I, S. 225-227, 443f. - LGBl. NÖ. a. 1966, S. 220, Nr. 288.

[124] *Reichenau an der Rax*, Markt u. OG., GB. *Gloggnitz*, VB. *Neunkirchen.* - HBHStÖ., I, S. 495-498. - LGBl. NÖ. a. 1958, Nr. 160.

[125] H. Feigl, UH. 44 (1973) S. 60-70.

hatte, wegen dieser Sachfrage keine Vermehrung und Verstärkung der oppositionellen Kräfte wünschte, gab sie nach, und Niederösterreich blieb ein Land der Kleingemeinden und Kleinstgemeinden[126]. Einen Versuch zur Änderung unternahm die nationalsozialistische Verwaltung des Reichsgaues Niederdonau in den Jahren 1938 bis etwa 1943, doch blieb die Reform während des Krieges auf halbem Wege stecken, weil die Machthaber dringendere Probleme zu lösen hatten. Nach dem Zweiten Weltkrieg wurden diese Reformansätze (zweifellos übereilt) beseitigt und der alte Zustand wieder hergestellt[127]. Die gesteigerten Anforderungen, welche die soziale und technische Entwicklung an die Finanzkraft der Gemeinden stellte, machten in den folgenden Jahren die Nachteile der niederösterreichischen Gemeindestruktur immer stärker fühlbar. Unter diesen Umständen kam es in den Jahren 1965 bis 1972 zu einer durchgreifenden Reform. Zunächst wurde allen Gemeinden, die weniger als eintausend Einwohner besaßen, nahegelegt, sich freiwillig größeren Gemeinden anzuschließen oder sich mit Nachbargemeinden zu vereinigen. Da auf freiwilliger Basis nicht überall administrativ brauchbare Gebilde entstanden, traf schließlich ein Landesgesetz die letzte Regelung, welche entsprechende Zusammenschlüsse erzwang[128].

Ein nicht unwesentliches Problem bildet bei derartigen Gemeindezusammenlegungen der Name des neuentstehenden kommunalen Gebildes. Wird die Gemeinde nach einer der Ortschaften, die ihr eingegliedert sind, benannt und wird diese Siedlung Sitz der Gemeinde, dann erhält sie hierdurch eine zentralörtliche Funktion unterer Stufe[129] und damit eine gewisse Vorrangstellung und etliche wirtschaftliche Vorteile gegenüber den anderen. Die Bewohner der eingegliederten Ortschaften sind zur Anerkennung dieses Zustandes nur dann bereit, wenn der Hauptort die anderen Orte an Bevölkerungszahl, Wirtschaftskraft und eventuell auch durch historische Traditionen[130] deutlich überragt. Hierbei spielen neben rationalen Erwägungen auch emotionelle Kräfte eine wesentliche Rolle. Wenn es aus den eben genannten Gründen nicht opportun ist, einer Gemeinde den Namen einer der Siedlungen, die sie umfaßt, zu geben, dann ist der häufigst genutzte Ausweg die Schaffung eines Doppelnamens. Er wurde schon bei der Konstituierung der Ortsgemeinden nach dem Jahre 1850 zur

---

[126] A. Starzer, Die Konstituierung der Ortsgemeinden in Niederösterreich.

[127] Gesetz vom 18. Dezember 1946 über die Aufhebung von in der Zeit vom 10. März 1938 bis zur Befreiung Österreichs erfolgten Vereinigungen von Ortsgemeinden in Niederösterreich. LGBl. NÖ. a. 1947, Nr. 6. Nach Artikel III trat dieses Gesetz rückwirkend mit dem 10. Oktober 1945 in Kraft.

[128] Kundmachung der Niederösterreichischen Landesregierung vom 11. Februar 1971 über die Vereinigung von Gemeinden. LGBl. NÖ. a. 1971, Nr. 116.

[129] K. Stieglbauer, Die Hauptdörfer in Niederösterreich. Eine Untersuchung über zentrale Orte unterster Stufe.

[130] Wenn etwa der Hauptort seit alters Pfarrort und Schulort für seine Umgebung war, wenn dort bis zum Jahre 1848 der Sitz der grundherrlichen Verwaltung für die Dörfer der Umgebung war, wenn sich dort die Poststation, die Eisenbahnhaltestelle für die Orte der Umgebung befindet und so fort.

Anwendung gebracht, wie zum Beispiel die Bezeichnung *Hadersdorf-Weidlingau* beweist, eine Gemeinde, die im Jahre 1938 im 14. Wiener Gemeindebezirk aufgegangen ist[131]. Besteht jedoch eine Gemeinde aus drei oder mehr annähernd gleichgroßen Sammelsiedlungen, dann ist eine solche Lösung nicht möglich, denn eine Gemeindebezeichnung, die aus mehr als zwei Ortschaftsnamen besteht, ist für die Administration unbrauchbar. In solchen Fällen schritt man zur Erfindung neuer Namen, wobei man sich meist an Gegendbezeichnungen hielt.

Auch hierfür sollen einige Beispiele geboten werden. Im Zuge der Gemeindestrukturreform wurden 33 Dörfer und Weiler und zahlreiche Rotten und Einzelhöfe im Gebiet östlich von Melk zu einer Gemeinde vereinigt. Die bedeutendsten Sammelsiedlungen in diesem neuen Gemeinwesen sind *Gansbach* mit (a. 1971) 89 Häusern und 313 Einwohnern, *Mauer* bei Melk mit 74 Häusern und 269 Einwohnern, *Gerolding* mit 37 Häusern und 146 Einwohnern sowie *Neuhofen* mit 21 Häusern und 102 Einwohnern. Alle anderen Siedlungen hatten zur Zeit der Zusammenlegung unter einhundert Einwohner[132]. Ihnen allen gemeinsam ist die Lage im Gebiet des Dunkelsteinerwaldes, weshalb er zum Namengeber dieser Gemeinde[133] wurde. Kritisch könnte man hierzu bemerken, daß das Gebiet dieser Gemeinde nur einen kleinen Teil jener Fläche ausmacht, für welche die Bezeichnung *Dunkelsteinerwald* üblich ist. Man muß daher jetzt immer auseinanderhalten, ob die Gemeinde oder die geographische Bezeichnung gemeint ist. Ähnlich ist die Situation bei den Gemeinden *Hohe Wand* und *Steinfelden.* Zur ersteren wurden die Katastralgemeinden *Gaaden* (a. 1971 124 Einwohner), *Maiersdorf* (583 Einwohner), *Netting* (94 Einwohner) und *Stollhof* (432 Einwohner) zusammengefaßt. Sie liegen am Fuß der *Hohen Wand,* und zu den Katastralgemeinden *Maiersdorf* und *Stollhof* gehört auch ein Großteil der Schutzhütten, Alpengasthöfe und Wochenendhäuser, die auf dem Plateau dieses Bergmassivs errichtet wurden[134]. Auch hier muß man bemerken, daß sich die Fläche des Bergmassivs Hohe Wand mit jener Fläche der Gemeinde nicht deckt, was Anlaß zu Mißverständnissen geben kann. Im Zuge der Strukturreform wurden auch die Gemeinden *Günselsdorf* (a. 1971 2.259 Einwohner), *Teesdorf* (1.638 Einwohner) und *Tattendorf* (925 Einwohner) zu einem größeren Gemeinwesen vereinigt[135]. Es sollte zunächst nach der größten der drei Ortschaften den Namen *Günselsdorf* führen. Als es jedoch unmittelbar nach der erzwungenen Zusammenlegung zu Zwistigkeiten kam, dachte man sie durch eine Neubenennung mildern zu können und erfand den Namen *Steinfelden*[136]. Auch hier ist auf den Gegensatz zwischen dem eingebürgerten geographischen Begriff und der neuen Gemeinde hinzuweisen, die am Nordwest-

---

[131] R. Maruna, Geschichte der Ortsgemeinde Hadersdorf-Weidlingau, S. 156-165.

[132] Ortsverzeichnis 1971, S. 110f.

[133] GB. u. VB. *Melk.*

[134] Ortsverzeichnis 1971, S. 180. Die Gemeinde gehört zum GB. u. VB. *Wiener Neustadt.*

[135] Ortsverzeichnis 1971, S. 208.

[136] Ortsverzeichnis 1971, S. 207. - LGBl. NÖ. a. 1974, 1200/2-0.

rand des Steinfelds liegt. Die Streitigkeiten innerhalb der Gemeinde sind übrigens durch die Namensgebung nicht zu Ende gegangen. In den Jahren 1849 bis 1863 ließ der Armeelieferant Josef von Pargfrieder auf einem Hügel im Park seines Schlosses Kleinwetzdorf ein Ehrenmal für die k.k. Armee und Österreichs Kriegshelden (vermutlich nach dem Vorbild der in den Jahren 1830 bis 1842 bei Donaustauf unweit Regensburg geschaffenen 'Walhalla') errichten. Das Zentrum bildeten die Grabmäler für Feldmarschall Joseph Wenzel Graf Radetzky von Radetz (gest. a. 1858), Feldmarschall Maximilian Freiherr von Wimpffen (gest. a. 1854) und für den Bauherrn (gest. a. 1863), der für sich den vornehmsten Platz beanspruchte. Die Anlage wurde fortan *Heldenberg* genannt[137]. Bei der Gemeindezusammenlegung wurden mehrere in der Nähe dieses Denkmals gelegene Ortschaften (*Glaubendorf, Großwetzdorf, Kleinwetzdorf* und *Thern*) zu einer Gemeinde vereinigt, und man beschloß, ihr trotz des einer Heldenverehrung widerstrebenden Zeitgeistes den Namen *Heldenberg* zu geben[138]. Im Zuge der mehrfach erwähnten Strukturreform wurde aus den Katastralgemeinden *Mittergrabern, Obergrabern, Ober-Steinabrunn, Schöngrabern* und *Windpassing* eine Gemeinde gebildet. Da drei dieser Siedlungsnamen das Grundwort *grabern* enthalten, nannte man die neue Gemeinde *Grabern*[139]. Ebenso wurden die Gemeinden *Niederfellabrunn* und *Niederhollabrunn* zusammengelegt. Da die beiden Siedlungsnamen das Grundwort *brunn* und das Vorwort *nieder* gemeinsam haben, nannte man die neue Gemeinde *Niederbrunn*[140]. Vorbild für diese Benennung war die Namengebung für ein nach dem Ersten Weltkrieg neu entstandenes Bundesland. In den Jahren 1920/1921 trat Ungarn Teile der Komitate *Preßburg, Wieselburg, Ödenburg* und *Eisenburg*, die vorwiegend von deutschsprechender Bevölkerung bewohnt waren, an die junge Republik Österreich ab. Auf der Suche nach einem Namen für dieses Gebiet verfiel man zunächst auf *Heinzenland*, wovon man aber wieder abkam, weil der Ausdruck *Heinze* für den deutschsprachigen westungarischen Bauern mit dem Beigeschmack 'primitiv, zurückgeblieben' belastet war. Die Namenwahl fiel schließlich auf *Burgenland*, weil die deutschen Namen aller vier Komitate, die Teile ihres Territoriums abtraten, auf *-burg* endeten[141]. Der Name *Burgenland* wurde rasch populär, und seine Entstehungsgeschichte ist heute wohl nurmehr Historikern und Namenforschern bekannt. In andern Fällen aber lassen sich solche Namen schwer einbürgern. So wurde der Name *Niederbrunn* bereits im Jahre 1975 wieder in *Niederhollabrunn* geändert[142].

Die Änderung etlicher niederösterreichischer Siedlungsnamen ist durch den Bedeutungswandel des Wortes *Burg* zu erklären. In hochmittelalterlichen Texten werden die Worte *Burg* und *Civitas* synonym für eine größere Sammelsiedlung gebraucht, die

----

[137] HBHStÖ., I, S. 353f.

[138] Ortsverzeichnis 1971, S. 78 u. 211.

[139] Ortsverzeichnis 1971, S. 77.

[140] Ortsverzeichnis 1971, S. 91.

[141] E. Zöllner, Geschichte Österreichs, S. 496f.

[142] LGBl. NÖ. a. 1975, 1200/5-0.

entweder zur Gänze befestigt ist oder in unmittelbarer Nähe eines befestigten Flucht-
ortes liegt. Die Bewohner dieser Siedlung, die bei der Verteidigung mitwirkten, wurden als *Bürger* bezeichnet. Im ausgehenden Mittelalter wurde es üblich, Adelssitze
mit größeren Befestigungsanlagen, die früher *Veste, vestes Haus* oder auch nur als
Haus oder *Sitz* bezeichnet wurden, als Burgen zu kategorisieren[143]. Das führte zur
Umbenennung etlicher Orte, in oder bei denen sich ein solcher Adelssitz befand und
die ursprünglich auf *-berg* endeten. *Wazzerberg,* a. 1208 erstmals genannt, wurde im
15. Jahrhundert in *Wasserburg* umbenannt, wobei längere Zeit beide Namensformen
gebräuchlich waren[144]. Ebenso wurde das a. 1168/1186 genannte *Chaternberch* in
der zweiten Hälfte des 13. Jahrhunderts in *Chatrenburg* und schließlich in *Katerburg*
umbenannt[145]. Die ursprünglichen Namengebungen sind hier von besonderem Interesse, weil es sich um keine Höhenburgen, sondern um Wasserschlösser handelte.
Wasserberg lag auf der Niederterrasse der Traisen, *Chaternberg* am Wienfluß und war
mit einer Mühle verbunden. Das Element *-berg* bedeutet hier 'veste', 'vestes Haus',
hat aber nichts mit einer Bodenerhebung zu tun[146]. Als Beispiele für umbenannte
Befestigungen auf Anhöhen seien *Weißenburg* (a. 1189/1196 *Wizzenberc,* a. 1155
Weissenberg, a. 1591 *Weissenburgh*)[147], *Osterburg* (um a. 1160 *Osterenberge.* a.
1486 *Osterwergk*)[148], *Rosenburg* (a. 1175 *Rosenberg* und *Rosenburg* nebeneinander
gebräuchlich)[149] sowie *Kalksburg* genannt. Beim letztgenannten Ort ist auch eine
Änderung des Bestimmungswortes eingetreten. Der auf einen Personennamen zurück-
gehende Name *Chalbsperg,* der abwertend als 'befestigter Sitz eines Kalbes' gedeutet
wurde, erschien im 15. Jahrhundert nicht mehr tragbar. Über *Kalesberg* und *Kalsberg*

---

[143] Der Ausdruck 'Ritterburg' geht auf romantische Vorstellungen zurück, denn
Angehörige des niederen Adels besaßen im Mittelalter nur Turmhöfe, das heißt
Wirtschaftsgebäude und Wohngebäude mit einem Turm, in den sich die Bewohner
in kriegerischen Zeiten zurückziehen und wo sie ihre wertvollste Habe unterbringen
konnten. Burganlagen, bei denen stets auch der gesamte Wohntrakt in die Befestigung einbezogen war, konnte sich nur der hohe Adel leisten. Zum Wort *Burg* sieh
F. Kluge, Etymologisches Wörterbuch, S. 111. - Duden. Etymologie, S. 90.

[144] *Wasserburg,* Dorf, Schloß u. KG., OG. u. GB. *St. Pölten.* - HONB., VII, S. 57,
Nr. W 97. - R. Büttner, Burgen und Schlösser zwischen Greifenstein und St. Pölten,
S. 220-222.

[145] HONB., III, S. 218, Nr. K 73. - An der Stelle der *Katerburg* steht seit dem 18.
Jahrhundert das Schloß Schönbrunn. Sieh R. Büttner, Burgen und Schlösser zwischen Greifenstein und St. Pölten, S. 220-222 u. A. 97.

[146] F. Kluge, Etymologisches Wörterbuch, S. 66. - Duden. Etymologie, S. 59f.

[147] Burgruine, Rotte *Weißenburggegend,* KG. u. OG. *Frankenfels,* GB. u. VB. *St.
Pölten.* - HONB., VII, S. 86, Nr. W 197. - R. Büttner, Burgen und Schlösser zwischen
Araburg und Gresten, S. 53-57.

[148] *Osterburg,* Weiler u. KG., OG. *Haunoldstein,* GB. u. VB. *St. Pölten.* - HONB.,
V, S. 96, Nr. O 97. - Topographie von Niederösterreich, VII, S. 536-544. - R. Büttner, Burgen und Schlösser im Dunkelsteinerwald, S. 44-48.

[149] *Rosenburg,* Dorf, Burg u. KG., OG. *Rosenburg-Mold,* GB. u. VB. *Horn.* -
HONB., V, S. 96, Nr. R 97. - HBHStÖ., I, S. 505f.

kam man schließlich auf *Kalksburg,* ein Name, der angesichts der Kalkgewinnung in der Umgebung des Ortes einer Realprobe standhält. Der Kalksburger Adelssitz wurde um das Jahr 1460 zerstört und nicht mehr wieder errichtet. Zu dem Zeitpunkt, wo die Umbenennung im Sprachgebrauch durchgesetzt wurde, gab es im Ort keine Burg mehr[150]. Die Umbenennung der Siedlung *Lachsindorf* in *Laxenburg,* die ebenfalls im 15. Jahrhundert erfolgte, dürfte mit dem Ausbau des Schlosses unter Herzog Albrecht III. zusammenhängen. Der bedeutende Herrensitz, die große Burg, wurde zum beherrschenden Element der Siedlung[151].

VIII. Änderungen bei Siedlungsnamen religiösen Charakters. - In der Regel wurde wohl zunächst eine Siedlung ohne Kirche angelegt. Wenn sie sich gut entwickelte, die materiellen Grundbedürfnisse der Bewohner gedeckt waren, die Zahl der Ortsbewohner zusammen mit jenen des Einzugsgebietes entsprechend groß war und sich ein Mäzen fand, schritt man an die Errichtung eines Gotteshauses[152]. Wenn daher Siedlungen nach einer Kirche oder ihrem Patrozinium benannt sind, handelt es sich oft nicht um die ursprüngliche Bezeichnung der Siedlung, sondern es liegt eine Namensänderung vor. In nicht wenigen Fällen läßt sich dieser Vorgang an Hand schriftlicher Quellen verfolgen. So wird erstmals a. 1189 eine Ortschaft *Puechberg* genannt, wobei die Urkunde von einer *capella beati Rudperti et beate Marie Magdalene* berichtet, der damals das Pfarrecht, allerdings mit gewissen Einschränkungen, zugunsten der Mutterpfarre Pitten zugestanden wurde[153]. Noch im zwölften Jahrhundert wurde in dieser Ortschaft eine Kirche errichtet, wobei die in Niederösterreich im Mittelalter sehr seltene Form eines Rundbaues, einer 'Scheibe', gewählt wurde[154]. Für den Ort taucht erstmals a. 1372 als neuer Name *Scheiblingkirchen* auf, doch war daneben bis in das 16. Jahrhundert auch die alte Bezeichnung *Puechberg* üblich. Dann hat sich die Benennung nach der Form des Kirchengrundrisses endgültig durchgesetzt[155].

---

[150] KG. *Kalksburg,* heute Bestandteil des 23. Wiener Gemeindebezirkes. - HONB., III, S. 202, Nr. K 26. - Topographie von Niederösterreich, V, S. 21-24. - F. Opll, Liesing, S. 8 u. 40f.

[151] *Laxenburg,* Markt, Schloß, KG. u. OG., GB. u. VB. *Mödling.* - HONB., IV, S. 22f., Nr. L 81. - Topographie von Niederösterreich, V, S. 693f. - HBHStÖ., I, S. 381f.

[152] Diese Entwicklung läßt sich bei einer großen Zahl von Ortschaften durch eine Analyse der Siedlungsform wahrscheinlich machen. Es gibt allerdings auch einzelne Fälle, wo die Kirche das Zentrum der Siedlung bildet. In diesen Fällen mag es sich ursprünglich um eine Burg-Kirchenanlage oder eine Kirchenfestung gehandelt haben.

[153] W. Hauthaler, Salzburger Urkundenbuch, II, S. 634. - H. Wolf, Erläuterungen, S. 432, A. 1.

[154] Die Kunstdenkmäler Österreichs. Niederösterreich, S. 306. - Reclams Kunstführer Österreich, I, S. 411.

[155] *Scheiblingkirchen,* Markt u. KG., OG. *Scheiblingkirchen-Thernberg,* GB. u. VB. *Neunkirchen.* - HONB., VI, S. 33, Nr. S 79. - HBHStÖ., I, S. 528f.

Eine Urkunde aus dem Jahr 1332 berichtet von einer neuen Kapelle, die auf dem *Tannberg* errichtet wurde und der heiligen Anna geweiht ist. Nachdem dieses Gottes- haus zu einer bedeutenden Wallfahrtskirche geworden war, wurde die Siedlung in *Annaberg* umbenannt[156]. Im Jahre 1277 wurde dem a. 1263 in *Altmelon* gegründe- ten, a. 1273 nach *Neumelon* verlegten Zisterzienserinnenkloster erneut ein anderer Ort zugewiesen, da die Hochfläche des Waldviertels ein für die Nonnen zu rauhes Klima hatte. Es handelte sich um die im Horner Becken gelegene Ortschaft *Krug*. Bereits wenige Jahre nach dieser Verlegung führte das Dorf einen Doppelnamen: *ad Sactum Bernhardum in Chrug* (a. 1289). Im 14. Jahrhundert setzte sich die Bezeich- nung *Sankt Bernhard* durch, die in diesem Fall mit dem Zisterzienserorden, nicht mit dem Patrozinium der Kirche, die der Mutter Gottes geweiht ist, zusammen- hängt[157].

Im Jahre 1429 wird eine Siedlung *Launitz alias St. Martin* genannt. Es handelt sich um eine Ortschaft, die zunächst den Namen des Flusses trug, an dem sie liegt, der *Lainsitz*. A. 1340 ist in dem Ort erstmals eine dem heiligen Martin geweihte Kirche nachweisbar. Im 16. Jahrhundert verdrängte die Benennung nach dem Patrozinium endgültig den alten Siedlungsnamen[158]. Abt Benedikt I. von Seitenstetten (a. 1437 bis 1441) ließ auf einem *Raudnitz* genannten Berg eine Salvator-Kapelle errichten. Der Bergname, dessen älteste Nennung *Riodnich* (a. 1250/1260) lautet, ist slawi- schen Ursprungs und 'bedeutet' 'Roter Berg, Erzberg'. A. 1477 taucht erstmals die Bezeichnung *in Monte Dominico* auf. Er wurde zum *Sonntagberg* und zu einem be- rühmten Wallfahrtsort[159]. Im 14. Jahrhundert ist erstmals der Ort *Lichtenvvart* nachweisbar. Um zwei Ortschaften dieses Namens zu scheiden, kamen in der zweiten Hälfte des 14. Jahrhunderts die Bezeichnungen *Altlichtenwarth*[160] und *Neulichten-*

---

[156] *Annaberg*, Dorf, KG. *Annarotte*, OG. *Annaberg*, GB. u. VB. *Lilienfeld*. - HONB., I, S. 49, Nr. A 181. - Topographie von Niederösterreich, II, S. 63f. - G. Gugitz, Österreichs Gnadenstätten in Kult und Brauch, II, S. 3f.

[157] Bei den Zisterzienserklöstern war es Ordensbrauch, die Stiftskirche der Mutter- gottes zu weihen. Wohl aber dürfte es in der Regel einen Seitenaltar gegeben haben, der dem Ordensstifter, dem Heiligen Bernhard von Clairvaux, gewidmet war. Die Namensgebung für die Siedlung dürfte aber damit zusammenhängen, daß Mönche und Nonnen des Zisterzienserordens auch als Brüder und Schwestern des Heiligen Bernhard bezeichnet wurden. - *St. Bernhard*, Dorf u. KG., OG. *St. Bernhard-Frauen- hofen*, GB. u. VB. *Horn*. - HONB., I, S. 134, Nr. B 142. - HBHStÖ., I, S. 771. - Die Kunstdenkmäler Österreichs. Niederösterreich, S. 290.

[158] *St. Martin*, Dorf, KG. u. OG., GB. *Weitra*, VB. *Gmünd*. - HONB., IV, S. 128, Nr. M 133. - Topographie von Niederösterreich, VI, S. 200f. - H. Wolf, Erläuterun- gen, S. 285.

[159] *Sonntagberg*, Dorf, KG. u. OG., GB. *Waidhofen an der Ybbs*, VB. *Amstetten*. - HONB., V, S. 161, Nr. R 155 u. VI, S. 138, Nr. 386. - HBHStÖ., I, S. 558f. - G. Gugitz, Österreichs Gnadenstätten in Kult und Brauch, II, S. 188-196.

[160] *Altlichtenwarth*, Dorf, KG. u. OG., GB. *Poysdorf*, VB. *Mistelbach*. - HONB., IV, S. 58f., Nr. L 159. - Topographie von Niederösterreich, V, S. 824f.

warth auf. In der zweiten Hälfte des 16. Jahrhunderts wurde *Neulichtenwarth* in *Sankt Ulrich*[161] umbenannt, während das andere *Lichtenwarth* seinen Namen samt dem nicht mehr notwendigen Zusatz 'Alt' behielt. In Wien wurde im 14. Jahrhundert ein Vorort *Zeismannsbrunn* in *Sankt Ulrich* umbenannt[162]. Im Jahre 1250/1260 erscheint eine Ortsbezeichnung *apud Novam Silvam*, a. 1271 wird ein *plebanus de Nova Silva* erwähnt. Seine Kirche war dem heiligen Ägidius geweiht, weshalb sich für die Pfarre bald auch die Bezeichnung *de Sancto Egidio* findet. Daraus entwickelte sich die noch heute übliche Bezeichnung *Sankt Aegyd am Neuwald*[163].

Jeßnitz ist ein slawischer Flußname, dessen mittelalterliche Nennungen *Yeseniz, Jesink, Gesentz, Gesnitz* und ähnlich lauten, aber auch der Name für eine an diesem Fluß gelegene Siedlung. A. 1691 wurde hier bei einem *Antonibründl* eine Kapelle zu Ehren dieses Heiligen erbaut, an der im Zuge der kirchlichen Reformen Kaiser Joseph II. in den Jahren 1782/1784 eine eigene Seelsorgestation errichtet wurde. Die Siedlung wurde in *Sankt Anton an der Jeßnitz* umbenannt[164].

Nicht immer ist es möglich, den früheren Namen eines nach einer Kirche oder ihrem Patrozinium benannten Ortes festzustellen. In einzelnen Fällen existieren Vermutungen mit mehr oder minder großem Wahrscheinlichkeitsgrad, andere Fälle sind noch zur Gänze ungeklärt. Auf dem Boden der heutigen Stadt *Sankt Pölten* befand sich die Römerstadt *Aelium Cetium*. Der Ort verlor noch während der römischen Herrschaft an Bedeutung. Das Stadtrecht wurde nach Mautern übertragen. Um a. 760 gründeten zwei fränkische Adelige in den Ruinen der Römerstadt ein Benediktinerkloster, das vom Tegernsee aus besiedelt und dem heiligen Hippolytus geweiht wurde. Die Gegend um *St. Pölten* und wahrscheinlich auch die Siedlung wurden damals *Treisma* genannt, doch setzte sich bereits im elften Jahrhundert das Patrozinium der Klosterkirche als Siedlungsname durch, wie die Nennung *locus Sancti Ypoliti* aus dem Jahr 1058 beweist[165]. *Traisma*, heute *Traisen*, ist ein auf vorrömische Wurzel zurückgehender Flußname[166], aber auch eine Bezeichnung für mehrere an diesem Ort gelegene Siedlungen[167]. Zu diesen *Traisma*-Orten gehörte auch *Sankt Andrä an der Traisen*, wo beide Bezeichnungen vom Ende des elften Jahrhunderts bis zum Ende des zwölften Jahrhunderts gebraucht wurden. Dann

---

[161] *St. Ulrich*, Dorf u. KG., OG. *Neusiedl an der Zaya*, GB. *Zistersdorf*, VB. *Gänserndorf*. - HONB., VII, S. 4f., Nr. U 4. - H. Wolf, Erläuterungen, S. 358f.

[162] Siedlung, aufgegangen im siebten Wiener Gemeindebezirk. - HONB., VII, S. 5, Nr. U 5. - H. Wolf, Erläuterungen, S. 89f. - Die Kunstdenkmäler Wiens, S. 129 u. 132.

[163] *St. Aegyd am Neuwalde*, Markt, KG. u. OG., GB. u. VB. *Lilienfeld*. - HONB., II, S. 121 u. VIII, S. 77, Nr. E 99. - Topographie von Niederösterreich, II, S. 8f. - HBHStÖ., I, S. 509f.

[164] *St. Anton an der Jeßnitz*, Dorf, KG. u. OG., GB. u. VB. *Scheibbs*. - HONB., I, S. 53 u. VIII, S. 13, Nr. A 188.

[165] *St. Pölten*, eine der vier niederösterreichischen Statutarstädte. - HONB., I, S. 210 u. VIII, S. 43, Nr. B 361. - HBHStÖ., I, S. 519-522. - ÖStB., IV/3, S. 33-59.

[166] P. Wiesinger, in: Die Bayern und ihre Nachbarn, I, S. 327f.

[167] K. Gutkas, UH. 22 (1951) S. 147-152.

setzte sich *Sankt Andrä* endgültig durch und erhielt bereits im 14. Jahrhundert den Zusatz *bei der Traisen*[168]. Im sogenannten Lonsdorfer Kodex, der a. 1250/1260 angelegt wurde und vor allem Aufzeichnungen über Rechte und Besitzungen des Bischofs von Passau enthält, wird erstmals eine *ecclesia in Chirchperg* genannt, die bereits damals den Rang einer Pfarrkirche hatte. Der Ort hieß vor Errichtung des Gotteshauses vermutlich *Maurach* beziehungsweise *Mŏraha* und *Maurahi*. Es handelt sich hierbei um den slawischen Namen des Flusses, der bei *Kirchberg* in die *Pielach* mündet und der heute *Marbach* genannt wird. Auch als Siedlungsname ist er noch für eine Rotte von zehn Häusern gebräuchlich[169]. Im Jahre 1210 erscheint erstmals *de Sancto Petro* als Siedlungsname, um a. 1220 bereits mit dem Zusatz *in der Owe*. *Sankt Peter in der Au* war bereits im 13. Jahrhundert Sitz einer bedeutenden Grundherrschaft und einer Pfarre. Die Forschungen nach einem älteren Namen führten wieder zum Flußnamen, diesmal zu dem Namen *Url*, nachdem sich seit a. 1120 ein Adelsgeschlecht nannte. Darüber, ob dessen Ansitz in St. Peter oder in Urlgut zu suchen ist, wurde bisher unter den Experten keine Einigkeit erzielt[170].

Auch Änderungen von Siedlungsnamen, die mit den kirchlichen Verhältnissen in Zusammenhang stehen, in andere Siedlungsnamen gleicher Art kommen vor. In einigen Fällen lassen sich die Ursachen feststellen. Hierzu gehört die Siedlung *Sankt Grain*, die sich um eine dem heiligen Hieronymus gewidmete Kapelle im Wienerwald befand, denn dieser Heilige wurde in volkstümlicher Sprache *Grain* genannt. In der Reformationszeit verfiel die Kapelle, und erst in den Jahren 1719 bis 1722 ließ das Kloster Kleinmariazell eine neue Wallfahrtskirche erbauen, die der heiligen Corona gewidmet ist. Der Ort erhielt der Patroziniumsänderung entsprechend den Namen *Sankt Corona* (am Schöpfel)[171]. Die zweite niederösterreichische Ortschaft, die

---

[168] *St. Andrä an der Traisen*, Dorf u. KG., OG. u. GB. *Herzogenburg*, VB. *St. Pölten*. - HONB., I, S. 46, Nr. A 170. - HBHStÖ., I, S. 511f. - R. Büttner, Burgen und Schlösser zwischen Greifenstein und St. Pölten, S. 150f. Der Autor vermutet an jener Stelle, wo heute die Gebäude des a. 1160 gegründeten, a. 1783 aufgehobenen Augustiner-Chorherrenstiftes stehen, den Ansitz des Adelsgeschlechtes der Herren von Traisen.

[169] *Marbach*, Rotte, KG. u. OG. *Kirchberg an der Pielach*, GB. u. VB. *St. Pölten*. - HONB., III, S. 242-249 u. VIII, S. 154f., Nr. K 134. - Topographie von Niederösterreich, V, S. 114-120. - HBHStÖ., I, S. 349. - R. Büttner, Burgen und Schlösser zwischen Araburg und Gresten, S. 44-49. - K. Kafka, Wehrkirchen Niederösterreichs, I, S. 99.

[170] *St. Peter in der Au*, Markt, KG. u. OG., Sitz eines Bezirksgerichtes, VB. *Amstetten; Urlgut*, Einzelhof, KG. *Bubendorf*, OG. *Wolfsbach*, GB. *St. Peter in der Au*, VB. *Amstetten*. - HONB., I, S. 143f. u. VIII, S. 30-32, Nr. B 180; VII, S. 14, Nr. U 46. - Topographie von Niederösterreich, VIII, S. 231-256. - H. Wolf, Erläuterungen, S. 204. - HBHStÖ., I, S. 518f. - R. Büttner, Burgen und Schlösser in Niederösterreich. Zwischen Ybbs und Enns, S. 76-84.

[171] *St. Corona am Schöpfel*, Rotte u. KG., GB. *Pottenstein*, VB. *Baden*. - HONB., III, S. 286, Nr. K 278. - Topographie von Niederösterreich, II, S. 269f. - HBHStÖ., I, S. 353 (Artikel 'Kleinmariazell'). - G. Gugitz, Österreichs Gnadenstätten in Kult und Brauch, II, S. 164f.

heute den Namen *Sankt Corona* trägt, hieß im Mittelalter *Heiligenstadt*. Offenbar im Zusammenhang mit der Wallfahrt zur hier befindlichen Kapelle der heiligen Corona erfolgte im 16. Jahrhundert die Umbenennung in *Sankt Corona* (am Wechsel)[172]. *Heiligenstadt* im Norden Wiens hingegen hieß ursprünglich nach dem Patrozinium der Kirche Sankt Michael, wurde aber bereits Ende des zwölften Jahrhunderts auch mit dem heutigen Namen bezeichnet, der sich im 14. Jahrhundert endgültig durchsetzte[173].

In den Jahren 836, 1052 und 1063 wird ein Ort *Kirichbach* genannt. Bei den beiden späteren Nennungen wird noch hinzugefügt, daß er *ad radices Comagenae montis* liege. Es handelt sich um den ab a. 1140 *Sankt Andrä* genannten Ort, der bereits im 14. Jahrhundert im Zusatz *in Heckental* erhielt. Dieses *Heckental*, heute *Hagental* genannt, war eine Bezeichnung für die Furche St. Andrä-Kierling-Klosterneuburg beiderseits der Wasserscheide. Der durch die heute sogenannte *Hagenbachklamm* fließende Bach hingegen hieß ursprünglich *Kirchbach*. Der Siedlungsname wanderte bachaufwärts und bezeichnete ab dem 13. Jahrhundert ein Dorf im inneren Wienerwaldgebiet am Oberlauf jenes Baches, wo es keine Kirche gibt. Der Wasserlauf *Kirchbach* wurde zu einem schwer bestimmbaren Zeitpunkt in *Hagenbach* umbenannt, das Dorf hingegen behielt seinen Namen und gliedert sich seit dem Jahre 1679 in *Oberkirchbach* und *Unterkirchbach*[174].

Eine entgegengesetzte Entwicklung läßt sich bei der a. 1147 erstmals genannten *ecclesia Sancti Stephani ad Wachrein* beobachten. Der Name der Kirche wurde auch auf die sich in ihrer Nähe entwickelnde Marktsiedlung übertragen. Um das Jahr 1400 kommt jedoch neben *Sankt Stephan* der Name *Kirchberg* auf, ebenfalls mit dem Zusatz *auf dem Wagrain*. Kurze Zeit sind beide Namen nebeneinander in Gebrauch, dann setzt sich *Kirchberg* durch[175]. Die Ursache für diese Umbenennung dürfte in dem Umstand zu suchen sein, daß es im Herzogtum Österreich unter der Enns sehr viele Kirchen mit dem Patrozinium des heiligen Stephan gab. Der Erzmärtyrer galt als Patron der Diözese Passau. Ihm war der Hochaltar der Domkirche geweiht, und der größte Teil Niederösterreichs gehörte bis zur Regierungszeit Joseph II. zu diesem Bistum. Die Ursache der Umbenennung des Dorfes *Zwieselkirchen* in *Sankt Panta-*

---

[172] *St. Corona am Wechsel*, Dorf u. Wallfahrtsort, KG. u. OG., GB. *Aspang*, VB. *Neunkirchen*. - HONB., III, S. 286, Nr. K 279 (Berichtigung HONB., VIII, S. 158). - Topographie von Niederösterreich, IV, S. 176f. - G. Gugitz, Österreichs Gnadenstätten in Kult und Brauch, II, S. 165.

[173] *Heiligenstadt*, ehemaliges Dorf, heute Teil des 19. Wiener Gemeindebezirks. - HONB., III, S. 78, Nr. H 224. - Topographie von Niederösterreich, IV, S. 172-176. - HBHStÖ., I, S. 687.

[174] *St. Andrä vor dem Hagenthale*, Markt u. KG., OG. *St. Andrä-Wördern*, GB. u. VB. *Tulln*. - *Oberkirchbach* u. *Unterkirchbach*, Dörfer, KG. *Kirchbach*, OG. *St. Andrä-Wördern*, GB. u. VB. *Tulln*. - Topographie von Niederösterreich, II, S. 56-58 u. V, S. 108f. - HBHStÖ., I, S. 511f.

[175] *Kirchberg am Wagram*, Markt u. Wallfahrtsort, KG. u. Sitz eines BG., VB. *Tulln*. - HONB., III, S. 240f. u. VIII, S. 153, Nr. K 131. - Topographie von Niederösterreich, V, S. 120-123. - HBHStÖ., I, S. 346f.

leon im 15. Jahrhundert dürfte in der Wallfahrt begründet sein, die im Spätmittel-alter zu diesem Heiligen und dieser Kirche aufkam[176].

Das Prädikat *Sankt* ist bei einzelnen Siedlungsnamen fortgefallen. Als Beispiele seien *Petronell*, wo das bereits im 14. Jahrhundert der Fall war[177], und *Margarethen am Moos*[178] genannt. Wenn dieses Fortlassen im 19. Jahrhundert oder im 20. Jahr-hundert erfolgte, kann es politisch-weltanschauliche Gründe haben, da von der Kirche emanzipierte Menschen, die der Religion weitgehend gleichgültig gegenüber-stehen, oft nicht an einem Ort wohnen wollen, der mit dem Prädikat *heilig* versehen ist. Kirchenfeindliche Regierungen fördern diese Bestrebungen, wie etwa die Unbe-nennung des Salzburger Ortes *Sankt Johann im Pongau* in *Markt Pongau* während der Herrschaft des Nationalsozialismus zeigt. Ebenso hat auch eine Wiedereinführung des Beiwortes *Sankt* politische Hintergründe, so zum Beispiel, wenn sie in *Margare-then an der Sierning* im Jahre 1950 erfolgte[179] und so Zeugnis für den Aufschwung der Religiosität nach dem Zweiten Weltkrieg ablegt. Das Prädikat *Maria* vor dem Ortsnamen ist in mehreren Fällen jungen Datums, mitunter sogar jüngsten Datums. Es wurde im allgemeinen Ortschaften mit einer Marienwallfahrtskirche verliehen. Als Beispiele seien die im Jahre 1933 erfolgte Namensänderung *Anzbach* in *Maria Anzbach*[180] und die Namensänderung von *Ponsee* in *Maria Ponsee*[181] aus dem Jahr 1950 erwähnt.

IX. Beifügungen zum Zweck der Scheidung von Orten mit gleichen Siedlungsna-men. - Bis in die Mitte des 19. Jahrhunderts erfolgte die Namengebung ohne zentrale Lenkung durch staatliche, landständische oder kirchliche Organe. Auf diese Weise konnte es geschehen, daß mehrere Orte, und sogar oft nahe beieinanderliegende, denselben Namen erhielten. Je mehr die grundherrliche, kirchliche, ständische be-ziehungsweise staatliche Verwaltung intensiviert und zentralisiert wurde, umso störender wurden Namensgleichheiten empfunden, da sie zu Verwechslungen führen

---

[176] *St. Pantaleon*, Dorf u. KG., OG. *St. Pantaleon-Erla*, GB. *Haag*, VB. *Amstetten*. - HONB., I, S. 102 u. VIII, S. 23, Nr. B 37; VII, S. 221, Nr. Z 112. - Topographie von Niederösterreich, VIII, S. 28-33. - HBHStÖ., I, S. 516-518. - G. Gugitz, Öster-reichs Gnadenstätten in Kult und Brauch, II, S. 173.

[177] *Petronell*, Markt u. KG., OG. *Petronell-Carnuntum*, GB. *Hainburg an der Donau*, VB. *Bruck an der Leitha*. - HONB., I, S. 149 u. VIII, S. 32, Nr. B 184. - Sieh A. 123.

[178] *Margarethen am Moos*, Dorf u. KG., OG. *Enzersdorf an der Fischa*, GB. u. VB. *Bruck an der Leitha*. - HONB., IV, S. 123 u. VIII, S. 177, Nr. M 87. - Topographie von Niederösterreich, VI, S. 123-129.

[179] *St. Margarethen an der Sierning*, Dorf, KG. u. OG., GB. u. VB. *St. Pölten*. - HONB., IV, S. 123 u. VIII, S. 177, Nr. M 88. - Topographie von Niederösterreich, VI, S. 129-133.

[180] *Maria Anzbach*, Markt, KG. u. OG., GB. *Neulengbach*, VB. *St. Pölten*. - LGBl. NÖ. a. 1933, S. 106, Nr. 203.

[181] *Maria Ponsee*, Dorf u. KG., OG. *Zwentendorf an der Donau*, GB. u. VB. *Tulln*. - LGBl. NÖ. a. 1950, Nr. 50.

konnten. Um hier Abhilfe zu schaffen, wurde dem ursprünglichen Namen eine Zusatzbezeichnung beigefügt. Als Beispiel für das bisher Gesagte sei der Siedlungsname *Brunn* angeführt, der in Niederösterreich über dreißigmal vergeben wurde. Das Wort bedeutet 'Quelle, Brunnen', und die Häufigkeit der mit diesem Wort in Verbindung stehenden Siedlungsnamen zeigt die große Bedeutung, welche der Wasserversorgung für eine Siedlung zukam. Das amtliche Ortsverzeichnis von Niederösterreich[182] verzeichnet noch fünf Ortschaften, die den Namen *Brunn* ohne jeden Zusatz führen. Es handelt sich durchwegs um sehr kleine Siedlungen, bei denen zur näheren Bestimmung im allgemeinen die zuständige Ortsgemeinde angeführt wird. Alle anderen *Brunn*-Orte erhielten offiziell sanktionierte Zusätze. In zwei Fällen handelt es sich um den Fluß, an dem der Ort liegt: *Brunn an der Erlauf*[183] und *Brunn an der Wild*[184]. In drei Fällen waren Bodengestalt und Bewuchs der Umgebung für die Zusatzbenennung maßgebend. *Brunn am Wald*[185] liegt am Rand des Gföhler Waldes, *Brunn im Felde*[186] im nordwestlichen Tullnerfeld und *Brunn am Gebirge*[187] am Ostabfall des Wienerwaldes. Der letztgenannte Name dürfte aber eher von den Weingärten in der unmittelbaren Umgebung des Ortes stammen, die bis in das 18. Jahrhundert hinein als *Weingebirge* bezeichnet wurden. Nach dem nächstgelegenen größeren Ort ist *Brunn bei Pitten*[188] benannt. Sehr jung ist der Name *Brunn an der Schneebergbahn*[189] für eine Ortschaft, die a. 1422 *Prunn ob der Neustadt* (= Wiener

---

[182] Ortsverzeichnis 1971, S. 242.

[183] *Brunn an der Erlauf*, Dorf u. KG., OG. *Pöchlarn*, GB. u. VB. *Melk.* - HONB., I, S. 262 u. VIII, S. 52, Nr. B 528. - Topographie von Niederösterreich, II, S. 238.

[184] *Brunn an der Wild*, Dorf, KG. u. OG., GB. u. VB. *Horn.* - HONB., I, S. 262 u. VIII, S. 52, Nr. B 529. - Topographie von Niederösterreich, II, S. 241f.

[185] *Brunn an der Wild*, Dorf, Schloß u. KG., OG. *Lichtenau im Waldviertel*, GB. *Gföhl*, VB. *Krems.* - HONB., I, S. 262 u. VIII, S. 52, Nr. B 527. - Topographie von Niederösterreich, II, S. 240f. - Der Zusatz *am Wald* ist bereits im 16. Jahrhundert nachweisbar.

[186] *Brunn im Felde*, Dorf u. KG., OG. *Gedersdorf*, GB. u. VB. *Krems.* - HONB., I, S. 263 u. VIII, S. 53, Nr. B 532. - Topographie von Niederösterreich, II, S. 238-240. - A. 1376 wird der Ort *Prunn bei Gerersdorff* (heute *Gedersdorf*) genannt.

[187] *Brunn am Gebirge*, Markt, KG. u. OG., GB. u. VB. *Mödling.* - HONB., I, S. 261f. u. VIII, S. 52, Nr. B 525. - Topographie von Niederösterreich, II, S. 231-234. - HBHStÖ., I, S. 224f. - Der Ort wird a. 1248 als *Prunn apud Perichtoldstorf*, a. 1407 als *Prünn zwischen Perichtoldstorf und Entschesdorf* bezeichnet. Die entsprechenden heutigen Ortsnamen sind *Perchtoldsdorf* und *Maria Enzersdorf am Gebirge*.

[188] *Brunn bei Pitten*, Dorf u. KG., OG. *Erlach*, GB. u. VB. *Wiener Neustadt.* - HONB., I, S. 262 u. VIII, S. 52, Nr. B 530. - Topographie von Niederösterreich, II, S. 237. - Die Bezeichnung *Prun pei Puten* ist bereits zu Anfang des 15. Jahrhunderts nachweisbar, im 19. Jahrhundert hingegen wurde der Ort *Brunn am Moos* genannt, was mit *Moosbrunn* verwechselt werden konnte.

[189] *Brunn an der Schneebergbahn*, Dorf u. KG., OG. *Bad Fischau-Brunn*, GB. u. VB. *Wiener Neustadt.* - HONB., I, S. 262-264 u. VIII, S. 52f., Nr. B 526 u. 533. - Topographie von Niederösterreich, II, S. 234-236.

Neustadt), a. 1448 *Prun zu Vischa* (= *Bad Fischau*) und vom 16. Jahrhundert bis zum 19. Jahrhundert *Prunn auf dem Stainfeldt*[190] beziehungsweise *am Steinfelde* genannt wurde, ursprünglich aber wahrscheinlich *Brunnertal* hieß.

Eine weitere Möglichkeit zur Scheidung von Orten gleichen Namens bestand darin, ein Bestimmungswort beizufügen und so eine aus zwei Worten zusammengesetzte Siedlungsbezeichnung zu schaffen. Beispiele hierfür sind *Kottingbrunn*[191], *Moosbrunn* und *Süßenbrunn*. *Kottingbrunn* wurde im zwölften Jahrhundert, im 13. Jahrhundert und zu Anfang des 14. Jahrhunderts nur *Brunn* genannt, ab a. 1356 findet sich die Bezeichnung *Prunne bei Leubeinstorf* (= *Leobersdorf*), im 16. Jahrhundert setzt sich zuerst für das Schloß, dann für den Ort der Name *Kottingbrunn* durch, der 'kotiges Brunn' 'bedeutet' und mit dem lehmigen, daher nach Regenfällen kotigen Boden zu tun hat. Es mag überraschen, daß sich ein Bestimmungswort mit einer solch negativen Aussage im 16. Jahrhundert bei einem Ort mit einem Schloß durchsetzen konnte, aber man mag in früheren Zeiten kotige Straßen und Wege nicht als Zeichen von Rückständigkeit empfunden haben[192]. *Moosbrunn*[193] wird a. 1120 und a. 1137 als *Brunnen*, aber bereits a. 1222 und a. 1247 als *Mosebrunne* beziehungsweise *Mosprunne* genannt. Der Name weist auf eine Quelle in sumpfigem Gelände hin. *Süßenbrunn*[194] hieß im Mittelalter einfach *Prunn(en)* oder *Prunne bei Gerasdorf*, verödete in der ersten Hälfte des 16. Jahrhunderts und wurde ungefähr um das Jahr 1580 durch den Grundherrn Urban Süß wiedererrichtet. Nach diesem Grundherrn, nicht wegen der Art oder Qualität des Wassers, erhielt die Ortschaft den Namen *Siessenbrunn*[195].

----

[190] Am Rand des Wiener Neustädter Steinfeldes liegen zwei Siedlungen namens *Brunn*, und zwar *Brunn an der Schneebergbahn* und *Brunn bei Pitten*. Um hier Verwechslungen zu vermeiden, erfolgte die Umbenennung nach der Bahnlinie.

[191] *Kottingbrunn*, Dorf, KG. u. OG., GB. u. VB. *Baden*. - HONB., III, S. 288f. u. VIII, S. 159, Nr. K 286. - Topographie von Niederösterreich, V, S. 398-404. - R. Büttner, Burgen und Schlösser zwischen Wienerwald und Leitha, S. 53-55.

[192] Im 15. Jahrhundert und 16. Jahrhundert setzten sich auch die Ortsnamenänderungen *Purgstall* in *Koting Purkstal* und *Wenigen Eberharczdorf* beziehungsweise *Chlainen Eberstorf* in *Koting Ebersdorf* beziehungsweise *Kotting* durch. - *Kottingburgstall*, Dorf u. KG., OG. *Blindenmarkt*, GB. *Ybbs an der Donau*, VB. *Amstetten*. - HONB., III, S. 289, Nr. K 287. - Topographie von Niederösterreich, V, S. 404. - *Kotting*, Dorf u. KG., OG. *Ober-Grafendorf*, GB. u. VB. *St. Pölten*. - Topographie von Niederösterreich, V, S. 398. - Hier wären auch zwei Ortschaften namens *Kottingneusiedl* zu nennen: 1. Dorf u. KG., OG. u. BG. *Laa an der Thaya*, VB. *Mistelbach*. - HONB., V, S. 29, Nr. N 99. - Topographie von Niederösterreich, V, S. 404f. - 2. *Wüstung am Rußbach*, heute *Neuhof*, *Meierhof*, OG. *Untersiebenbrunn*, GB. *Marchegg*, VB. *Gänserndorf*.

[193] *Moosbrunn*, Dorf, KG. u. OG., GB. *Schwechat*, VB. *Wien-Umgebung*. - HONB., IV, S. 180 u. VIII, S. 184, Nr. M 265. - Topographie von Niederösterreich, VI, S. 830-834.

[194] *Süßenbrunn*, KG. im 22. Wiener Gemeindebezirk. - HONB., VI, S. 221 u. VIII, S. 218 u. 296f., Nr. S 592.

Die Änderung des Ortsnamens konnte auch dadurch erfolgen, daß an das ursprüngliche Wort ein anderes Wort als neues Grundwort angehängt wurde. Als Beispiel sei
der Ort *Brunnkirchen* genannt, der vom Ende des elften Jahrhunderts bis in die erste
Hälfte des 14. Jahrhunderts hinein mehrmals unter dem Namen *Brunn* genannt wird.
Er verödete vermutlich im 15. Jahrhundert oder 16. Jahrhundert bis auf die Kirche,
die vom Grundherrn, dem Benediktiner-Ordensstift Göttweig, noch vor der Refor-
mationskrise renoviert wurde. Das Gotteshaus wurde im Jahre 1529 während der
Türkeninvasion zerstört, jedoch ab a. 1617 wiederhergestellt und umgebaut. Vor
allem die Kapuziner aus dem Kloster Und, das zwischen Krems und Stein lag, bemühten sich mit Erfolg, Wallfahrten zum Schutzpatron der Weinbauern aus den
beiden vorgenannten Städten zu organisieren. Wegen dieser Wallfahrten wurde die
Kirche im Jahre 1730 vergrößert und in den Jahren von 1749 bis 1768 von dem
berühmten Maler Martin Johann Schmidt mit einem Freskenzyklus über das Leben
des heiligen Urban geschmückt. Zu dieser Zeit bestand die Ortschaft nur aus zwei
Häusern. Joseph II. erhob die *Brunnkirchen* genannte Kapelle zur Pfarrkirche, um
eine Seelsorgestation für den benachbarten Bergbauort Thallern zu schaffen, in dem
es kein Kirchengebäude gab. Im 19. Jahrhundert wurde Brunnkirchen als Straßen-
dorf wiedererrichtet. Im Jahre 1971 bestand die Siedlung aus 16 Häusern und 130
Einwohnern[196].

Nicht in jedem Fall ist der Namensteil neben *Brunn* ein späterer Zusatz. Als Beispiel hierfür seien die Ortschaften *Oberstinkenbrunn* und *Unterstinkenbrunn* angeführt. Beide Orte führen von der ersten Nennung bis in die Mitte des 14. Jahrhunderts die Bezeichnung *Stinkenbrunn*. A. 1338 taucht erstmals der Ortsname *Oberstinkenbrunn*, a. 1380 erstmals der Ortsname *Nidern Stinchenprunn* auf. Für den
letztgenannten Ort war die Zusatzbezeichnung mehreren Schwankungen unterworfen. So wurde der Ort a. 1392 *Stinkenprunn in Gobatscher* (= *Gaubitsch*) *pharr*, und
a. 1396 *Stinkenprunn bey Laa* genannt. Im 15. Jahrhundert tritt wieder *Nidern-
Stinkhenprunn* (a. 1455) auf. Der Name *Unterstinkenbrunn* setzte sich erst in jüngster Zeit durch. Im Jahre 1371 erzwang die Niederösterreichische Landesregierung
die Vereinigung der bis dahin selbständigen Gemeinden *Gaubitsch* und *Unterstinkenbrunn*. Der neuen Gemeinde wurde der Name *Gartenbrunn* oktroyiert[197]. Um die

---

[195] Im Zusammenhang damit sei bemerkt, daß die Ortschaften *Oberstinkenbrunn*
und *Unterstinkenbrunn* von ihrer ersten Erwähnung an den vollen Namen führen.
Stinkendes Wasser wurde offenbar, zumindest in einer Gegend mit viel Weinbau,
nicht als die Bewohner schädigende Negativaussage empfunden. - *Oberstinkenbrunn*,
Dorf u. KG., OG. *Wullersdorf*, GB. u. VB. *Hollabrunn*. - *Unterstinkenbrunn*, Dorf u.
KG., OG. *Gartenbrunn*, GB. *Laa an der Thaya*, VB. *Mistelbach*. - HONB., VI, S.
189, Nr. S 506 u. S 507.

[196] *Brunnkirchen*, Dorf u. KG., OG. u. BG. *Krems*. - HONB., I, S. 264 u. VIII, S.
307, Nr. B 537. - Topographie von Niederösterreich, II, S. 243. - Die Kunstdenkmäler Österreichs. Niederösterreich, S. 36. - H. Wolf, Erläuterungen, S. 140. - G.
Gugitz, Österreichs Gnadenstätten in Kult und Brauch, II, S. 11.

[197] S. A. 195.

Jahre 1120 und 1135 werden zwei Siedlungen erstmals genannt, die beide den Namen *Holerbrunnen* beziehungsweise *Holerenbrunen* führen, was 'Brunnen oder Quelle neben einem Holunderstrauch' 'bedeutet'[198]. Auch hier ist das Beiwort von Anfang an vorhanden. Bereits gegen Ende des 13. Jahrhunderts werden Zusätze eingeführt, um die beiden Orte voneinander zu scheiden. Der eine der beiden Orte erscheint a. 1288 als *Holobrvnn superiori*, a. 1291 als *maior Holabrvnne* und a. 1323 als *Obern Holobrunne*. Diese Bezeichnung blieb bis zum Jahre 1922 die allgemein übliche Bezeichnung. Für den anderen der beiden Orte taucht a. 1294 die Bezeichnung *inferior Holabrunne* und a. 1298 *Nidern Holaprun* auf. Im Hochmittelalter war *Niederhollabrunn* der bedeutendere der beiden Orte, dem als Sitz einer Urpfarre mit großem Sprengel auch eine gewisse zentralörtliche Bedeutung zukam. *Oberhollabrunn* gewann erst im Laufe des Spätmittelalters an Bedeutung, als es, erstmals im Jahre 1385 urkundlich nachweisbar, zum Marktort der Herrschaft Sonnberg wurde. Vollends überflügelte *Oberhollabrunn* seinen Namensvetter *Niederhollabrunn*, als es anläßlich der durch das Ende der Grundherrschaft erforderlich gewordenen Neuorganisation der Verwaltung Sitz einer Bezirkshauptmannschaft, eines Bezirksgerichtes und eines Steueramtes wurde. Der neue Zentralort nahm einen großen Aufschwung und wurde im Jahre 1908 zur Stadt erhoben. Im Jahre 1927 wurde eine Namensänderung durchgeführt. Der Zusatz *Ober-* fiel hinweg. Der im Osten Österreichs in weiten Kreisen bekannte Bezirksort sollte einfach *Hollabrunn* heißen, während für den in der Bedeutung zurückgebliebenen Namensvetter die Bezeichnung *Niederhollabrunn* blieb[199].

Ein ähnlicher Vorgang ist in *Gänserndorf* zu beobachten. In der ersten Hälfte des zwölften Jahrhunderts werden zwei Orte mit dem Namen *Genstribindorf* beziehungsweise *Genstribendorf* erstmals genannt. Der Name ist wahrscheinlich von der Berufsbezeichnung oder Tätigkeitsbezeichnung 'Gänsetreiber' herzuleiten, die damals auch als Personenname gebräuchlich gewesen sein mag. Im 14. Jahrhundert beziehungsweise im 15. Jahrhundert scheinen Zusätze auf, um beide Orte voneinander zu scheiden. So wird der später *Obergänserndorf* genannte Ort a. 1382 als *Gensterndorf unter der vest zu Hasenekk*, der andere Ort a. 1325 als *Alten-Gensterdorff*, a. 1455 als *Gensterndorf auf dem Marchfeld* bezeichnet. In den folgenden Jahrhunderten bürgerten sich die Bezeichnungen *Obergänserndorf* und *Untergänserndorf* ein. Beide Orte waren im Mittelalter und in der frühen Neuzeit wenig bedeutend. *Untergänserndorf* wurde im 19. Jahrhundert zum Eisenbahnknotenpunkt. In den Jahren 1837 bis 1839 wurde die Kaiser-Ferdinand-Nordbahn erbaut, wobei Untergänserndorf vorübergehend Endbahnhof war. Im Jahre 1848 folgte die Strecke Untergänserndorf-Preßburg, wodurch die erste Bahnverbindung von Wien in diese bedeutende, damals ungarische Stadt über diesen Ort führte. In den Jahren 1903 bis 1911

---

[198] Mhd. *holer* 'Holunder'.

[199] *Hollabrunn*, Stadt, KG. u. OG., Sitz einer BH. u. eines BG. - *Niederhollabrunn*, Dorf, KG. u. OG., GB. *Stockerau*, VB. *Korneuburg*. - HONB., III, S. 137, Nr. H 444 u. H 445. - Topographie von Niederösterreich, IV, S. 363-387. - H. Wolf, Erläuterungen, S. 336f. - HBHStÖ., I, S. 324f. u. 443f. - ÖStB. IV/2, S. 83-97.

wurde das Weinviertler Lokalbahnnetz ausgebaut, das Verbindungen von *Unter-gänserndorf* nach *Bad Pirawarth, Gaweinsthal, Mistelbach, Zistersdorf* und *Dober-mannsdorf* brachte. *Untergänserndorf* wurde hierdurch zu einem Zentralort des Marchfeldes. Im Jahre 1901 wurde es daher Sitz einer Bezirkshauptmannschaft, und das für dieses Gebiet zuständige Bezirksgericht wurde von Matzen hierher verlegt. Im Jahre 1959 wurde das Dorf zur Stadt erhoben. Der Bekanntheitsgrad von *Unter-gänserndorf* war nunmehr um sovieles größer als jener von *Obergänserndorf*, daß der Ort in *Gänserndorf* umbenannt wurde, während der andere Ort den bisherigen Namen beibehielt[200].

Die hier erwähnten Zusätze, bestehend aus Vorwörtern, sind sehr häufig. So verzeichnet das amtliche Ortsverzeichnis von Niederösterreich 55 Siedlungen, die mit den Zusätzen *Alt-* beziehungsweise *Alten-*, 18 Siedlungen, die mit dem Zusatz *Außer-*, 190 Siedlungen, die mit den Zusätzen *Groß-* beziehungsweise *Großer-*, 104 Siedlungen, die mit dem Zusatz *Hinter-*, 91 Siedlungen, die mit dem Zusatz *Hoch-*, 21 Siedlungen, die mit dem Zusatz *Inner-*, 196 Siedlungen, die mit dem Zusatz *Klein-*, 3 Siedlungen, die mit dem Zusatz *Kurz-*, 27 Siedlungen, die mit dem Zusatz *Lang-*, 166 Siedlungen, die mit dem Zusatz *Neu-*, 346 Siedlungen, die mit dem Zusatz *Ober-*, 269 Siedlungen, die mit dem Zusatz *Unter-* und 44 Siedlungen, die mit dem Zusatz *Vorder-* beginnen.

Die steigende Zentralisierung der Verwaltung bedingt eine starke Zunahme der Zusatzbezeichnungen im 19. Jahrhundert, und ein Großteil der von den Behörden verfügten oder genehmigten Namensänderungen betrifft derartige Fälle. Einen Höhepunkt auf diesem Gebiet gab es nach der Okkupation Österreichs im Jahr 1938, als die 'Ostmark' in das 'Großdeutsche Reich' eingegliedert wurde. Um Namensgleichheiten mit Kreisstädten und Gemeinden des 'Altreiches' und die sich hieraus ergebenden Verwechslungsmöglichkeiten hintanzuhalten, wurden für eine Reihe niederösterreichischer Orte neue Zusatzbezeichnungen geschaffen. Ein Teil wurde nach dem Zweiten Weltkrieg beibehalten. Im Niederösterreichischen Institut für Landeskunde wird derzeit an einer Bibliographie und Dokumentation des wissenschaftlichen Schrifttums über dieses Bundesland gearbeitet. Dieses Schrifttum soll hierbei auch regional aufgeschlüsselt werden. Für die Programmierung der Datenverarbeitungsanlage waren zeitaufwendige Vorarbeiten notwendig, um Verwechslungen durch Gleichheit oder Ähnlichkeit von Ortsnamen und Regionsbezeichnungen zu verhindern. Es ist zu erwarten, daß die steigende Verwendung der Datenverarbeitung in der Verwaltung hier noch etliche Probleme aufwerfen und auch zu Namensänderungen, zur Einführung neuer Zusätze und zur Vereinheitlichung und Modernisierung der Orthographie[201] führen wird.

---

200 *Gänserndorf*, Stadt, KG. u. OG., Sitz eines BG. u. einer BH. - *Obergänserndorf*, Dorf u. KG., OG. *Harmannsdorf*, GB. *Stockerau*, VB. *Korneuburg*. - HONB., II, S. 272 u. VIII, S. 99f., Nr. G 32 u. G 33. - Topographie von Niederösterreich, III, S. 254-257. - HBHStÖ., I, S. 258f. - J. Matznetter - J. Schwarzl, Die historische Entwicklung des Bahnnetzes in Niederösterreich. Karte im Atlas von Niederösterreich (und Wien), Bl. 106.

X. Namensänderungen ohne ersichtlichen Grund. - Allen Änderungen von Siedlungsnamen, die bisher in Beispielen behandelt wurden, war gemeinsam, daß sie
einen mehr oder minder leicht erkennbaren Zweck verfolgten. Ihnen steht eine Zahl
von Namensänderungen gegenüber, für die wir keinen Grund ermitteln können. So
wurde bei etlichen Siedlungsnamen das Grundwort geändert. Auf diese Weise konnte
aus einem *-ern*-Namen ein *-ing*-Name werden, wie es bei dem erstmals im zwölften
Jahrhundert genannten Ort *Hauenaren* der Fall war. Er entwickelte sich im 14. Jahrhundert zu *Hafnern* und wurde im 18./19. Jahrhundert in *Hafning* umbenannt, wobei lange Zeit beide Namensformen nebeneinander gebräuchlich waren[202]. Ein geni-
tivischer Ortsname konnte zu einem *-dorf*-Namen werden, wie das folgende Beispiel
zeigt. In den Jahren 1260/1280 wird erstmals eine Siedlung *Leupolts* genannt. Dieser Name erhielt sich bis in das 18. Jahrhundert, doch ist daneben erstmals in den
Jahren 1391/1392 der Name *Leupolczdorff* nachweisbar. Er setzte sich im 19. Jahrhundert endgültig durch[203]. Auch das Gegenteil, die Bildung eines genitivischen

---

[201] Die seit Mitte des 19. Jahrhunderts bestehende Rechtslage macht auch für
orthographische Veränderungen einen Regierungsbeschluß beziehungsweise Landtagsbeschluß erforderlich. Ein solcher Beschluß erfolgt in der Regel über Ansuchen
der Gemeinde, die diese Mühe scheut, wenn nur die Schreibweise des Namens gering-
fügig verändert werden soll. So wurde die Rechtschreibreform vom Jahre 1901 bei
den niederösterreichischen Ortsnamen bis heute nur zum Teil durchgeführt, und wir
finden noch im derzeit gültigen amtlichen Ortsverzeichnis Schreibungen wie *Aigen*,
Altlichtenwarth, *Ameisreith*, *Anzenthalermühle*, *Arbesthal*, *Atzenbrugg*, *Auersthal*,
Baumthal, *Bichl* neben *Pichl*, *Blumenthal*, *Daxberg* und *Dachsberg*, *Drengg*, *Eben-
furth*, *Ebenthal*, *Edt* (neben *Öd*, *Ödt*, *Oed*, *Oedt*), *Eggendorf am Walde*, *Eggendorf im
Thale*, *Eibesthal*, *Frankenreith*, *Furth*, *Groß-Schweinbarth*, *Gschaid* neben *Gscheid*,
Haid, *Haidershofen*, *Hanfthal*, *Hohenwarth*, *Hollenthon*, *Inzersdorf ob der Traisen*,
Kreith neben *Kreuth*, *Langegg*, *Lichtenegg*, *Loderleithen*, *Loidesthal*, *Luberegg*,
Ludwigsthal, *Lunzenthal*, *Mannswörth*, *Marbach im Felde*, *Marchegg*, *Pirawarth*,
Mayerling, *Mitterriegel* und *Mitterriegl*, *Münichreith*, *Muthmannsdorf*, *Neu-Thurns-
dorf*, *Ober-Danegg*, *Oberreith* und *Ober-Reith*, *Oberthal*, *Oberthurnau*, *Oberthume-
ritz*, *Oberbuchegg*, *Oberzeillern*, *Oehling*, *Orth*, *Ottenthal*, *Pachfurth*, *Paudorf*, *Payer-
bach*, *Payerstetten*, *Pernegg*, *Pfriemreith*, *Pirkenreith*, *Poysbrunn*, *Poysdorf*, *Prunn-
leithen*, *Puchberg*, *Pybra*, *Rauchenwarth*, *Reichenau am Freiwalde*, *Reith*, *Rosenegg*,
St. Andrä vor dem Hagenthale, *St. Egyden am Steinfeld* (richtig: *auf dem Steinfeld*),
St. Georgen an der Leys, *Thern*, *Reyersdorf*, *Schweiggers*, *Seyfrieds*, *Seyring*, *Thallern*, *Thann*, *Thaures*, *Thenneberg*, *Thürneustift*, *Waidmannsfeld*, *Warth*, *Wolfsthal*,
Zeillern. Diese Beispiele ließen sich noch beträchtlich vermehren.

[202] *Hafning*, Dorf u. KG., OG. *Natschbach-Loipersbach*, GB. u. VB. *Neunkirchen*.
- HONB., III, S. 9 u. VIII, S. 123, Nr. H 29. - Topographie von Niederösterreich, IV,
S. 28f. - Die Topographischen Landschematismen verzeichnen diese Siedlung auf
folgende Weise: Erste Auflage von 1795, S. 219: *Hafing*; 2. Auflage von 1822, S.
256f.: *Hafnern*.

[203] *Leopoldsdorf*, Dorf u. KG., OG. *Reingers*, GB. *Litschau*, VB. *Gmünd*. - HONB.,
IV, S. 50, Nr. L 132. - W. Steinhauser, in: Akademie der Wissenschaften in Wien.
Philosophisch-historische Klasse. Sitzungsberichte, 206. Band, 1. Abhandlung, S. 46,
Nr. 185. - Topographie von Niederösterreich, V, S. 805. - Noch in der 1. Auflage des

Ortsnamens aus einem -*dorf*-Namen kam vor. So wird a. 1271 erstmals ein Ort
Hedreistorf genannt, der offenbar nach jenem *Hadericus* benannt ist, dem a. 1055
von Kaiser Heinrich III. in dieser Gegend Besitz geschenkt wurde. Der Name entwickelte sich bis a. 1323 zu *Haedrestorf* und wäre zu *Hadersdorf* geworden, wenn es
nicht im 14. Jahrhundert zu einer Namensänderung gekommen wäre. Bereits a. 1308
taucht erstmals die Form *Hedreichs* auf, die sich ab der Jahrhundertmitte durchsetzt
und aus der sich im 16. Jahrhundert *Hädress* entwickelte. Die heutige Form lautet
Hadres[204]. Für den um a. 1120 genannten Ort *Hipplinesdorf* taucht fast gleichzeitig
(a. 1120/1130) auch die Form *Hip(p)ilinis* auf. Im 13. Jahrhundert überwiegen die
Nennungen auf -*dorf*, im 14. Jahrhundert aber setzt sich der genitivische Ortsname
durch, der sich über *Hippleins* zu *Hipples* entwickelte[205].

Anschließend sollen nunmehr zwei Beispiele für die Änderung des Grundwortes
-*dorf* in das Grundwort -*bach* geboten werden, wobei die Umbenennung beide Male
im 16. Jahrhundert erfolgte. Der a. 1196/1216 erstmals genannte Ort *Hezindorf*,
dessen Name sich bis a. 1404 zu *Hetzendorf* entwickelte, verödete zu Anfang des 16.
Jahrhunderts und wurde in der Mitte dieses Säkulums mit Kroaten neu besiedelt.
Das *Khrabatendorff* wurde nach dem Bach, an dem es liegt, benannt. Dieser Wasserlauf wird bereits a. 1372 als *Hetzenpach* genannt. Das Bestimmungswort des Baches
und des Ortes geht auf den gleichen Personennamen zurück[206]. Nach dem Personennamen *Liutprand* ist die in einer gefälschten Urkunde von angeblich a. 1073 erstmals
erwähnte Ortschaft *Liuprandestorf* genannt. Vom 14. Jahrhundert bis zum 18. Jahrhundert schwankt das Bestimmungswort zwischen *Leutprand, Leuprech(t)* und
Leupolt(t). So findet sich a. 1665 *Loibersdorf* und a. 1763 *Leopoldsdorf*. Dann erst
erfolgt die Umbenennung in *Loipersbach*[207]. Eine Änderung des Grundwortes von
-*dorf* in das Grundwort -*brunn* trat bei der a. 1186/1192 genannten Siedlung *Mein-
ratstorf* ein, die a. 1292 in der Form *Meinhartsdorf* zum letzten Mal mit ihrem alten

---

Topographischen Landschematismus aus dem Jahre 1795, I, S. 364, ist der Ort
unter dem Namen *Loipolds* verzeichnet, in der 2. Auflage aus dem Jahre 1822, I,
S. 414f. als *Leopoldsdorf*.

[204] *Hadres*, Markt, KG. u. OG., GB. *Haugsdorf*, VB. *Hollabrunn*. - HONB., III, S.
7 u. VIII, S. 123, Nr. H 24. - W. Steinhauser, in: Akademie der Wissenschaften in
Wien. Philosophisch-historische Klasse. Sitzungsberichte, 206. Band, 1. Abhandlung,
S. 82, Nr. 343. - Topographie von Niederösterreich, IV, S. 24-26. - HBHStÖ., I, S.
299-301.

[205] *Hipples*, Dorf u. KG., OG. *Großrußbach*, GB. u. VB. *Korneuburg*. - HONB.,
III, S. 104 u. VIII, S. 137, Nr. H 330. - W. Steinhauser, in: Akademie der Wissenschaften in Wien. Philosophisch-historische Klasse. Sitzungsberichte, 206. Band,
1. Abhandlung, S. 90f., Nr. 363. - Topographie von Niederösterreich, IV, S. 277f.

[206] *Hatzenbach*, Dorf u. KG., OG. *Leobendorf*, GB. u. VB. *Korneuburg*. - HONB.,
III, S. 66 u. VIII, S. 131 beziehungsweise S. 276, Nr. H 178. - Topographie von
Niederösterreich, IV, S. 125.

[207] *Loipersbach*, Dorf u. KG., OG. *Natschbach-Loipersbach*, GB. u. VB. *Neunkirchen*. - HONB., IV, S. 78f. u. VIII, S. 173 beziehungsweise S. 248, Nr. L 215. -
Topographie von Niederösterreich, V, S. 1028.

Namen genannt wird. A. 1411 erscheint sie wieder als *Manhartsprunn*, woraus sich die heutige Schreibweise *Manhartsbrunn* entwickelte. Für eine Wüstungsperiode im 15. Jahrhundert geben die bisher bekannten schriftlichen Quellen keinen Hinweis[208].

In einigen Fällen wurde ein Siedlungsname in ein Wort gleicher oder ähnlicher Bedeutung geändert. So erscheint der a. 1258 als *Liechtenchirchen* bezeugte Ort a. 1301 als *Wachowe ze der Weizen Chirchen*, woraus sich die moderne Form *Weißenkirchen in der Wachau* bildete[209]. Im 14. Jahrhundert taucht im Wienerwaldgebiet erstmals als Flurname *datz Meilsteyn* beziehungsweise in lateinischen Texten *lapis Meilstein* auf. Es handelt sich um einen römischen Meilenstein, der die übliche runde Form hatte. Im 17. Jahrhundert entstand an dieser Stelle eine Waldhüttlersiedlung, die *Scheiblingstein* oder *Mühlstein* benannt wurde, also ebenfalls nach dem Rest eines runden, antiken Meilensteins, den man offenbar damals für einen Mühlstein (Mahlstein) hielt. Der heutige Name der Siedlung ist *Scheiblingstein*[210].

Relativ selten waren Fälle, wo der Name einer Siedlung völlig verändert wurde. Der Untergang antiker Namen hängt wohl mit dem Fehlen einer Siedlungskontinuität auf dem Boden des heutigen Niederösterreich zusammen. Anders liegt der Fall beim Römerkastell *Comagenis*, dessen Name entweder von der im ersten Jahrhundert n. Ch. hierher verlegten *Ala I. Commagenorum* oder von einem heimischen, vorrömischen **Com(m)agion* herzuleiten ist. Das letztere 'bedeutet' 'Gefilde, Feld' und könnte sich auf das Tullnerfeld beziehen, in dessen Zentrum die Siedlung liegt. Die Franken und Bayern haben diesen Namen übernommen, wie die Textstelle *iuxta Comagenos civitate in Monte Comeoberg* aus dem Jahr 791 in den *Annales regni Francorum* beweist. Der Name *Cumeoberg* ist in den Formen *Chumiberch, montes Cumii, mons Comianus, mons Chumberc* und ähnliche in der Folge als Bezeichnung für das gesamte Wienerwaldgebiet oder auch für Teile desselben, möglicherweise auch als Bezeichnung für das Rosaliengebirge anzutreffen. Dieser Name lebt in dem a. 1250/1260 erstmals bezeugten Siedlungsnamen *Chaumberch/Kaumberg* für einen im Zentrum des Wienerwaldes gelegenen Ort weiter. Für die *civitas Comagenis* aber wurde seit der Mitte des 19. Jahrhunderts der Name *Tulln* üblich, der vom Fluß übernommen wurde, der bei dieser Stadt in die Donau mündet. Dieser Gewässername ist ebenfalls vorrömisch, 'bedeutet' wahrscheinlich 'Büschel, Schopf' und entspricht so dem Namen des Berges, an dessen Fuß er entspringt, dem Schöpfel. Ein Grund für diese Umbenennung ist nicht ersichtlich[211]. Ein Beispiel für eine Umbenennung

---

[208] *Manhartsbrunn*, Dorf u. KG., OG. *Großebersdorf*, GB. *Wolkersdorf*, VB. *Mistelbach.* - HONB., IV, S. 114, Nr. M 56. - Topographie von Niederösterreich, VI, S. 57-59.

[209] *Weißenkirchen in der Wachau*, Markt, KG. u. OG., GB. u. VB. *Krems.* - HONB., VII, S. 87, Nr. W 199. - HBHStÖ., I, S. 606-608.

[210] *Scheiblingstein*, Siedlung, KG. *Weidlingbach*, OG. u. GB. *Klosterneuburg*, VB. *Wien-Umgebung.* - HONB., VI, S. 33 u. VIII, S. 207, Nr. S 80. - A. Schachinger, Der Wienerwald, S. 299, 443.

[211] *Tulln*, Stadt, KG. u. OG., Sitz eines BG. u. einer BH. - *Kaumberg*, Markt u. KG., GB. *Hainfeld*, VB. *Lilienfeld.* - P. Wiesinger, Die Bayern und ihr Nachbarn, I,

im 13. Jahrhundert im Kolonisationsgebiet des Waldviertels bietet der Ort *Münich-reith am Ostrong.* Im Jahre 1136 erwarb das Chorherrenstift Sankt Nikola in Passau durch einen Tausch mit Markgraf Leopold III. das *praedium Swarza,* benannt nach einem Wasserlauf, der bei Eitenthal in die Weiten mündet. Die Chorherren erbauten dort eine Kirche, die a. 1144 mit der Bezeichnung *ecclesia Suarza* erstmals urkundlich genannt wird. Von der Namensänderung erfahren wir erstmals a. 1220: *Ecclesia in Suarza ... alio nomine Munichreith.* Die Aussage des neuen Namens entspricht den Tatsachen. Die Siedlung wurde von Mönchen angelegt, sofern man regulierte Chorherren zu den Mönchen zählt, was im Mittelalter allgemein üblich war. Untertanen des Stiftes Sankt Nikola haben die Rodung durchgeführt. Da sich ein zweiter Ort des Namens Münichreith in der Nähe befindet[212], wurde schon im 14. Jahrhundert der Zusatz *bei dem Oztragen,* heute *am Ostrong,* üblich[213].

Die häufigsten im Mittelalter gebräuchlichen Taufnamen waren *Heinrich* und *Konrad.* Daher ist es nicht verwunderlich, daß a. 1290 in einer Urkunde der Rodungsname *Chunratzslag* ('Holzschlag, Rodung eines Mannes namens Konrad') aufscheint. Bis Ende des 16. Jahrhunderts folgte der Name der allgemeinen Sprachentwicklung. So erscheint a. 1584 die Form *Conradtschlag.* A. 1605 finden sich die merkwürdigen Formen *Cainrathschlag* und *Khainrichschlag.* Der Ortsname wurde dem Ortsnamen des größeren Nachbarortes *Heinrichschlag* angeglichen. Um die beiden Dörfer voneinander scheiden zu können, wurde der seit seiner Entstehung den Namen *Heinrichschlag* führende Ort, dessen Häuserzahl das doppelte von jener Häuserzahl des umbenannten Ortes betrug, nunmehr *Großheinrichschlag* genannt, während der umbenannte Ort den Namen *Kleinheinrichschlag* erhielt[214]. Ein Zusammengehörigkeitsgefühl zwischen den beiden benachbarten Dörfern bestand nicht und besteht nicht. Seit dem Jahre 1850 trachten sie bei allen Regulierungen in verschiedene Ortsgemeinden zu gelangen. In den Jahren 1822/1823 gründete der Verwalter der Kirchbergschen Stiftung in Haugsdorf namens Picker unmittelbar an der mährischen Grenze eine neue Siedlung, die ihm zu Ehren zunächst *Pickersdorf* genannt wurde. Dieser Name wurde jedoch nicht populär, so daß sich für die Siedlung die Bezeichnung *Kleinhaugsdorf* einbürgerte, nach dem 'Mutterort' *Haugsdorf,* der nunmehr den

---

S. 328 u. 338f. - HONB., II, S. 79 u. VIII, S. 70, Nr. D 302. - HONB., III, S. 220, Nr. K 80 u. K 81. - HBHStÖ., I, S. 343f. u. S. 586-589. - ÖStB., IV/3, S. 177-197. - Topographie von Niederösterreich, V, S. 67-69.

[212] *Münichreith,* Dorf u. KG., OG. *Kottes-Purk,* GB. *Ottenschlag,* VB. *Zwettl.*

[213] *Münichreith am Ostrong,* Dorf u. KG., OG. *Münichreith-Laimbach,* GB. *Persenbeug,* VB. *Melk.* - HONB., IV, S. 193, Nr. M 309. - Topographie von Niederösterreich, VI, S. 905-908. - H. Wolf, Erläuterungen, S. 217f.

[214] *Klein Heinrichschlag,* Dorf u. KG., OG. *Albrechtsberg an der Großen Krems,* GB. u. VB. *Krems.* - *Großheinrichschlag,* Dorf u. KG., OG. *Weinzierl am Walde,* GB. u. VB. *Krems.* - Man beachte die amtliche Schreibweise der beiden Namen! - HONB. III, S. 81 u. VIII, S. 134, Nr. H 235 u. H 236. - Topographie von Niederösterreich, IV, S. 180.

Namen *Großhaugsdorf* erhielt[215]. *Säusenstein* hatte im 14. Jahrhundert drei Namen, erstens *Sankt Laurenz*, benannt nach dem Patrozinium des a. 1250/1260 erstmals als Pfarrkirche nachgewiesenen Gotteshauses, zweitens *Gottestal*, genannt in einer deutschen Urkunde von a. 1343 (*Gotstal*) und in einer lateinischen Urkunde von a. 1351, korrespondierend mit der am gegenüberliegenden Donauufer befindlichen Ortschaft *Gottsdorf*[216]. Hier dürfte es sich um den ursprünglichen Namen des Gassendorfes handeln. Drittens trug dieser Ort den Namen *Säusenstein*, erstmals genannt a. 1342, wobei es sich ursprünglich um den Namen eines festen Hauses, einer Burg gehandelt haben dürfte. Nachdem Eberhard III. von Wallsee im Jahre 1334 hier ein Zisterzienserkloster gegründet hatte, setzte sich merkwürdigerweise nicht der für eine geistliche Institution sehr geeignete Name *Gottstal*, sondern der Name *Säusenstein* durch. Kennzeichnend hierfür ist eine Nennung von a. 1389: *Gocztal, daz man nennet Sewsenstain*[217].

Abschließend stellt sich nun die Frage nach dem Ergebnis dieser Studie. Es kann nur in einzelnen Bemerkungen bestehen. Die vollständige Änderung eines Ortsnamens ist vom Hochmittelalter bis zur Gegenwart nur relativ selten erfolgt. Hingegen gab es bei einer großen Anzahl von Ortsnamen kleinere Retuschen, die nicht aus der allgemeinen sprachlichen Entwicklung beziehungsweise den Lautgesetzen zu erklären sind[218]. Diese Veränderungen erfolgten in allen Epochen und Jahrhunderten vom Frühmittelalter bis zur Gegenwart, und noch in unserer Zeit verzeichnet das Landesgesetzblatt für Niederösterreich alljährlich einige Neuerungen bei Namen von Gemeinden, Katastralgemeinden, Ortschaften und Ortsbestandteilen. Höhepunkte für sogenannte volksetymologische Deutungen bestanden im 14., 15. und 16. Jahrhundert, für Zusätze zur Unterscheidung von Siedlungen gleichen Namens im 19. und 20. Jahrhundert. Erstere sind aus der humanistischen Bildung der Herrschafts-

---

[215] *Kleinhaugsdorf*, Dorf u. KG., OG. u. GB. *Haugsdorf*, VB. *Hollabrunn.* - *Kleinhaugsdorf* ist heute vor allem bekannt als Grenzstation und Zollstation für Autofahrer, die von Wien in die Tschechoslowakei fahren. - HONB., III, S. 68, Nr. H 187. - Topographie von Niederösterreich, IV, S. 131.

[216] *Gottsdorf*, Dorf u. KG., OG. *Persenbeug-Gottsdorf*, GB. *Persenbeug*, VB. *Melk.* - HONB., II, S. 333f. u. VIII, S. 110, Nr. G 217. - Topographie von Niederösterreich, III, S. 602-606.

[217] *Säusenstein*, Dorf u. KG., OG. u. GB. *Ybbs*, VB. *Melk.* - HONB., VI, S. 14, Nr. S 37. - HONB., IV, S. 21f., Nr. L 76. - H. Wolf, Erläuterungen, S. 175. - HBHStÖ., I, S. 524. - R. Büttner, Burgen und Schlösser zwischen Wienerwald und Leitha, S. 33f.

[218] Eine exakte Feststellung der Zahl der Änderungen von Siedlungsnamen, die nicht aufgrund der allgemeinen Sprachentwicklung, sondern aus politischen, administrativen, religiösen oder ethischen Ursachen beziehungsweise wegen eines besseren Verständnisses des Sinns des Namens erfolgte, ist schwierig, da es eine nicht geringe Anzahl von Varianten gibt, deren Voraussetzungen und Ursachen nicht sicher geklärt werden können. Das hier Gebotene darf nur als Anführung von Beispielen betrachtet werden. Vollständigkeit wurde in keiner Hinsicht angestrebt.

besitzer und ihrer höheren Beamten, letztere aus den Bedürfnissen der modernen
Verwaltung zu erklären. Die Forschung nach den Ursachen für die Vornahme von
Änderungen bei Siedlungsnamen bietet interessante Einblicke in die politische Historie und die allgemeine Historie, in die Kulturgeschichte und Volkskunde und in
die Kirchengeschichte und Kunstgeschichte. Das Interesse an der Änderung von
Siedlungsnamen geht somit weit über die philologischen Belange hinaus. Diese Tatsache anschaulich darzulegen, war das Hauptbestreben dieser Abhandlung.

Reinhard Bleier

Zum Grundwortwechsel bei Ortsnamen
und seine Abgrenzung zum Ortsnamenwechsel
Grundwortwechsel bei Gebietsnamen

Grundwortwechsel und Ortsnamenwechsel haben etwas Gemeinsames und sind doch etwas so grundlegend Verschiedenes, daß die Zuweisung bestimmter Einzelfälle überhaupt keine Schwierigkeit bedeutet.

Zunächst je ein Beispiel für die genannten Vorgänge[1] : (a) für Grundwortwechsel: S. *Ranshofen*, a. 788 *Rantestorf*, a. 1025 *Rantesdorf sive Ranteshova*. (b) für Namenwechsel: S. *St. Peter in der Zitzelau*, Vorort von Linz, a. 1915 damit vereinigt. A. 1147 *Taversheim*, a. 1480 *Tavershaim in St. Peters pfarr*, circa a. 1704 *Täborshamb, sonsten bey St. Peter in der Zizlau genanth*.

Beide Erscheinungen sind unübersehbarer Ausdruck des sprachlichen Lebens, das als solches Wandel und Veränderung mit sich bringt. Beiden ist das Auftreten einer Neuheit in der Lautung gemeinsam, die zumindest ein neues Glied umfaßt.

Ihre grundlegende und damit unverkennbare Verschiedenheit liegt jedoch darin, daß beim Ortsnamenwechsel an die Stelle der ganzen bisherigen Lautung eine völlig neue Lautung tritt, so daß keinerlei Fortführung der bisherigen Lautung oder von Teilen derselben festgestellt werden kann, während beim bloßen Grundwortwechsel der Zusammenhang mit der bisherigen Lautung durch Weiterführung des Erstglieds gewahrt bleibt.

Eine Sichtweise, die im Grundwortwechsel einen teilweisen Ortsnamenwechsel erblickte, hätte wohl die richtige Überlegung für sich, daß zum Beispiel *Rantesdorf* und *Ranteshofen* trotz Erstgliedübereinstimmung letzten Endes zwei verschiedene lautliche Gebilde darstellen. Aber die entscheidende Bedeutung kommt wohl eher der Tatsache der Weiterführung des Herkommens zu, das den Grundwortwechsel damit in eine Reihe stellt mit den lautlichen Abwandlungen, wie sie das Grundwort in seinen verschiedenen Spielarten einer Überlieferungskette aufweist (Grundwortwandel).

----

[1] Abgekürzte Namenquellen: HA. = Herold Adreßbuch von Wien. - KW. = K. Wagner, Echte und unechte Ortsnamen. - L. = H. J. Leu, Allgemeines, Helvetisches, Eydgenössisches und Schweizerisches Lexikon. - MA. = Münchner Stadtadreßbuch. - Oe. = H. Oesterley, Historisch-geographisches Wörterbuch des deutschen Mittelalters. - P. = P. v. Polenz, Landschafts- und Bezirksnamen. - S. = K. Schiffmann, Historisches Ortsnamenlexikon des Landes Oberösterreich. - SC. = A. Socin, Mittelhochdeutsches Namenbuch. - SP. = O. Spohr, Familiengeschichtliche Quellen, XIII. - TW. = Traditiones Wizenburgenses.

Der Verschiedenheit zwischen diesem Grundwortwandel und dem Grundwortwechsel, die sichtlich gegeben ist, kommt deshalb keine so einschneidende Bedeutung zu, wie sie der Frage des Vorhandenseins einer Lautungskontinuität zuzugestehen ist, weil 'Sinn' und Verwendungsweise der Ortsnamengrundwörter im Ordnungsgefüge des Ortsnamenschatzes wesensmäßig sehr nahe beieinander liegen. Ob man von einer Siedlung sagt, daß sie ein Dorf ist oder Höfe umfaßt, ist kein grundlegender, sondern, wenn überhaupt, höchstens ein feiner Unterschied. Beim Grundwortwechsel steht somit die Fortführung des bisherigen Erstglieds stärker im Vordergrund als das Neuauftreten eines bisher nicht verwendeten Grundwortes.

Man muß in diesem Zusammenhang auch jene genitivischen Ortsnamen sehen, bei denen das ursprüngliche Grundwort ersatzlos weggefallen ist. Sie sind ein starker Beweis für das lautliche Zurücktreten des Zweitgliedes im Erscheinungsbild der zweigliedrigen Ortsnamen gegenüber dem Erstglied, das ja auch schon im stärkeren Lautverfall des Grundwortes seinen Ausdruck findet.

Für Oberschwaben stellt H. Löffler[2] den nachgewiesenen Namenwechsel mit weniger als fünf Prozent fest. Dieses Ausmaß sei aber noch ein Vielfaches der sicheren Fälle von Grundwortwechsel. Der Familienname des Hofbesitzers und der Name des den Hof umgebenden Geländes haben nach seinen Feststellungen die Neigung, die älteren Hofnamen zu verdrängen. Mit dieser Wahrnehmung stimmen Erscheinungen teilweise überein, die sich in Oberösterreich finden: S. *Kranzmaier*, a. 1455 *Chranczhof*; *Kriechmaier*, a. 1381 (a. 1481) *Kriehenhof*, a. 1512 *Kriechhof*; *Stockmair*, a. 1399 *Stokhof*.

Derartige Beispiele könnten noch vermehrt werden. Dazu muß aber noch bemerkt werden, daß es sich hier nicht um den Eintritt des Familiennamens anstelle der Siedlungsbenennung handelt, sondern um den Eintritt des Vulgonamens, einer Personenbenennung, die sich für den am Hofe Sitzenden in diesem Falle aus der Siedlungsbenennung im Wege der Ersetzung des Siedlungsnamengrundwortes *-hof* durch die Personenbenennung *-maier* gebildet hat. Außerdem sehen wir hier im Gegensatz zu den oberschwäbischen Verhältnissen die unveränderte Fortführung des Erstglieds. Die Tatsache, daß *-maier* kein Ortsnamengrundwort im strengen Sinne ist, muß uns jedoch davon abhalten, hier einen Grundwortwechsel festzustellen. Aber man kann den Vorgang jedenfalls als einen Wechsel im Grundwort bezeichnen.

H. Löffler[3] weist des weiteren darauf hin, daß aus dem Bereich der Weißenburger Traditionen zahlreiche Fälle von Grundwortwechsel insbesondere durch F. Langenbeck bekannt sind.

Im folgenden eine Auswahl von Beispielen aus den Weißenburger Traditionen:

a. 847 *Bibera uilla*[4] ⟩ *Biberkirch*,
a. 784 *Bruningowilare*[5] ⟩ *Prinzheim*,
a. 788 *Mittilibrunnen*[6] ⟩ *Mittelbach*,

---

[2] Die Weilerorte in Oberschwaben, S. 258f.

[3] Die Weilerorte in Oberschwaben, S. 258, A. 132.

[4] TW., S. 411.   [5] TW., S. 266.

[6] TW., S. 404.

a. 797 *Ratoluesthorph*[7] 〉 *Rottelsheim,*
a. 807 *Rimouilare*[8], *Rimonouilare*[8] ⎫ 〉 *Rimsdorf*
a. 790 *Rimuwileri*[9] ⎭
a. 783 *Stozzeswilare*[10] 〉 *Stotzheim*
a. 742 *Tauginhaime*[11] 〉 *Dauendorf*

Oben habe ich bemerkt, daß der Grundwortwechsel eher in eine Reihe mit dem Grundwortwandel als mit dem Ortsnamenwechsel zu stellen ist. Diese Nähe der beiden Erscheinungen geht sogar soweit, daß eine gewisse Art von Grundwortwechsel aus dem Grundwortwandel hervorgeht. Gemeint ist ein Vorgang, den K. Wagner[12] mit dem Ausdruck 'sekundäre Auffüllung' bezeichnet. Bestimmte Grundwörter bilden im Zuge des Lautungsverfalles Schwundstufen, die sie als solche mit anderen Grundwörtern gemeinsam haben. Beim Bestreben, aus der Schwundform wieder zur Vollform zu gelangen, wird oft aus Unkenntnis der wirklichen Vollform ein anderes für die gegebene Schwundstufe auch in Betracht kommendes Grundwort gewählt. Auch ein großer Teil der unechten -*ing*-Namen verdankt diesem Vorgang seine Entstehung.

Beispiele:

Güllesheim[13], a. 1293 *Gudelshagen*, a. 1425, a. 1449 *Godelhaen*, von a. 1594 an *Gullißheim*, *Neitersen*[14], a. 1262 *Nitirshusin*, a. 1535 u. a. 1556 *Netersheim*, *Nittersheim*, a. 1744 *Neitersen*, *Webenheim*[15] (seit dem späten 15. Jahrhundert), a. 1303 *Webenauwe*, *Fürnheim*[16], a. 1257 *Vührenowe*, a. 1260 *Furhenawe*.

Außerhalb der geschilderten Verhältnisse bleibt der Grundwortwechsel, wenn das bisherige und das neue Grundwort keine gemeinsame Schwundstufe aufweisen, so daß mit dem Grundwortwechsel nicht an ein vermeintliches Herkommen angeknüpft, sondern ein bewußter Neubeginn gesetzt wird.

Beispiele:

a. 881 *Muotilestat*[17] 〉 zehntes Jahrhundert *Muotilespach*, unbekannt im Salzburgischen, *Loipersbach*[18], Gerichtsbezirk Neunkirchen, 〈a. 1073〉 recte um a. 1220 *Liuprandestorf*, a. 1277 *Levpranstorf*, *Rügshof*[19], a. 1317 *Rudeshusin*, a. 1374 *Rutershusen*, a. 1467 *Rugshawsen.*

---

[7] TW., S. 289.
[8] TW., S. 412.
[9] TW., S. 434.
[10] TW., S. 288.
[11] TW., S. 239.
[12] KW., S. 166.
[13] KW., S. 203.
[14] KW., S. 203.
[15] KW., S. 181.
[16] A. Streichele - A. Schröder - F. Zöpfl, Beschreibung des Bistums Augsburg, III, S. 473.
[17] H. Menke, BNF. NF. Beiheft 19, S. 394.
[18] H. Weigl, Historisches Ortsnamenbuch von Niederösterreich.
[19] K. Puchner, BONF. 5 (1962/1964) S. 20.

In der gewiß berechtigten Zuversicht, daß der Namenwechsel selbst von den übrigen Vortragenden zutreffend und erschöpfend behandelt wird, erspare ich mir ein
weiteres Eingehen auf diesen Gegenstand. Nicht unterlassen möchte ich aber eine
Feststellung zum Grundwortwechsel, die einen neuen Gesichtspunkt betrifft, dem
eine nicht geringe Bedeutung nicht nur für die Familiennamenforschung, sondern
auch für die in den ersten Anfängen befindliche Erforschung der Gebietsnamen zu-
gemessen werden muß.

Während R. Schützeichel[20] es bei Ortsnamen mit vollstem Recht als methodisch
unzulässig bezeichnet, 'den partiellen Namenwechsel (Wechsel des Grundwortes) in
fraglichen Fällen leichthin anzusetzen, ohne ihn tatsächlich auch nachgewiesen zu
haben', gewinnt man bei Gebietsnamen in Anbetracht der hier sehr lückenhaften
Überlieferung sowie der unvollständigen Darbietung derselben die Überzeugung, daß
manche Familiennamen, die anders gar nicht erklärt werden können, den einzigen
Beleg für einen stattgefundenen Grundwortwechsel bei Gebietsnamen darstellen. Die
in der Folge als Beispiele verwendeten Familiennamen erscheinen in Großbuchsta-
ben. Eine Besonderheit dieser Gebietsnamen liegt darin, daß nicht selten ein mehr
oder minder gleichzeitiges Nebeneinanderbestehen verschiedener Grundwörteraus-
stattungen vorkommt, vor allem wenn diese denselben oder doch einen sehr ähnlichen Gegenstand zu bezeichnen pflegen.

Das stärkste Beispiel hierfür sind -gau und -thal, die fast immer nach einem zugrun-
deliegenden Fluß benannt wurden. *Lechgau* (nicht zu verwechseln mit dem württem-
bergischen Dorf *Löchgau*)[21], *Lechthal*[22], P. *Lechfeld* = Oe. *Lechfeld*, a. 924 *Lehc-
feld*, L. *Iselgǎu* und *Iselthal*, L. *Sornthal* und *Sorngǒw*, Gau in der Westschweiz, P.
Schussengau und *Schussenthal*[23], *Nurichgau*[24] und P. *Nurihtal* (vallis Norica, Ori-
tal), P. *Kraichgau* ist gut belegt, ohne daß man auf MA. *KREICHGAUER* ausgreifen
muß. Eine Nebenform **Kraichthal* ist für die Vergangenheit unmittelbar nicht nachgewiesen. Es gibt nun einige Familiennamen, die anders nicht befriedigend erklärt
werden können, als wenn man sie auf ein solches in der Vergangenheit gängig ge-
wesenes **Kraichthal* zurückführt: SP. *CRAINTHALER, KRAINTHALER, KREIN-
THALER; GLEICHENTHEIL*[25], a. 1767 *KLACHTAIL*[26], a. 1797 *GLEITHEI-
LIN*[26]; *GLEICHTHEIL*[27], a. 1382 *GLEICHTEILERYN*[28], a. 1589 *Breitenbrunn
GLEICHENTALLER*[29].

----

[20] VI. Internationaler Kongress für Namenforschung, III, S. 694.

[21] J. Zangerle, Der Tiroler Lechgau.

[22] P. Haegele, Studien zur Siedlungsgeschichte und Kulturgeographie des oberen
(österreichischen) Lechtales.

[23] Ph.L.H. Roeder, Geographisch-statistisch-topographisches Lexikon von Schwaben.

[24] W. Mayerthaler, ÖNF. 9-11 (1981-1983) S. 18.

[25] Amtliches Telefonbuch Niederösterreich - Stockerau.

[26] Pfarrmatrik Breitenbrunn, Burgenland.

[27] Amtliches Telefonbuch, Burgenland - Gols.

[28] E. Schwarz, Sudetendeutsche Familiennamen.

Über Eintritt von *l* für *r* sieh den Hinweis bei Reinhard Bleier[30]. Jedes der vorgenannten jeweils mit *-gau* und *-thal* gebildeten Benennungspaare hat dasselbe Gebiet als Benennungsgegenstand. Eine Merkwürdigkeit besteht darin, daß *Lechtal* und *Lechgau* annähernd dasselbe Gebiet meinen, nämlich ein Land an seinem Oberlauf, während das *Lechfeld* sich nur am Unterlauf erstreckt. Zu beachten ist außerdem, daß die Benennung *Lechgau* erst zur Zeit der Anfänge des Fremdenverkehrs aufkam.

Einige *Gau*-Namen zeigen sich auch als *-au*-Namen, zum Beispiel P. *Hainau* für *Hennegau*. P. *Ortenau* hat auch eine Form *Mortonogouua*. Für *Kraichgau* ist aus dem Familiennamen GLEICHAUF[31] eine Nebenform **Kraichau* zu erschließen.

Bei A. Krieger[32] finden wir: *Lußhart*, 'in älterer Zeit das mit Wald bedeckte Gelände südlich von Bruchsal bis über Karlsruhe hinaus, a. 1056 *Luzhart*'. SC. *LUTZHARDUS* a. 1298 dürfte hierher gehören, sowie MA. *LOSERT(H), LOSERT(H)*[33]. Auf eine hier stattgefundene Gebietsbenennung mit *-gau* weisen folgende Beinamen und Familiennamen hin: SC. *LUZZEGO, LOSZGALLNER*[34], *LASZGALLNER*[35], *LOSZKHOLNER*[36]. P. *Hertfeld, Härtsfeld* = Oe. *Hardtfeld, Hertfeld*, hat als unmittelbare Entsprechung SC. *SIRTTEWELT* (mit Anwachsung). Aus SP. *HERTZREICH* und SP. *HERTZKEY* sind zu diesem Gebietsnamen auf *-feld* die Nebenformen **Hertsriche* und **Hertsgäu* zu erschließen. *SIRRTEWELT* bei A. Socin kann aber ebensogut vom Ortsnamen *Herdtsfeldhausen*[37], a. 1278 *Hertveldhusen* stammen. Mit dem Gebietsnamen Oe. *Kiemgau* (um den *Kiemsee*) (urkundliche Formen sieh im Salzburger Urkundenbuch I und III) sind die Familiennamen MA. *KINSEHER* und das vermutlich aus diesem durch Mittelsilbenschwund und Verschmelzung von *s* und *h* entstandene MA. *KINSCHER* in Verbindung zu bringen. *KIMMICHKORER*[38] und das daraus zusammengezogene HA. *KINKOR* setzen eine Form **Chimmichgehore* voraus (sieh das Gebietsnamengrundwort *-höri, Höri* im Sinne von Bezirk bei M. R. Buck[39] und P. v. Polenz). Bei Michael Bacherler[40] finden wir: *Volkersgau* (südwestlich *Schwabach*) a. 1249 *Focaldisgehor*.

---

[29] A. Harmuth, Die Sippen des Kreises Eisenstadt, S. 22.

[30] BNF. NF. 9 (1974) S. 144, A. 20.

[31] Familiennamenbuch der Schweiz, I-IV; J. K. Brechenmacher, Springinsfeld, Schnapphahn in deutschen Sippennamen, S. 7.

[32] Topographisches Wörterbuch des Großherzogtums Baden, I, II.

[33] Sudetendeutsche Familienforschung, S. 50, 81, 132, 161.

[34] Esterhazy-Archiv, Eisenstadt, Prot. Nr. 766 (a. 1631-1638).

[35] Pfarrmatrik Neckenmarkt-Burgenland, 17. Jahrhundert.

[36] Pfarrmatrik Neckenmarkt-Burgenland, Taufe 7.11.1663.

[37] Das Königreich Württemberg, I-IV, hier III.

[38] L. Rothenfelder, Ein Einnahmen- und Ausgabenbuch des Klosters St. Ulrich und Afra in Augsburg.

[39] Oberdeutsches Flurnamenbuch.

[40] Die Siedlungsnamen des Bistums Eichstätt, SBHVE. 38 (1923) S. 1ff.

Laut Auskunft der folgenden Familiennamen war der Name des jetzigen Schweizer
Kantons *Zug* einst mit den Gebietsnamengrundwörtern *-gau, -land* und *-gehor* ver-
bunden: HA. *TSCHUGGUEL* 〈 **Zug-gu-el*, sieh L. *Erguel*, Landstrich im Gebiet des
Bistums Basel, sowie Oe. *Ergoew = Aargau* und L. *v. ERGŐW*; sieh auch HA. *GUR-
GUL(A)* 〈 *Churwalgau*[41] (Mittelsilbenschwund). Weiterhin SP. *ZUGLAND*, SP.
ZUGEHÖ(H)R, a. 1720 *ZUGKORN*[42].

Die sich in derartigen Fällen zeigende auffallende Grundwortschwankung der Ge-
bietsbenennungen ist die Folge des Mangels an einer ununterbrochenen verbindlichen Geltung dieser Namen, über welche die Ortsnamen und die Gewässernamen jedoch grundsätzlich verfügten. Der Mangel der ununterbrochenen Geltung der Namen
ist seinerseits wieder Auswirkung des unfesten Bestandes des dem Namen zugrunde-
liegenden Gegenstandes, also des Gebietes, das als bestimmte Einheit angesehen wurde. Während nämlich der Bestand einer Siedlung eine hohe Gewähr für Bestand und
Überlieferung ihres Namens gibt, ist das Schicksal einer Gebietsbenennung von den
Wechselfällen der Herrschaftsverhältnisse stark abhängig. Die Teilung eines Gebietes,
die Zusammenlegung mit einem anderen, womöglich vorherrschenden Gebiete und
dergleichen können bewirken, daß ein Gebietsname nach einigen Geschlechterfolgen
vom Boden verschwindet, auch wenn im gleichen Zeitraum keine einzige der darin
gelegenen Siedlungen sich verloren hat.

Die Dichte der Überlieferung der verschiedenen Grundwortausstattungen bei den
Gebietsnamen wird selten ein Ergebnis des Zufalls sein. In der Regel dürfte dafür
ausschlaggebend gewesen sein, ob eine bestimmte Form in der Schreibsprache und
Kanzleisprache begünstigt wurde. War sie das nicht, lebte sie nur im volksmäßigen
Namengebrauch und fand nur schwer Aufnahme in die urkundliche Überlieferung.
Der Bereich, in dem dieser daher nur mündliche Namengebrauch ungehindert zur
Geltung kommen konnte, sind dagegen die daraus gebildeten Familiennamen. Vorausgesetzt, die Familiennamenforschung findet sich bereit, dem Ursprung von Familiennamen aus der örtlichen Herkunft (Ortsnamen, Gebietsnamen) die ihm gebühren-
de Bedeutung zuzugestehen, eröffnet sich hier ein überaus ergiebiges Belegfeld für
sonst, das heißt unmittelbar nicht belegte Gebietsnamen.

---

[41] P. Stumpf, Bayern, S. 11.

[42] W. Hacker, Auswanderungen aus dem früheren Hochstift Speyer nach Südosteuropa und Übersee.

Károly Gerstner

Zum Ortsnamenwechsel in Ungarn

Es gehört zu den Gemeinplätzen der Namenkunde, daß die Ortsnamen wirtschaftliche, gesellschaftliche und historische Verhältnisse und Ereignisse widerspiegeln und
so wichtige Informationen zur Erschließung der Vergangenheit enthalten können.
Es ist auch eine wohlbekannte Tatsache, daß dasselbe geographische Objekt (Straße,
Haus, Ackerstück, Berg und so weiter) zur gleichen Zeit mehrere Namen haben kann,
beziehungsweise daß in der Benennung des Objektes im Laufe der Zeit Veränderungen eintreten können. Die Mehrnamigkeit und der zum Teil daraus entstehende Namenwechsel haben zahlreiche Gründe, die mal einfacher, mal schwieriger oder gar
nicht freigelegt werden können.
  Im Falle der motivierten Namen, bei denen zwischen dem geographischen Objekt
und dem Namen ein reales Verhältnis besteht, braucht man häufig nicht lange nach
den Motiven der (mehrfachen) Benennung oder des Namenwechsels zu suchen.
Wenn, zum Beispiel, ein Ackerstück Besitz des Dorfschmiedes ist und wenn auf diesem Stück Hirse angebaut wird, kann es mit den Namen *Schmiedacker* und/oder
Hirsenacker bezeichnet werden. Wenn sich das Benennungsmotiv verändert (das
Stück wird Besitz des Dorfnotars oder es wird Hafer darauf angebaut), kánn sich
auch der Name verändern, nämlich zu *Notaracker* und/oder *Haferacker.*
  Diese Veränderung vollzieht sich aber nicht immer, es gibt, wie bekannt, sogar sehr
viele geographische Objekte, die beim 'alten' Namen genannt werden. Gerade dadurch können die Ortsnamen die Geschichte konservieren.
  Grundsätzlich anders ist die Lage bei den unmotivierten Ortsnamen, die durch den
Benennungszwang entstehen. In diesem Falle gibt es kein reales Verhältnis zwischen
dem Objekt und dem Namen (entweder besteht es überhaupt nicht oder es ist nicht
wichtig), wodurch der Name nur eine identifizierende Rolle bekommt und dem Benutzer keine 'nebensächlichen' Informationen mitteilen kann. Diese Eigenschaft
dieser Namen kann zur Folge haben, daß die Gründe eines eventuellen Namenwechsels oft kaum festzustellen sind. Da die Namen selbst dafür keine Auskunft bieten,
muß man versuchen, diese in der Umgebung der Namen, das heißt, in den historischen und gesellschaftlichen Veränderungen zu finden.
  Wie in jedem Land, gibt es auch in Ungarn Ortsnamen beiderlei Art. Im folgenden
versuche ich einige Haupttypen des Ortsnamenwechsels in Ungarn darzustellen. Ich
beschäftige mich hier nicht mit den Siedlungsnamen, da über diese Thema vor einigen Jahren eine ausführliche, hervorragende Monographie erschienen ist. András
Mező[1] hat diesen ganzen Komplex vom Anfang des 18. Jahrhunderts bis zum Jahre
1970 vom historisch-namenkundlichen Gesichtspunkt aus bearbeitet.

Das Namenmaterial meines Aufsatzes stammt aus den Sammlungen der Komitate[2] Baranya[3] (Südtransdanubien), Komárom[4] (Nordtransdanubien) und des Kreises Tapolca des Komitates Veszprém[5] (Mitteltransdanubien). Die Namen ohne Klammern sind volkssprachige Namen. Sie sind in ungarischer dialektologischer Transkription angegeben. Die Namen in Klammern sind nur amtliche Namen. Das Zeichen + nách einem Namen bedeutet, daß der ursprünglich nur amtliche Name auch volksüblich geworden ist.

I. Wechsel des Besitzers

Bakonya (B)

153. *Községi-erdő* 'Gemeindewald' : *Téesz-erdő* 'Wald der Landwirtschaftlichen Produktionsgenossenschaft'.

297. *Turbéki-malom* 'Mühle der Familie Turbéki' : *Csengődi-malom* 'Mühle der Familie Csengődi' [a. 1860: *Decsi István malma* 'Mühle von István Decsi'].

Hetvehely (B)

14. d. *Viluthâusz* 'Willut-Haus' : *Kultúrház* 'Kulturhaus'. Im ehemaligen Haus der deutschen Familie Willut wurde nach 1947 durch die Gemeinde ein Kulturhaus (Kino und Bibliothek) eingerichtet.

Nyergesújfalu (K)

28. *Sági-kocsma* 'Sági-Wirtshaus' : *Szolári-kocsma* 'Szolári-Wirtshaus' : *Otthon-vendéglő* 'Gasthaus zum Heim'. Der letzte Name stammt ungefähr vom Ende der vierziger Jahre, als das Wirtshaus in den Besitz einer staatlichen Genossenschaft übergegangen war.

Tát (K)

11. *Eggenhoffer-villa* 'Villa der Familie Eggenhoffer' : *Községház* 'Gemeindehaus': d. *Khânclej* 'Kanzlei'. Das Haus war bis ungefähr 1947 Besitz der deutschen Familie Eggenhoffer.

---

[1] A magyar hivatalos helységnévadás (Die ungarische amtliche Ortschaftsnamengebung), Budapest 1981, 407 S.

[2] Abkürzungen: B = Komitat Baranya. - d. = deutsch (deutscher Dialekt in Ungarn). - K = Komitat Komárom. - V = Komitat Veszprém.

[3] Baranya megye földrajzi nevei I. (Geographische Namen des Komitates Baranya. Band 1). Red.: János Pesti, Pécs 1982, 1055 S.

[4] Komárom megye földrajzi nevei (Geographische Namen des Komitates Komárom). Red.: Lajos Balogh und Ferenc Ördög, Budapest 1985, 494 S.

[5] Veszprém megye földrajzi nevei I. A tapolcai járás (Geographische Namen des Komitates Veszprém. Band 1. Kreis Tapolca). Red.: Lajos Balogh und Ferenc Ördög, Budapest 1982, 328 S.

Zánka (V)

160. *Āsó-Sági-malom* 'Untere Mühle der Familie Sági' [a. 1858: *Kazi Mühle*].

II. Motivierte Namen gegenüber amtlichen Namen

Hetvehely (B)

5. *Fő utca* 'Hauptstraße' (*Rákóczi utca* 'Rákóczistraße'). Fürst Ferenc Rákóczi II. war Führer des Unabhängigkeitskrieges gegen die Habsburger zwischen 1703 und 1711.

22. d. *Pảurɘvízɘ* 'Bauernwiese' : *Vasut utca* 'Eisenbahnstraße' (*Kossuth utca* 'Kossuthstraße'). Auf der ehemaligen Wiese wurde eine Straße angelegt, die zum Bahnhof führt. Lajos Kossuth war einer der Führer des Unabhängigkeitskrieges gegen die Habsburger in den Jahren 1848 und 1849.

Komló (B)

56. *Szívás* 'Pflaumengarten' (*Április 4. utca* 'Straße des 4. April'). Die hier angelegte Straße wurde nach dem Tag der Befreiung Ungarns im Jahre 1945 genannt.

57. *Köles-főd* 'Hirsenacker' (*Irinyi János utca* 'János-Irinyi-Straße'). J. Irinyi war ein Chemiker im vorigen Jahrhundert. Er war Leiter der Schießpulverproduktion in den Jahren 1848/1849.

68. *Dávidfőd* 'Davidacker' (*Bartók Béla utca* 'Béla-Bartók-Straße'). Das Stück war Besitz eines Mannes mit dem Vornamen David. Der amtliche Name erinnert uns an den weltberühmten ungarischen Komponisten Béla Bartók.

Tát (K)

25. *Mogyorósi út* 'Mogyoróser Straße' : *Vasút utca* 'Eisenbahnstraße' (*Néphadsereg út* 'Straße der Volksarmee'). Die Straße geht in der Nähe der Eisenbahn nach dem Nachbardorf Mogyorósbánya.

33. *Árok utca* 'Grabenstraße' : *Rákóci utca* 'Rákóczistraße' +. Es stand früher häufig Wasser auf der tiefliegenden Straße. Zum zweiten Namen s. oben Hetvehely 5.

III. Verdrängte kirchliche Namen.

- Nach 1949, vor allem in der ersten Hälfte der fünfziger Jahre, wurden ziemlich viele Ortsnamen, die mit der Religion und der Kirche etwas zu tun hatten, durch neue, im allgemeinen unmotivierte amtliche Namen ersetzt. Dieser Prozeß hängt mit dem harten ideologischen Kampf zusammen, der in jener Zeit von seiten der Behörden gegen die Religion und besonders gegen die katholische Kirche geführt wurde. Die alten amtlichen Namen blieben lange Zeit und sind zum Teil auch noch heute volksüblich, was auch bei vielen neuen amtlichen Namen der Fall ist.

Komló (B)

128. *Templom tér* 'Kirchenplatz' : *Kosut tér* 'Kossuthplatz' +. Zum zweiten Namen s. oben Hetvehely 22.

Nagyváty (B)
6. *Templom köz* 'Kirchengasse' (*Rákóczi utca* 'Rákóczistraße'). Zum zweiten Namen s. oben Hetvehely 5.

Gyöngyösmellék (B)
14. *Templom tér* 'Kirchenplatz' (*Szabadság tér* 'Freiheitsplatz').

Dorog (K)
20. *Szent Borbála-telep* 'St.-Barbara-Kolonie' (*Legény Pál utca* 'Pál-Legény-Straße'). In dieser Straße wohnten viele Bergleute. So wurde sie nach der Patronin der Bergleute, der Heiligen Barbara genannt. Pál Legény war Bergmann und ist als Widerstandskämpfer im zweiten Weltkrieg umgekommen.
157. *Szent László út* 'St.-Ladislaus-Straße' (*József Attila utca* 'Attila-József-Straße'). St. Ladislaus (I.) war ein ungarischer König im 11. Jahrhundert. Attila József war der größte ungarische marxistische Dichter zwischen den beiden Weltkriegen.

Esztergom (K) (Zentrum der ungarischen römisch-katholischen Administration)
28. *Szent Vendel utca* 'St.-Wendelin-Straße' : *Földműves utca* 'Bauernstraße' +.
30. *Szent György utca* 'St.-Georg-Straße' : *Tököli utca* 'Thökölystraße' +. Imre Thököly war Leiter des Unabhängigkeitskrieges gegen die Habsburger am Anfang der achtziger Jahre des 17. Jahrhunderts.
78. *Szent Tamás utca* 'St.-Thomas-Straße' : *Lővi utca* 'Löwystraße' +. Sándor Löwy war ein Kommunist, der 1929 nach Folterungen im Gefängnis gestorben ist.
99. *Pázmány Péter utca* 'Péter-Pázmány-Straße' : *Liszt Ferenc utca* 'Ferenc-Liszt-Straße' +. Péter Pázmány war Erzbischof in der ersten Hälfte des 17. Jahrhunderts und hat 1635 die erste ungarische Universität gestiftet. Der amtliche Name erinnert uns an den weltberühmten ungarischen Komponisten.
200. *Szent Anna utca* 'St.-Anna-Straße' : *Mikszát utca* 'Mikszáthstraße' +. Kálmán Mikszáth war ein bekannter Schriftsteller in Ungarn um die letzte Jahrhundertwende.

Tapolca (V)
8. *Szent Imre utca* 'St.-Emmerich-Straße' : *József Attila utca* 'Attila-József-Straße' +. St. Emmerich war ein Kronprinz am Anfang des 11. Jahrhunderts. Zum zweiten Namen s. oben Dorog 157.
85. *Szentháromság tér* 'Platz der Heiligen Dreifaltigkeit' : *Lënin tér* 'Leninplatz' +. Der erste Name wird heute kaum gebraucht.
172. *Templom tér* 'Kirchenplatz' (*Batsányi tér* 'Batsányiplatz'). János Batsányi war ein ungarischer Dichter am Ende des 18. Jahrhunderts.

IV. Namenwechsel aus historisch-ideologischen Gründen. - Die Veränderungen des gesellschaftlichen Systems und des ideologischen Aufbaus können häufig zur Folge haben, daß (meistens unmotivierte) Ortsnamen, die die Situation vor den Veränderungen widerspiegelten, durch neue Namen ersetzt werden, die der entstandenen neuen Situation angepaßt sind. Je radikaler die Veränderungen sind, desto intensiver ist der Namenwechsel dieser Art. In Ungarn wurden Namen vor allem unmittelbar nach 1945 und am Anfang der fünfziger Jahre aus diesen Gründen durch neue ersetzt.

Komló (B)
130. *Engel Adolf utca* 'Adolf-Engel-Straße' (*József Attila utca* 'Attila-József-Straße'). Adolf Engel war Besitzer einiger Bergwerke am Anfang des 20. Jahrhunderts. Zum zweiten Namen s. oben Dorog 157.

Szigetvár (B)
276. *Ságvári utca* 'Ságváristraße' +. Endre Ságvári war ein Kommunist, der im Jahre 1944 getötet wurde. Die Straße hieß vor 1945 *Egylet utca* 'Vereinstraße'. Hier stand nämlich das Gebäude des Leservereins.

Dorog (K)
115. *Vilmos császár út* 'Kaiser-Wilhelm-Straße' : *Hantken Miksa út* 'Maximilian-Hantken-Straße' +. Der erste Name, der nur noch von alten Leuten gebraucht wird, erinnert uns an Kaiser Wilhelm II. Nach 1945 wurde dieser Name durch den Namen eines Geologen deutscher Abstammung ersetzt. M. Hantken hat im vorigen Jahrhundert zum ersten Mal die Steinkohlenreviere in Ungarn beschrieben.
117. *Bécsi út* 'Wienerstraße' : d. *Háoptstrózn* 'Hauptstraße' (*Felszabadulás út* 'Straße der Befreiung'). Diese Straße ist ein Teil der ehemaligen Hauptverkehrsstraße zwischen Buda (Ofen) und Wien. Der amtliche Name wurde ungefähr 1946 gegeben.
147. *Béla kiráj út* 'König-Béla-Straße' (*Dózsa György út* 'György-Dózsa-Straße'). Im Mittelalter (vor 1301) gab es vier ungarische Könige mit dem Namen Béla (Adalbert). Diese Straße wurde wahrscheinlich nach Béla IV. benannt. György Dózsa war Führer des Bauernaufstandes im Jahre 1514.

Esztergom (K)
83. *Ferenc József utca* 'Franz-Josef-Straße' : *Bajcsi-Zsilinszki út* 'Bajcsy-Zsilinszky-Straße' +. Der erste Name erinnert uns an den vorletzten Kaiser der Habsburg-Monarchie, der von 1867 bis 1916 auch ungarischer König war. Endre Bajcsy-Zsilinszky war ein Widerstandskämpfer im zweiten Weltkrieg. Er wurde im Jahre 1944 durch die ungarischen Nazis hingerichtet.
193. *Béla kiráj út* 'König-Béla-Straße' : *Tolbuhin út* 'Tolbuchinstraße' : *Kun Béla utca* 'Bela-Kun-Straße' +. Zum ersten Namen s. oben Dorog 147. Marschall Tolbuchin war einer der bekanntesten russischen Militärs im zweiten Weltkrieg. Die Straße wurde 1962 nach Béla Kun, dem Leiter der Ungarischen Räterepublik (a. 1919) genannt.

Leányvár (K)
15. d. *Fejglkózn* 'Feiglgasse' (*Belojannisz utca* 'Beloiannisstraße'). In dieser Straße wohnt auch noch heute die Familie Feigl. Nikos Beloiannis war ein griechischer Kommunist, der im Jahre 1952 hingerichtet wurde.

Sümeg (V)
256. *Vásártér* 'Marktplatz' : *Béke tér* 'Friedensplatz' +.

Tapolca (V)
18. *Sümegi út* 'Sümeger Straße' : *Vörös Hadsereg utja* 'Straße der Roten Armee' +.
Die Straße führt nach der Stadt Sümeg. Der heutige amtliche Name wurde nach
1945 gegeben.
177. *Kertész utca* 'Gärtnerstraße' : *Marsz utca* 'Marxstraße' +. Die Straße führt zu
einer Gärtnerei.

Die oben dargestellten Gruppen spiegeln Tendenzen wider, die wohl auch in anderen Gebieten Ungarns beobachtet werden können. Ich habe in meinem Aufsatz
Namen der inneren Gebiete der Ortschaften als Beispiel gebraucht, da die beschriebene Art und Weise des Namenwechsels bei diesen Namen am besten zu bemerken
ist. Der Wechsel der Flurnamen ist (unter anderem wegen der Kollektivierung der
Landwirtschaft) eine andere Erscheinung mit einer spezifischen Problematik, deren
Beschreibung das Thema eines anderen Aufsatzes sein könnte.

Mario Frasa

Zur Fehlschreibung von Ortsnamen

Mit Beispielen aus der Kartographie des 19. und 20. Jahrhunderts im Gebiete des Kantons Tessin (Schweiz)

Die Schreibung, insbesondere die Fehlschreibung, kann als eine von vielen Ursachen des Ortsnamenwechsels gelten. Einige Aspekte dieses eher unterschätzten Vorgangs seien im folgenden dargelegt. Es ist eine wohl unbestrittene Tatsache, daß Sprache und Schrift zwei verschiedene Formen des Ausdrucks darstellen, die stark miteinander verbunden sind. Ohne auf die umfassende Problematik dieser Beziehung eingehen zu wollen, wird man hier ohne weiteres annehmen können, daß die geschriebene Form eines Ortsnamens Rückwirkungen auf seine Aussprache ausüben kann[1]. Solche Rückwirkungen verstärken sich mit der Distanz zwischen geschriebenem System und gesprochenem System. Das ist meistens der Fall in jenen Gebieten, 'deren Ortsnamen und besonders Flurnamen bei schriftlicher Fixierung ihre bodenständige Form vielfach nicht haben wahren können'[2]. Die folgenden Bemerkungen stützen sich auf die Toponomastik einer Region, die in mancher Hinsicht nicht nur linguistisch als Randzone anzusehen ist, nämlich des Tessin, des einzigen vollständig italienischsprachigen Kantons der Schweiz[3].

––––––––––

[1] So zeigt eine Untersuchung über die Aussprache von Ortsnamen in einer größeren Ortschaft bei Zürich, daß sich eine große Anzahl von Namen dem Schriftbild angleicht. Sieh H. Wolfensberger, Mundartwandel, S. 89-105. Zu ähnlichen Feststellungen kommt M. Borodina, NRD. 2 (1983) S. 103-118.

[2] H. J. Wolf, Gießener Flurnamen-Kolloquium, S. 408-424, hier S. 411.

[3] Über die verschiedenen lombardischen Ortsmundarten und Regionalmundarten und ihr Verhältnis zur italienischen Sprache im Kanton Tessin M.E.C. Salvioni, RIL. 2.40 (1907) S. 719-736; O. Keller, VKR. 13 (1940) S. 320-356; F. Spiess, Dal dialetto alla lingua. Atti del IX Convegno per gli Studi Dialettali Italiani, S. 355-364; O. Lurati, Dialetto e italiano regionale nella Svizzera italiana; S. Bianconi, Lingua matrigna. Die Forschungsstelle für Tessiner Geschichte und Namenkunde an der Universität Zürich hat zwischen den Jahren 1964 und 1980 sämtliche Ortsnamen und Flurnamen auf dem kantonalen Gebiet gesammelt. Diese werden seit a. 1982 nach Gemeinden in der Reihe Repertorio toponomastico ticinese herausgegeben. Die etymologische Auswertung der Materialien ist auf einen späteren Zeitpunkt verschoben.

Da die Ortsnamen und Flurnamen traditionell ein mündliches Kulturgut einer kleineren Gemeinschaft sind, bildet die örtlich gesprochene Form der Namen den Ausgangspunkt ihrer schriftlichen Wiedergabe. Wenn aber die gesprochene Sprache keine schriftliche Form hat, so wird die Anwendung eines Sprachsystems notwendig, das die Schreibung der Namen ermöglicht.

Neben einer mündlichen Überlieferung, die durch Jahrhunderte in sehr unterschiedlichen Ortsmundarten weiterlebte, wurde die Tessiner Toponomastik kontinuierlich seit dem Spätmittelalter in mittellateinisch und später italienisch geschriebenen Urkunden bezeugt: eine lange schriftliche Tradition der Ortsnamen, die bis heute wenig erforscht wurde. Ihre bezeichnende Eigenschaft ist die große Vielfalt der schriftlichen Formen. Sie sind die Zeugen einer schwierigen Suche nach dem Gleichgewicht zwischen mündlichem Ausdruck und schriftlichem Ausdruck, zwischen Ortsmundart und Amtssprache. Um ein einziges Beispiel zu nennen: die große Dorfgemeinde *Olivone* ist in der ersten Hälfte des 13. Jahrhunderts mehrmals schriftlich bezeugt als *Alivono, Arivono, Darivono, Aurivono, Orivono, Olivono* und so weiter. Neben der heute offiziellen schriftlichen Form der Hochsprache steht immer noch das lokalmundartliche *Rivöi*[4].

Die schriftliche Tradition setzt sich insbesondere in der modernen Kartographie fort. Dieser kann man in vielen Fällen die Fixierung besonderer graphischer Varianten der Ortsnamen und sogar die willkürliche Schaffung und Verbreitung einer in der Wirklichkeit inexistenten Toponomastik zuschreiben. Wer heute eine Landkarte oder einen Katasterplan erstellt, muß sich mit den vielfältigen Problemen der Übersetzung der Ortsnamen auseinandersetzen und sieht sich oft gezwungen, eine willkürliche oder sogar fehlerhafte Wahl zu treffen, wenn er nicht über die Hilfe einer graphischen Tradition verfügt. Nehmen wir zum Beispiel *Arbarèl*, den Namen einer Bergsiedlung der Gemeinde Sementina. Man kann ihn mundartlich wiedergeben (wie es hier der Fall ist) oder problemlos ins Italienische übersetzen: *Alberelle* 'Weißpappeln'. Die schweizerische Landeskarte führt die Form *Arbarello* auf. So wird der Stamm des Namens umgeschrieben und das Suffix (obendrein noch falsch) übersetzt.

Die graphische Veränderung von Ortsnamen, die sogenannte Kakographie, ist ein weltweit verbreitetes Phänomen, das schon manche internationale Tagung zur Normalisierung der geographischen Namen veranlaßt hat. Obwohl man bereits am Ende des 18. Jahrhunderts auf der topographischen Karte Frankreichs der Gebrüder Cassini Ansätze einer Beachtung des örtlichen Gebrauchs der Ortsnamen vorfinden kann, war diese naheliegende Methode noch lange nicht selbstverständlich. Heute ist die Toponomastik in der Schweizer Kartographie durch kantonale Nomenklaturkommissionen geschützt, in denen auch Dialektologen mitwirken, um alte Fehler auszumerzen und neue Fehler zu vermeiden. Dadurch sind einige schöne Beispiele eidgenössischer Toponomastik aus dem neunzehnten Jahrhundert verschwunden, wie zum Beispiel der Name *Cima Dualè* die 'Wo-liegt-es-Spitze', der von einem ahnungs-

---

[4] Quellenformen aus: MDT. Serie III, Blenio, Bellinzona 1980ff. Die überzeugendste etymologische Deutung des Ortsnamens, nämlich die Ableitung von lat. *ripa* 'Ufer, Hang', verdanken wir S. Sganzini, ID. 10 (1934) S. 263-293, hier S. 263-269.

losen Kartographen, der die zögernde Antwort seines Informanten mißverstanden hatte, aufgeschrieben wurde[5].

Die folgenden Bemerkungen sind das Ergebnis einer raschen Sichtung der Tessiner Toponomastik im Hinblick auf die evidentesten Fälle von Fehlschreibungen in der offiziellen Kartographie des 19. und 20. Jahrhunderts. Damit möchte ich einen Beitrag zur Typologie solcher Fehlschreibungen leisten[6].

Transkription und Übersetzung. - Es ist naheliegend, die Lautfolge mündlich gesammelter Ortsnamen in der Kartographie nach bekannten orthographischen Gesetzen wiederzugeben. Die Schreibung der Tessiner Ortsnamen folgt größtenteils den graphischen Lösungen des Italienischen, ohne sie allerdings konsequent zu verwenden, insbesondere bei den der italienischen Schriftsprache fremden Lauten und Lautfolgen[7].

Die Anlehnung an das Italienische bewirkt dessen Aufnahme als sprachlichen Anhaltspunkt. So neigt der Ortsname nicht nur auf der graphischen Ebene, sondern auch auf der morphologischen und auf der semantischen Ebene dazu, sich der Schriftsprache anzupassen, und bei der schriftlichen Wiedergabe spielt seine Übersetzbarkeit eine wichtige Rolle. Eine vollständige Übersetzung des Ortsnamens erfolgt meistens, wenn eine gewisse Affinität zwischen der mundartlichen Form und der schriftsprachlichen Form besteht. Die Schreibungen *Campo, Corte Grande, Acqua Fredda, Pizzo Pecora* (LK; Gem. Bignasco) entfernen sich kaum von ihrer mundartlichen Matrix. Dagegen dürfte die Anwendung der schriftsprachlichen For-

---

[5] Sieh dazu G. De Simoni, in: Corona Alpium. Miscellanea di studi in onore del C. A. Mastrelli, I, S. 77-91, wo einige ähnliche Beispiele aus dem norditalienischen Gebiet aufgeführt sind. Zur offiziellen Schreibung von Ortsnamen in Italien s. auch die wertvollen Beiträge von G. Petracco Sicardi, Dal dialetto alla lingua, S. 417-430 und von V. Valente, Dal dialetto alla lingua, S. 431-435.

[6] Die hier aufgeführten Formen erscheinen größtenteils auf den Blättern des Topographischen Atlas der Schweiz, Bern 1872ff., die das Tessiner Gebiet darstellen. Die immer noch nicht ausgemerzten Fehlschreibungen stammen aus der letzten Ausgabe der Landeskarte der Schweiz (LK; Maßstab 1:25.000). Einige exemplarisch ausgewählte Belege stammen aus örtlichen Katasterplänen (KP). Die bei der obengenannten Tessiner Forschungsstelle der Universität Zürich aufbewahrten Materialien stellen den mündlichen Vergleichspunkt dar.

[7] Zu den Eigenheiten der lombardischen Mundarten des Kantons Tessin, die im phonologischen System des Italienischen fehlen, gehören die labialisierten Vokale [ø] und [y], die Konsonanten [ʒ] und [ŋ] (in Opposition zu [n]) sowie zahlreiche örtliche Erscheinungen, wie zum Beispiel die palatalen Verschlußlaute [c], [ɟ], die in den alpinlombardischen Mundarten des nördlichen Teils des Kantons vorkommen. Die Tessiner Kartographie folgte weniger der bedeutenden schriftlichen Tradition der Mailänder Mundart als dem Vorbild der anderen schweizerischen Nationalsprachen. Sieh zum Beispiel die Formen *Arteuid* für *Artöit* (Gem. Osco) *Bacieau* für *Bariöö* (Savosa), *Laegeri* für *Lègri* (Lodrino) (und so weiter). Die spätere Einführung der Grapheme ⟨ö⟩ und ⟨ü⟩, die der norditalienischen Kartographie unbekannt sind, bestätigt diesen Eindruck.

men *Gerbido, Pizzo Falce, Piano delle Pernici* anstatt *Soerbi, Pizzo Mèdola, Piano dei Vanis* in derselben Gegend wohl durch den Abstand zwischen den beiden Formen verhindert worden sein.

In vielen Fällen ist aber ein Ortsname in bezug auf den mundartlichen Wortschatz bedeutungslos, also unübersetzbar, und mit einer möglichst treuen Umschrift wiederzugeben. In Wirklichkeit übt das schriftsprachliche Modell, wenn es den Ortsnamen in seiner Ganzheit nicht erfassen kann, oft Einfluß auf seine semantisch transparenten Bestandteile aus, zum Beispiel auf die in der oberitalienischen Toponomastik sehr zahlreichen Suffixe. Aber das Fehlen einer konsequenten Übersetzungsstrategie begünstigt die Willkür der Schreibung. In der letzten Fassung des Katasterplans der Gemeinde *Preonzo*, die im übrigen eine beachtliche Sorgfalt bei der Transkription aufweist, kommen die Schreibungen *Cantone* neben *Forgnón*, *Pertichetta* neben *Beschett*, und so weiter[8] vor. Das vorher zitierte *Arbarello* ist ein Musterbeispiel unter den hybriden Formen von Ortsnamen in der Tessiner Kartographie. Nicht nur Suffixbildungen sind davon betroffen. Man kann allgemein eine Neigung zur Italianisierung der Endungen neben der gleichzeitigen Bewahrung des meistens weniger verständlichen Stammes des Ortsnamens beobachten. So wird zum Beispiel die Schreibung *Teglio* (LK; Gem. Iseo) heute immer noch der korrekten Übersetzung (*Tiglio* 'Linde') des Namens *Téi* vorgezogen.

Die formale Übertragung vom Mündlichen in das Schriftliche und die inhaltliche Übersetzung von der (Orts-)Mundart in die Schriftsprache sind die wesentlichen Schritte bei der schriftlichen Wiedergabe von Ortsnamen. Der Grad der Übersetzbarkeit eines Namens ist allerdings nie absolut, sondern vielmehr durch die Erfahrung mit beiden Sprachsystemen bedingt. Die Überlagerung der sprachlichen Kenntnisse des Vermessungstechnikers, des Kartographen und des Dialektologen verursacht sehr unterschiedliche Übersetzungsverfahren. Weitere Faktoren der Unbeständigkeit können ferner außerhalb des Sprachbereichs liegen, wie es folgendes Beispiel eines Kartographen zeigt, der aus Scham den metaphorischen Flurnamen *Mostracüü* 'Arsch-Zeiger', mit dem man in Melano einige sichtlich vorspringende Felsen benennt, nicht in die Schriftsprache zu übersetzen wagte, im Gegensatz zum naheliegenden *Tiralocchio* (LK) 'zieht das Auge an'. Man muß dennoch den Kartographen Gerechtigkeit widerfahren lassen, da die Nutznießer ihrer Arbeit ein heterogenes Publikum von Geographen, Ingenieuren, Bergsteigern, Militärs und Wanderern in den verschiedenen Sprachregionen der Schweiz und im Ausland bilden. Trotz der Bedenken der Sprachwissenschaftler werden philologische Kriterien bei der Aufstellung von Karten der Verständlichkeit der Transkription und der Klarheit der Darstellung untergeordnet[9].

---

[8] Ausgabe 1978. Besonderheiten der Ortsmundart, wie zum Beispiel die Assimilation von *-a* an den Tonvokal, werden allerdings beachtet: *Busciarini, Zenturu, Campagnoro* (und so weiter).

[9] So gibt es in der Schweizer Kartographie besonders 'geschützte' Ortsnamen, deren schriftliche Form praktisch unveränderlich ist. Neben den amtlich festgesetzten Dorfnamen sind es die den Landkartenbenützern vertrauten wichtigsten Bergnamen, Paßnamen und Gewässernamen.

Arten der Fehlschreibung. - Das Mißverstehen der mundartlichen Form des Ortsnamens ist die erste Ursache der Kakographie. Auf der graphisch-phonetischen Stufe, von der hier schon die Rede war, entstand eine Fülle von in letzter Zeit berichtigten Fehlschreibungen, wie zum Beispiel *Scipscius* (Gem. Airolo; heute *Scimfuss* auf der LK.), *Ciulaschia* (Osco; heute *Giumlasca)* und so weiter[10].

Eine besondere und bemerkenswerte Art der Fehlschreibung ist auf die irrtümliche Wiederherstellung von phonetischen Erscheinungen der Ortsmundarten zurückzuführen. So wird zum Beispiel beim Bachnamen *Ri da la Cégna* (Gem. Chiggiogna) der betonte Vokal analog zu Wörtern wie *lèna* (it. *lana* 'Wolle') und *rèna* (it. *rana* 'Frosch') als ein ursprüngliches *a*, gedeutet und als *Riale Cagna* umgeschrieben. Ähnlich ist in Preonzo bei *Mett di Piánn* (*mett* 'kleinere Erhebung'; *la piánta*, Pl. *i piánn* 'der Baum') die Schreibung *Motto delle Pianche* (KP; *la piánca*, Pl. *i pián* 'die Halde') zu lesen[11].

Die Akzentsetzung, die sogar im Italienischen mangelhaft ist, schließt graphische und morphologische Aspekte zugleich ein. Die Form *Tabio* (LK; Gem. Arbedo-Castione) berücksichtigt die Endbetonung beim mundartlichen *Tabiò* nicht. Im Falle von *i Leitt* (Diminutivform von *i léi* 'die Seen'; Prato Leventina) hat die Schreibung *Leit* schon zur allgemeinen Verbreitung der Aussprache *Lèit* geführt, insbesondere unter den Wanderern und Bergsteigern[12]. Ein seltsames Schicksal hatte *Scopi*, der Name eines Gipfels an der Grenze zu dem Kanton Graubünden. Es handelt sich wahrscheinlich um eine aus dem Bleniotal herkommende Form *Scopíl* ('Stemmeisen'), die im Rätoromanischen der Surselva als *Scopí* aufgenommen wurde und dann durch die kartographische akzentlose Schreibung wieder als *Scòpi* zurückkehrte[13].

Linguistisch ist aber das Phänomen zunächst einmal in seinen morphologischen Aspekten interessant, wenn die Fehlschreibung, einer besonderen Eigenschaft der Eigennamen nachkommend, die unklaren Morphemgrenzen des Ortsnamens überschreitet[14]. Am häufigsten kann man in der Tessiner Kartographie Fälle der Agglutination von Artikeln und Präpositionen feststellen, wie zum Beispiel bei *Lovio* aus *l'Ovi* (Gem. Fusio), *Anavone* aus *Navón* (Semione), *Invii* aus *Víi* (Cavigliano). Solche Fehlschreibungen sind heute zum größten Teil verbessert worden. Nur bei Namen von Ortschaften hat eine längere schriftliche Tradition agglutinierte Formen bestätigt, besonders viele davon mit der Prothese der Präposition *a* 'zu': so zum Beispiel die Namen der Gemeindefraktionen *Alabardia* (in der Mundart *la Bárdia*; Gem. Piaz-

---

[10] Weitere Beispiele für die verschiedenen Fehlschreibungsarten bei M. Frasa, L'Almanacco 1986, Cronache di vita ticinese, S. 126-130.

[11] Sieh dazu S. Sganzini, ID. 1 (1925) S. 190-212, hier S. 199-201 für betontes *á* ⟩ *è* beziehungsweise Dialetti svizzeri, III, fascicolo 5, S. 14 (für den Ausfall des zweiten Konsonanten bei den auslautenden Gruppen *n*, *m* + explosive Konsonanten).

[12] Die berühmten *Leitt* und einige andere Tessiner Fehlschreibungen wurden schon von O. Lurati, Dialetto e italiano regionale nella Svizzera Italiana, S. 102f. erwähnt.

[13] Aus dem Beitrag von L. Deplazes, *Rein, Froda*, Problemi linguistici nel mondo alpino, S. 15-33 (hier S. 26).

[14] W. Fleischer, WZUL. GSpR. 13 (1964) S. 369-378, hier S. 375.

zogna) und Almatro (*ar Mátro*; Cagiallo), sowie die Dorfnamen *Aranno (Rann)*, *Arogno (Rögn)*, *Arosio (Ros)*, *Ascona (Scóna)*, *Astano (Stan)*, *Avegno (Vegn)*. Aber auch Eigenschaftswörter und Substantive, die Bestandteile eines Ortsnamens sind, werden manchmal zu seltsamen Komposita verschmolzen: *ör piátt* (*ör* 'Bergkante', 'Bergrücken', *piátt* 'flach'; Gem. Sementina) wird zu *Orpiatte, Ri Bassénc'* (*ri* 'Bach', *Bassénc*: Siedlungsname; Faido) zu *Riale Ribassengo, Cort do Prèvat* ('Alpstafel des Pfarrers'; Giumaglio) zu *Colloprevata* und so weiter. Heute noch sind auf der Landeskarte Schreibungen wie *Aldagana* für die Alp *Gána* (Biasca) und *Sassariente* für *Sass ariént* (*sass* 'Stein', 'Felsen', *ariént* 'dicht daneben'[15]; Cugnasco) zu finden.

Ein entgegengesetztes Verfahren führt zur willkürlichen Aufspaltung eines Ortsnamens, dessen Bestandteile irrtümlicherweise als selbständige Elemente gedeutet werden. Die Aphärese von vermuteten Artikeln oder Präpositionen erklärt die Formen *Alpe della Gasca* für *Lagásca* (Gem. Chironico), *Tirolo* für *Altiróu* (Giornico), *Pre da Giuàn* (LK) für *Préda Sgiuána* (Intragna)[16]. Besonders undurchsichtige Ortsnamen werden davon betroffen. *Baladrüm* (Ascona) wird als *Balla Drumo*, *Lümaghèra* (Riva S. Vitale) als *Luma Ghera* geschrieben[17]. Schließlich werden noch Ortsnamen getrennt, welche dem Kartographen teilweise durchsichtig scheinen. So entstand aus dem Flurnamen *Alnéda* (Iseo) eine *Val Neda* (LK). Sogar einen neuen Heiligen hat man in *San Pro* anstatt *Sampróu* (Olivone) verewigt[18].

Die letzten Beispiele führen den inhaltlichen Aspekt bei der schriftlichen Wiedergabe von Ortsnamen ein. Ähnlich wie bei den oben erwähnten Fällen von Suffixbildungen handelt es sich dabei um Fehlinterpretationen, die manchmal zu abstrusen Übersetzungen führen. In solchen Fällen wirkt die formale und semantische Entstellung geradezu lächerlich, wenn man die ursprüngliche Mundartform des Namens kennt und versteht. Auf der Landeskarte sind folgende Schreibungen heute noch zu finden: *Pianca del Pesce* 'Halde des Fisches' (auf 1200 Meter Höhe) für *Piánca di Péisc* ('Halde der Tannen'; Gem. Aquila); *Pizzo Leone* 'Löwenspitze' für *Urión* (Brissago), das wohl eher 'Heidelbeere' bedeutet[19]; *Pian Alto* 'hohe Ebene' für *Pián do Valt* (*Valt*: Flurname; Mergoscia)[20]; *Pizzo del Sole* 'Sonnenspitze' oberhalb der

---

[15] Wahrscheinlich aus lat. *haerens*; sieh dazu Vocabolario dei dialetti della Svizzera italiana, I, S. 260f.

[16] Diese Ortsnamen scheinen eher Ableitungen von *lacus*, von *altarium* (sieh dazu Vocabolario dei dialetti della Svizzera Italiana, I, S. 124f. und D. Olivieri, Dizionario di toponomastica Lombarda, S. 54) und von *petra* zu sein. In der Ortsmundart von Intragna wäre eigentlich *prèi* die korrekte Entwicklung aus lat. *prati*.

[17] *Lümaghèra* ist offensichtlich aus mda. *lümága* 'Schnecke' entstanden. *Baladrüm* ist mit aller Wahrscheinlichkeit ein Kompositum mit kelt. *drummi* 'Bergrücken'; sieh dazu J. U. Hubschmied, BSSI. 9 (1946) S. 53.

[18] Wohl aus lat. *alnus* beziehungsweise *summum pratum*.

[19] Sieh S. Sganzini, ID. 10 (1934) S. 269f.

[20] Aus dem germ. *wald* sind in Oberitalien mehrere Ortsnamen entstanden. Für das Tessiner Gebiet sieh M. Gualzata, Di alcuni nomi locali del Bellinzonese e Locarnese, S. 8.

Weiden von *Söu* (Osco)[21]; *Trenta Sassi* 'dreißig Steine' für *drénta Sass* (Osogna), das 'zwischen den Steinen' bedeutet; *Val Buia* 'finsteres Tal' für *Büia* (Sigirino)[22]. Schließlich wird ein kleiner Bergsee oberhalb der Alpweide *Rèdich* (Campo Blenio) wegen seiner Nähe zur graubündnerischen Grenze *Lago Retico* 'rätischer See' umbenannt. Man könnte noch mehrere ältere und jüngere Beispiele dieser Art aufzählen, bis auf zwei der Tessiner Bevölkerung wohl bekannte Ortsnamen, die an der südlichen und nördlichen Grenze des Kantons liegen: der *Monte Olimpino* vor der Stadt Como, der eigentlich nichts mit dem Olymp zu tun hat, sondern vielmehr mit dem *rump* 'Feldahorn', wie seine mundartliche Form *Rumpín* zeigt[23], und die *Val Tremola*, ein Name, der viel besser zur alten kurvenreichen Gotthardstraße paßt als das mundartliche *Val Tramiòra*[24].

Von solchen spaßhaften Anekdoten abgesehen, wird man hinter der Fehlschreibung die Merkmale der Pseudoetymologie erkennen, und zwar Überwindung der formalen Struktur und begriffliche Neumotivation undurchsichtiger Namen durch Angleichung an den gebräuchlichen Wortschatz. Fehlschreibungen sind das Ergebnis eines sogenannten volksetymologischen Verfahrens, das sich vom rein Volkstümlichen und von der traditionellen Kultursphäre, in der die Ortsnamen eine jahrhundertelange Beziehung zwischen dem Menschen und der Landschaft darstellen, entfernt.

Bekanntlich genießt die Schrift heutzutage ein stärkeres Ansehen als die Mündlichkeit. Daher kann der Namenwechsel oft eine Folge der Fehlschreibung sein, wie folgendes Zitat[25] verdeutlicht: 'Wenn ein Widerspruch zwischen der Sprache und der Orthographie besteht, (...) so behält unglücklicherweise die geschriebene Form meist die Oberhand, weil jedesmal die Lösung, die sich auf sie beruft, die leichteste ist'. Kein Wunder also, wenn das auch bei Ortsnamen vorkommt und wenn Formen wie *Bòdi, Olivón, Aquila, Clar, Cademári, Capulágh* und andere immer gebräuchlicher werden[26].

---

[21] Vielleicht aus dem lat. *solum* 'Boden, Erde' oder aus *solium* 'Becken, Bottich' in metaphorischer Verwendung. Sieh S. Sganzini, ID. 1 (1925) S. 227 (*sóu* 'Sonne') und S. 230 (*-öu* ⟨ lat. *-(e)olus*).

[22] Möglicherweise mit dem mda. *büi* 'Becken, tiefe Stelle im Fluß' verbunden. Sieh Vocabolario dei dialetti della Svizzera italiana, I, S. 80. Dem it. *buio* 'finster' entspricht in den lombardischen Mundarten die Form *scür* aus lat. *obscurus*.

[23] Die Fehlschreibung stammt aus den mittelalterlichen Quellenformen *Lompino, Lumpino*. Sieh O. Camponovo, Sulle strade regine del Mendrisiotto, S. 481.

[24] Es könnte sich um eine Ableitung von lat. *trames* 'Weg, Durchgang' handeln. Die schriftliche Form weist ihrerseits eine lange Tradition auf. Im Jahre 1230 weihte der Mailänder Erzbischof Enrico da Settala die Gotthardskapelle 'in Monte Tremulo' ein (M. Magistrelli - U. Monneret de Villard, Liber Notitiae Sanctorum Mediolani, Sp. 159f.).

[25] F. de Saussure, Grundfragen der allgemeinen Sprachwissenschaft, S. 30.

[26] Dorfnamen des Kantons Tessin: *Bodio*, mda. *Béit*, aus kelt. *boceton* 'Ochsenweide' (sieh K. Huber, Sul nome di Bodio, MDT. Serie I, S. 387-389); *Olivone*, mda.

Das Thema der Fehlschreibung von Ortsnamen ist einer gründlichen Untersuchung wert, die sich über die ganze schriftliche Tradition erstrecken sollte, von den mittelalterlichen Quellen bis zu den Grundbüchern, den Katasterplänen und der Kartographie der letzten Jahrhunderte. Sie würde vieles zur etymologischen Forschung, zur Wortbildungslehre und zur Beschreibung des Verhältnisses zwischen Mundart und Sprache in den heutigen Gebieten des Kantons Tessin beitragen.

Rivöi, aus lat. *ripa* (sieh oben, A. 4); *Aquila*, mda. *Dáigra*, vielleicht in Verbindung mit dem ortsmda. *áigra* 'Ahorn'; *Claro*, mda. *Crèe*, wohl aus mlat. *carralis* 'Karrenweg'; Cademario, mda. *Lanvèe*, möglicherweise aus mlat. *canava* 'Weinkeller'; *Capolago*, mda. *Cò de Lagh* (*cò* aus lat. *caput*).

Dieter Berger

Noviomagus - Civitas Nemetum - Speyer

Mit einer Karte

I. Über die lateinisch-deutschen Doppelnamen oberrheinischer Städte hat Fritz Langenbeck[1] im Jahr 1950 eine Studie veröffentlicht. Er verweist dort, im Anschluß an A. Longnon und A. Dauzat[2], auf die Tatsache, daß die alten Namen der keltischen Oppida Galliens im dritten und vierten Jahrhundert zwar überwiegend durch die Namen der dort wohnenden Stämme abgelöst worden sind (*Lutetia ... Parisiorum*, heute *Paris; Agedincum in Senonum finibus*, heute *Sens* und andere), stellt aber fest, daß diese Entwicklung im Osten Galliens und am Rhein nicht durchgedrungen ist. *Vesontio* wurde zu *Besançon, Tullum* zu *Toul, Brocomagus* zu *Brumath* und *Borbetomagus* zu *Worms*. Die Namen der zugehörigen Stämme (*Sequani, Leuci, Triboci, Vangiones*) sind untergegangen. A. Dauzat hat den Wechsel vom alten gallischen Ortsnamen zum Namen der Einwohner als allmähliche Durchsetzung der volkstümlichen Bezeichnungen angesehen. Die gallischen Volksgemeinden behielten ihre Stammesnamen, als sie zu Stadtgemeinden (Civitates) wurden[3]. Und nach einem Muster wie *civitas Senonum* - [*apud*] *Senones* - *Sens* blieben diese Namen infolge der gallisch-romanischen Siedlungskontinuität bis heute erhalten.

Daß die Entwicklung im Oberrheingebiet anders verlief, liegt wohl vor allem an der historischen Unruhe in diesem großen Durchzugsland. Die mit Ariovist über den Rhein gekommenen und von Cäsar a. 57 v. Ch. besiegten Germanenstämme erscheinen erst hundert Jahre später wieder als Föderaten der Römer, nämlich die Triboker um Brumath und Straßburg, die Nemeter um Speyer und die Vangionen um Worms[4]. Sie sind allem Anschein nach schnell keltisiert und romanisiert worden.

---

[1] Zu den lateinisch-deutschen Doppelnamen einiger oberrheinischer Städte und Klöster, ZGO. 98 (1950) S. 329-344. Dem Stadtarchiv Speyer danke ich herzlich für freundliche Hilfe und die Vermittlung von entlegener Literatur.

[2] A. Longnon, Les noms de lieux de la France, I, Nr. 381, S. 98f.; A. Dauzat, Les noms de lieux, S. 124.

[3] F. Langenbeck, ZGO. 98 (1950) S. 331. Sieh auch A. Bach, Deutsche Namenkunde, II,2, S. 68f., § 445.2.

[4] Die Aufzählung dieser und anderer Stämme bei Cäsar, Bellum Gallicum I, 51 ist ein späterer Einschub; H. Nesselhauf, Die Besiedlung der Oberrheinlande in römischer Zeit, BFB. 10 (1951) S. 71-85, besonders S. 78f.

Erneute Germaneneinfälle im dritten und vierten Jahrhundert, das burgundische
Zwischenspiel in Worms und schließlich die Ausbreitung der Alemannen und der
Franken am Oberrhein haben verhindert, daß die Namen jener Stämme zu Städte-
namen wurden.

Die alten keltischen Ortsnamen dagegen sind, mit zwei Ausnahmen (*Straßburg* und
Speyer), von den germanischen Eroberern übernommen worden, vermittelt wohl
durch Reste der romanischen Bevölkerung in den Städten. Wir dürfen annehmen,
daß das die eigentlich gebräuchlichen Namen der Städte waren, während die von der
römischen Verwaltung bevorzugten Civitasnamen auf den amtlichen Gebrauch beschränkt blieben. Sie wurden allerdings gerade deshalb in den Urkunden und Anna-
len der Frankenzeit weiterhin benutzt, weil die Kirche bestrebt war, den Anschluß
an das römische Erbe zu wahren[5].

II. Ein Sonderfall in der Namengeschichte der oberrheinischen Römerstädte ist,
neben dem Wechsel *Argentorate - Straßburg*[6], die dreifache Benennung von Speyer.
Der keltische Name dieses Ortes war *Noviomagus* 'Neufeld'. Er ist erst bei Claudius
Ptolemäus um a. 150 n. Ch. belegt, dann im Itinerarium Antonini (drittes Jahrhundert) und in der Peutingerschen Tafel (viertes Jahrhundert). Der lateinische Name
Civitas oder *Colonia Nemetum* erscheint seit dem dritten Jahrhundert auf römischen
Meilensteinen in Abkürzungen wie *C. N., COL. N., C. NEM.* (Beispiele im Historischen Museum der Pfalz in Speyer), ferner in der Notitia Dignitatum (um a. 426)
und bei Ammianus Marcellinus (um a. 390) 16.2,12: *Nemetas et Vangionas et Mo-
gontiacum civitates*[7]. Im siebten bis elften Jahrhundert wird in den Urkunden meist
die Namensform *Nemeta* (a. 946 und öfter *in urbe Spira vel Nemeta vocata*) oder
das Adjektiv *Nemetensis* gebraucht (a. 653 *ad ecclesia Nemetense*, a. 664 bis 666
Nimetensis ecclesie)[8]. Daß die lateinische Namensform *Nemeta* nur noch in der gelehrten Tradition fortgeführt wird, zeigt sich schon darin, daß sie immer an zweiter
Stelle mit *Spira* zusammen erscheint. In der Volkssprache hat sie keine Spuren
hinterlassen.

Wir können wohl annehmen, daß die beiden Namen *Noviomagus* und *Civitas Nemetum* während der Römerzeit nebeneinander gebraucht wurden. In weiterem Sinne
bezeichnete *Civitas Nemetum* auch das ganze Siedlungsgebiet der Nemeter, das vermutlich vom Hagenauer Forst bis zur späteren Südgrenze des Bistums Worms an der
Linie Bad Dürkheim - Ludwigshafen reichte[9].

---

[5] F. Langenbeck, ZGO. 98 (1950) S. 331-344.

[6] Zur Namengeschichte von *Straßburg* sieh A. Bach, Deutsche Namenkunde, II,2,
S. 72, § 446.2 (mit Literatur).

[7] F. Langenbeck, ZGO. 98 (1950) S. 334. Ammiani Marcellini Rerum gestarum
libri, I, p. 71. Der hier gebrauchte unregelmäßige Akkusativ Plural der Insassenna-
men *Nemetes* und *Vangiones* ist eines der wenigen Zeugnisse für den obengenannten
Typ *Senones* im Oberrheingebiet.

[8] A. Hilgard, Urkunden zur Geschichte der Stadt Speyer, Nr. 1, 2.

[9] H. Bernhard, Speyer in der Vor- und Frühzeit, Geschichte der Stadt Speyer, I,
S. 1-161, hier S. 114.

Man hat *Noviomagus* als keltisches Oppidum schon für das letzte vorchristliche Jahrhundert angenommen. Doch sind aus dieser Zeit nur einzelne Siedlungsplätze nachzuweisen[10]. Eine zivile Dauersiedlung neben dem zweiten Römerkastell läßt sich erst für die zweite Hälfte des ersten Jahrhunderts n. Ch. aus den Gräberfeldern erschließen. Sie bestand nach der Auflassung des Kastells bis zum Ende des vierten Jahrhunderts und hatte seit a. 369 auch wieder eine römische Garnison. Bei dem großen Germaneneinfall von a. 406/407, der die ganze römische Rheingrenze von Bingen bis Selz zusammenbrechen ließ, ist die Stadt zerstört worden. Die Trümmer-stätte blieb fast zweihundert Jahre lang siedlungsleer. Allenfalls können geringe Reste der romanischen Bevölkerung verblieben sein[11]. Die germanischen Neusiedler bauten sich zunächst außerhalb der Römerstadt an (sieh Abschnitt III).

III. Dieser Siedlungsbruch am Beginn der großen Völkerwanderung ist auch das Ende des Namens *Noviomagus*. Anders als bei *Worms*, das zur gleichen Zeit (a. 413 bis 436) Mittelpunkt des Burgunderreiches war und seinen Namen über *Wormacia* im achten Jahrhundert aus einer Kurzform *Bormetia* des keltisch-römischen Namens *Bormitomagus/Borbetomagus* entwickeln konnte[12], ging im Falle von *Speyer* der alte Name verloren. Wann und in welcher Weise der neue Name *Spira* aufkam, ist ein noch ungelöstes Problem.

Die archäologischen Funde zeigen folgendes. Nördlich der Römerstadt lagen an der Straße nach Worms fränkische Siedlungen mit Friedhöfen, deren eine a. 969 als *villa Spira* bezeugt wird. Sie ist die spätere Vorstadt *Altspeier*. Weitere fränkische Gräber lagen, neben späteströmischen Gräbern (sieh A. 11), bei dem im siebten Jahr-hundert gegründeten merowingischen **Kloster St. German.** Sie gehörten zu einem westlich davon am Mörschberg vermuteten Dorf *Winternheim* (a. 1226 *Winterin-heim,* das später wüst geworden ist[13]). Die fränkische Neubesiedlung nach a. 500 ge-schah also außerhalb der römischen Stadt an Stellen, wo hochwasserfreies Ackerland und Weideland vorhanden waren[14]. Es ist anzunehmen, daß hier vor den Franken

[10] H. Bernhard, Speyer in der Vor- und Frühzeit, Geschichte der Stadt Speyer, I, S. 30.

[11] H. Bernhard, Speyer in der Vor- und Frühzeit, Geschichte der Stadt Speyer, I, S. 144; F. Staab, Speyer im Frankenreich, Geschichte der Stadt Speyer, I, S. 163-248, hier S. 169. Zwei spätrömische Friedhöfe bei St. German und nördlich des evangelischen Konsistoriums wurden in der frühen Frankenzeit weiterbenutzt.

[12] H. Kaufmann, Rheinhessische Ortsnamen, S. 234-236; A. Bach, Deutsche Na-menkunde, II,2, S. 42, § 429.

[13] A. Hilgard, Urkunden zur Geschichte der Stadt Speyer, Nr. 35, 536; E. Christ-mann, Die Siedlungsnamen der Pfalz, III, S. 33; H. Kaufmann, Pfälzische Ortsnamen, S. 286. Ein *Cunradus de Winternheim* (auch *dictus Winthernheimer*) war a. 1259 Spitalmeister zu St. Georg in Speyer (sieh A. Hilgard, Urkunden zur Geschichte der Stadt Speyer, Nr. 92, 157). A. Doll, Speyer, S. 390, erwähnt eine verschwundene Ulrichskirche am Mörschberg, die a. 1254 als *capella Winternheim* genannt wird.

[14] Zur Entwicklung der Stadt sieh A. Doll, Speyer, Stadtkreis, Städtebuch Rhein-land-Pfalz und Saarland, S. 384-416; A. Doll, Speyer, Rheinland-Pfalz und Saarland, S. 350-358.

schon Alemannen gesiedelt haben. Auch gibt es an beiden Stellen römerzeitliche Gräber[15].

IV. Zwei Fragenkomplexe ergeben sich aus dieser Sachlage. Erstens: Ist der Name *Spira* von dem Dorf der Landnahmezeit auf die wiederentstehende frühmittelalterliche Stadt übergegangen? Zweitens: Wie verhält sich der Siedlungsname *Spira* zum Namen des *Speyerbachs*?

In der Literatur galt lange Zeit die im sechsten Jahrhundert redigierte Neufassung der Notitia Galliarum als Quelle für die älteste Erwähnung des Namens *Speyer*, nämlich als *civitas Nemetum, id est Spira*[16]. Aber dieser Zusatz ist erst in einer Handschrift des neunten Jahrhunderts enthalten[17]. So kann die von A. Doll noch im Jahre 1965 versuchte Beziehung dieser Angabe auf das fränkische Dorf[18] nicht aufrechterhalten werden. Urkundlich erscheint *Altspeier* erst a. 969. Das Dorf wird damals zusammen mit der Stadt durch Kaiser Otto I. aus der Zuständigkeit des Gaugrafen herausgenommen und der selbständigen Gerichtsbarkeit des Bischofs unterstellt[19]. Es lag außerhalb der damaligen Stadtmauer (*foris murum*) in nicht ganz neunhundert Meter Entfernung. Auch bei der salischen Stadterweiterung des elften und zwölften Jahrhunderts blieb es noch außerhalb des Mauerrings und wurde a. 1084 sogar selbst ummauert[20]. Man kann also nicht, wie E. Christmann[21] es tat, sagen, daß die Siedlung der germanischen Bauern von Altspeier her 'über die römische Trümmerstätte hinwegwuchs und damit auch den vorherigen Namen vergessen machte'. Wohl aber ist eine Übertragung des Namens *Spira* vom Dorf auf die Stadt möglich. Sie müßte spätestens im sechsten Jahrhundert eingetreten sein, als das

––––––––––––

[15] A. Doll, Zur Frühgeschichte der Stadt Speyer, MHVPf. 52 (1954) S. 133-200, hier S. 148.

[16] MGH., Auctores antiquissimi, IX, S. 592f.; F. Langenbeck, ZGO. 98 (1950) S. 332f.; A. Doll, Speyer, Stadtkreis, Städtebuch Rheinland-Pfalz und Saarland; A. Doll, PfH. 11 (1960) S. 58-65.

[17] F. Staab, Speyer im Frankenreich, Geschichte der Stadt Speyer, I, S. 173, A. 22. In meinem Aufsatz aus dem Jahre 1978 war ich den Angaben von F. Langenbeck und A. Doll gefolgt; sieh D. Berger, Ortsgeschichte und Ortsnamenkunde, Name und Geschichte, S. 171-181, besonders S. 174.

[18] A. Doll, Speyer, Stadtkreis, Städtebuch Rheinland-Pfalz und Saarland, S. 385; A. Doll, Historisch-archäologische Fragen der Speyerer Stadtentwicklung im Mittelalter, PfH. 11 (1960) S. 58-65, hier S. 58f.

[19] Die Gerichtsbarkeit gilt *in civitate Spira vel Nemeta vocata aut foris murum eiusdem civitatis, idest in villa Spira, que eidem urbi adiacens est*. Die Bestätigung durch Otto III. a. 989 fügt auch die dazwischenliegende Feldmark hinzu, ebenso die Urkunden seiner Nachfolger: ... *infra civitatem Spira seu Nemeta vocatam aut in circuitu extra civitatem, idest in villa Spira et in marca quæ eidem urbi adiacens est* (A. Hilgard, Urkunden zur Geschichte der Stadt Speyer, I, Nr. 5, 7, 8-10).

[20] Die verschiedenen Erweiterungen der Stadtmauer beschreibt A. Doll, Speyer, Stadtkreis, Städtebuch Rheinland-Pfalz und Saarland, S. 385f., 5a.

[21] Die Siedlungsnamen der Pfalz, III, S. 19.

Speyerer Bistum neu begründet wurde. Denn a. 614 nahm der fränkische Bischof
Hildericus *ex civitate Spira* am Konzil von Paris teil. Und dieser älteste Beleg des
Namens *Spira* betrifft eindeutig die Stadt[22].

Aber auch als Namen des Dorfes können wir *Spira* trotz der späten Bezeugung von
a. 969 schon für die Landnahmezeit annehmen. Das Patrozinium seiner Martins-
kirche war fränkisch[23]. Und eine Benennung mit dem Namen der Stadt nach a. 614
wäre sinnlos gewesen. Auch die jüngere Namensform *Altspeier* (a. 1212 *Alt Spira*)
spricht dafür, daß die inzwischen zur Vorstadt gewordene Siedlung im Bewußtsein
der Zeit als das 'ältere Speier' galt[24].

V. Ich habe im Jahre 1978 versucht, die Namenübertragung mit der gemeinsamen
Lage beider Orte am *Speyerbach* zu erklären[25]. Damit kommen wir zu dem zweiten
Fragenkomplex: Ist *Spira* ursprünglich ein Gewässername, oder ist der *Speyerbach*
nach der Stadt *Speyer* benannt[26]?

Betrachten wir zunächst die geographischen Bedingungen. Der Speyerbach kommt
aus dem Elmsteiner Tal im Innern des Pfälzer Waldes, nimmt vor Lambrecht den
Hochspeyerbach auf und fließt dann durch Neustadt in ostsüdöstlicher Richtung an
Speyerdorf vorbei auf Hanhofen zu. Kurz vor diesem Dorf, etwa sechs Kilometer
westlich von Speyer, teilt er sich in zwei Bäche. Der nördliche Lauf zieht mit natürli-
chem Gefälle auf den Nordrand der Stadt zu, wo er die Vorstadt Altspeier umfließt,
nach Süden abbiegt und zwischen dem Domhügel und der Vorstadt Hasenpfuhl hin-
durch in den Rhein mündet. Der südliche Bachlauf dagegen zieht in ziemlich geraden
Teilstücken ostwärts, kreuzt mehrere Quertäler, deren Bäche er aufnimmt, und
kommt, teilweise auf Dämmen oder in Geländeeinschnitten geführt, ins westliche
Stadtgebiet, fließt (seit etwa um das Jahr 1900 verdeckt) durch die Hauptstraße,
biegt an der Salzgasse unterirdisch nach Norden ab und ergießt sich beim Mittelsteg
wieder in den tiefer fließenden anderen Teil des Baches.

----

[22] MGH., Concilia, I, S. 192; A. Doll, Speyer, Stadtkreis, Städtebuch Rheinland-
Pfalz und Saarland, S. 385, 3b; H. Kaufmann, Pfälzische Ortsnamen, S. 256.

[23] F. Staab, Speyer im Frankenreich, Geschichte der Stadt Speyer, I, S. 210.

[24] A. Hilgard, Urkunden zur Geschichte der Stadt Speyer, Nr. 28; A. Doll, MHVPf.
52 (1954) S. 149, weist darauf hin, daß die alte Benennung *Civitas Nemetum* oder
Nemeta etwa ab a. 1100 aus den Urkunden verschwindet, und das gerade zu der
Zeit, als die *villa Spira* in den Stadtbereich einbezogen und *Altspeier* genannt wird.

[25] D. Berger, Ortsgeschichte und Ortsnamenkunde, Name und Geschichte, S. 175.

[26] F. Staab, Speyer im Frankenreich, Geschichte der Stadt Speyer, I, S. 173 und
A. 22, schreibt den Namen *Spira* bereits den Alemannen des fünften Jahrhunderts
zu. Beim Einzug der Franken um a. 495/506 habe dieser Name die alten Namen der
Stadt bereits völlig verdrängt gehabt. F. Staab beruft sich auf ostgotische Vorgänger
des Geographen von Ravenna, der im siebten Jahrhundert *Speyer* als *Sphira* anführt.
Sieh auch A. 31; F. Staab, Ostrogothic Geographers at the Court of Theoderic the
Great, Viator 7 (1976) S. 48-54.

Der südliche Bachlauf gilt heute offiziell als Speyerbach und war es wohl auch in historischer Zeit, da er mitten durch die Altstadt fließt. Er ist ganz deutlich als künstlicher Kanal mit berechnetem Gefälle geführt worden. F. Sprater hat angenommen, daß er zum Transport von Holz und Steinen für den salischen Dombau im elften Jahrhundert geschaffen worden sei. Doch könnte er auch aus römischer Zeit stammen, wie es, im Anschluß an ältere Autoren, H. Schimpf[27] in seiner eingehenden geographischen Untersuchung vermutet. Vor der Stadt und in der Stadt wird er *Gießhübel[bach]* genannt, was man zu mhd. *gieӡe* 'Bach' und *hübel* 'Hügel' gestellt und auf die von dem Kanal durchschnittenen Bodenwellen bezogen hat[28]. Auch der Name *Floßbach* ist bekannt (Flößerei wurde hier seit Mitte des 18. Jahrhunderts betrieben und das Holz in der Holzstraße zum Verkauf gelagert[29]).

Der nördliche Bachlauf folgt zweifellos dem ursprünglichen, natürlichen Bachtal. Er heißt *Woogbach* nach einem früheren Weiher an der Wormser Landstraße in Speyer und wird von dieser Straße ab *Nonnenbach* genannt nach dem ehemaligen St.-Klara-Kloster in Altspeier (a. 1300 bis 1794). Sein Unterlauf am Hasenpfuhl heißt wieder *Speyerbach*. Hier begann im Mittelalter der Rheinhafen der Stadt[30].

VI. Auch wenn der Gießhübelbach schon in der Römerzeit abgeleitet worden sein sollte, besteht meines Erachtens die Möglichkeit, daß der heutige *Woogbach* im frühen Mittelalter als der eigentliche *Speyerbach* bekannt und benannt war. Dann ist die an seinem Ufer liegende fränkische Siedlung *Spira* nach dem Bach benannt. Will man es umgekehrt sehen, dann muß man für den Namen der Siedlung eine andere Herkunft suchen. Man hat dabei an das Substantiv gr.-lat. *spira* (σπεῖρα) gedacht, das 'Windung' (zum Beispiel der Schlange), aber auch 'Rotte, Schar, Manipel' bedeutet[31], und sich auf den Beleg *Sphira* für Speyer beim Geographen von Ravenna bezogen. Doch wäre das eine ungewöhnliche und singuläre Benennung und liefe wohl auch wieder auf eine Gewässerbezeichnung hinaus[32].

---

[27] Gieshübel.Speyerbach, Nikolaus-von-Weis-Schule. Dreijahresbericht, S. 47-58; F. Sprater, Neue Feststellungen zur Geschichte Speyers, 1927.

[28] Zu dieser Volksetymologie sieh A. Bach, Deutsche Namenkunde, II,1, S. 150f., § 182 (mit Literatur).

[29] W. Schilling, Speyerer Tagespost Nr. 210 vom 10. September 1980, Nr. 217 vom 18. September 1980; F. W. Rödelsperger, ebenda, Nr. 233 vom 9. Oktober 1969, Nr. 234 vom 10. Oktober 1969, Nr. 268 vom 21. November 1969 (Ausschnitte im Stadtarchiv Speyer). Beide Autoren sehen in dem Woogbach den eigentlichen Speyerbach.

[30] A. Doll, Speyer, Stadtkreis, Städtebuch Rheinland-Pfalz und Saarland, S. 385, 5a.

[31] G. Rasch, Die bei den antiken Autoren überlieferten geographischen Namen; W. Kleiber, Frühgeschichte am unteren Neckar nach dem Zeugnis der Sprachforschung, ZGO. NF. 117 (1969) S. 33, A. 41. Zustimmend L. Weisgerber, Erläuterungen zur Karte der römerzeitlich bezeugten rheinischen Namen, RhVB. 23 (1958) S. 34, A. 41. Diese Herleitung vertrat als erster L. Grünenwald, Palatina 6 (1924) Nr. 20-24, 30-34.

Vor allem fügt sich eine Herleitung des Bachnamens vom Namen der Stadt schlecht in das einschlägige Namengut der Landschaft ein. Das schon erwähnte *Speyerdorf* bei Neustadt (Gemeinde Lachen-Speyerdorf) heißt a. 774 *Spiradorpf, Spiridorf,* a. 966 und a. 992 *Spirdorf.* Es hat historisch nichts mit der Stadt Speyer zu tun, sondern ist das 'Dorf an der *Speyer* (*Spira*)'[33]. *Hochspeyer* an der Quelle des *Hochspeyerbachs* wurde im elften Jahrhundert von den Grafen von Leiningen gegründet und nach dem Bach benannt, der a. 987 *Hohspira* heißt[34]. In diesen beiden Siedlungsnamen zeigt sich die Grundform des Bachnamens als *Spira.* Dem entsprechen die Belege für den *Speyergau* (im achten und elften Jahrhundert *Spirgowe,* a. 968 *Spirigowe*). Erst im neunten Jahrhundert erscheinen Formen mit angefügtem -*aha*: a. 841 *Spirahgewe,* a. 859 *Spirihgauwe*[35]. Sie zeigen, daß man das Bestimmungswort als den Bachnamen verstand. Ein alleinstehendes **Spīraha* 'Speyerbach' ist jedoch nicht belegt. Der Bach heißt dann mit Anfügung des Grundworts -*bach* a. 1242, a. 1297 und a. 1301 *Spirbach,* a. 1336 *auf der Speyerbache.* Und das konnte ebenso wie bei a. 1332 *in dem Spirgowe* und nhd. *Speyergau* wegen des Gleichklangs im Bestimmungswort auf die Stadt bezogen werden (entsprechend dem benachbarten *Wormsgau*)[36]. F. Staab[37], der die Herleitung des Gaunamens vom Namen des Baches als Möglichkeit anerkennt, weist mit gutem Grund darauf hin, daß der fränkische Gau sich verwaltungsmäßig und in seinem Gebietsumfang an die römische *Civitas Nemetum* angeschlossen hat. Er setzt deshalb den Gau schon für das sechste Jahrhundert an. Das sachliche Argument einer römisch-fränkischen Verwaltungskontinuität hat viel für sich. Aber das schließt eine eigenständige germanische Benennung nicht aus. Letzte Klarheit wird sich in dieser Frage wohl nicht mehr gewinnen lassen, aber an der Erkenntnis, daß *Spira* primär ein Gewässername ist, können wir festhalten.

---

[32] Die von A. Doll, PfH. 11 (1960) S. 60ff. vorgeschlagene Erklärung des Namens als 'Sperre' scheidet aus, weil *Spīra* langes *i* hat. Ein ahd. *spiran* 'versperren' gibt es nicht. Der Ansatz bei E. G. Graff, Althochdeutscher Sprachschatz, VI, S. 359 (*uuidarspirun*) ist fehlerhaft. Sieh F. Stark - J. C. Wells, Althochdeutsches Glossenwörterbuch, Achte Lieferung, S. 576, wo nur *widarspirdaren* 'sich widersetzen' erscheint.

[33] E. Christmann, Die Siedlungsnamen der Pfalz, I, S. 569.

[34] E. Christmann, Die Siedlungsnamen der Pfalz, I, S. 257; H. Kaufmann, Pfälzische Ortsnamen, S. 125. Das Bestimmungswort erklärt E. Christmann aus der höheren Lage des Bachtals gegenüber dem hier flachen Speyerbachtal.

[35] E. Förstemann, Altdeutsches Namenbuch, II,2, S. 839. Das dort als Stichwort angesetzte *Spirahgewe* ist nicht im siebten Jahrhundert belegt. Sieh H. Kaufmann, der Fluß- und Siedlungsname Speyer, MHVPf. 72 (1974) S. 75-77.

[36] Die Belege aus A. Hilgard, Urkunden zur Geschichte der Stadt Speyer, Nr. 65, 197, 212, 440, 345. Im Landfrieden a. 1325 stehen nebeneinander die Namen *in Spirer gau ... in Wormzer gau, Mentzer gau und Oppinheimer gau* (A. Hilgard, Urkunden zur Geschichte der Stadt Speyer, Nr. 364).

[37] Speyer im Frankenreich, Geschichte der Stadt Speyer, I, S. 174, 191ff. und A. 28. Sieh auch A. Doll, MHVPf., S. 146f.

VII. Abschließend bleibt noch ein Wort zu E. Christmanns Deutung des Bachnamens *Spira* zu sagen. Die Unstimmigkeiten in dieser Etymologie hat bereits H. Kaufmann[38] aufgedeckt. Eine Nebenform **spiran* zu ahd. *spī[w]an* 'speien' ist sehr unwahrscheinlich. Wenn H. Kaufmann stattdessen ein mit *spiwan* wurzelverwandtes frühgermanisches *ro/rā*-Adjektiv mit der Bedeutung 'speiend, spritzend' ansetzt, erscheint das plausibel. Vielleicht ist es gar nicht nötig, zur Realprobe bis auf die abgelegene Quelle im Waldtal zurückzugehen. Der Speyerbrunnen ist erst a. 1585 belegt. Er wird in der Frühzeit nur wenigen Jägern bekannt gewesen sein. Aber ein Gebirgsbach wie dieser kann auch weiter unten im Tal als 'speiend und spritzend' charakterisiert worden sein.

---

[38] MHVPf. 72 (1974) S. 75-77. Sieh E. Christmann, Die Siedlungsnamen der Pfalz, I, S. 568. E. Christmanns Beobachtung des wechselnden Wasserausstoßes habe ich allerdings bei meinen Besuchen der Quelle nicht mehr bestätigt gefunden.

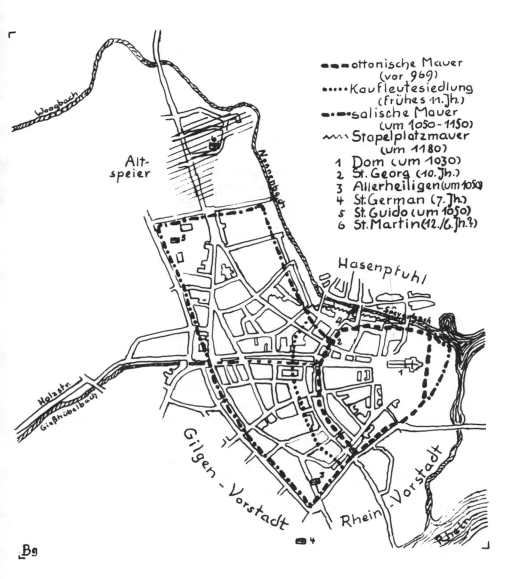

Legende:
- ●━●━ ottonische Mauer (vor 969)
- ●●●● Kaufleutesiedlung (frühes 11. Jh.)
- ●━●━● salische Mauer (um 1050 - 1150)
- ∿∿∿ Stapelplatzmauer (um 1180)
- 1 Dom (um 1030)
- 2 St. Georg (10. Jh.?)
- 3 Allerheiligen (um 1050)
- 4 St. German (7. Jh.)
- 5 St. Guido (um 1050)
- 6 St. Martin (12./6. Jh.?)

Altspeier · Woogbach · Nonnenbach · Hasenpfuhl · Gilgen-Vorstadt · Rhein-Vorstadt · Holzstr. · Gießhübelbach · Rhein

Bg

Speyers räumliche Entwicklung vom 10. bis 12. Jahrhundert (nach A. Doll)

Wolfgang Haubrichs

Warndtkorridor und Metzer Romanenring

Überlegungen zur siedlungsgeschichtlichen und
sprachgeschichtlichen Bedeutung der Doppelnamen
und des Namenwechsels in Lothringen

Mit drei Karten

I. - Doppelnamen der merowingischen und frühkarolingischen Epochen sind in Lothringen urkundlich explizit nachzuweisen. So schenkt im Jahre 761 ein Grundherr,
der selbst den romanisch-germanischen Doppelnamen *Fidenti[us] sive Flemerandus*
trägt[1], zusammen mit seiner Gattin *Primigenia* an die Abtei Gorze ... *rem nostram in
pago Scarponinse in loco nuncupato Theaucort, super fluviolum Magide, et in alio
loco in ipso pago Scarponinse, in Daulfi villa, seu et in fine Buxarinse, ...* [2].
Er schenkt also in dem südwestlich von Metz gelegenen Charpaignegau zunächst im
Orte Thiaucourt (Meurthe-et-Moselle) am Flüßchen Rupt-de-Mad (→Mosel) und auch
in einem anderen Ort, im gleichen Gau gelegen, der *Daulfi villa* heißt, beziehungsweise in der Gemarkung von Buxières-lès-Chambley (Meurthe-et-Moselle, Kanton
Chambley). Der merowingische Doppelname des *-villa*-Typus, *Daulfi villa* (zum germanischen Personennamen *Dagulf*)[3], ist geschwunden, der ältere romanische Name
*Buxarias (so a. 745 *in villa Bucsarias*)[4] hat sich gehalten.
Im Jahre 762 verkaufen *Childeraudus*, Sohn des *Waldemar*, und *Andegalda*, Tochter des *Lancherus*, an die Abtei Gorze Güter ... *in pago Scarponinse, in villa cujus
vocabulum est Pontibannio sive et Witel villa* ...[5].

---

* Für freundliche Hinweise und Durchsicht des Manuskripts danke ich meinem
romanistischen Kollegen Max Pfister (Saarbrücken) und Frau Monika Buchmüller
(Saarbrücken).

[1] Wohl zum PN. **Flanerand*; sieh H. Kaufmann, Ergänzungsband zu E. Förstemann, Altdeutsche Personennamen, S. 118.

[2] A. d'Herbomez, Cartulaire, Nr. 7.

[3] E. Förstemann, Altdeutsches Namenbuch, I, Sp. 396 (mit romanischem intervokalischem *g*-Schwund); eventuell auch zu *Daulf* (zum Stamm **thawwa* 'Satzung'):
sieh ebenda, Sp. 406; H. Kaufmann, Ergänzungsband, S. 93f.

[4] A. d'Herbomez, Cartulaire, Nr. 1.

Durch die nähere Lagebestimmung der Grundstücke *tam in giro Moselle, quam in giro fluvioli Mortici* ('sowohl am Lauf der Mosel als auch im Lauf des Flüßchens Meurthe') wird *Pontibannio* als *Pompey* (Meurthe-et-Moselle, Kanton Nancy-Nord) a. 896 Or. *in Pompangio*, a. 965 K. *in Pompanio* bestimmbar. Das nicht mehr identifizierbare *Witel villa* (zum germanischen Personennamen *Widil(i), Witil(i))*[6] dürfte den untergegangenen merowingischen Doppelnamen von *Pompey* repräsentieren. Es ist dabei nicht unwahrscheinlich, daß bei diesen aus ungleicher etymologischer Wurzel kommenden Doppelnamen der neue Name zunächst auch eine Neuansiedlung von Franken neben der galloromanischen Siedlung bezeichnete.

Ein ähnlicher Fall läßt sich auch in den Weißenburger Saargau-Urkunden aufweisen. Am 1. Februar des Jahres 713 schenkt der den Weißenburger Gründersippen zugehörige Grundherr *Uueraldus* an Weißenburg alles ... *in uilla Haganbah que nuncupatur Disciacu quam genitor meus quondam mihi dedit Audoinus* ...[7].

Am 22. April des gleichen Jahres bekundet er zu Weißenburg gegenüber Abt Ratfrid, daß er die ... *uilla nostra Chagambac qui uocatur Di[s]tiagus in pago Saroinse super fluvio Aquila* ... geschenkt und zum Nießbrauch zurückerhalten habe[8]. Wir fassen hier nebeneinander den galloromanischen *(i)acum*-Namen der *villa* wie auch ihren fränkischen, von einem Gewässernamen abgeleiteten Namen[9]. Es handelt sich um *Waldhambach* (Bas-Rhin, Kanton Drulingen) an der Eichel (rechts → Saar).

Einen übersetzenden Doppelnamen finden wir a. 718, als der ebenfalls zu den Weißenburger Gründerfamilien gehörige *Chrodoinus*, Sohn des *Petrus*, seinen Anteil ... *in pago Saroinse ad Monte, quod dicitur Bergus* ... an das Kloster Weißenburg schenkt[10]. Die auch sonst in den Weißenburger Urkunden des frühen 8. Jahrhunderts genannte *villa Monte*[11] war offensichtlich in fränkischer Zeit ihrem Namen nach noch durchsichtig.

Die Doppelnamen scheinen außerhalb des Sprachgrenzgebiets nach dem 8. Jahrhundert nicht mehr vorzukommen. Es ist deshalb eine große Überraschung, daß in spätkarolingischen Königsurkunden, nun freilich ohne die romanischen Partner, weit im Westen gelegene althochdeutsche Doppelformen aufscheinen.

---

[5] Ebenda, Nr. 8.

[6] E. Förstemann, Altdeutsches Namenbuch, I, Sp. 1564; sieh H. Kaufmann, Ergänzungsband, S. 396ff.

[7] K. Glöckner - A. Doll, Die Urkunden des Klosters Weißenburg, Nr. 192; sieh hierzu und zu den weiteren Doppelformen aus Weißenburger Urkunden W. Haubrichs, Zwischen den Sprachen, S. 250f.

[8] K. Glöckner - A. Doll, Die Urkunden des Klosters Weißenburg, Nr. 256.

[9] Vermutlich ist auch in einer analogen Formel bei dem nichtidentifizierten galloromanischen Siedlungsnamen *in villa Diluquifiaga vel* ... in einer Weißenburger Urkunde von a. 737 der fränkische Name ausgefallen; sieh K. Glöckner - A. Doll, Die Urkunden des Klosters Weißenburg, Nr. 37.

[10] K. Glöckner - A. Doll, Die Urkunden des Klosters Weißenburg, Nr. 194, 224.

[11] Sieh W. Haubrichs, Zwischen den Sprachen, S. 251.

So wird der Königshof *Thussey*, Gemeinde Vaucouleurs (Meuse), a. 859 K. *Tussiaco villa*, a. 859 K. *Tusiaco* in zwei Urkunden Ottos des Großen vom Jahre 947 in originaler Überlieferung *Tuzzaha* beziehungsweise *Tuzacha* genannt[12]. Es scheint sich zunächst um Kanzleiverdeutschungen zu handeln. Bei näherem Hinsehen läßt sich jedoch diese Interpretation nicht aufrecht erhalten. *Thussey* ist auf **Tūtiacum* (zum galloromanischen Personennamen *Tūtius*) zurückzuführen[13]. Durch die Assibilierung des sechsten und siebten Jahrhunderts wurde rom. [ti̯] zu [tsi̯], also zu einer dentalen Affrikata, verschoben. Auf dieser Stufe *Tūtsjako* wurde die althochdeutsche Form (nach der althochdeutschen [t]-Verschiebung) übernommen und unterlag dann der althochdeutschen Verschiebung von postvokalischem [k] 〉 [x]. Würde es sich um eine bloß imitierende Kanzleiform handeln, müßten wir dem bezeugten romanischen Lautstand *Tussiaco* entsprechend **Tussach, -ich* erwarten. Die lautgesetzlich entwickelte althochdeutsche Doppelform ist jedoch in ihrer Genese in das frühe siebte Jahrhundert zu datieren. Muß man mit althochdeutsch sprechenden Franken auf Königsgut noch im zehnten Jahrhundert rechnen? Oder handelt es sich um eine von der Königsgutverwaltung konservierte Doppelform?

Ähnlich steht es mit dem Königshof *Gondreville-sur-Moselle* (bei Toul). Zahlreiche Aufenthalte der karolingischen Könige zeichnen es als das eigentliche Zentrum des Königsgutes im Toulois aus. Namennennungen sind früh und dicht, zum Beispiel a. 727 *Gundulfi villa ... in pago Tullensi*, a. 841 K. *actum Gundulfi villa palatio regio*, a. 959 K. *in Gondulfi villa*, a. 1268 *Gonderville ...* Eine Nennung von ± a. 828 K. in den Briefen des Bischofs Frothar von Toul zeigt uns, daß die lateinischen Namensformen mit korrekt gebildetem Genetiv auf -*i* urkundensprachlich sind, dagegen die gesprochene Form in der ersten Hälfte des neunten Jahrhunderts durch die Verschriftung *Gundunvile* reflektiert wird[14]. Wenn nun der ostfränkische König Arnulf a. 891 in originaler Überlieferung den *fiscum nostrum Gundolvesdorf* nennt[15], so wird man diese althochdeutsche Doppelform ebenfalls schwerlich als eine Kanzleiform betrachten dürfen. Ihre auffallende Korrektheit ist vielmehr ebenso wie im Falle *Thussey* zu erklären.

Diese Interpretation wird von einem dritten Fall gestützt, in dem die althochdeutsche Doppelform nur exogenen Ursprungs sein kann. Es handelt sich um die Doppelform des Landschaftsnamens *Chaumontois*, karolingerzeitlich *pagus Calvomontensis* beziehungsweise *Calmontinsis*. Die Landschaft des Chaumontois umfaßt die Regionen an der Meurthe und ihren Nebenflüssen. In einer Urkunde vom 19. Mai des Jahres 891 schenkt König Arnulf an Abt Stephan von St. Èvre in Toul zwanzig Bauerngüter und zwei Kapellen ... *in pago Calmenzgouve in comitatu Stephani in locis duabus Granswillari et Rosieres ...*[16].

---

[12] MGH. DD. Otto I. Nr. 92, 93.

[13] Sieh demnächst die Dissertation von M. Buchmüller, Siedlungsnamen zwischen Spätantike und frühem Mittelalter. Die *(i)acum*-Siedlungsnamen der römischen Provinz Belgica Prima.

[14] MGH. Epp. V. 282.

[15] MGH. DD. Arnulf Nr. 95.

Die [t]-Verschiebung, die in lothringischen vorgermanischen Ortsnamen nicht durchgeführt ist, zeigt, daß wir es hier mit einer exogenen, noch merowingerzeitlich entstandenen Doppelform des Landschaftsnamens ⟨ *Calmunt-gawja zu tun haben[17]. Übernommen und weiterentwickelt wurde sie am ehesten in dem *pagus Calmontinsis* jenseits der Vogesen unmittelbar benachbarten Elsaß.

Immerhin zeigt sich an diesen drei Beispielen, daß grundsätzlich mit der merowingerzeitlichen Existenz von germanischen Doppelformen auch in den sprachgrenzfernen Gebieten des romanischen Lothringen gerechnet werden darf[18]. So wie im oberen Saargau die romanischen Doppelformen abstarben, so im Toulois und Chaumontois die fränkischen Namen[19].

II. - Jedoch soll hier von den sprachgrenznahen Bereichen Lothringens, vor allem des Metzer Landes gehandelt werden. Schon lange ist aufgefallen, daß die deutschfranzösische Sprachgrenze östlich von Metz einen weiten Bogen schlägt und so mit dem Pays Messin der *civitas* einen romanischen 'Vorhof' gegenüber dem germanophonen Bezirk Lothringens verschafft. Es herrscht kein Zweifel darüber, daß diese Ausbuchtung der Sprachgrenze zusammenhängt mit der außerordentlich dichten Besiedlung des Metzer Landes mit Orten, deren Namen dem galloromanischen Typus Personenname (Besitzername) + *(i)acum*- angehört. Diese *(i)acum*-Namen waren mit einem ursprünglich keltischen patronymischen Suffix gebildete Namen von *fundi* und *villae*, römischen Landgütern also. Ihre Blütezeit reichte in Lothringen von den Anfängen der römischen Verwaltung bis in die frühe Merowingerzeit[20]. Das kompakte Überdauern dieses Typus in einem etwa fünfundzwanzig Kilometer nach Osten reichenden Ring um Metz kann nur aus einem vitalen Fortbestehen romanischer Bevölkerung und Kultur über den Untergang des Imperiums hinaus erklärt werden. Dazu stimmt, daß die Romanen im Metzer *(i)acum*-Ring nicht zur fränkischen Bestattungssitte (Reihengräber mit Beigaben) übergingen[21].

---

[16] MGH. DD. Arnulf Nr. 89.

[17] Sieh P. v. Polenz, Landschafts- und Bezirksnamen, I.

[18] Sieh zu einer weiteren, weit westlich der späteren Sprachgrenze in Lothringen zu situierenden Doppelform, nämlich des Flußnamens *Sanon* (rechts → Meurthe), a. 715 K. *super fluvio Cernune*, a. 699 K. *super fluvio Zernuni*, a. 715 K. *super fluvio qui vocatur Kerno, super fluuio Kernone* demnächst W. Haubrichs, Lautverschiebung in Lothringen. Zur althochdeutschen Integration vorgermanischer Toponyme der historischen Sprachlandschaft zwischen Saar und Mosel (im Druck).

[19] Flurnamen in Gorzer Urkunden des achten und neunten Jahrhunderts beweisen daß in Orten des Charpeignegaus südwestlich Metz wie etwa Vionville schon damals romanische Bauern saßen. Sieh A. d'Herbomez, Cartulaire, Nr. 57, 58, 65, 67.

[20] Sieh dazu die angekündigte Arbeit zu den *(i)-acum*-Namen der Belgica Prima von M. Buchmüller.

[21] Sieh F. Stein, Studien zur vor- und frühgeschichtlichen Archäologie. Festschrift für Joachim Werner, S. 579-589.

Erst in letzter Zeit konnte durch Kartierung und lautchronologische wie namen-typologische Analyse vorgermanischer toponymischer Relikte (Gewässernamen, Siedlungsnamen) ein Korridor entdeckt werden, der sich aus dem Pays Messin ent-lang den Römerstraßen Metz-*Contiomagus*/Pachten-Tholey-Mainz und Metz-*Vicus Saravus*/Saarbrücken-Worms beiderseits des Warndtwaldes erstreckte und offenbar erst während der späteren Merowingerzeit und frühen Karolingerzeit germanisiert wurde[22]. Dieser etwa fünfundzwanzig Kilometer breite 'Warndtkorridor' (sieh Karte Nr. 1) hielt ursprünglich wohl die Verbindung zu den Restromanen der unteren Saar und zur 'Hochwaldromania' des nördlichen Saarlands um Tholey aufrecht, wo um a. 634 Adalgisil Grimo, ein fränkischer Adliger und Diakon der Kirche zu Verdun, ein geistliches Zentrum mit Kirche und Klerikergemeinschaft schuf. Dieser 'Warndt-korridor' war jedoch sicherlich mit seinen etwa vierzig vorgermanischen Reliktna-men bereits in den Invasionen der Spätantike so entscheidend geschwächt worden, daß die spätere fränkische Besiedlung die restromanische Bevölkerung allmählich sprachlich integrieren konnte. Immerhin muß den Franken dieses Gebiet doch noch als ein einheitlicher Bezirk romanischer Sprache und Kultur erschienen sein, denn sie benannten einige am Rande liegende Orte mit dem Namen des Ethnos: *Walah* 'der Romane'[23]. So finden sich im Süden des 'Warndtkorridors' +*Walen*, Gemeinde Metzing (Kanton Sarreguemines), *Valmont*, dt. *Walmen* (Kanton St. Avold), *Vahl-Ebersing* (Kanton Grostenquin) und *Vahl-lès-Faulquemont* (Kanton Faulquemont), die sich alle auf **Walaha* 'die Romanen', (*ze den*) **Walahom* 'bei den Romanen' und *Walamannia* 'Romanensiedlung' (zu ahd. *walaman* 'Romane') zurückführen las-sen, im Norden aber nahe der Nied *Valmunster* ⟨ **Wala(h)munistri* 'Romanenkloster' (Kanton Boulay).

Auf Einzelheiten muß hier verzichtet werden. Der bereits an anderer Stelle bespro-chene toponymische Komplex des 'Warndtkorridors' bildet hier nur den Ausgang, von dem aus die zwischen dem Pays Messin und dem Korridor sich bildenden Dop-pelformen betrachtet werden sollen.

III. - Zu Beginn seien die Doppelformen des Metzer 'Romanenrings' tabellarisch vorgestellt[24]:

---

[22] M. Buchmüller - W. Haubrichs - R. Spang, ZGS. 34 (1986) (im Druck).

[23] Sieh zu den Walen-Namen beziehungsweise Walchen-Namen A. Bach, Deutsche Namenkunde, II,2, § 490, S. 182-184; E. Schwarz, ZBLG. 33 (1970) S. 857-938; F. Langenbeck, Studien zur elsässischen Siedlungsgeschichte, II, S. 48ff.; St. Sonder-egger, Ur- und frühgeschichtliche Archäologie der Schweiz, VI, S. 85.

[24] Nicht aufgenommen (jedoch kartiert) wurden die Doppelnamen aus dem Orne-tal und aus der Landschaft nördlich der Orne, zum Beispiel *Rombas, Pépinville*/a. 1004 *Pipinesdorf, Richemont/Reichersberg, Justemont*/a. 1515 *Jusbergh, Vitry/ Wallingen, Ranguevaux/Rangwall* (und so weiter).

A. Doppelnamen auf gleicher etymologischer Basis (Entlehnungspaare)[25]:

a) ohne analogische Angleichung vor a. 1500:

aa) Siedlungsnamen auf *-(i)acum*[26]:

(1) *Antilly*, dt. *Enterchen* (Moselle, Kanton Vigy): a. 1241 Or. *d'Antillei* ⟨ **Antiliacum.*

(2) *Aoury*, Gemeinde Villers-Stoncourt (Moselle, Kanton Pange): a. 1388 *Auwerey*, a. 1443 *Aury ou Awerry*, a. 1594 dt. *Albrich*, a. 1631 dt. *Avrich* ⟨ **Albariacum.*

(3) *Arry* (Moselle, Kanton Ars-sur-Moselle): zehntes Jahrhundert *Arreium*, 12. Jahrhundert Or. *de Arey*, a. 1700 dt. *Arrig* ⟨ **A[r]riacum.*

(4) *Ay*, dt. *Eich* (Moselle, Kanton Vigy): a. 1264 *de Ayo*, a. 1337 Or. *d'Aiey*, a. 1510 Or. dt. *zů Eiche* ⟨ **Aiacum.*

(5) *Boulay*, dt. *Bolchen* (Moselle): a. 1184 Or. *de Bollei*, a. ± 1187 Or. *de Bolche*, a. 1293 *de Bolke*, a. 1320 *de Bolke*, a. 1320 Or. *de Bolliche* ⟨ **Boll[i]acum.*

(6) *Chailly-lès-Ennery*, dt. *Kettenchen* (Moselle, Kanton Vigy): a. 1126 Or. *Chailei*, a. 1284 Or. *de Chailley*, a. 1544 dt. *Kettenchen* ⟨ **Catiliacum.*

(7) *Chaussy*, dt. *Kelsch*, Gemeinde Chaussy-Courcelles (Moselle, Kanton Pange): siebtes Jahrhundert *Calciago*, a. 1132 K. *Calceia*, a. 1258 Or. *de Chaucey*, a. 1264 dt. *de Kelze*, a. 1284 dt. *de Kelschen*, a. 1304 K. dt. *de Kelches*, a. 1462 Or. dt. *Kelß, Keltz* ⟨ **Calciacum.*

(8) *Colligny*, dt. *Kölsch* (Moselle, Kanton Pange): a. 977 *Colini*, a. 1245 Or. *Colignei* ⟨ **Co[l]liniacum.*

(9) *Condé*, dt. *Contchen*, Gemeinde Condé-Northen (Moselle, Kanton Boulay): a. 787 F. 12. Jahrhundert *Cundici*, a. 1157 Or. *de Condei*, a. 1477/78 Or. dt. *zu Conche*, a. 1478/79 Or. dt. *Conchen* ⟨ **Cond[i]acum.*

(10) *Destry*, dt. *Destrich* (Moselle, Kanton Grostenquin): a. 777 Or. *Destrago*, a. 957 K. *villa Dexteriaca*, a. 958 Or. *villa Dexteraca*, a. 966 Or. dt. *Dextroch*, a. 991 K. dt. *ad Desterach*, a. 1290 Or. *de Destrei*, Ende 12. Jahrhundert dt. *Destrach*, a. 1361 *Destrey*, 14. Jahrhundert K. dt. *de Destrich* ⟨ **Dext[e]r[i]acum.*

(11) *Drogny*, dt. *Drechingen*, Gemeinde Piblange (Moselle, Kanton Boulay): a. 1137 K. dt. *Drachenen*, 12. Jahrhundert dt. *Drakenach*, a. 1200 Or. *Drunei*, a. 1266 Or. dt. *Drachenachen*, a. 1312 Or. *de Droweney*, a. 1466 K. dt. *Drechenachen* ⟨ **Draconiacum.*

(12) *Ennery* (Moselle, Kanton Vigy): a. 898 K. *Huneriaca*, a. 1065 *Anerei*, a. 1067 dt. *Unreich*, a. 1146 K. *de Anyrei*, a. 1304 K. dt. *in Onreha*, a. 1322 Or. *de Annereyo*, a. 1551 Or. dt. *Onnerich*, a. 1529 K. dt. *Underchin* ⟨ **Unhariacum.*

(13) *Flévy* (Moselle, Kanton Vigy): a. 1300 Or. *Flavey*, a. 1372 Or. *Fleuey*, a. 1468 Or. dt. *Fleche*, a. 1495 K. dt. *Fleeche*, a. 1510 Or. dt. *zů Fleiche* ⟨ **Flāviacum.*

---

[25] Zur Terminologie sieh H. Draye, RhVB. 35 (1971) S. 68-74; St. Sonderegger, Zwischen den Sprachen, S. 25-27, besonders S. 48ff.

[26] Die Angaben zu den *(i)acum*-Namen sind samt etymologischer Deutung der vor dem Abschluß stehenden Arbeit meiner Schülerin M. Buchmüller, Siedlungsnamen zwischen Spätantike und frühem Mittelalter entnommen.

270 Wolfgang Haubrichs

(14) *Kirsch-lès-Luttange* (Moselle, Kanton Metzervisse): a. 791/92 K. *villa Carisiago super fluviolum Bibersa*, a. 1326 K. dt. *moulin de Kiersch*, a. 1495 K. dt. *Kiersse* ⟨ *Carisiacum.*
(15) *Kuntzig*, dt. *Künzig* (Moselle, Kanton Metzervisse): a. 792 *Conziago*, a. 1274 K. dt. *Concyh*, a. 1278 Or. *de Cuncich*, a. 1291 *Cuncei*, a. 1357 Or. *de Cuncsy*, a. 1406 K. dt. *Küntzich* ⟨ *Contiacum.*
(16) *Lessy* (Moselle, Kanton Ars-sur-Moselle): a. 982 K. dt. *Lazehi in pago Mosalgovve*, a. 1143 K. *de Lacey*, a. 1147 K. *Lascei*, a. 1154 Or. *de Laceio*, a. 1160 Or. *de Laciaco* ⟨ *Laciacum* beziehungsweise *Lasciacum.*
(17) *Luppy* (Moselle, Kanton Pange): a. 1179 Or. *Lupeium*, a. 1284 Or. *de Lupey*, a. 1287 Or. *de Luppey*, a. 1483 K. *Hannes de Luppay*, a. 1493/94 Or. *Hans de Luppich* (in französischer Urkunde) ⟨ *Luppiacum.*
(18) *Maizery* (Moselle, Kanton Pange): a. 1252 K. *Maiserei*, a. 1252 K. *Maizericq* (romanischer Reflex einer deutschen Doppelform), a. 1269 Or. *de Maiserey* ⟨ *Maceriacum.*
(19) *Mancy*, dt. *Menchen*, Gemeinde Bettelainville (Moselle, Kanton Metzervisse): a. 875 F. 12. Jahrhundert *Manceium*, a. 962 F. elftes Jahrhundert *Manceium*, a. 1236 K. *de Mancey*, a. 1432 dt. *Monchen*, Anfang 16. Jahrhundert *uf die Mennchstraß*, a. 1536 dt. *zu Menschen*, a. 1692 Or. dt. *Mentgen* ⟨ *Mantiacum.*
(20) *Many*, dt. *Merchen* (Moselle, Kanton Faulquemont): a. 981 K. dt. *in villa Mernicha dicta*, a. 1121 K. *de Mernica*, a. 1160 Or. *villa de Marni*, a. 1162 Or. *in Marnei*, a. 1163 Or. (Papstbulle!) *de Mernichacum*, a. 1210 K. dt. *de Merrecha*, a. 1280 Or. dt. *de Mernicha*, a. 1304 K. dt. *in Mereha*, franz. *in Merni* ⟨ *Mariniacum.*
(21) *Montrequienne*[27], dt. *Monterchen* (Moselle, Kanton Metzervisse): a. 1279 Or. *a Montigney*, a. 1404 *Montigny les Aiey*, a. 1495 K. *Monterchen*, a. 1584 Or. *von Mondrich*, a. 1681 *Montrichen* ⟨ *Montaniacum.*
(22) *Mussy*, dt. *Mitchen*, Gemeinde Charleville (Moselle, Kanton Vigy): a. 1018 Or. *villam Muzicha*, Ende 12. Jahrhundert Or. *de Mutchei*, a. 1235 *Mucei*, a. 1326 K. dt. *de Mutzichen* ⟨ *Mu[t]tiacum.*
(23) *Rémilly* (Moselle, Kanton Pange): a. 840 Or. *Rumiliacum*, a. 842 K., a. 1123 Or. *Romeliacum*, a. 1221 K. *Rimiley*, a. 1227 Or. *Rumilei*, a. 1293 K. *Remillei*, a. 1331 K. dt. *in Rymlocher Tail*, a. 1423 K. dt. *Rymloch*, a. 1445 dt. *Remelach* ⟨ *Romiliacum.*
(24) *Rupigny*, Ortsteil Ste. Barbe (Moselle, Kanton Vigy): a. 1018 Or. dt. *villam Rupenacha*, a. 1404 *Ruppigney* ⟨ *Ruppiniacum.*
(25) *Servigny-lès-Raville*, dt. *Silbernachen*[28] (Moselle, Kanton Pange): a. 935 K.

---

[27] Die heutige französische Form des Siedlungsnamens zeigt eine sekundäre Romanisierung der deutschen Ortsnamenform. Hierzu ist in Lothringen zum Beispiel zu vergleichen: *Tenquin* (Grostenquin, Petittenquin), dt. *Tänchen* (Großtänchen, Kleintänchen), a. 1350 Or. *zu Tenichen*; *Vaudreching*, dt. *Wallerchen* (Kanton Bouzonville), a. 1544 *Walderchen* (mit hyperkorrekter Umsetzung von dt. [*al*] ⟩ franz. [*au*].

[28] Die deutsche Doppelform zeigt späte volksetymologische Anlehnung an nhd. *Silber*, mda. [*zilva*].

Silviniaco, a. 1270 K. *de Silvinei*, a. 1304 K. dt. *in Silbennacho*, a. 1365 K. dt. *Silbenachen*, a. 1385 *Servigny*, a. 1490/1513 Or. dt. *Sylbenach*, a. 1492 Or. dt. *von Silbennachen* ⟨ **Silviniacum*.

(26) *Trémery*, dt. *Tremerchen* (Moselle, Kanton Vigy): a. 1284 Or. *de Tremerey*, a. 1473 Or. dt. *Trommerchen* ⟨ **Tremoriacum*.

(27) *Vry* (Moselle, Kanton Vigy): a. 1165/1176 *Virei*, a. 1284 Or. *Verey*, a. 1437 K. dt. *Virich*, a. 1490/1513 Or. dt. *Verichen* ⟨ **Veriacum* beziehungsweise **Viriacum*.

ab) Siedlungsnamen aus vorgermanischen Gewässernamen und Flurnamen[29]:

(28) *Arriance*, dt. *Argenchen*[30] (Moselle, Kanton Faulquemont): a. 1121 K. *Argencha*[31], a. 1180 K. *Argenza*, a. 1275 Or. *Ariance*, a. 1287 Or. *Airiance*, a. 1468 Or. *tzu Argentz* ⟨ alteuropäischer Gewässername **Argantia*[32].

(29) *Faux-en-Forêt*, Gemeinde Vittoncourt (Moselle, Kanton Faulquemont): a. 1126 K. *Falt in foreste prope Rumeliacum*, a. 1180 *Fauz*, a. 1192 *Fault*, a. 1210 K. *Falz*, a. 1320 *Faux*, a. 1348 K. *Falzen Forest*, 14. Jahrhundert *Fault en Fouret*, a. 1421 *Falt en fourest* ⟨ rom. **Vallētum* 'Talschaft'[33].

(30) *Les Étangs*, dt. *Tennschen* (Moselle, Kanton Vigy): a. 1281 *Les Estans*, a. 1404 *Les Estans*, a. 1490 *Le chastel dez Estant*, a. 1594 *Tenchen àlias Lestanche ou les Estanges* ⟨ alothr. **Stanche*, zu afranz., mfranz. *estanche* fem. 'Weiher', flandr. *stanche* (zu rom. **stanticare*); die deutsche Form wohl aus einer altlothringischen Form mit verstummtem [s] vor Konsonant wie Nr. 96, 99, 101[34].

---

[29] Die Angaben stammen für diesen und die folgenden Abschnitte, soweit nicht eigens angegeben, aus der Saarbrücker Sammlung der Siedlungsnamen und Flurnamen und aus folgenden Lexika: Das Reichsland Elsaß-Lothringen, III; E. de Bouteiller, Dictionnaire topographique de l'ancien département de la Moselle; W. Jungandreas, Historisches Lexikon der Siedlungs- und Flurnamen des Mosellandes.

[30] Bei der deutschen Ortsnamenform der Reichslandzeit handelt es sich um späte Angleichung eines flektierten **(ze) Argenzen* ⟨ a. 1180 K. *Argenza* an die lothringischen *(i)acum*-Reflexe auf *-chen*.

[31] Die Graphie ⟨ch⟩ ist als Sondergraphie für die dentale Affrikata zu werten.

[32] Zu vergleichen sind *Arganza* (→ Narcea), Spanien, Provinz Oviedo; *Argence* (→ Charente), F, Département Charente; *Ergers*, a. 833 *Argenza* (links → Ill), F, Elsaß, und andere Gewässernamen bei H. Krahe, Unsere ältesten Flußnamen, S. 53f.; A. Greule, Vor- und frühgermanische Flußnamen, S. 41ff., 115f.

[33] Sieh *Falck* (Kanton Bouzonville), a. 936 *de Falto*, a. 1235 K. *Valt*, a. 1263 Or. *Falz*, a. 1334 K. *Valt* ⟨ **Vallētum*, sieh dazu M. Buchmüller - W. Haubrichs - R. Spang, ZGS. 34 (1986) (im Druck) Nr. 76.

[34] Sieh *Belle-Tanche*, Gemeinde Borny (Kanton Metz), a. 1172 *Bellum Stagnum*, a. 1304 *La Belle Stainche*; sieh FEW. XII, 233a.

(31) *Macker*[35], dt.*Macher*, Gemeinde Helstroff (Moselle, Kanton Boulay): a. 1121 K. *Machera*, a. 1180 K. *Makera*, a. 1243 Or. *Macheren*, a. 1270 *Maschra*, a. 1271 *Maicre*, a. 1415 *Macheren ou Maizieres devant Boulay*, a. 1444 *Macre*, a. 1479 *Maisieres pres Volmerange* ⟨ **Maceria* 'Mauerwerk, Einfriedung'[36].

(32) *Machern* (Moselle, Kanton St. Avold): a. 1176 Or. *Machera*, a. 1221 *Macheren*, a. 1289 *Makre*, a. 1485 *Macheren by Homburg*, a. 1489 *Maiziere-les-Hombourg* ⟨ **Maceria* 'Mauerwerk, Einfriedung'[37].

(33) +*Menter*, Gemeinde Bambiderstroff (Moselle, Kanton Faulquemont): a. 848 Or. *Menturis, ad Menterum*, GN. *Menterbach*, FlN. *Menterguerten* ⟨ **Mentarium* 'Pflanzung von Gartenminze'[38].

(34) +*Messeren*, Gemeinde Marcourt (Moselle, Kanton Faulquemont): a. 1131 K. *Metzera, Meccera, Messera*, a. 1180 K. *Mesera*, a. 1210 *Mecera*, a. 1267 *Meccera*, a. 1346 *Messeren*, a. 1729 *Messeren* ⟨ **Maceria* 'Mauerwerk, Einfriedung'[39].

(35) +*Plenter*, Gemeinde Elvange (Moselle, Kanton Faulquemont): a. 1246 *planter*, a. 1258 K. *Plentre*, a. 1327 K. *Plenter*, a. 1333 K. *Plaintres*, a. 1347 *planteyre*, FlN. *Planterath* ⟨ **Plantarium* 'Rebenpflanzung'[40].

(36) *Silly-sur-Nied*, dt. *Sillers* (Moselle, Kanton Pange): a. 1005 K. *Cileiris*, a. 1287 *Silleirs*, a. 1315 *Ciey dezous Kainsay*, a. 1333 dt. *Cilleirs*, 15. Jahrhundert *Cilly*, a. 1625 dt. *Zillersch*, a. 1682 dt. *Sillersch* ⟨ **Cellariis* 'bei den Vorratsräumen'[41].

ac) Siedlungsnamen auf *-villa, -curtis, -curticella* (ohne Personennamen im Bestimmungswort):

(37) *Courcelles-Chaussy*, dt. *Kurtzel* (Moselle, Kanton Pange): a. 1178 *Curcellis*, a. 1281 Or. *Courcelles*, a. 1462 Or. dt. *Kortzel*, a. 1585 *Courcelles au ban de Chaussy*, a. 1625 dt. *Courtzell* ⟨ rom. **cōrticellis* 'bei den kleinen Höfen'[42].

---

[35] Die Graphie ⟨ck⟩ der heutigen amtlichen französischen Ortsnamenform spiegelt romanischen Lautersatz für dt. [x], geschrieben ⟨ch⟩.

[36] Sieh M. Buchmüller - W. Haubrichs - R. Spang, ZGS. 34 (1986) (im Druck) Nr. 108.

[37] Sieh ebenda, Nr. 107.

[38] Sieh ebenda, Nr. 87.

[39] Die Entlehnung folgte hier einer späteren romanischen Entwicklungsstufe (sieh M. Buchmüller - W. Haubrichs - R. Spang, ZGS. 34 (1986) (im Druck)) als bei Nr. 31f. Die Formen mit ⟨ss⟩-Graphie zeigen gar eine Beeinflussung durch die altfranzösische Weiterentwicklung der aus [ke] entwickelten Affrikata [ts] ⟩ [s]. Sieh L. Wolf - W. Hupka, Altfranzösisch. Entstehung und Charakteristik, § 111.

[40] Sieh W. Kleiber, Zwischen den Sprachen, S. 178f.; M. Buchmüller - W. Haubrichs - R. Spang, ZGS. 34 (1986) (im Druck).

[41] Wie bei Nr. 34 steht die spätere deutsche Form unter dem Einfluß der Entwicklung der altfranzösischen Affrikata (sieh A. 39).

(38) (a) *Haute-Vigneulles*, dt. *Oberfillen* (Moselle, Kanton Faulquemont): a. 1281 K. *Vila*, a. 1282 K. *Vigneules*, a. 1325 K. dt. *Obervilen*, a. 1420 *Villers sur le Haut*;

(b) *Basse-Vigneulles*, dt. *Niederfillen* (Moselle, Kanton Faulquemont): a. 1121 K. dt. *Nidrevila*, 15. Jahrhundert Or. dt. *Nyderfyellen*, a. 1441 *Basse-Vigneulle* ⟨ lat. *villa* 'Hof' beziehungsweise für die romanischen Formen rom. *villula* 'kleiner Hof' (mit volksetymologischer Angleichung an *vigneulle* ⟨ *vineola* 'Weinberg') und rom. *villare* 'kleiner Hof'[43].

(39) *Longeville-lès-St. Avold*, dt. *Lubeln* (Moselle, Kanton Faulquemont): a. 1005 K. *Longavilla*, a. 1121 K. *Longauilla*, a. 1344 K. dt. *zů Longavillen*, a. 1445 K. dt. *zu Longevyl*, a. 1462 Or. dt. *zu longauillen*, a. 1486 dt. *Longfillen*, a. 1486 *Lungenfeldt*, a. 1497 Or. *Longenfelt* ⟨ rom. *longa villa* 'großer Hof'[44].

b) mit analogischer Angleichung vor a. 1500:

ba) Siedlungsnamen auf *-(i)acum - -ingen*:

(40) *Hellering* und *St. Avold* (Moselle, Kanton St. Avold): achtes Jahrhundert K. *Eleriacum*, var. *Hilariaco*, a. 1335 *Elringa*, a. 1338 *Elleringa*, a. 1408 *Helringen* ⟨ *Hilariacum*[45].

---

[42] Sieh M. Buchmüller - W. Haubrichs - R. Spang, ZGS. 34 (1986) (im Druck) Nr. 49.

[43] Sieh M. Buchmüller - W. Haubrichs - R. Spang, ZGS. 34 (1986) (im Druck) Nr. 52.

[44] Die deutsche Ortsnamenform wird im späten Mittelalter analogisch an das Grundwort *-feld* angeschlossen. Aus a. 1486 *Lungenfeldt* entwickelte sich mda. *Lubeln*. Sieh M. Buchmüller - W. Haubrichs - R. Spang, ZGS. 34 (1986) (im Druck) Nr. 53.

[45] Sieh die angekündigte Arbeit von M. Buchmüller, Siedlungsnamen zwischen Spätantike und frühem Mittelalter; ferner M. Buchmüller - W. Haubrichs - R. Spang, ZGS. 34 (1986) (im Druck) Nr. 26. Dem Typus der analogischen Angleichung würden im behandelten Gebiet noch angehören: *Drogny*, dt. *Drechingen*, wenn die Nennungen a. 1260 *Dressinges*, a. 1265 *Drechingen* sich tatsächlich auf Nr. 11 beziehen lassen; *Künzig* (Nr. 15), wenn sich a. 1179 *Cuntzinga* mit diesem Ort identifizieren läßt. Eine analogische *-ingen*-Form zu *Mancy*, dt. *Menchen* (Nr. 19) ist erst a. 1556 mit *Menschingen* belegt. Nicht hierher gehören a. 1756 *Monterkange*, da wie die amtliche Ortsnamenform *Montrequienne* französische hyperkorrekte Rückentlehnung aus *Monterchen* (Nr. 21), und a. 1720 *Woderchingen*, da hyperkorrekte Verdeutschung der französischen Rückentlehnung *Vaudreching* zu dt. *Wallerchen* (sieh o. A. 27).

B. Doppelnamen auf der Basis von Übersetzungen (Übersetzungspaare)[46]

a) genuine Übersetzungen:

aa) *-(i)acum / -ingen*-Paare[47]:

(41) *Bannay*, dt. *Bizingen* (Moselle, Kanton Boulay): a. 1240 dt. *Buzingen*, a. 1267 Or. franz. *de Buneies*, a. 1270 K. *Bunée*, a. 1281 Or. *Buneie*, a. 1451 Or. dt. *zu Büssingen* ⟨ rom. **Buzoniacum* beziehungsweise germ. **Buzingas* (zum germanischen Personennamen *Buzo*).

(42) *Fouligny*, dt. *Füllingen* (Moselle, Kanton Faulquemont): a. 1121 K. dt. *Fullinga*, a. 1180 Or. dt. *Fullinga*, a. 1245 *Filigny*, a. 1305 *Fulligney*, a. 1420 *Fullenges*, a. 1594 dt. *Filling* ⟨ rom. **Fulloniacum* beziehungsweise germ. **Fullingas* (zum germanischen Personennamen *Fullo*)[48].

(43) *Guinglange*, dt. *Gänglingen* (Moselle, Kanton Faulquemont): a. 848 Or. *Gangoniaga*, a. 1347 Or. *Guingelanges*, a. 1377 dt. *Gengelingen* ⟨ rom. **Gangoniaca* beziehungsweise germ. **Gangilingas* (zum germanischen Personennamen *Gango* beziehungsweise seiner hypokoristischen Erweiterung *Gangilo*)[49].

(44) *Hémilly*, dt. *Hemming* (Moselle, Kanton Faulquemont): a. 1316 K. *Ollenanges*, a. 1594 K. *Omanges dit Hemilly*, a. 1756 *Homlange, Heming*, franz. mda. *Hemli*, dt. mda. *Hemming* ⟨ rom. **Hamiliacum* beziehungsweise germ. **Hamilingas* (zum germanischen Personennamen *Hamilo*)[50].

(45) *Herny*, dt. *Herlingen* (Moselle, Kanton Faulquemont): a. 1240 *Erney*, a. 1285 *Harney*, a. 1287 Or. *de Herney* ⟨ rom. **Hariniacum* beziehungsweise germ. **Hariningas* (zum germanischen Personennamen *Harin*).

(46) dt. *Wieblingen* (heute: *Vaudoncourt*, Département Moselle, Kanton Pange): a. 1222 zum Jahre 893 *Wifilei*[51], a. 1295 *Wiebelingen*, a. 1462 Or. *Wibelingen* ⟨ rom. **Wibiliacum* (für die Form von a. 893) beziehungsweise germ. **Wibilingas* (zum germanischen Personennamen *Wibil[o]*).

---

[46] Zur Terminologie sieh H. Draye, Zwischen den Sprachen, S. 25-27, besonders S. 48ff.

[47] Die Angaben entstammen der o. A. 13 angekündigten Arbeit meiner Schülerin M. Buchmüller, Siedlungsnamen zwischen Spätantike und frühem Mittelalter.

[48] Sieh M. Buchmüller - W. Haubrichs - R. Spang, ZGS. 34 (1986) (im Druck) Nr. 21.

[49] Sieh M. Buchmüller - W. Haubrichs - R. Spang, ZGS. 34 (1986) (im Druck) Nr. 25.

[50] In der komplexen Namengeschichte dieses Ortes ist *Hemilly* mit Verdumpfung von [e] beziehungsweise [a] vor Labial anzusetzen. *Ollenanges, Omanges, Homlange* sind französische Nebenformen ⟨ **Hemlingen, Hemming(en)* mit Verdumpfung von [e] vor Labial. Im Falle von *Ollenanges* durch Metathese über **Ollmanges* ⟨ *Homlange(s)*.

[51] Die Form findet sich im Prümer Urbar in einer Gruppe von Besitzungen der Eifelabtei im Metzer Land und im Seillegau. Sieh M. Buchmüller - W. Haubrichs - R. Spang, ZGS. 34 (1986) (im Druck) Nr. 46a.

ab) *-villa* / *-ingen*-Paare:

(47) *Bionville,* dt. *Bingen* (Moselle, Kanton Boulay): a. 1245 *Buonville,* a. 1302 K. *Bunga,* a. 1332 *Buinga,* a. 1360 *Bouinville,* a. 1462 Or. *Büngen, Bingen* 〈 rom. **Buonevilla* beziehungsweise germ. **Būingas* (zum germanischen Personennamen *Būo*)[52].

(48) *Raville,* dt. *Rollingen* (Moselle, Kanton Pange): a. 1121 K. *Roldinga, Ravilla,* a. 1128 *Rahavilla,* a. 1142 K. *Roldingen,* a. 1145 K. *Roldenges,* a. 1179 Or. *Rahalvillam,* a. 1210 K. *Roldinges,* a. 1302 K. *Roldinga,* a. 1360 Or. *Ruldingen,* a. 1505 *Rollingen,* franz. mda. *Rövelle* [*rȫvęl*] 〈 rom. **Rauwaldo villa* beziehungsweise germ. **Hrauwald,* westfränk. *Hrōw-* (zum Stamm germ. **Hrauwa-*)[53].

ac) *-curtis* / *-ingen*-Paare:

(49) *Bazoncourt* (Moselle, Kanton Pange): a. 960 Or. *Bazonis curtis,* a. 977 Or. *in Basonis curte,* a. 1210 *Bissoncourt,* a. 1235 *Bazancort,* a. 1299 *Baizoncourt,* dt. mda. *Bischingen*[54] 〈 rom. **Badsonis-, Bassoniscurtis* beziehungsweise ahd. **Bassingas* (zum Personennamen ahd. *Basso,* westfränk. *Badso*)[55].

(50) *+Machecourt,* dt. *+Meckingen,* Gemeinden Guingelange und Raville (Moselle, Kanton Fa⸱lquemont): ± a. 1200 K. *Mekinge,* Flurnamen *Mecking, Pré Mequin* und andere, Gewässername *Ruisseau de Machecourt,* Flurname *derrière Machecourt* 〈 rom. **Maccicurtis* beziehungsweise germ. **Makkingas* (zum germanischen Personennamen *Makki*)[56].

(51) *Plappecourt,* dt. *Peblingen,* Gemeinde Vaudoncourt (Moselle, Kanton Pange): a. 1430 Or. *Plappecourt,* a. 1430 *Peblingen,* a. 1560 *Peplingen,* a. 1610 *Plappecourt* 〈 rom. **Pappolicurtis* beziehungsweise germ. **Papp(o)lingas* (zum romanischen Personennamen *Pappolus*)[57].

---

[52] E. Förstemann, Altdeutsches Namenbuch, I, Sp. 342; H. Kaufmann, Ergänzungsband, S. 73f.

[53] Sieh H. Kaufmann, Ergänzungsband, S. 197f.

[54] Sieh H. Kuhn, SH. (1960/1961) S. 37 m. A. 30; F. Petri, Germanisches Volkserbe, I, S. 306, 722.

[55] E. Förstemann, Altdeutsches Namenbuch, I, Sp. 249, 253; H. Kaufmann, Ergänzungsband, S. 55, 56f.

[56] E. Förstemann, Altdeutsches Namenbuch, I, Sp. 1067; H. Kaufmann, Ergänzungsband, S. 241ff. Sieh W. Haubrichs, Gießener Flurnamen-Kolloquium, S. 489. Die Lautentwicklung vollzieht sich mit lothr. wall. [*ke*], [*ki*] 〉 [*χi*] wie bei Maizer (Nr. 18), mda. [*męχri*]. Sieh M. Buchmüller, Siedlungsnamen zwischen Spätantike und frühem Mittelalter, Nr. XX und öfter. Zu vergleichen ist auch a. 1441 *Fons de Machemeire* 〈 **Makkinmari* (B, Arrondissement Lüttich, Kanton Fexhe-Slins). Sieh E. Gamillscheg, Romania Germanica, I, S. 126.

[57] M.-Th. Morlet, Les noms de personne, II, Sp. 876. Ein *Pappolus, Papulus* wirkte kurz vor a. 614 als Bischof von Metz. Sieh L. Duchesne, Fastes épiscopaux de l'ancienne Gaule, III, S. 55.

(52) *Semécourt* (Moselle, Kanton Metz): a. 848/49 K. *in pago Moslensi ... in Sisme-rengas*, a. 856/57 K. *in pago Muslinse ... in Sesmeringas*, a. 960 Or. *Seimari curtem*, a. 973 *Semaricurtis*, a. 1138 *Seimercurts*, a. 1294 *Semeicourt* ⟨ rom. **Sēsmaricurtis* beziehungsweise germ. **Sismaringas* (zum germanischen Personennamen *Sigismer*, westfränk. *Sismar, Sēsmar*)[58].

ad) *-villa / -dorf*-Paare:

(53) *Baronville*[59] (Moselle, Kanton Grostenquin): a. 896 Or. *Barunvilla*, a. 1085 Or. *Baronvilla*, a. 1186 Or. *Baronisvilla*, a. 1179 K. *Barendorf*, a. 1255 Or. *Barendorf*, a. 1453 *Baronville*, a. 1453 Or. *Barendorff*, a. 1625 *Baerendorf* ⟨ rom. **Baronevilla* beziehungsweise germ. *Barendorf* (zum germanischen Personennamen *Baro*)[60].

(54) *Bettelainville*, dt. *Bettsdorf* (Moselle, Kanton Metzervisse): a. 1128 Or. *Bet-lainville*, a. 1101 *Betelanivilla*, a. 1179 K. *Betestorf*, a. 1241 Or. *Betteleinville*, a. 1487 *Bethelainville*, a. 1544 *Belzdorf* ⟨ **Betzdorf*, a. 1572 *Bestorff*, a. 1594 *Betts-stroff*, dt. mda. *Bettendorf, Betstroff* ⟨ rom. **Bettilenivilla* beziehungsweise germ. **Betesdorf* (zum westfränkischen Hybridnamen *Bettilenus* beziehungsweise ahd. *Betti* zum Stamm **Berhta-* mit Assimilation [*rt*] ⟩ [*tt*])[61].

(55) *Bouzonville*, dt. *Busendorf* (Moselle): a. 787 F. 12. Jahrhundert *Bozonisvil-lam*, a. 1106 K. *Buosonisvilla*, a. 1163 *Bussendorf*, a. 1176 Or. *Bosendorf*, a. 1184 K. *Bosivilla*, a. 1223 *Buosonis villa*, a. 1287 K. *Besonville*, a. 1390 Or. *Busendorff*, franz. mda. *Besonvelle* ⟨ rom. **Bosonisvilla* beziehungsweise ahd. **Buosendorf* (zum germanischen Personennamen *Bōso*, ahd. *Buoso*)[62].

(56) *Hestroff* (Moselle, Kanton Bouzonville): a. 960 Or. *Heruvinivilla*, a. 997 Or. *Heriuuini villa*, a. 1123 K. *Ernesdorf*, a. 1210/20 Or. *Hernedorp*, a. 1277 *Hernestorf*, a. 1280 Or. *Herunville*, a. 1290 K. *Herstourf*, a. 1291 K. *Herrestorf*, a. 1453 *Herwa-ville* ⟨ rom. **Herivinivilla* beziehungsweise ahd. **Herwinesdorf* (zum althochdeut-schen Personennamen *Heriwin*)[63].

---

[58] H. Kaufmann, Untersuchungen zu altdeutschen Rufnamen, S. 174; H. Kauf-mann, Ergänzungsband, S. 317. Die Annahme von E. Gamillscheg, Romania ger-manica, I, S. 211, daß rom. **Sesmari-curtis* erst aus romanisiertem *Sesmeringas* ⟨ **Sigismaringas* entlehnt sei, ist unnötig. Sowohl der romanische wie der fränkische Ortsname können bereits mit dem romanisch-westfränkisch weiterentwickelten Personennamen *Sēsmar, Sismar* gebildet worden sein.

[59] Die in der Reichslandzeit amtlich gewordene deutsche Doppelform *Baronweiler* scheint eine künstliche Bildung.

[60] E. Förstemann, Altdeutsches Namenbuch, I, Sp. 246; H. Kaufmann, Ergän-zungsband, S. 54.

[61] E. Förstemann, Altdeutsches Namenbuch, I, Sp. 227f.; H. Kaufmann, Ergän-zungsband, S. 59. Sieh W. Haubrichs, Gießener Flurnamen-Kolloquium, S. 502.

[62] E. Förstemann, Altdeutsches Namenbuch, I, Sp. 329f.; H. Kaufmann, Ergän-zungsband, S. 68.

(57) *Ottonville*, dt. *Ottendorf* (Moselle, Kanton Boulay): a. 1128 Or. *Otonvill[a]*, a. 1137 Or. *Ottonvilla*, a. 1258 K. *Ottonville*, a. 1299 Or. *Ottonville*, a. 1301 K. *Othonisvilla*, a. 1333 *Ottendorff, Othonville*, a. 1490/91 Or. *Ottendorff* ⟨ rom. **Ottonisvilla* beziehungsweise germ. *Ottendorf* (zum althochdeutschen Personennamen *Otto*)[64].

ae) -*curtis* / -*dorf*-Paare

(58) *Aboncourt*, dt. *Endorf* (Moselle, Kanton Metzervisse): a. 1147 K. *Epindorf*, a. 1172 K. *Abuncourt*, a. 1176 Or. *Ebbend[orph]*, a. 1184 Or. *Ebencort*, a. 1212 K. *Ebuncur*, a. 1228 K. *Abincourt*, a. 1314 K. *Euendorf*, a. 1350 K. *Ebbendorf*, a. 1351 K. *Auboncuria*, a. 1333 Or. *Aboncourt*, a. 1478 K. *Ebecuria*, a. 1496 K. *Oboncort*, a. 1569 *Ebendorf* ⟨ rom. **Ebbonecurtis* beziehungsweise germ. *Ebendorf* (zum germanischen Personennamen *Ebo*, expressiv verschärft *Epo*)[65].

(59) *Arraincourt*, dt. *Armsdorf* (Moselle, Kanton Faulquemont): a. 933 *Harencurtis*, a. 977 Or. *Hareincourt*, a. 1241 Or. *Airaincort*, a. 1455 *Ormestroff*, a. 1594 K. *Hermstorff*, dt. mda. *Armestroff* ⟨ rom. **Aruinocurtis* beziehungsweise germ. **Arawinesdorf* (zum germanischen Personennamen *Arawin*, westfränk. *Aroin, Aruin*)[66].

(60) *Burtoncourt*, dt. *Brittendorf* (Moselle, Kanton Vigy): a. 1142 K. *Brettendorf*, a. 1271 *Burtencourt*, a. 1281 *Bertoncourt*, a. 1286 K. *Britendorp*, a. 1331 *Bertoncort*, franz. mda. *[bᴐertõkᴐ]* ⟨ rom. **Bertonecurtis* beziehungsweise germ. **Ber(h)tendorf*, metathetisch **Bre(h)tendorf* (zum althochdeutschen Personennamen *Ber(h)to, Bre(h)to*)[67], die französische Form mit Verdumpfung von vortonigem [er].

(61) *Chelaincourt*, Gemeinde Flévy (Moselle, Kanton Vigy): a. 1227 *Otlencort*, a. 1235 *Hastelencort*, a. 1287 Or. *Ostelencort*, a. 1346 *Oschelaincourt*, a. 1385 Or. *Ostelaincourt*, a. 1423 *Xaleincourt*, a. 1478 *Osteillancourt*, ohne Jahr *Oiszelsdorf*, a. 1582 dt. *Usstorf, Euschdorff*, a. 1610 *Oschlaincourt* ⟨ rom. **Austoleniscurtis* beziehungsweise ahd. *Austolenescurtis, Ostolenesdorf* (zum germanisch-romanischen Hybridnamen **Austolenus* zum Stamm *Austa-* 'Osten')[68]; die romanische Form mit

---

[63] E. Förstemann, Altdeutsches Namenbuch, I, Sp. 782f. Sieh zu den Belegformen auch H. Kuhn, SH. (1960/1961) S. 37 mit A. 28.

[64] E. Förstemann, Altdeutsches Namenbuch, I, Sp. 186f.; H. Kaufmann, Ergänzungsband, S. 43ff., 273f.

[65] E. Förstemann, Altdeutsches Namenbuch, I, Sp. 436f.; H. Kaufmann, Ergänzungsband, S. 102f.

[66] E. Förstemann, Altdeutsches Namenbuch, I, Sp. 138; H. Kaufmann, Ergänzungsband, S. 37f.

[67] E. Förstemann, Altdeutsches Namenbuch, I, Sp. 182; H. Kaufmann, Ergänzungsband, S. 59.

[68] E. Förstemann, Altdeutsches Namenbuch, I, Sp. 212ff.; H. Kaufmann, Ergänzungsband, S. 48.

lothringisch-französischer Entwicklung von [st] > [χt], [χ] und späterer Deglutinierung des initialen Vokals; die deutsche Form mit Umlaut über [Østenes-] > [Østes-] > [Øss-] und mit Angleichung des Konsonanten an die französische Form[69].

(62) *Thicourt-*, dt. *Diedersdorf* (Moselle, Kanton Faulquemont): a. 1018 Or. *Tiedresdorf*, a. 1063 *Tibeicourt*, ± a. 1050 Or. *Tibeicurt*, a. 1090 K. *Thiecurt, Thebericurt*, a. 1142 K. *Thiederesdorf*, a. 1147 *Thecure*, a. 1152/69 K. *Thietcurth*, a. 1210 *Thiecurt*, a. 1255 *Tebeicour*, a. 1387 Or. *Diederstorf*, a. 1404 K. *Diederstorff*, dt. mda. *Diderstroff* ⟨ rom. **Theudbarocurte, *Thedherocurte* beziehungsweise ahd. **Theudbaresdorf, *Thiedberesdorf* (zum germanischen Personennamen *Theudhari*, westfränk. *Thedheri*, ahd. *Thiedheri*)[70].

af) *-villa / -weiler-*Paare:

(63) *Eberswiller* (Moselle, Kanton Bouzonville): a. 960 Or. *Everonis villa*, a. 1185 K. *Eberswiller*, a. 1200 *Evirei ville*, a. 1217 K. *Evreswilre*, a. 1283 Or. *Everouville*, a. 1291 *Auronville*, a. 1309 *Ewerswiller* A. 14. Jahrhundert Or. *Eberswilre*, a. 1343 Or. *Eversvilre* ⟨ rom. **Eburonis villa* beziehungsweise ahd. **Ebureswīlari* (zum althochdeutschen Personennamen *Ebur(o)*)[71].

ag) *-villare / -dorf-*Paare:

(64) *Landonvillers* (Moselle, Kanton Pange): a. 1285 Or. *Landonvilleirs*, 13. Jahrhundert *Landonisvillare*, a. 1337 Or. *Landonvilleirs*, a. 1344 K. *Landwiler*, a. 1460 Or. *Landewilre*, dt. mda. *Landdroff* ⟨ rom. *Landonisvillare* beziehungsweise ahd. **Landendorf* (zum germanischen Personennamen *Lando*)[72].

---

[69] Sieh H. Witte, Das deutsche Sprachgebiet Lothringens, S. 33; F. Petri, Germanisches Volkserbe, S. 724; W. Haubrichs, Gießener Flurnamen-Kolloquium, S. 503 und A. 43.

[70] E. Förstemann, Altdeutsches Namenbuch, I, Sp. 1433f. Sieh W. Haubrichs, JWLG. 9 (1983) S. 19.

[71] E. Förstemann, Altdeutsches Namenbuch, I, Sp. 438f. Sieh zu den Belegformen H. Kuhn, SH. (1960/1961) S. 37 mit A. 21.

[72] E. Förstemann, Altdeutsches Namenbuch, I, Sp. 1003. Die mit a. 1290 Or. *Landonville*, a. 1344 Or. *Landonville*, a. 1391 Or. *Landenville* genannten Formen auf *-villa* könnten durchaus die originale, erst später durch eine Variante auf *-villare* ersetzte Ortsnamenform repräsentieren, zu der sich dann **Landendorf* zwanglos als althochdeutsche Doppelform ergeben hätte. Die a. 1344 und a. 1460 belegten deutschen Doppelformen *Landewilre* (u.ä.) repräsentieren dagegen eine (vielleicht exogene) Übersetzung der romanischen *-villare-*Variante. Für freundliche Hinweise auf neue Belege danke ich meiner Mitarbeiterin M. Pitz (Saarbrücken).

ah) *-villare / -weiler*-Paare[73]:

(65) *Mainvillers*, dt. *Maiweiler* (Moselle, Kanton Faulquemont): a. 991 K. *Mahanvilre*, a. 1121 K. *Mainviller, Manvilre*, a. 1180 K. *Mainvillers*, a. 1210 K. *Maiwilre*, a. 1267 *Maiwillere*, a. 1296 *Maiwillerio*, a. 1312 K. *Meyvilre*, a. 1327 K. *Maiwilleir* ⟨ rom. **Maginevillare* beziehungsweise ahd. **Magenwilre* (zum germanischen Personennamen *Mago* beziehungsweise der hypokoristischen Ableitung *Magin*)[74].
(66) *Villers l'Orme*, Gemeinde Vany (Moselle, Kanton Metz): a. 1066 K. *Wilere*, a. 1107 K. *Wilere iuxta Metensem Civitatem*, a. 1140 K. *Wilre*, a. 1178 *Villare*, a. 1181 *Vileir*, a. 1284 Or. *Villeirs a lorme* ⟨ rom. *villare* 'kleiner Hof'.

ai) Paare sekundärer Siedlungsnamen:

(67) *Faulquemont*, dt. *Falkenberg* (Moselle): a. 1119 *apud Falconis montem*, ± a. 1125 *Falconis mons*, a. 1238 Or. *Faukemont*, a. 1278 Or. *Fakemont*, a. 1309 *Falquemont*, a. 1343 K. *Falkemberg*, a. 1359 K. *Falckenburgh* ⟨ rom. **Falconis monte(m)* beziehungsweise ahd. *Falkenberg* (zum germanischen Personennamen *Falho*, westfränk. *Falco* beziehungsweise zum Appellativ lat. ahd. *falco* 'Falke')[75].
(68) *Landremont*, dt. *Lemmersberg*, Gemeinde Silly-sur-Nied (Moselle, Kanton Pange): a. 1281 Or. *Landremont*, a. 1429 *Landrimont* ⟨ rom. **Landherimonte(m)* beziehungsweise ahd. **Landheresberg* (zum althochdeutschen Personennamen *Landheri*)[76].
(69) *Narbéfontaine*, dt. *Memersbronn* (Moselle, Kanton Boulay): a. 1245 *Mainberfontaine*, a. 1264 *Meimersburnen*, a. 1281 *Manberfontaine*, a. 1285 *Meymersbourne*, a. 1302 K. *Meimersborne*, a. 1318 K. *Meymerfontene*, a. 1330 *Mainbert Fontayne*, a. 1330 *Mainbelfontaine, Marbelfontaine*, a. 1606 *Memmesborn*, dt. mda. *Memersbourn* ⟨ rom. **Maginbertifontana* beziehungsweise ahd. **Maginbertesbrunno* (zum althochdeutschen Personennamen *Maginbert, Meginbert*)[77].

---

[73] Nicht aufgenommen wurde *Ancerville*, dt. *Anserweiler* (Moselle, Kanton Rémilly), a. 1232 *Anserville*, a. 1320 *Ancervilleirs*, franz. mda. *Ansrevelle* ⟨ **Ansharivillare*. Bei einer deutschen Doppelform aus **Anshareswilari* würde man dt. mda. **Anserswiller* erwarten. So ist bei *Anserweiler* eher mit einer künstlichen Rückbildung zu rechnen.
[74] E. Förstemann, Altdeutsches Namenbuch, I, Sp. 1067, 1071. Sieh W. Haubrichs, JWLG. 9 (1983) S. 24f.
[75] E. Förstemann, Altdeutsches Namenbuch, I, Sp. 495; H. Kaufmann, Ergänzungsband, S. 111f.
[76] E. Förstemann, Altdeutsches Namenbuch, I, Sp. 1008. Die deutsche Form zeigt Assimilation der Lautgruppe [nd].
[77] E. Förstemann, Altdeutsches Namenbuch, I, Sp. 1073. Die französische Form zeigt romanischen Schwund des intervokalischen [g].

(70) *Pont-à-Chaussy*, Gemeinde Courcelles-Chaussy (Moselle, Kanton Pange): a. 1270 *Kurtzebrucken*, a. 1321 *Le pont a Chaucey*, a. 1324 *Le Pont à Flacquaire ou a Chaucey marche d'Estault*, dt. mda. *Kalscherbruck* ⟨ afranz. *Pont* 'Brücke' + Satzname *Chaucey* beziehungsweise mhd. *kurz* + *brucke* 'Brücke' (im Dativ Singular); später trat nach Vorbild des französischen Namens an die Stelle des appellativen Bestimmungsworts eine Ableitung von der deutschen Doppelform (Nr. 7) des Satznamens *Chaussy*.

(71) *Pontigny*, dt. *Niedbrücken*, Gemeinde Condé-Northen (Kanton Boulay): a. 1165 K. *Nydebrucken*, a. 1241 *Pont de Nied*, a. 1339 *Bruque*, a. 1404 *Pontdeniet*, a. 1485 *Brücke*, 16. Jahrhundert *Nydbruck alias Pont de Nied*, 18. Jahrhundert *Pontigny*[78] ⟨ afranz. *pont* 'Brücke' + Gewässername *Nied* beziehungsweise mittelhochdeutscher Gewässername *Nied* + *brucke* 'Brücke' (im Dativ Singular).

(72) *Vatimont*, dt. *Wallersberg* (Moselle, Kanton Faulquemont): 12. Jahrhundert *Walteriimons*, 12. Jahrhundert *Walterimont*, a. 1230 *Wattiemont*, a. 1240 *Wattermunt*, a. 1351 *Watiermont*, a. 1397 K. *Waltbiemont*, 14. Jahrhundert *Waltiezmont*, a. 1544 *Valtermons*, *Vaterusmons*, franz. mda. *Vautieumont*, a. 1491 Or. *Weltersberch*, dt. mda. *Weltersburg* ⟨ rom. **Waltherimonte* beziehungsweise ahd. *Waltheresberg* (zum Personennamen ahd. *Waltheri*)[79]. Eine spätere Entlehnung aus dem Französischen ist mit romanischem Ausfall des [*l*] vor Konsonant a. 1240 bezeugt. Die amtliche Form *Wallersberg* der Reichslandzeit dürfte eine künstliche Bildung darstellen.

b) gerichtete Übersetzungen
   Sieh Nr. 65, 67

ba) französisch → deutsch:

(73) *Longeville-lès-St. Avold* (Moselle, Kanton Faulquemont): a. 1005 K. *Longavilla*, neben der Entlehnung zuerst a. 1334 dt. *zů Longavillen* (Nr. 39) scheint a. 1179 die Übersetzung *Longixdorf* auf, wohl angelehnt an den Nominativ Singular des Neutrums *langez* des Adjektivs mhd. *lang*.

(74) +*Marcourt*, Gemeinde Many (Moselle, Kanton Faulquemont): a. 1121 K. *Marchonoue*, a. 1180 K. *Marconoue*, a. 1304 *Mercor*, a. 1429 *Morecourt*, Flurname *Jardins de Marcourt* ⟨ rom. **Marco(ne)curtis*[80]; deutsche Entlehnung wohl erst spä-

---

[78] Die Form *Pontigny* ist falsche volksetymologische Schreibung von gehörtem *Pontdeniet*.

[79] E. Förstemann, Altdeutsches Namenbuch, I, Sp. 1506f. Die romanische Form entwickelt sich mit lothringischem Verstummen des [*l*] vor Konsonant und späterer Substitution der zentralfranzösischen Schreibung ⟨au⟩. Die heutige amtliche französische Form hält die ältere lothringische Aussprache fest, während sich die mundartliche Form an die zentralfranzösische Aussprache angeglichen hat.

[80] Zum germanischen Personennamen *Mark(o)* sieh E. Förstemann, Altdeutsches Namenbuch, I, Sp. 1095.

ter aus der romanischen Form teilübersetzt, während der nichtalthochdeutsche
Obliquus auf -on erhalten blieb.

bb) deutsch → französisch:

(75) *Bambiderstroff* (Moselle, Kanton Faulquemont): a. 1121 K. *Buderstorf*, a.
1180 K. *Budestroff*, a. 1210 K. *Buderstorf*, a. 1263 K. *Butervilla, Beuderville*, a.
1263 Or. *Budersdorf*, a. 1271 K. *Bůderstorf*, a. 1308 *Buedestorff* ⟨ ahd. **Bōdhares-,
Buodharesdorf (zum althochdeutschen Personennamen *Bōdhari, Buodhari*)[81]; die
französischen Doppelformen a. 1263 *Buterville, Beuderville* wegen des erhaltenen
intervokalischen [*d*] und des Umlauts nicht genuin, sondern auf der Stufe [*byeders-*]
entlehnt.
   (76) *Château-Rouge*, dt. *Rothendorf* (Moselle, Kanton Bouzonville): 13. Jahrhundert Or. *Rudendorph*, a. 1316 *Rodendorp*, a. 1341 K. *Rudendorf*, a. 1457 Or.
Rodendorp, a. 1544 *Rudendorf* ⟨ ahd. **Rōdendorf, Ruodendorf* (zum Personennamen germ. **Raudo*, ahd. *Rōdo* beziehungsweise germ. **Hraudo*, ahd. *(H)rōdo*)[82];
die französische Doppelform a. 1344 *Rothonville* wegen des erhaltenen intervokalischen [*d*] nicht genuin, sondern später übersetzt, wohl als exogene Doppelform in
Analogie zu dem Metzer Besitz *Ottonville* (Nr. 57) und dem wie R. lothringischen
Besitz und Verwaltungssitz *Bouzonville* (Nr. 55). Die zuerst a. 1696 als *Chasteau
Rouge* aufscheinende heutige französische Ortsnamenform suggeriert in falscher
Übersetzung eine 'rote Burg' neben dem 'roten Dorf'.
   (77) *Thonville* (Moselle, Kanton Faulquemont): a. 1324 *Oderstorph*, a. 1387 Or.
Oderstorff, a. 1450/1494 *Odendorph*, a. 1542 *Overstorf a present Tonville* ⟨ *Ōdines-
dorf* beziehungsweise *Ōdendorf* (zum althochdeutschen Personennamen *Ōdo* bezie-
hungsweise der hypokoristischen Weiterbildung *Ōdīn*)[83]. Die (wenn die Identifizie-
rung zutrifft) im 13. Jahrhundert aufscheinende Doppelform *Othonville* ist wegen
Erhaltung von intervokalischem [*d*] nicht genuin. Später Deglutinierung des initialen
Vokals (siehe Nr. 61).

---

[81] E. Förstemann, Altdeutsches Namenbuch, I, Sp. 252, 331; H. Kaufmann, Ergänzungsband, S. 65f.
[82] E. Förstemann, Altdeutsches Namenbuch, I, Sp. 1249f.; H. Kaufmann, Ergänzungsband, S. 287; zum Siedlungsnamen sieh H. Dittmaier, Die linksrheinischen
Ortsnamen, S. 88; W. Haubrichs, ZGS. 29 (1981) S. 256. Anscheinend gab es eine
mit im 13. Jahrhundert belegtem *Rudendorph* aufscheinende Nebenform mit sekundär diphthongiertem ahd. [*ō*]. Oder ist die Grundform doppelt mit ahd. *Hruodo*,
westfränk. *Hrōdo* anzusetzen?
[83] E. Förstemann, Altdeutsches Namenbuch, I, Sp. 185ff.

C. Doppelnamen mit verschiedenem Benennungsmotiv (freie Ortsnamenpaare)[84]:

(78) *Blettange*, dt. *Blettingen*, Gemeinde Bousse (Moselle, Kanton Metzervisse): a. 1179 Or. *Bladenges*, a. 1231 K. *Blabusville*, a. 1269 Or. *Blabueville*, a. 1331 *Blabveville qu'on dit maintenant Blettange*, a. 1357 *Blauveuille dit presentement Blettange*, a. 1476/1477 Or. *Blettinge[n]*, a. 1489/1490 Or. *Blabeville* 〈 rom. **Pappolovilla* (zum romanischen Personennamen *Pappolus*)[85] beziehungsweise ahd. **Blattingas* (zum althochdeutsch-westfränkischen Personennamen *Blado*, **Blatto*)[86].

(79) *Bronvaux* (Moselle, Kanton Metz): a. 1170 Or. *Bruchfelt* 〈 [**Buoch-*], ± a. 1176 Or. *Brunval*, a. 1186 *Brunvali*, 12. Jahrhundert Or. *Buochfelt*, a. 1176/1207 *Brunval*, a. 1258 Or. *Bronvaz*, a. 1355 *Bronvaul* 〈 rom. **Bruni vallis* (zum althochdeutschen Personennamen *Brun*)[87] beziehungsweise ahd. *buohha* 'Buchenhain' + *feld* 'bebautes Land'[88].

(80) *Varize*, dt. *Waibelskirchen* (Moselle, Kanton Boulay): a. 1137 *Viris*, a. 1147 K. *Virisa*, *Virisia*, a. 1273 *Vareisse*, ± a. 1279 Or. *Werrixe*, a. 1295 *Vuaresse*, a. 1331 *Variche*, a. 1345 K. *Werissia*, a. 1361 *Warrisia*, a. 1418 Or. *Wairixe* 〈 alteuropäischem Gewässernamen **Uerisa*, **Uarisa*[89]; a. 1271 K. *Wibelkchirche*, a. 1295 *Wibellkirchen*, a. 1387 Or. *Wibelskirche[n]*, a. 1461 Or. *Wibelskirchen*, dt. mda. *Weibelskirchen* 〈 ahd. **Wibileskiribba* (zum althochdeutschen Personennamen *Wibil*)[90].

(81) *Vaudoncourt*, dt. *Wieblingen* (Moselle, Kanton Pange): a. 1308 K. *Waudoncourt*, a. 1308 *Wadoncourt*, 15. Jahrhundert *Wadoncort*, a. 1573 *Vauldon court* 〈 rom. **Waldoniscurtis* (zum germanischen Personennamen *Waldo*)[91]; zur Ableitung der deutschen Doppelform s.o. Nr.

(82) *Villers-Bettnach*, dt. *Weiler-Bettnach* (Moselle, Kanton Vigy): a. 1137 K. *Villers de Betenagri, nemore de Betenagri*, a. 1184 Or. *Vilerensi monasterio in Bedden-*

---

[84] Zur Terminologie sieh H. Draye, Zwischen den Sprachen, S. 25-27, besonders S. 48ff.

[85] M.-Th. Morlet, Les noms de personne, II, Sp. 876. Westlich Metz findet sich ein weiterer Ortsname, der mit diesem Personennamen zusammengesetzt ist: *Plappeville* (Kanton Metz), a. 1130 *Paplivilla*, a. 1162 Or. *Papolivillam*, *Papulivilla*, a. 1196 K. *Pleppeville*. E. de Bouteiller, Dictionnaire topographique, S. 202; Das Reichsland Elsaß-Lothringen, III, S. 840.

[86] E. Förstemann, Altdeutsches Namenbuch, I, Sp. 309; H. Kaufmann, Ergänzungsband, S. 62.

[87] E. Förstemann, Altdeutsches Namenbuch, I, Sp. 338.

[88] Sieh F. Petri, Germanisches Volkserbe, I, S. 304; H. Witte, Das deutsche Sprachgebiet Lothringens, S. 23, 26.

[89] Sieh M. Buchmüller - W. Haubrichs - R. Spang, ZGS. 34 (1986) (im Druck) Nr. 162.

[90] E. Förstemann, Altdeutsches Namenbuch, I, Sp. 1561; H. Kaufmann, Ergänzungsband, S. 396.

[91] E. Förstemann, Altdeutsches Namenbuch, I, Sp. 1499.

aker, a. 1147 K. *Villerio*, a. 1176 Or. *Vilerio longo* ⟨ rom. **Villare* 'kleiner Hof' beziehungsweise ahd. **Bettenackar* 'Acker, Land des *Betto*'[92].

Neben den Doppelnamen, die aus vorgermanischer etymologischer Wurzel erwachsen sind oder zumindest eine romanische Komponente enthalten, stehen einige Doppelnamen, bei denen auch die romanische Form auf etymologisch-germanischer Basis entstand. Sie werden, da sie für unsere Perspektive den gleichen Zeugniswert besitzen, zusammen mit den germanischen Reliktnamen des Metzer Landes westlich der Sprachgrenze behandelt[93].

Nicht behandelt werden die französischen Doppelformen auf *-ange* der Namen auf *-ingen*[94], da sie vor Aufarbeitung der lothringischen Wüstungen allzu unvollständig vertreten wären. Freilich ließen auch sie wichtige siedlungsgeschichtliche Rückschlüsse zu, was hier nur angedeutet werden kann. So finden sich in der Region links der Mosel zwischen Metz und Orne sowie östlich Metz im Bereich der Deutschen Nied zahlreiche sehr frühe Übernahmen ins Romanische, die den Umlaut nicht aufweisen: zum Beispiel *Marange* (Kanton Metz), a. 1181 *Marenges* ⟨ **Maringas*[95]; *Elwange* (Kanton Faulquemont), 12. Jahrhundert *Albange, Alvanges*, 13. Jahrhundert *Alevanges* ⟨ **Albingas*[96]; *Marange*, dt. *Möhringen* (Kanton Faulquemont) ⟨ **Maringas*[97]. Die romanische Entwicklung von germ. [*eu*] ⟩ [*ē*] zeigt *Créhange*, dt. *Kriechingen* ⟨ **Kreuchingas*[98]. Die romanische Senkung von [*u*] ⟩ [*o*] findet sich in *+Gondrange*, dt. *Gindringen*, a. 848 *Guntringas*, a. 1212 *Gonderange* ⟨ **Gundheringas* beziehungsweise *Guntringas* (zum westfränkischen Personennamen *Gund(a)ro*)[99].

Ausgeklammert (jedoch in die Karte aufgenommen) werden aus gleichen Gründen die beiden ephemeren *-heim*-Orte um Many (Kanton Faulquemont), westlich der heutigen Sprachgrenze gelegen: *+Niederum*, a. 1121 K. *Niderhem*, a. 1210 K. *Niderheym*, a. 1269 *Niderheym on ban de Merney*; *+Oberheim*, a. 1121 K. *Opehem*, a. 1163 K. *Opemh*, a. 1180 K. *Opembeym*, a. 1210 K. *Openhem*. Beide verdanken sich einem gezielten Siedlungsausbau des zehnten Jahrhunderts durch den Saargrafen

---

[92] E. Förstemann, Altdeutsches Namenbuch, I, Sp. 225f.

[93] Sieh F. Petri, Germanisches Volkserbe, I, S. 293ff.; E. Gamillscheg, Romania germanica, I, S. 208ff. Im folgenden kann aus Raummangel nicht jede einzelne Korrektur und Revision gegenüber diesen beiden bahnbrechenden Arbeiten ausführlich begründet werden (sieh u. A. 104).

[94] Dabei wird eine romanische (allerdings latinisierte) *-enge*-Form bereits a. 848 *Sismerenga* (Nr. 52) bezeug·.

[95] Das Reichsland Elsaß-Lothringen, III, S. 617; E. de Bouteiller, Dictionnaire topographique, S. 159.

[96] W. Haubrichs, JWLG. 9 (1983) S. 40.

[97] Das Reichsland Elsaß-Lothringen, III, S. 693; E. de Bouteiller, Dictionnaire topographique, S. 159.

[98] W. Haubrichs, JWLG. 9 (1983) S. 40.

[99] W. Haubrichs, JWLG. 9 (1983) S. 40.

und Bliesgaugrafen Odakar, zugleich des Refundator des Saarbrücker Stiftes St. Arnual[100].

Ausgeklammert (jedoch kartiert) werden ebenso die heute jenseits der Sprachgrenze liegenden Siedlungsnamen auf -ingen wie zum Beispiel *Amelange*, Weiler, Gemeinde Hauconcourt (Kanton Metz); *+Dudange*, a. 1363 *en Duedange*, Gemeinde Maizières (Kanton Metz), *+Erpange*, a. 1355 *Erpanges*, Gemeinde Marange (Kanton Metz); *+Idelange*, a. 1363 *sus Ydelainge*, Gemeinde Maizières (Kanton Metz), *Marange* (Kanton Metz), *Silvange* (Kanton Metz) (und so weiter)[101]. Sie sind das Ergebnis eines frühen fränkischen Siedlungsvorstoßes, der auf dem linken Moselufer nördlich Metz auf offenbar weitgehend seit der Spätantike wüst gewordenem Lande bis nahe an die *civitas* heranführte. Die älteren germanischen Reliktnamen in diesem Raum sind aufgenommen, jedoch nicht Flurnamen und Siedlungsnamen, die wegen erhaltenem intervokalischem [*d*] und anderer lautlicher Eigentümlichkeiten nicht alt sein können, zum Beispiel[102] a. 1363 *en Virewide*, a. 1461 *devant la Hayde*, a. 1557 *au Braide*.

Ausgeklammert werden ferner trotz französischer Doppelformen neuzeitliche Gründungen mit deutschem Namen, wie etwa das erste a. 1585 gegründete *Chémery* (Kanton Faulquemont) ⟨ *Schönberg*, mda. [ʃeːmeriχ][103], ebenso späte Entlehnungen wie *Brouck*, dt. *Bruchen* (Kanton Boulay), a. 1321 *Brouchon* ⟨ ahd. *bî den bruohhon* 'bei den Sümpfen', das frühnhd. [ū] ⟨ mhd. [ue] ⟨ ahd. [uo] voraussetzt.

Aus E. Gamillschegs und F. Petris Liste germanischer Relikte westlich der Sprachgrenze müssen schließlich gestrichen werden[104]:

Argancy (Kanton Vigy): falsche Zuordnung des historischen Belegs a. 857 *Argesingas*;

Borny (Kanton Metz): falsche Zuordnung des historischen Belegs a. 1182 *Burnacha*;

Bradin, Gut, Gemeinde Moulins-lès-Metz (Kanton Metz), 15. Jahrhundert *La Grange Braidey*: kann wegen erhaltenem intervokalischem [*d*] nicht zu germ. **Braida* 'Breite' gehören. Es handelt sich um Benennung nach einem Besitzer[105].

---

[100] Sieh W. Haubrichs, ZGS. 30 (1982) S. 12, A. 27; W. Haubrichs, JWLG. 9 (1983) S. 25f. (mit weiterer Literatur).

[101] Sieh H. Witte, Das deutsche Sprachgebiet Lothringens, S. XXX; F. Petri, Germanisches Volkserbe, I, S. 304.

[102] F. Petri, Germanisches Volkserbe, I, S. 305.

[103] E. de Bouteiller, Dictionnaire topographique, S. 52. Nach Das Reichsland Elsaß-Lothringen, III, S. 168 wäre eine Vorgängersiedlung freilich bereits a. 1240 als *Schonenberg* belegt.

[104] Die Aufstellungen bei E. Gamillscheg und F. Petri (sieh A. 93), auch die Liste der Doppelformen bei F. Petri, Germanisches Volkserbe, I, S. 718ff., sind recht unzuverlässig. Ihre Hauptmängel bestehen in falschen Identifizierungen und in der ungleichmäßigen Materialgrundlage. Dazu kommt bei F. Petri die Abwesenheit lautchronologischer und ortsnamentypologischer Differenzierungen. Die bei beiden Forschern von großräumigen Perspektiven und Thesen geleiteten Untersuchungen müssen von regionalen Sammlungen und Analysen her überprüft, ja teilweise neu erstellt werden.

Calembourg bei Norroy (Kanton Metz) ist wohl späte Namenübertragung, wie bereits F. Petri selbst erwog.

Champion, Gemeinde Chailly-lès-Ennery (Kanton Vigy): die Zuordnung der merowingischen Münzstätte *MALLO CAMPIONE* ist fraglich[106], ferner sprachlich irrelevant.

Dalle, Flurname in Metz, muß nicht germanisch erklärt werden[107].

Malroy (Kanton Vigy) ist aus rom. **Mellarētum* 'Ort mit Bienenstöcken, Imkerei' abzuleiten[108].

La Vanoue, Gemeinde Cheminot (Kanton Verny): von F. Petri bereits gegenüber E. Gamillscheg gestrichen und auf rom. *-nava*, lothr.-franz. *noe*, wall. *nouwe* 'sumpfige Niederung' zurückgeführt[109]; von R. Schmidt-Wiegand[110] jedoch mit E. Gamillscheg noch a. 1968 ⟨ **Walbenauwa* 'Wälschenau' abgeleitet.

Wadrinau (Digue de), Gemeinde Ban-St.-Martin (Kanton Metz): a. 1392 *Wadrinowe*, a. 1408 *le Xault de Waudrinaw*, a. 1425 *La Wenne de Vadrinau*, a. 1425 *La Wanne de Vadrinaue*, 15. Jahrhundert *La Malegoule à Wadrinowe*, nach E. Gamillscheg und F. Petri ⟨ germ. **Waderingauwja* 'Wasserau'[111]; K. Elsenbast ·tellt es zu rom. **wad(a)ra* ⟨ afränk. **watar* 'Wasser' + ahd. *auwa*[112], womit jedoch [n] in der Metzer Form nicht erklärt wird. Eher **wadra* + rom. **nava* 'sumpfige Niederung'.

Wassenanque, Weiler bei Plesnoy (Kanton Metz) ist kaum ein germanischer *ingen*-Name, sondern wahrscheinlich zu den vorromanischen *-ank*-Namen zu stellen[113].

---

[105] Sieh demnächst M. Buchmüller, Siedlungsnamen zwischen Spätantike und frühem Mittelalter.

[106] I. Heidrich, RhVB. 38 (1974) S. 83.

[107] J. Schneider, Le Pays Lorrain, S. 33-41; FEW. XV, 2 (1968) S. 49ff. zu *dal* (Meurthe-et-Moselle) 'paroi'.

[108] FEW. VI, 1 (1968) S. 681; A. Dauzat - Ch. Rostaing, Dictionnaire etymologique, S. 428. H. Gröhler, Über Ursprung und Bedeutung der französischen Ortsnamen, II, S. 172, 174 leitet Satznamen wie *Meilleray* (Seine-et-Marne) von **melarius* 'Apfelbaum' + *-etum*, Satznamen wie *Melleray* (Sarthe) von **Mespilarius* 'Mistelstrauch' + *-etum* ab.

[109] F. Petri, Germanisches Volkserbe, I, S. 306; E. Gamillscheg, Romania germanica, I, S. 97; sieh W. Kleiber, Zwischen den Sprachen, S. 106ff.; FEW. VII (1955) S. 53ff.

[110] R. Schmidt-Wiegand, RhVB. 32 (1968) S. 163f. E. Gamillscheg hatte die berechtigte Kritik von F. Petri in der zweiten Auflage seines Werks nicht berücksichtigt. Auch die Deutung des Ortsnamens *Voisage*, Gemeinde Arry (Kanton Gorze), a. 858 *Uuasaticum*, 14. Jahrhundert *Vaizaige*, a. 1398 *Waisage*, das R. Schmidt-Wiegand mit E. Gamillscheg, ebenda, S. 166 zu fränk. **waso* 'feuchte, grasbewachsene Erdfläche' stellt, ist nicht zu halten. Es ist aus mittellat. *vasaticum* 'Schiffszoll' abzuleiten. Der Ort liegt an der Mosel.

[111] Sieh E. Gamillscheg, Romania germanica, I, S. 97; F. Petri, Germanisches Volkserbe, I, S. 304.

[112] K. Elsenbast, Zwischen den Sprachen, S. 211.

Es verbleiben also:

D. Germanische Reliktnamen und Doppelnamen mit germanischer Etymologie

(83) *Beux* [*Hautebeux, Bạssebeux*] (Moselle, Kanton Pange): a. 1096 *Bu*, a. 1161 *Bu*, a. 1186/1189 Or. *Bu*, a. 1404 *Baixe Beue*, a. 1429 *Bus* ⟨ ahd. *bū* 'Bau, Wohnung'[114].

(84) *Brabant*, Gemeinde Augny (Moselle, Kanton Metz) ⟨ germ. **Brākbant(i)* (zu germ. *brāka* 'brach' + germ. *banti* fem. ahd. **banz*, and. *bant* 'Bezirk')[115]. Wegen fehlender Verschiebung von germ. [*t*] ist die romanische Integration sehr früh anzusetzen. Oder handelt es sich einfach um Namenübertragung?

(85) *Boucheporn*, dt. *Buschborn* (Moselle, Kanton Boulay): neuntes Jahrhundert Or. *Buxbrunno*, a. 1121 K. *Bospurno*, a. 1180 K. *Bousporno*, a. 1361 franz. *Besperon* ⟨ ahd. *buhs(boum)* 'buxus' + *brunno* 'Quelle, Quellbach'. Die Form von a. 1361 zeigt eine französische Doppelform mit romanischem Sproßvokal.

(86) *Brieux*, Gemeinde Maizières (Moselle, Kanton Metz): a. 1359 *Brieux*, a. 1404 *Bruel* ⟨ ahd. *broil, bruil*, mhd. *brüele* 'Aue, Brühl, Herrenwiese'[116]. Die Form von a. 1404 zeigt eine noch lebendige deutsche Form.

(87) *Cheuby*, Gemeinde St. Barbe (Moselle, Kanton Vigy): a. 1349 *Soibey*, a. 1404 *Choibey*, a. 1442 *Choibelz*, a. 1490 *Cheubey* ⟨ germ. *swal-* 'schwellen' + **baki* 'Bach'? Auch ein galloromanischer Name auf *-(i)acum* ist denkbar[117].

(88) *Chieulles* (Moselle, Kanton Metz): a. 1287 Or. *Xueles*, a. 1322 *Xuelle*, a. 1333 Or. *Xuelles*, a. 1404 *Xuelle*, a. 1475 *Xoiel*, a. 1594 *Chouuelle* ⟨ ahd. *Swall-ja* (zu germ. *swal-* 'schwellen' + *ja*-Suffix)[118]. F. Petri vergleicht mit deutschen Gewässer-

---

[113] Sieh W. Jungandreas, TZ. 22 (1953) S. 7ff.; W. Jungandreas, Namenforschung, S. 271.

[114] E. Gamillscheg, Romania germanica, I, S. 109; Althochdeutsches Wörterbuch, I, Sp. 1475f. Sieh auch zu germanischen Reliktortsnamen auf *-bū* W. Blochwitz, Die germanischen Ortsnamen, S. 61f.

[115] Sieh F. Petri, Germanisches Volkserbe, I, S. 690ff.; M. Gysseling, Toponymisch Woordenboek, I, II, S. 98, 178, 180, 181 und öfter; W. Jungandreas, Historisches Lexikon, S. 42; P. v. Polenz, Landschafts- und Bezirksnamen, I, S. 137ff.; W. Kleiber, wortes anst. verbi gratia, S. 264.

[116] Sieh F. Kluge, Etymologisches Wörterbuch, S. 104; H. Dittmaier, Rheinische Flurnamen, S. 42f.

[117] Sieh M. Buchmüller, Siedlungsnamen zwischen Spätantike und frühem Mittelalter, Nr. XX. Bad Langenschwalbach ist a. 831 als *Sualbach* belegt; sieh A. Bach, Deutsche Namenkunde, II,1, § 300.

[118] Zur lautlichen Entwicklung sieh zum Beispiel den lothringischen Ortsnamen *Xugney*, Gemeinde Rugney (Département Vosges, Kanton Charmes), a. 1157 Or. *Suviniaci*, a. 1167 *Suigneis*, a. 1174 *Suineis*, a. 1255 Or. *Seugnez* ⟨ **Subiniacum*, **Swabiniacum* zum germanischen Personennamen *Suabin, Sūbin*. Sieh M. Buchmüller, Siedlungsnamen zwischen Spätantike und frühem Mittelalter (im Druck).

namen wie der holsteinischen *Schwale*, 12. Jahrhundert *Suala*. Sieh auch *Schwalb* (→ Wörnitz, Mittelfranken), a. 793 *Sualawa*[119].

(89) *Hayes*, dt. *Haiss* (Moselle, Kanton Vigy): a. 1018 K. *villa Herede* ⟨ **Hecede*, a. 1085 Or. *Heis*, a. 1181 K. *Hes*, a. 1235 *Haike*, a. 1245 K. *Heiz*, a. 1295 *Hacque*, a. 1310 *Heys*, a. 1315 *Haique*, a. 1320 *Hetz*, a. 1321 *Hago*, a. 1326 Or. *Heis*, a. 1428 *Heisz*, mda. franz. *Hé*, mda. dt. *Haiss* ⟨ **Hagjas* (Lokativ Plural zu germ. **hagja*, ahd. **heggia*, **hegga* 'gehegter Wald, Bannwald'). Die Form von a. 1018 gibt eine althochdeutsche Doppelform (Ableitung auf germ. *-iþa*, ahd. *-ida*) wieder[120]. In romanischer Schreibung überlieferte Formen wie a. 1235 *Haike* sind, falls die Identifizierungen stimmen, Reflexe der Variante **heggia* ⟩ *hecke*. Die spätere deutsche Form aus a. 1085 rom. *Heis* entlehnt.

(90) *Han-sur-Nied* (Moselle, Kanton Faulquemont): a. 1241 Or. *Hans*, a. 1275 Or. *Hans sus Niet*, a. 1544 *Han*, *Hem*, dt. mda. *Hon an der Nied* ⟨ germ. **Hamnas* 'bei den Flußbögen' (Lokativ Plural zu ahd. **hamna* 'Krümmung, Bogen')[121]. Sieh *+Hamm*, Gemeinde Mettlach (Saarland, Kreis Merzig), a. 1329 *Hammes*, a. 1498 *zu Hamme*; *Ham-sous-Varsberg*, dt. *Hamm* (Kanton Boulay), a. 1181 K. *Hamps*, a. 1231 *Hams sous Warnesperch*; *Ham* bei Diedenhofen, a. 1411 Or. *Hames*, a. 1413 Or. *Hammes*. Der Ort liegt in der Tat zwischen zwei Außenbögen der Nied. Allerdings muß mit einem romanischen Lehnwort gerechnet werden.

(91) *Laquenexy*, Gemeinde Villers-Lagueney (Moselle, Kanton Pange): a. 1245 K. *ban de Corcelle et de ly Cunesil* [⟨ *-*sit*], a. 1249 K. *de Corcelles et de la Cunesit*, a. 1266 *La Cunesi*, a. 1284 Or. *de Luckenexit*, a. 1326/27 Or. *de Lukenexit*, a. 1337 Or. *Lequenexit*, a. 1404 *Willeir de leiz Laquenexit*[122] ⟨ ahd. **Kunnescīt* (zu ahd. *kunni* 'gens' + ahd. **sceit*, *scīt* 'zur Sondernutzung ausgeschiedenes Land, Wald')[123]. Sieh *+Jarnexit*, a. 1288 *bei Jarny* (Meurthe-et-Moselle, Kanton Conflans-en-Jarnisy); *Mandrezy* bei Williers (Ardennes), a. 1293 *Mandrixi*, a. 1355 *Mondreseit*.

(92) *+Leer*, Gemeinde Malroy (Moselle, Kanton Vigy): 17. Jahrhundert *Leer* ⟨ ahd. **(h)lar* 'Hürde, Gehege, Wohnung'[124].

(93) *+Leirs*, Gemeinde Maizières (Moselle, Kanton Metz): a. 1307 *Leirs*, a. 1346 *Leirs deleis Maxiere*, a. 1362 K. *Leirs*, a. 1404 Or. *Leirs* ⟨ ahd. **(h)lar* 'Hürde, Gehege, Wohnung'.

---

[119] A. Bach, Deutsche Namenkunde, II,2, § 325,3, 749.

[120] Sieh W. Haubrichs, JWLG. 9 (1983) S. 19f.; FEW. XVI (1959) S. 113. F. Petri, Germanisches Volkserbe, I, S. 562 vertritt für dt. *Haiss* Ableitung aus germ. *haisi*, ahd. *heisi* 'Gestrüppwald'.

[121] H. Dittmaier, Rheinische Flurnamen, S. 100; F. Petri, Germanisches Volkserbe, I, S. 614ff.

[122] Sieh M. Buchmüller, Siedlungsnamen zwischen Spätantike und frühem Mittelalter.

[123] A. Bach, Deutsche Namenkunde, II,2, § 619; H. Dittmaier, Rheinische Flurnamen, S. 262.

[124] H. Dittmaier, Die Namen auf *-lar* (Nr. 93 falsch als *+Liers*); H. Dittmaier, Rheinische Flurnamen, S. 179f., 183; E. Gamillscheg, Romania germanica, I, S. 116f., 211.

(94) *La Maxe* (Moselle, Kanton Metz): a. 1245 Or. *La Mars*, a. 1325 *Marax*, a. 1404 Or. *La Grant Mairs, Petite* *К̇ѧ.̣:*, a. 1415 *La Macr̃* ̣, franz. mda. *Masche* ⟨ germ. *Marisk* 'Sumpf, Marsch', aber auch altfranzösisches Lehnwort[125].

(95) *Lemud* (Moselle, Kanton Pange): a. 1404 *L'Esmud* ⟨ germanischem Gewässernamen *Smutja*, vorahd. *Smutta* (zu nd. *smutt*, mhd. *smuz* 'Schmutz' ⟨ germ. *smut-* + Suffix *-ja*)[126].

(96) *Pange* (Moselle): a. 1093 Or. *Spanges*, a. 1130 K. *Spangis*, a. 113'. K. *Espainges*, ± a. 1200 Or. *Espanges*, a. 1284 Or. *Espenges*, a. 1368 *Epange*, a. 1ᴀ.ᴑ.· *Painge*, a. 1423 *Pengc*, ᵇ. 1 .9ᴑ *Painges*, franz. mda. *Painge* ⟨ ahd. *Spangas* (Lokativ Plural zu ahd. *Spanga* 'Ꭲ_.̣ͫₑₗ, Spange')[127].

(97) *Rabas, d̥ₜ̣ Rebach*, Gemeinde Villers-Bettnach (Moselle, Kanton Vigy): 12. Jahrhundert Or. ̣ʔₐcb, a. 1405 *Ralbas*, 15. Jahrhundert *Rabay*, franz. mda. *Réba* ⟨ vorahd. *raibo̥. ̣ₘ.d. rēb(o)* 'Reh' + germ. *baki*, ahd. *bah* 'Bach'[128].

(98) *Sorbey* (Moselle, Ꭓanton Pange): a. 1178 *Sorbeiacum*, a. 1192 *Sorbers* [⟨ *Sorbeis*], a. 11ᴏ̣ᴢ. ᑐₒrbeium*, a. 1227 Or. *a Sorbei*, a. 1262 K. *Sorbeix* ⟨ germ. *sūr(a)* 'schleimig naß, sᴀᵤer' + germ. *baki* 'Bach'? Eine Ableitung aus einem *(i)acum*-Namen *Surbiacum* beziehungsweise ⟨ *Sorbētum* (Kollektivum zu rom. *sorbum* 'Frucht des Spierling'. Sieh dial. Moselle *sourbe*); erscheint jedoch wahrscheinlicher; sieh vor allem die Graphie a. 1192 *Sorbers* mit einer Verwechslung mit *Sorbaria(s)*, (a. 988 *Sorbaria* in Urkunden aus Cluny) zu mlat. *sorberius*[129].

(99) *+Strappe* (Ban de), Gemeinde Chailly-lès-Ennery (Mosᴇ̣ls̤, Kanton Vigy): a. 1343 K. *on ban de Strabₚes*, a. 1348 Or. *Strape*, a. 1351 *Ban de Trappe*, a. 1357 *Ban de Strappe*, a. 153ᴜ̣ ᴊᴜn de Trappe*[130] ⟨ germ. *Strappa* 'Schlinge, Enge' (sieh got. *strappan* 'fest anspannen', rhein. mda. *strappen* 'abstreifen, Schlingen legen' ⟨

---

[125] FEW. XVI (1959) S. 519ff.; H. Dittmaier, Rheinische Flurnamen, S. 197f.; E. Gamillscheg, Romania germanica, I, S. 321.

[126] Die Sippe gehört mit *s*-Erweiterung des Stammes zu ahd. *muzzan* 'putzen', mnd. *mūten* 'das Gesicht waschen', nnl. *mot* 'feuchter Regen' und ist aus idg. *meu-* 'feucht' abzuleiten. F. Kluge, Etymologisches Wörterbuch, S. 667.

[127] Sieh E. Gamillscheg, Romania germanica, I, S. 132; A. Bach, Deutsᴄ̣ᴌᴇ̣ ᴺᵒᵐen-kunde, II,2, § 314; E. Förstemann, Altdeutsches Namenbuch, II,2, Sp. 8ꞌʔ ꞌ581; M. Gysseling, Toponymisch Woordenboek, II, S. 928. Es können zum Beᵢₛ̣ ꞌ ver-glichen werden *Les Spangues*, ± a. 937 Kopie 1. Hälfte 12. Jahrhundert *Spangius* (Belgien, Arrondissement Dinant), *Lépanges*, a. 1284 *L'Espange* (Vosges, Kanton Bruyères) sowie mehrere deutsche, friesische und holländische Ortsnamen.

[128] Sieh E. Gamillscheg, Romania germanica, I, S. 104, 242. *Rabas* wird dort an eine Wurzel *rad-* angeschlossen, welche jedoch die deutsche Form nicht erklärt. *Rebbach* ist zudem bei E. Förstemann, Altdeutsches Namenbuch, II,2, Sp. 562, belegt.

[129] Sieh M. Buchmüller, Siedlungsnamen zwischen Spätantike und frühem Mittelalter (im Druck). Zu *Sorbeke* (u.ä.) sieh auch W. Blochwitz, Die germanischen Ortsnamen, S. 9; F. Petri, Germanisches Volkserbe, I, S. 528; zu *sorbetum* sieh FEW. XII (1966) S. 106.

[130] Die alten Territorien des Bezirkes Lothringen, II, S. 833, 837f.

afränk. *strappōn). Es existiert jedoch auch eine französische Lehnwortsippe mit etwa wall. (Louvain) èstraper 'serrer, coincer', (Nivelles) à l'Estrape 'à la gêne, à l'etroit'[131].

(100) Suisse, dt. Sülzen (Moselle, Kanton Grostenquin): a. 896 Or. Sulciam, ± a. 1124 Or. Sulces, ± a. 1142 Sulzan, a. 1245 Sultze, a. 1361 K. Xousse, a. 1594 Xousse alias Soultzen, a. 1718 Xousse, Xuisse ⟨ germ. *Sultja, ahd. Sulz(i)a 'Salzwasser, Saline'[132].

(101) Tapes [Les-Grandestapes, Les-Petitestapes], Gemeinde Woippy (Kanton Metz): a. 1181 Staples, a. 1192 Or. Staples, a. 1196/1201 Or. Estables, a. 1281 Or. Staples, 13. Jahrhundert Staiples, Staples, Estaples, Anfang 15. Jahrhundert Or. La Grant Staiple, La Petite Staiple ⟨ afränk. *Stapulas 'bei den Gerüsten, beim Lagerplatz, Handelsplatz' (Lokativ Plural zu westgerm. *stapul 'Pfosten, Gerüst, Holzhaufen')[133] beziehungsweise rom. *[ad] Stapulas (zum romanischen Lehnwort stapula, afranz. estaple 'Handelsplatz, Warenmagazin')[134].

(102) Valmont, dt. Walmen (Kanton St. Avold): a. 1147 K. Wallemaniam, 12. Jahrhundert Or. Walemannia, a. 1221 Walmanen, a. 1365 Walmen, a. 1433 Vallemont, a. 1599 Wulmont ⟨ ahd. Walamannia 'Romanensiedlung' (zu ahd. Wala(h)man 'Romane' mit kollektivem ja-Suffix)[135]. Die volksetymologische Angleichung der französischen Doppelform an franz. mont 'Berg' setzt Übernahme vor Akzentverlust und Vokalabschwächung des zweiten Elements der Zusammensetzung (etwa seit dem 13. Jahrhundert) voraus.

(103) Voimhaut (Kanton Faulquemont): a. 1281 Or. Wainvas, a. 1316 K. Waimvalz, a. 1334 Womishaut [*Woinishaut?], a. 1347 Woinhaut, a. 1404 Woinvault, a. 1427 Or. Wainheval ⟨ ahd. *Wadenwald 'Wald des Wado'[136].

----

[131] FEW. XVII (1966) S. 251. Sieh F. Kluge, Etymologisches Wörterbuch, S. 755. E. Gamillscheg, Romania germanica, I, S. 336 belegt ein afranz. estraper 'ausreißen', franz. étraper 'die Stoppeln absicheln', das er zu afränk. *strappōn 'ausrupfen' (sieh schweiz. strapfen) stellt. Der Ortsname *Strappa ließe sich so auch als 'Rodung' interpretieren.

[132] Sieh A. Bach, Deutsche Namenkunde, II,1, § 373; F. Kluge, Etymologisches Wörterbuch, S. 764; F. Petri, Germanisches Volkserbe, I, S. 539.

[133] Sieh F. Kluge, Etymologisches Wörterbuch, S. 739; E. Gamillscheg, Romania germanica, I, S. 133, 211; R. Schmidt-Wiegand, RhVB. 32 (1968) S. 143 (mit der Deutung 'Rechtspfahl, Gerichtsstätte' nach entsprechenden Abschnitten der Lex Salica beziehungsweise Lex Ribuaria); R. Schützeichel, Die Grundlagen des westlichen Mitteldeutschen, S. 337-380; R. Schützeichel, ZDL. 46 (1979) S. 204-230.

[134] FEW. XVII (1966) S. 221f.; E. Gamillscheg, Romania germanica, I, S. 350; F. Petri, Germanisches Volkserbe, I, S. 700.

[135] Sieh M. Buchmüller - W. Haubrichs - R. Spang, ZGS. 34 (1986) (im Druck) Nr. 58.

[136] Sieh E. Förstemann, Altdeutsches Namenbuch, I, Sp. 1490ff.; H. Kaufmann, Ergänzungsband, S. 374f. M.-Th. Morlet, Les noms de personne, III, Sp. 463b leitet vom Personennamen germ. Wana fem. + wald ab. Dieser Ansatz erklärt jedoch nicht den altfranzösischen Diphthong [oi].

(104) *La Wade*, Gemeinde Vallières (Kanton Metz): a. 1429 *Wade* ⟨ afränk. **wad*, **wade* fem. 'Furt, seichtes Gewässer'. Das Wort ist als nl. *waai* 'Furt', aber auch zwischen Eifel und Niederrhein sowie für die Pfalz belegt[137]; als Flurname auch am badischen Schwarzwaldrand[138]. Es muß schließlich auch im westfränkischen Bereich vorausgesetzt werden, da afranz. *guet, guez*, alothr. *weit, wey*, awall. *wez* auf eine Kreuzung von afränk. *wad-* und lat. *vadum* 'Furt' zurückgeht[139]. Wegen der Erhaltung des intervokalischen [*d*] handelt es sich hier jedoch um einen späten germanischen Namenimport[140].

Von diesen Reliktnamen und Doppelformen können Nr. 84 als eventuelle Namenübertragung, Nr. 94, 101 und 104 nicht als Lehnappellativa des Romanischen, Nr. 87, 90, 98 und 99 als unsicher nur mit Fragezeichen gewertet werden.

Neben den hier aufgeführten Namen lassen sich im Raum um Metz auch Siedlungsnamen vom Typus germanischer Personenname + *-(i)acum* auffinden, zum Beispiel *Woippy* (Kanton Metz), a. 1153 Or. *Vuapeio* ⟨ **Wap[p]iacum* (zum germanischen Personennamen *Wappo*)[141]. Sie stellen sicherlich die älteste Schicht der germanisch-romanischen Interferenzen in der Toponymie des Pays Messin dar. Sie repräsentieren ebenso unbezweifelt eine junge Schicht der galloromanischen Namen auf *-(i)acum*. Jedoch sollen diese hier nicht behandelt werden, da ihr Benennungstyp romanisch ist und, da auch Galloromanen in der Merowingerzeit zunehmend germanische Personennamen trugen, nicht notwendig die Anwesenheit eines germanischen Ethnos in der Region voraussetzt.

Von den aufgelisteten Namen lassen sich die Entlehnungspaare und Übersetzungspaare romanischer beziehungsweise romano-germanischer Etymologie räumlich gliedern (siehe Karte Nr. 2). Während nämlich die ältere Schicht der Entlehnungen aus der romanischen Toponymie, vor allem der *(i)acum*-Namen in einem inneren Ring um Metz dominiert, der einen völlig unberührten Kern vorgermanischer Ortsnamen umschließt, überwiegen in einem äußeren Ring die genuinen Übersetzungspaare. Dabei herrschen an der deutschen Nied, der historischen *Iton(a)* beziehungsweise *Idona*, die *-iacum/-ingen*-Paare, zusammen mit *-villa/-ingen-* und *-curtis/-ingen*-Paaren, während sich die übrigen Gleichungen, vorwiegend mit dem althochdeutschen Ortsnamengrundwort *-dorf*, in den nördlichen und südlichen Randbezirken der Metzer Region finden.

Die Beziehungen der romanischen und germanischen Ortsnamentypen in den Übersetzungspaaren lassen sich in folgendem Schema augenfällig machen:

---

[137] Sieh F. Kluge, Etymologisches Wörterbuch, S. 841; H. Dittmaier, Rheinische Flurnamen, S. 328f.

[138] W. Kleiber, wortes anst. verbi gratia, S. 241.

[139] FEW. XVII (1966) S. 438; E. Gamillscheg, Romania germanica, I, S. 135, 322; F. Petri, Germanisches Volkserbe, I, S. 699.

[140] Sieh auch bereits E. Gamillscheg, Romania germanica, I, S. 211.

[141] Sieh demnächst M. Buchmüller, Siedlungsnamen zwischen Spätantike und frühem Mittelalter (im Druck).

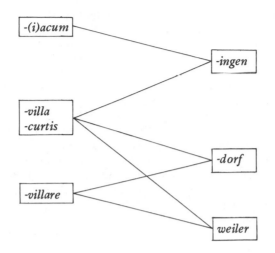

Dieses Beziehungsgeflecht muß wohl chronologisch interpretiert werden[142]. Der älteste, galloromanische -(i)acum-Typus besitzt nur noch Beziehungen zum germanisch-fränkischen -ingen-Typus. Diese Beziehungen sind aber nicht privilegiert, sondern setzen sich in Übersetzungen mit den merowingerzeitlichen romanischen Grundwörtern -villa und -curtis fort. Die -villa- und -curtis-Typen besitzen auf germanischer Seite ihren wichtigsten Partner in Siedlungsnamen auf -dorf. Das Grundwort -villa wird gelegentlich auch noch durch -wilre, -weiler wiedergegeben. Ähnlich wird romanisches -villare nicht nur durch -weiler, sondern auch durch -dorf wiedergegeben. Für die relative Chronologie der Siedlungsnamentypen in Lothringen ist daraus zu schließen, daß es auf germanisch-fränkischer Seite eine Abfolge von -ingen über -dorf bis hin zu -weiler gibt. Die Überlappungszonen von -ingen einerseits und -dorf, -weiler andererseits sind jedoch recht ausgedehnt[143]. Auf romanischer Seite erscheint der -(i)acum-Typus deutlich und eindeutig abgegrenzt gegenüber den späteren merowingischen und karolingischen Siedlungsnamentypen, da er nicht mehr in die Blütezeit der germanisch-fränkischen Grundwörter -dorf und -weiler hineinreicht. Unter den merowingischen Siedlungsnamentypen erscheint -villa langlebiger als -curtis.

---

[142] Einen Versuch, die Typologie der Übersetzungen für die Chronologie der Ortsnamentypen auszuwerten, findet man bereits bei F. Petri, Germanisches Volkserbe, I, S. 727ff.

[143] Zur Problematik der Chronologie der Siedlungsnamen auf -ingen in Lothringen sieh W. Haubrichs, Gießener Flurnamen-Kolloquium, S. 510f. Sieh auch für den oberen Saargau W. Haubrichs, Zwischen den Sprachen, S. 246ff.

Will man die typologische Verteilung der Toponyme in einem ersten Versuch sied-
lungsgeschichtlich deuten, so scheint der innere, von Entlehnungspaaren dominierte
Metzer Ring die äußerste Grenze germanischen Siedlungseinflusses und direkten
Spracheinflusses zu bezeichnen. Bei den Entlehnungen kann es sich zum Teil um
exogene Nachbarschaftsnamen handeln, zum Teil um Reflexe fränkischer Streusied-
lung, wie sie auch die später noch zu besprechenden germanischen Reliktnamen in
diesem Raum bezeugen. Der äußere Ring kann dagegen als eine Siedlungsmischzone
interpretiert werden, in der beide Ethnoi in einem bilingualen Sprachraum langzeitig
nebeneinander wohnten. Die genuinen Übersetzungspaare müssen als Reflexe dieser
gemischt ethnischen Siedlungsphasen verstanden werden.

Jenseits des äußeren Rings fällt zwischen deutscher Nied und Rossel ein resistentes,
schmales Nebenzentrum im sich sonst eher auflösenden Warndtkorridor auf, das
wieder eindeutig von Entlehnungspaaren dominiert wird: dazu gehören *Hilariacum/
Hellering, Longeville/Lubeln*, die beiden *Fillen*, *+Menter*, *+Plenter*, aber auch wohl
Macker und *Macheren*.

Diese noch groben Schichtungen können durch lautchronologische Untersuchungen verfeinert werden:

Entscheidende Hinweise zur Datierung der Germanisierung im Pays Messin ergeben
sich zunächst durch die Teilnahme deutscher Doppelformen an romanischen phonetischen Entwicklungen der Merowingerzeit. So ist die romanische Assibilierung von
$[k\underset{\i}{\i}]$, $[t\underset{\i}{\i}]$ > $[ts\underset{\i}{\i}]$ weitgehend durchgeführt:

Nr. 7 *Kelsch* ⟨ **Kaltsiako* ⟨ *Calciacum*
Nr. 15 *Küntzig* ⟨ a. 792 *Conziago* ⟨ **Contiacum*
Nr. 16 *Lessy*, a. 982 K. *Lazehi* ⟨ **Laciacum*
Nr. 22 *Mussy*, a. 1018 Or. *Muzicha* ⟨ **Mu[t]tiacum*
Nr. 28 *Argenchen* ⟨ a. 1180 K. *Argenza* ⟨ **Argantia*

Nur in zwei Fällen scheint rom. $[t\underset{\i}{\i}]$ vor der Assibilierung ins Fränkische übernommen worden zu sein:

Nr. 19 *Menchen*, a. 1432 *Monchen*, a. 1692 Or. *Mentgen* ⟨ **Mantiacum*
Nr. 22 *Mussy*, dt. *Mitchen* ⟨ **Mu[t]tiacum*

Jedoch sind diese Fälle nicht eindeutig zu sichern: die heutigen Formen können
auch durch Erleichterung der Dreikonsonanz in flektierten und synkopierten Formen zustande gekommen sein[144]: *Menchen* ⟨ **Mentzchen* ⟨ **(in) Mentzichen* (Dativ
Singular); *Mitchen* ⟨ **Mützchen* ⟨ a. 1326 K. *Mutzichen* (Dativ Singular).

Auch die Assibilierung von $[ke]$, $[ki]$ > $[tse]$, $[tsi]$ ist in den deutschen Doppelformen des Pays Messin in drei Fällen durchgeführt:

Nr. 18 *Maizery*, a. 1252 K. *Maizericq* ⟨ **Metserich* ⟨ **Maceriacum*
Nr. 34 *+Messeren* ⟨ a. 1131 K. *Metzera* ⟨ **Maceria*
Nr. 36 *Silly*, a. 1625 *Zillersch* ⟨ a. 1005 K. *Cileiris* ⟨ **Cellariis*

----

[144] Sieh M. Buchmüller - W. Haubrichs - R. Spang, ZGS. 34 (1986) (im Druck);
W. Haubrichs, Lautverschiebung in Lothringen (im Druck).

Die Assibilierungen setzt man für die zentrale Galloromania im 5./6. Jahrhundert, für Ostfrankreich jedoch mit Verspätung im 6./7. Jahrhundert an[145]. Die hier zitierten deutschen Doppelformen können deshalb kaum vor dem 7. Jahrhundert entstanden sein.

In zwei Fällen erfolgte die Integration der romanischen Namen vor der Assibilierung von [ke], [k.

Nr. 31 *Macker* ⟨ **Maceria*
Nr. 32 *Machern* ⟨ **Maceria*

Die Formen unterlagen später der althochdeutschen [k]-Verschiebung.

Es muß jedoch überlegt werden, ob nicht die romanische Assibilierung von [ke], [ki] in Lothringen jünger ist als die Assibilierung von [ki̯], [ti̯]. In diesem Fall müßten die nichtassibilierten Formen nicht unbedingt die älteste Entlehnungsschicht repräsentieren.

In fünf Fällen läßt sich die romanische Sonorisierung des intervokalischen [k] aufweisen[146]: 7. Jahrhundert *Calciago* (Nr. 7), a. 777 Or. *Destrago* (Nr. 10), a. 791/792 K. *Carisiago* (Nr. 14), a. 7v̌2 *Conziago* (Nr. 15), a. 848 *Gangoniaga* (Nr. 43). Diese Formen belegen, daß bis in 8. und 9. Jahrhundert hinein noch romanische Sprache im Raum der Doppelformen lebendig war. Dieses Resultat ist gerade dort ein Gewinn, wo, wie im Falle von *Kirsch-lès-Luttange* (Nr. 14), *Küntzig* (Nr. 15) und *Gänglingen* (Nr. 43), die romanischen Doppelformen später ausstarben.

Entscheidende Datierungshinweise können auch die althochdeutschen Lautentwicklungen geben. Zunächst ist einmal festzustellen, daß die Verschiebung von germ. [t] hier wie bei allen anderen vorgermanischen Siedlungsnamen und Gewässernamen Lothringens und auch großer Teile des Mosellandes nicht vorkommt[147]. Es sind im vorliegenden Material etwa *Monterchen* (Nr. 21), *+Menter* (Nr. 33) und *+Plenter* (Nr. 35) zu nennen.

Dagegen zeigt sich die Verschiebung von [k] ⟩ [x] in folgenden deutschen Doppelformen:

Nr. 10 *Destrich* ⟨ a. 991 K. *Destrach* ⟨ **Desterjak(o)* ⟨ **Dext[e]riacum*
Nr. 11 *Drigny*, a. 1266 Or. *Drachenachen* ⟨ **Drakonjak(o)* ⟨ **Draconiacum*
Nr. 23 *Rémilly*, a. 1423 K. *Rymloch* ⟨ **Romiljak(o)* ⟨ **Romiliacum*
Nr. 24 *Rupigny*, a. 1018 Or. *Rupenacha* ⟨ **Ruppinjak(o)* ⟨ **Ruppiniacum*
Nr. 25 *Silbernachen* ⟨ a. 1304 K. *Silbenachen* ⟨ **Silvinjak(o)* ⟨ **Silviniacum*

Hierher gehören wohl auch mit Abschwächung der unbetonten Endsilbe und späterer Synkopierung in flektierter Form:

Nr. 5 *Bolchen* ⟨ a. 1320 Or. *de Bolliche* ⟨ **Bollichen* ⟨ **[ze] Bollechen* ⟨ **Bollak(o)*
⟨ **Bollacum*

---

[145] M. Pfister, Festschrift für G. Hilty (im Druck). W. Haubrichs, Lautverschiebung in Lothringen (im Druck).

[146] Sieh M. Pfister, Zwischen den Sprachen, S. 137f.

[147] W. Haubrichs, Lautverschiebung in Lothringen (im Druck) passim.

Nr.   9   *Contchen,* a. 1478/1479 Or. *Conchen* ⟨ **[ze] Condechen* ⟨ **Condak(o)* ⟨
*Condacum

Die [*k*]-Verschiebung in *Macker* (Nr. 31) und *Machern* (Nr. 32) ist bereits registriert worden.

Da die [*k*]-Verschiebung für Lothringen in der ersten Hälfte des 7. Jahrhunderts
angesetzt werden muß, darf man von einer Entstehung der deutschen Doppelformen
vor der Jahrhundertmitte ausgehen.

Dazu paßt, daß im östlichen Bereich des Pays Messin der althochdeutsche Umlaut
in den Entlehnungspaaren vollkommen durchgeführt wurde. Die erste Phase dieser
Palatalisierungserscheinung vor folgendem [*i*], [*į*], der sogenannte Primärumlaut von
[*a*] ⟩ [*e*], zeigt sich in folgenden Formen:

Nr.   1   *Enterchen* ⟨ **Antiliacum*
Nr.   6   *Kettenchen* ⟨ **Catiliacum*
Nr.   7   *Kelsch* ⟨ a. 1284 *Kelschen* ⟨ **Calciacum*
Nr. 13   *Flévy,* a. 1495 *Fleeche* ⟨ **Flaviacum*
Nr. 14   *Kirsch* ⟨ **Kersichen* ⟨ **Carisiacum*
Nr. 19   *Menchen* ⟨ **Mantiacum*
Nr. 20   *Merchen* ⟨ a. 981 *Mernicha* ⟨ **Mariniacum*

Die zweite Palatalisierungsphase, der sogenannte Sekundärumlaut, ist belegt mit
folgenden Beispielen:

Nr.   8   *Kölsch* ⟨ **Kollinich* ⟨ **Col[l]iniacum*
Nr. 15   *Küntzig* ⟨ a. 1278 Or. *Cuncich* ⟨ **Contiacum*
Nr. 17   *Luppy,* a. 1493/1494 de *Luppich* ⟨ **Luppiacum*
Nr. 22   *Mitchen* ⟨ a. 1018 Or. *Muziche* ⟨ **Mu[t]tiacum*
Nr. 23   *Rémilly,* a. 1423 *Rymloch* ⟨ a. 840 Or. *Rumiliacum* ⟨ **Romiliacum.*

Der Primärumlaut ist in das 8. Jahrhundert, der Sekundärumlaut in das 8./9. Jahrhundert zu datieren, womit ein terminus ante quem für die Entlehnungspaare des
Metzer Landes gefunden ist.

Dem stehen zwei Relikte deutscher Doppelformen gegenüber, die keinen Umlaut
aufweisen:

Nr.   3   *Arry,* a. 1700 dt. *Arrig* ⟨ **A[r]riacum*
Nr. 16   *Lessy,* a. 982 dt. *Lazehi* ⟨ **Laciacum*

Das sind zweifellos Repräsentanten einer späteren, frühestens in das 9. Jahrhundert
zu datierenden Schicht deutscher Doppelformen. Es ist sicherlich kein Zufall, daß
sie geographisch abseits im romanischen Süden und Westen des Pays Messin liegen.

Anders wiederum steht es mit den genuinen Übersetzungspaaren, die sich vor allem
im Raum der deutschen Nied häufen. Hier weisen die deutschen Formen stets den
Umlaut auf, während er bei den französischen fehlt:

Nr. 41   *Bannay,* dt. *Bizingen,* a. 1281 Or. *Buneie,* a. 1451 Or. *Büssingen* ⟨ **Buzonia-*
          cum/*Buzingas
Nr. 42   *Fouligny,* dt. *Füllingen* ⟨ **Fulloniacum/*Fullingas*

Nr. 43 *Gänglingen*, a. 848 Or. *Gangoniaga* ⟨ **Gangoniaca/*Gangilingas*
Nr. 44 *Hemilly*, dt. *Hemming* ⟨ **Hamiliacum/*Hamilingas*
Nr. 45 *Herny*, dt. *Herlingen*, a. 1285 *Harney* ⟨ **Hariniacum/*Hariningas*
Nr. 49 *Bazoncourt*, dt. *Bischingen* ⟨ **Bassoniscurtis/*Bassingas*
Nr. 50 *+Machecourt*, dt. *+Meckingen* ⟨ **Maccicurtis/*Makkingas*
Nr. 51 *Plappecourt*, dt. *Peblingen* ⟨ **Pappolicurtis/*Papp(o)lingas*
Nr. 78 *Blettange*, dt. *Blettingen*, a. 1179 *Bladenges* ⟨ **Blattingas*

Gewertet werden dürfen natürlich nur Siedlungsnamen, in denen das Grundwort den Umlaut auslöst. Siedlungsnamen, in denen Appellativa oder Personennamen per se Umlaut beziehungsweise irgendeinen anderen Lautwandel aufweisen, können auch nach Ablauf der jeweiligen phonetischen Änderung entstanden sein. Für die oben skizzierten Übersetzungspaare läßt sich jedoch schließen, daß sie im Falle des Primärumlauts vor dem 8. Jahrhundert, im Falle des Sekundärumlauts vor dem 9. Jahrhundert entstanden.

Eine etwas spätere Schicht signifiziert der Lautwandel rom. [*v*] ⟩ ahd. [*f*], der kaum vor das 8./9. Jahrhundert zu setzen ist[148]:

Nr. 27 *Vry*, a. 1437 K. dt. *Virich*, a. 1490/1513 Or. dt. *Verichen* ⟨ **Veriacum*
Nr. 29 *Faux-en-Forêt*, a. 1126 *Falt* ⟨ **Vallētum*
Nr. 38 *Fillen* [*Oberfillen, Niederfillen*] ⟨ *Villa*
Nr. 39 *Longeville*, dt. *Lubeln*, a. 1486 dt. *Longfillen* ⟨ *Longavilla*

Die meisten dieser Fälle finden sich in der Romaneninsel zwischen Deutscher Nied und Rossel, in der noch im 8. Jahrhundert ein Kloster mit dem romanischen Namen *Novacella* (das spätere St. Avold) beim Romanenort *Hilariacum* (Nr. 40) gegründet wurde[149]. Es ist kein Zufall, daß in dieser Region *+Menter* ⟨ **Mentarium* situiert ist, dem der althochdeutsche Lautwandel von [*en*] vor Konsonant ⟩ [*in*] fehlt[150].

---

[148] Sieh M. Buchmüller - W. Haubrichs - R. Spang, ZGS. 34 (1986) (im Druck) (mit weiterer Literatur). Im lotharingischen Raum finden sich Fälle mit rom. [*v*] ⟩ ahd. [*f*] erst wieder im Gebiet der Moselromania, zum Beispiel *Fellerich* ⟨ **Valeriacum*; dazu sieh M. Buchmüller, Siedlungsnamen zwischen Spätantike und frühem Mittelalter (im Druck). Im Warndtkorridor selbst kommt aber auch die frühere Entlehnungsschicht mit rom [*v*] ⟩ ahd. [*w*] vor, so bei den aus einem Gewässernamen entwickelten Siedlungsnamen *Visse* [*Niedervisse, Obervisse*], Kanton Bouzonville, a. 1284 *Niderwiese* ⟨ idg. **Uisā*.

[149] Paulus Diaconus, MGH. SS. II, S. 264.

[150] Die althochdeutsche Integration der Lehnwörter folgt hier einem bereits voralthochdeutsch wirksamen Lautgesetz. Wie lat. *menta* ⟩ ahd. *minza* zeigt, fallen hierunter Entlehnungen, die vor die Lautverschiebung von germ. [*t*] zu setzen sind, aber auch Lehnwörter, die wie ahd. *zins* ⟨ lat. *census* noch die romanische Assibilierung von [*ke*] mitgemacht haben. Nicht mehr betroffen vom Lautwandel [*en*] ⟩ [*in*] vor Konsonant wurden jedoch zum Beispiel Lehnwörter wie ahd. *spendōn* ⟨ mlat. *spendere* ⟨ lat. *expendere* 'ausgeben' sowie ahd. *pensil*, mhd. *bénsel* ⟨ vlat. *pēn(i)cellus*. Sieh J. Schatz, Althochdeutsche Grammatik, § 10; W. Braune - H. Eggers, Althochdeutsche Grammatik, § 30.

Wenn wir ein vorläufiges Fazit ziehen wollen, dann muß man eine erste Germanisierungswelle in das frühere 7. Jahrhundert, mit Vorläufern wohl noch des ausgehenden 6. Jahrhunderts setzen. Diese merowingische Frankensiedlung im Umkreis des Pays Messin löste den Warndtkorridor allmählich weitgehend auf und reichte früh mit dem beschriebenen inneren Ring von Entlehnungspaaren in das Pays Messin hinein, ohne jedoch im Kern des Metzer -(i)acum-Gebietes Fuß fassen zu können. Dieser Interpretation des Befundes entspricht auch die geographische Verteilung der germanischen Reliktnamen im Pays Messin, die ebenfalls nicht mit sicheren Belegen in die Kernzone hineinreichen[151]. Sie konzentrieren sich besonders stark im Bereich der unteren Französischen Nied sowie im Umkreis eines kleinen rechtsseitigen, auf der Höhe von Argancy mündenden Nebenflusses der Mosel, der Bévotte. Soweit sie lautchronologische Schlüsse erlauben, deuten diese auf frühe Entstehung.

Der Umlaut des 8. Jahrhunderts, ja offenbar sogar die ältere Konsonantenverdopplung ist nicht durchgeführt in der romanischen Doppelform Hayes (Nr. 89), dt. Haiss, a. 1192 Heis ⟨ *Hagjas. Die bereits in das späte 7. Jahrhundert zu datierende Monophthongierung von germ. [ai] ⟩ [ē] fehlt in der romanischen Doppelform Rabas (Nr. 97), a. 1405 Ralbas, 12. Jahrhundert dt. Rebach ⟨ vorahd. raĩho, ahd. rēh(e) 'Reh'. Dagegen weist sie romanischen Lautersatz [a] für germ. [ai] auf. Die beiden Wüstungen +Leer (Nr. 92) und +Leirs (Nr. 93) belegen die zwischen dem 6. und 10. Jahrhundert durchgeführte romanische Palatalisierung von haupttonigem [á] ⟩ [ę̄][152].

Es liegt nahe, die erste Germanisierungsphase in Lothringen mit der Aufwertung der civitas Metz zur Residenz des austrasischen Königs in Beziehung zu setzen, wie sie sich seit etwa a. 585 unter König Childebert II. († a. 596) und seiner westgotischen Mutter Brunichild entwickelte und mit den Königen Dagobert I. (a. 623-629) und Sigibert III. (a. 634-656) fortsetzte[153].

Diese Germanisierungsphase führte im Warndtkorridor und am Rande des Pays Messin nicht zu einem völligen Wechsel des Ethnos, sondern zu einer mehr oder minder ausgeprägten bilingualen Situation. Für diese Interpretation sprechen die genuinen Übersetzungspaare, vor allem an der Deutschen Nied, die ohne Zweisprachigkeit im lokalen Bereich nicht denkbar sind. Dafür sprechen auch die vor dem 8./ 9. Jahrhundert romanisierten Siedlungsnamen auf -ingen. Schließlich spricht dafür die analysierte Romaneninsel zwischen Deutscher Nied und Rossel, an der Straße Metz-Worms[154].

---

[151] Sieh weiter oben.

[152] L. Wolf - W. Hupka, Altfranzösisch, § 111.

[153] Sieh E. Ewig, Die fränkischen Teilungen und Teilreiche (511-613); in: E. Ewig, Spätantikes und fränkisches Gallien, I, S. 166ff., mit Hinweis darauf, daß Metz, wo Sigibert I. Hochzeit mit Brunichild hilt, bereits in einer ersten Phase der Regierung Sigiberts (seit a. 561) als austrasische Residenz hervortrat, um später wieder gegenüber Reims zurückzutreten.

[154] Zur Bilingualität des Sprachgrenzraumes und zur weiteren Entwicklung der Sprachverhältnisse im späten Mittelalter und in der frühen Neuzeit sieh auch H. Witte, Das deutsche Sprachgebiet Lothringens, S. 61ff.

Spätere Germanisierungsphasen werden von den umlautlosen -(i)acum-Doppelformen (Nr. 3. 16) südlich und westlich von Metz angezeigt. Belegt werden sie auch durch die Ausbausiedlung des Grafen Odakar bei seiner *villa* Many an der oberen Französischen Nied auf -*heim*[155]. Für eine weiter existierende Zweisprachigkeit in diesem Raum sprechen die eindeutig später entlehnten beziehungsweise übersetzten Doppelformen, sowohl aus dem Französischen in das Deutsche (Nr. 73. 74) wie aus dem Deutschen in das Französische (Nr. 75. 76. 77. 104)[156].

Eine Momentaufnahme der Sprachverhältnisse gibt für das frühe 11. Jahrhundert die Beschreibung des Bannforstes, den Heinrich II. a. 1018 dem Bischof von Metz schenkte. Dort werden, wo deutsche Doppelformen existierten, diese auch genannt (sieh Karte Nr. 3)[157]. Die Beschreibung beginnt bei Metz und führt das untere Seilletal flußaufwärts bis zur Einmündung eines Baches namens *Odhel* in die Seille und dann über Delme und Tincry bis zur Einmündung der Rotte in die Französische Nied. Bis dahin sind alle genannten Grenzpunkte in romanischen Sprachformen beschrieben, von da ab in deutschen Sprachformen. Es beginnt mit *Diedersdorf* (Nr. 62: *Tiedresdorf*) und führt über *Adelange* (*Adelinga*) und *Heistrebach* zur Deutschen Nied (*Iton*), diese dann abwärts bis zum Zusammenfluß von *Iton* und *Nita* bei der *villa Northeim* (*Northen*), schließlich hinüber nach Westen über *Mussy* (Nr. 22: *Muzicha*), *Hayes* (Nr. 89: *Hecede*), *Rupigny-Ste.-Barbe* (Nr. 24: *Rupinacha*) zur *Bévotte* (*Bieverta*). Erst bei deren Einmündung in die Mosel bei *Arconcei* (heute: *Argancy*) wird die Toponymie wieder romanisch. Auch der Gewässername *Bieuerta* ist althochdeutsche Doppelform der *Bévotte*, a. 1591 *Bevatte*, *Beb:rata*[158]. Der spätere französische Gewässername ist wohl nur über die althochdeutsche Form zu erklären. *Bieuerta* bezeugt durch die Diphthongierung von [$\mathrm{\check{e}}^2$] > [*ie*] erneut, daß der Rand des Pays Messin von fränkischer Siedlung vor dem 8. Jahrhundert erreicht wurde.

An Rotte und an Bevotte zeichnet die Nomenklatur des Bannforstes die Zone fränkisch-romanischer Doppelformen und damit des Einflusses fränkischer Siedlung im Metzer Raum exakt nach. Unsere lautchronologische Rekonstruktion dieser Siedlung scheint damit ihre Bestätigung zu finden.

––––––––––––

[155] Sieh weiter oben.

[156] Dabei darf nicht übersehen werden, daß die französischen Doppelformen von *Bouzonville* (Nr. 55) und *Ottonville* (Nr. 57), obwohl genuin entstanden, ihre Erhaltung zum einen der politischen Bedeutung des Ortes im Herzogtum Lothringen, zum andern dem Metzer Besitz am Orte verdanken. Sie fungieren also wie exogene Doppelnamen.

[157] Sieh auch A. Schiber, JGLGA. 9 (1897) S. 81.

[158] Vorauszusetzen ist ein Doppelsuffix zu gall. *bebros* 'Biber': a) gall. **Bebera*, so *Biewer* bei Trier mit Biewer-Bach, a. 929 K. *Beuera* mit *r*-Suffix: Dazu sieh A. Greule, BNF. NF. 16 (1981) S. 57; b) kombiniert mit einem *tā*-Suffix: Dazu sieh H. Krahe, Unsere ältesten Flußnamen, S. 65, 70; ferner W. Haubrichs, JWLG. 9 (1983) S. 17ff. Aus der näheren Umgebung ist mit *ta*-Suffix zu vergleichen: *Eft* (Saarland, Kreis Merzig) < **Auitā*, und mit Doppelsuffix zu ursprünglicher *r*-Ableitung *Seffersbach* (rechts → Saar bei Merzig) < **Sauir-n-a* und *Wadern* (Saarland, Kreis Merzig) < **Uadar(i)-n-a*. Sieh M. Buchmüller - W. Haubrichs - R. Spang, ZGS. 34 (1986) (im Druck) Nr. 128, 154, 164.

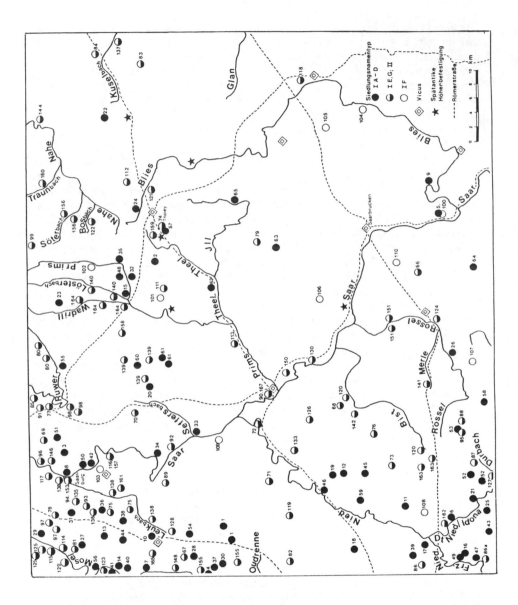

Karte 1 Nichtgermanische Gewässer- und Siedlungsnamen im Saarraum

SN-Typ A -D: Vorgermanische primäre SN
und Walen-Namen

SN-Typ I E, G; II: SN aus vorgermanischen Flur-
und Gewässernamen; SN unklarer Etymologie

SN-Typ I F: SN aus Lehnwörtern

Vorgermanische Gewässernamen sind den Fluß-
und Bachläufen beigeschrieben

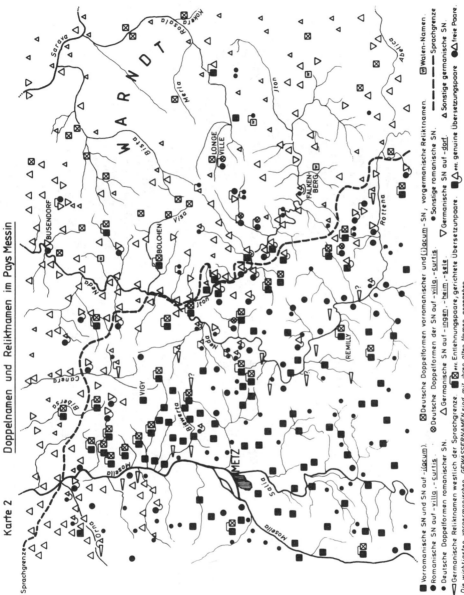

Karte 2   Doppelnamen und Reliktnamen im Pays Messin

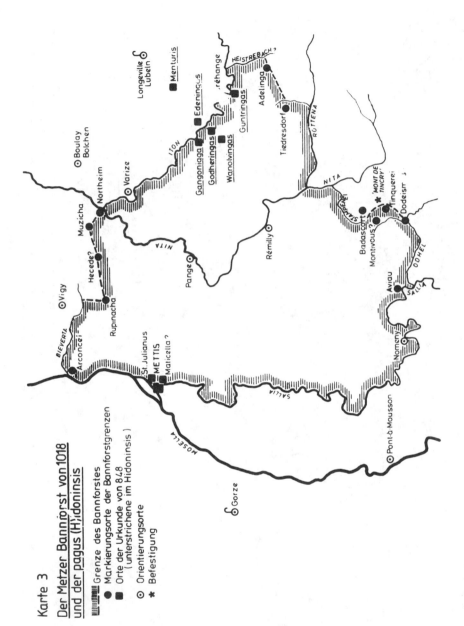

Karte 3

Der Metzer Bannforst von 1018
und der pagus (H)idoninsis

▨▨▨ Grenze des Bannforstes
● Markierungsorte der Bannforstgrenzen
■ Orte der Urkunde von 848
     (unterstrichene im Hidoninsis)
⊙ Orientierungsorte
✳ Befestigung

Manfred Halfer

Partieller Ortsnamenwechsel bei -ācum-Namen des Rheinlandes

I. Vorbemerkung. - Die mit *-ācum* oder *-ingen* gebildeten Ortsnamen haben schon immer die Aufmerksamkeit der Sprachwissenschaftler und Historiker auf sich gelenkt. Ging es zunächst darum, mit Hilfe der Onomastik die Verbreitung des Keltischen sowie anderer Substrate im Rheinland oder den Siedlungsraum einzelner germanischer Stämme nachzuweisen, so verlagerte sich seit Beginn der 30er Jahre, angeregt durch Franz Steinbachs[1] kulturdynamische Sichtweise, das Interesse immer mehr auf die völkerwanderungszeitliche germanische Durchdringung der Gallia in ihrer unterschiedlichen Intensität, wie sie sich zum Beispiel in der Lexik und der Toponymie manifestiert. Diese Arbeitsmethode ist mit den Namen Franz Petri[2], Ernst Gamillscheg[3] und Walther von Wartburg[4] verknüpft. An den linguistischen Ablösungsprozessen und Ausgleichsprozessen läßt sich die allmähliche Ausbildung der Sprachgrenze, die nicht linear erfolgte, mit ihren Enklaven und Exklaven verfolgen[5].

Einen Einblick in die regressiven Siedlungsvorgänge ermöglichen heute noch die zweisprachigen Namen im Bereich der Sprachgrenze. So sind im Westen noch zweisprachige Ortsnamen in Gebrauch, die auf demselben Kompositionsprinzip beruhen, nämlich PN + *-ācum* beziehungsweise PN + *-ingen*.

Während an der Sprachgrenze dieses Phänomen synchron[6] und diachron zu beobachten ist[7], ist es in den Rheinlanden nur als historischer Prozeß, nämlich als Sub-

---

[1] Studien zur westdeutschen Stammes- und Volksgeschichte.

[2] Germanisches Volkserbe in Wallonien und Nordfrankreich.

[3] Germanische Siedlung in Belgien und Nordfrankreich, I. H. Draye, in: W. Haubrichs - H. Ramge, Zwischen den Sprachen, S. 59-70.

[4] Umfang und Bedeutung der germanischen Siedlung in Nordgallien.

[5] R. Schützeichel, in: Deutsche Wortforschung, II, S. 469-523. Einen Forschungsüberblick mit Literaturnachweisen bieten F. Petri, Die fränkische Landnahme und die Entstehung der germanisch-romanischen Sprachgrenze; W. Haubrichs - H. Ramge, Zwischen den Sprachen; M. Pfister, in: H. Beumann - W. Schröder, Aspekte der Nationenbildung im Mittelalter, S. 127-170.

[6] Sieh dazu M. Pfister, in: W. Haubrichs - H. Ramge, Zwischen den Sprachen, besonders S. 125-131.

[7] PN *Arrecinius: Argancy*/Moselle, a. 757 *Arconiago*, a. 848 *Argesinga*; Das Reichs-

stitution von *-ācum* durch *-ingen* zu fassen[8]. Alle Siedlungsnamen, die für diesen Wandel in Anspruch genommen werden, liegen im Einzugsbereich der Mosella Romana. Für dieses Areal ist der Fortbestand eines galloromanischen Ethnikons über den Zusammenbruch des Römischen Reiches hinaus grundsätzlich gesichert. Detailfragen, wie Verbreitung, Vitalität und linguistische Deskription dieser romanischen Varietät, stehen heute im Vordergrund[9]. Daher bieten sich bei der Analyse des partiellen Namenwechsels gelegentlich Vergleiche mit dem deutsch-romanischen Grenzgebiet an.

Mit dem galloromanischen Suffix *-ācum,* das ein keltisches *-ako* fortführt, wird Zugehörigkeit ausgedrückt. Die Variante *-iācum* stellt eine Analogiebildung zum lateinischen Gentilsuffix *-ius* dar. Das Suffix tritt in seiner überwiegenden Zahl an keltische, lateinische und galloromanische Personennamen an. Nur verhältnismäßig wenige Bildungen mit einem galloromanischen Appellativum beziehungsweise einem germanischen Personennamen sind tradiert. Zu diesen adjektivischen Namen gehörten ursprünglich Ergänzungen wie *vicus, fundus, locus, villa, pagus, ager* (und so weiter)[10].

Eine semantische Affinität zu dieser nichtdeutschen Ableitung besitzt das germanische Suffix *-ingen,* das ebenfalls die Zugehörigkeit oder Herkunft einer Person oder Sache ausdrückt.

Die Untersuchung rheinischer *-ācum*-Namen mit *-ingen*-Substitution soll primär unter drei Aspekten durchgeführt werden: 1. Handelt es sich um eine partielle Übersetzung innerhalb einer Interferenzzone? 2. Liegt Ablenkung infolge Einbettung in ein Areal mit dominantem Ortsnamensuffix vor? 3. Gibt es sprachhistorische Entwicklungen, die den Substitutionsvorgang wesentlich gefördert haben?

II. Historische Dokumentation. - -*ACUM* ⟩ *-INGEN*:

1. *Bübingen* sw. Saarburg ⟨ **Bubbiacum*[11] a. 926/936 *Bubiacum*[12], a. 981 *Bubiaco*[13], 13. Jahrhundert *Bubinge*[14].

---

land Elsass-Lothringen, III, 1, S. 36; PN *Luttius: Lüttingen*/Moselle, a. 912 *Lutiacum*, a. 960 *Lutange;* Das Reichsland Elsass-Lothringen, III, 1, S. 600.

[8] Eine erste, unkritische Zusammenstellung bietet F. Cramer, Rheinische Ortsnamen, S. 56-64, die von W. Kaspers, Die -acum-Ortsnamen des Rheinlandes, S. 32-35, einer Revision unterzogen wurde. Sieh auch W. Kaspers, ZONF. 3 (1927/1928) S. 81-107, 8 (1932) S. 26-39, 10 (1934) S. 293-308, 11 (1935) S. 28-43; J. Wirtz, Die Verschiebung der germ. *p, t* und *k* in den vor dem Jahre 1200 überlieferten Ortsnamen der Rheinlande, S. 109f., 112f., 118; R. Schützeichel, BNF. 9 (1958) S. 217-285, besonders S. 253-261.

[9] Dazu W. Haubrichs - H. Ramge, Zwischen den Sprachen; W. Kleiber, Gießener Flurnamen-Kolloquium, S. 528-545; M. Halfer, Gießener Flurnamen-Kolloquium, S. 546-559.

[10] A. Holder, Alt-celtischer Sprachschatz, I, Sp. 22-31.

[11] PN *Bubbius*; W. Schulze, Zur Geschichte lateinischer Eigennamen, S. 423.

[12] A. Goerz, Mittelrheinische Regesten, I, Nr. 889, S. 254.

2. *Ettringen* n. Mayen ⟨ **Ateriacum*[15] [ˈɛtriŋə] a. 1189 *Ettrich, Ethrich*[16], a. 1209 *Ettering*[17], a. 1230 *Etterig, Etering*[18]

3. *Fleringen* ö. Prüm ⟨ **Floriacum*[19] [fliːʳk] a. 816 *Flarich*[20], a. 902 *Flarich*[21], a. 1241 *Fleriche*[22], a. 1284 *Fleringh*[23], a. 1454 *Flerinck*[24], a. 1593 *Fliering*[25]

4. *Gimmigen* nö. Ahrweiler ⟨ **Geminiacum*[26] [ˈjimijə] a. 853 *Gimiche*[27], a. 922 *in monte Gimecho*[28], a. 1222 *Gimmenich*[29], a. 1252 *Gymnich*[30], a. 1299 *Gymnig*[31], a. 1789 *Gim(m)ingen*[32]

----

[13] Fälschung a. 1207/1215, LHAKo 213/2; F.-J. Heyen, AD. 17 (1971) S. 136-168. - Folgende Archivsiglen werden benutzt: LHAKo = Landeshauptarchiv Koblenz. - HAStadtK = Historisches Archiv der Stadt Köln. - StadtATr = Stadtarchiv Trier.

[14] Original; H. Beyer, Urkundenbuch zur Geschichte der ... mittelrheinischen Territorien, II, Nr. 16, S. 469.

[15] PN *Aterius*; W. Schulze, Zur Geschichte lateinischer Eigennamen, S. 269.

[16] Original; HAStadtK Pantaleon U 31.

[17] Kopie 18. Jahrhundert; H. Beyer, Urkundenbuch zur Geschichte der ... mittelrheinischen Territorien, III, Nr. 252, S. 292.

[18] Original; H. Beyer, Urkundenbuch zur Geschichte der ... mittelrheinischen Territorien, III, Nr. 393, S. 313.

[19] PN *Florius*; W. Schulze, Zur Geschichte lateinischer Eigennamen, S. 480. Sieh auch a. 706 *Floriacum* (*Fleury*/Moselle); A. Vincent, Toponymie de la France, S. 77.

[20] Original?; H. Beyer, Urkundenbuch zur Geschichte der ... mittelrheinischen Territorien, I, Nr. 49, S. 55.

[21] Fälschung 11./12. Jahrhundert; Th. Schieffer, Die Urkunden Zwentibolds und Ludwig des Kindes, Nr. 80, S. 220.

[22] Kopie 14. Jahrhundert; H. Beyer, Urkundenbuch zur Geschichte der ... mittelrheinischen Territorien, III, Nr. 725, S. 547.

[23] Original; A. Goerz, Mittelrheinische Regesten, IV, Nr. 1135, S. 256.

[24] Kopie um a. 1530; StadtATr Ms 2102/688, f. 150ʳ.

[25] M. Müller, JBGFT. (1906) S. 56.

[26] PN *Geminius*; W. Schulze, Zur Geschichte lateinischer Eigennamen, S. 108. Um a. 300 Kopie des achten Jahrhunderts *Geminiacum* (*Gembloux*/Namur); M. Gysseling, Toponymisch Woordenboek, I, S. 393.

[27] Kopie 16. Jahrhundert; W. Levison, Die Bonner Urkunden des frühen Mittelalters, BJB. 136/137 (1932) S. 217-270, Nr. 15, S. 244.

[28] Verfälschung Ende des zehnten Jahrhunderts; HAStadtK HUA 1+. Die Urkunde ist nach O. Oppermann, Rheinische Urkundenstudien, I, S. 74, eine Fälschung auf echter Vorlage, unter anderem des Rotulus. Doch die Schrift scheint älter zu sein.

[29] Original; I. Schwab, Das Prümer Urbar, S. 233 (Kommentar).

5. *Kesseling* sw. Ahrweiler 〈 **Casilliacum*[33] [ˈkɛsəliŋ] a. 762 *Casleoca*[34], a. 762 *Casloaca, Casleaca*[35], a. 773 *Caslenc*[36], a. 893 *Keslighe*[37], um a. 1100 *Kesliche*[38], um a. 1103 *ad Caslevcam*[39], a. 1222 *Keslige, Cheslige*[40], a. 1265 *Kessling*[41]

6. *Mehring* nö. Trier 〈 **Mariniacum*[42] [ˈmeːrik] a. 752 *Marningum*[43], a. 762 *Marningum*[44], um a. 860/86 *Merningo*[45], a. 893 *Merriche, Merreghe, Merrighe*[46], a. 943 *ad Marningum*[47], a. 1103 *Merniche*[48], a. 1190 *Merreke*[49], a. 1222 *Merreche, Merrich, Merrinche*[50], 13. Jahrhundert *Merriche*[51], a. 1295 *Mering*[52]

---

[30] Original; Th. Zimmer, Quellen zur Geschichte der Herrschaft Landskron a.d. Ahr, I, Nr. 65, S. 22.

[31] Original; ebenda, II, Nr. 1356, S. 72.

[32] Original; H. Frick, Quellen zur Geschichte von Bad Neuenahr, Abbildung Nr. 119.

[33] PN *Casillius*; D. E. Evans, Gaulish Personal Names, S. 170. Um a. 400 Kopie des neunten Jahrhunderts *Cassiliacum* (Raetien); O. Seeck, Notitia dignitatum, XXXV, 19.

[34] Kopie um a. 920; StadtATr Ms 1709, f. 3^r.

[35] Kopie um a. 1100; ebenda, f. 58^r.

[36] Kopie um a. 1100; ebenda, f. 101^v.

[37] Kopie a. 1222; I. Schwab, Das Prümer Urbar, S. 222.

[38] Original; StadtATr Ms 1709, f. 58^r.

[39] Original; ebenda, f. 101^v.

[40] Original; I. Schwab, Das Prümer Urbar, S. 233, 218 (Kommentar).

[41] Original; A. Goerz, Mittelrheinische Regesten, III, Nr. 2123, S. 478.

[42] PN *Marinius*; W. Schulze, Zur Geschichte lateinischer Eigennamen, S. 188, 360. Sieh a. 883 *Mariniacum* (Marigny-sur-Yonne/Nièvre); A. Vincent, Toponymie de la France, S. 79.

[43] Kopie um a. 1100; StadtATr Ms 1709, f. 58^v.

[44] Kopie um a. 920; ebenda, f. 3^r.

[45] Kopie um a. 1100; ebenda, f. 94^r.

[46] Kopie a. 1222; I. Schwab, Das Prümer Urbar, S. 254, 185f.

[47] Kopie um a. 1100; StadtATr Ms 1709, f. 107^r.

[48] Original; ebenda, f. 81^v.

[49] Original; M. Gysseling, Toponymisch Woordenboek, I, S. 679.

[50] Original; I. Schwab, Das Prümer Urbar, S. 183, 178, 160 (Kommentar).

[51] Original; LHAKo 211/2122, S. 49.

[52] Kopie; A. Goerz, Mittelrheinische Regesten, IV, Nr. 2371, S. 530.

7. *Menningen* nw. Trier ⟨ **Manniacum*[53] ['mɛnjə] um a. 771/814 *Mennegen*[54], um a. 1200 *Mennicha*[55], Anfang des 13. Jahrhunderts *Meninge*[56], Mitte des 13. Jahrhunderts *Meininge*[57], Mitte des 14. Jahrhunderts *Meyningen*[58]

8. *Münzingen* sw. Saarburg ⟨ **Montiacum*[59] ['møntsiŋə] Mitte des zehnten Jahrhunderts *Minciche*[60], a. 1684 *Muntzingen*[61]

9. *Steiningen* sö. Daun ⟨ **Stacciniacum*[62] ['ʃdɛ:nig] a. 1193 *Steguenach*[63], a. 1456 *Steineck*[64], um a. 1750 *Steiningen*[64]

-ACUM ⟩ -HEIM:

10. *Kaifenheim* nö. Cochem ⟨ **Caviniacum*[65] a. 1005 *Kivenheim*[66], a. 1051 *Cheuenich*[67], a. 1051 *Cheiuenheim*[68]

---

[53] PN. *Mannius*; W. Schulze, Zur Geschichte lateinischer Eigennamen, S. 426. Sieh a. 1100 *Maniaco* (*Montmagny*/Seine et Oise); A. Vincent, Toponymie de la France, S. 79.

[54] Kopie um a. 1222; M. Gysseling, Toponymisch Woordenboek, I, S. 686.

[55] Kopie Ende des elften Jahrhunderts; A. Goerz, Mittelrheinische Regesten, II, Nr. 870, S. 239.

[56] Original; H. Beyer, Urkundenbuch zur Geschichte der ... mittelrheinischen Territorien, II, Nr. 16, S. 447.

[57] Original; H. Beyer, Urkundenbuch zur Geschichte der ... mittelrheinischen Territorien, II, Nr. 16, S. 471.

[58] Original; LHAKo 211/2122, f. 31^r.

[59] PN *Montius*; I. Kajanto, The Latin Cognomina, S. 309. Sieh a. 1096 *Montiaco* (*Moussy-le-Neuf*/Seine et Marne); A. Vincent, Toponymie de la France, S. 80.

[60] Kopie Ende des elften Jahrhunderts; H. Müller, Die Mettlacher Güterrolle, ZGS. 15 (1965) S. 122; T. Raach, Kloster Mettlach/Saar und sein Grundbesitz, S. 134, A. 239.

[61] W. Jungandreas, Historisches Lexikon, S. 712.

[62] PN **Staccinius*; W. Schulze, Zur Geschichte lateinischer Eigennamen, S. 426.

[63] Original; M. Gysseling, Toponymisch Woordenboek, II, S. 937. Belegzuweisung sehr unsicher.

[64] M. Müller, JBGFT. NF. 1 (1906-1908) S 59.

[65] PN *Cavin(n)us, Gavinius*; W. Schulze, Zur Geschichte lateinischer Eigennamen, S. 76; a. 850 *Caviniacus* (*Renneville-Chevigny*/Marne); A. Vincent, Toponymie de la France, S. 75.

[66] Kopie des 13. Jahrhunderts; Die Urkunden Heinrichs II. und Arduins, Nr. 102, S. 127.

[67] Fälschung zwölftes Jahrhundert; H. Bresslau - P. Kehr, Die Urkunden Heinrichs III., Nr. 273b, S. 371.

III. Der Aspekt des Ortsnamenausgleichs. - Alle Namen, die hier behandelt werden, liegen im Bereich der Mosella Romana. Unter Ortsnamenausgleich verstehen wir primär die Ablösung eines Namentyps einer Sprache innerhalb einer mehrsprachigen Zone durch einen neuen Namentyp der Superstratsprache. Diese Entwicklung von der Mehrsprachigkeit zur Einsprachigkeit läßt sich gut bei der Ausbildung der Sprachgrenze, sei es bei einem geschlossenen Sprachgebiet, sei es bei einer Sprachinsel, beobachten. Die Namensänderung kann durch Übersetzung (per translationem recte / non recte) oder durch phonetische Anpassung (per adaptionem) erfolgen[69]. Bei der Suffixsubstitution von -ācum durch -ingen könnte man aufgrund der semantischen Affinität von einem Übersetzungsverhältnis sprechen. Jedoch verbietet die historische Überlieferung diese Annahme für die Mosella Romana. Besonders auffällig ist, daß bei fast allen aufgeführten Ortsnamen die -ingen-Graphien im 13. Jahrhundert einsetzen. Es handelt sich hierbei um einen klaren Prozeß der Ablösung der alten -ācum-Namen. Doppelnamigkeit über einen längeren Zeitraum, wie sie in anderen Sprachgrenzgebieten beobachtet werden konnte, liegt nicht vor.

Eine bewußte Substituierung von -ācum durch -ingen ist in hohem Maße unwahrscheinlich, da die Belege aus unterschiedlichen Scripta stammen und im 13. Jahrhundert mit der enormen Zunahme an -ācum-Schreibungen eher ein reziproker Prozeß zu erwarten wäre[70]. Ferner scheidet ein Übersetzungspaar aus, denn die aktive Verwendung von -ācum reicht nur bis zur Merowingerzeit[71] und diejenige des -ingen-Suffixes im Bereich von Saar und Mosel erlischt spätestens im neunten Jahrhundert[72], fast vier Jahrhunderte vor dem Auftreten unseres Phänomens.

Die Substituierung von -ācum durch -heim ist im Untersuchungsgebiet nur singulär bezeugt, ein Faktum, das auch in anderen Landschaften zu beobachten ist[73]. Sie findet nach dem Ausweis der Quellen bereits im elften Jahrhundert statt.

Ein echter Ortsnamenausgleich ist immer an Mehrsprachigkeit gebunden. Die Orte *Kesseling, Ettringen, Steiningen, Fleringen, Menningen, Münzingen* und *Bübingen* befinden sich jedoch in Randlage zur Mosella Romana. Von Zweisprachigkeit oder romanischer Minorität im 13. Jahrhundert kann hier nicht mehr die Rede sein. Auf den Ort *Mehring* wird weiter unter gesondert eingegangen.

---

[68] Fälschung zwölftes Jahrhundert; ebenda, Nr. 273a, S. 371.

[69] Zur Terminologie St. Sonderegger, in: W. Haubrichs - H. Ramge, Zwischen den Sprachen, S. 48.

[70] Eine statistische Auswertung der römerzeitlich bezeugten -iacum-Namen zeigt, daß die ⟨ch⟩-Schreibung im zehnten Jahrhundert auftritt, ständig zunimmt und dann ab dem 12./13. Jahrhundert unter dem Einfluß der mittellateinischen Schreibgewohnheiten wieder zurückgedrängt wird.

[71] Diese Schlußfolgerung ergibt sich aus der Kombination germanischer Personenname + -ācum im Merowingerreich.

[72] W. Haubrichs, Gießener Flurnamen-Kolloquium, S. 511.

[73] F. Petri, Germanisches Volkserbe, S. 727.

Es hat sich gezeigt, daß die Ablösung von *-ācum* durch *-ingen* nicht generell als Ortsnamenausgleich gewertet werden kann, daß sie eine differenziertere Betrachtungsweise erfordert.

IV. Der Faktor der Ablenkung. - Attraktionsphänomene, das heißt: Beeinflussung durch die umgebende Namenlandschaft spielen beim Ortsnamenwechsel fast immer eine Rolle. So kann für den Wechsel der Name einer wirtschaftlich führenden Nachbarsiedlung ebenso ausschlaggebend sein wie ein in der Region dominanter Ortsnamentyp. Im Moseltal zwischen Trier und Koblenz sind fast ausschließlich vordeutsche Ortsnamen vorhanden. Die klassischen Namentypen der Landnahmezeit wie *-ingen* und *-heim* finden sich im Bereich der Mosella Romana, von Streubelegen abgesehen, nur in Gebieten mit hoher Bodenqualität, wie im Neuwieder Becken, dem Maifeld, in der Region Prüm-Bitburg sowie oberhalb von Saarburg[74]. Die Gebiete markieren die zwei Hauptrichtungen der fränkischen Landnahme entlang den von Köln ausgehenden Römerstraßen. Während der Vorstoß entlang der Rheinstraße durch den querliegenden, waldreichen Hunsrück abgeblockt wurde, ging er entlang der Trasse Köln-Trier bis tief ins Saargebiet, wie durch die hohe Frequenz germanischer Namen deutlich wird. So lassen sich im Umkreis der Orte *Gimmigen, Kesseling, Ettringen* und *Kaifenheim* die jeweiligen Siedlungsnamentypen nachweisen. Die Namen basieren sowohl auf alten Insassenbezeichnungen als auch auf Mikrotoponymen. Die Siedlungen *Steiningen, Fleringen, Menningen, Münzingen* und *Bübingen* liegen entlang der alten Fernstraße Köln-Trier-Metz mit ihrem hohen Anteil an germanischen *-ingen*-Namen. Das germanische Ortsnamenfeld hat mit Sicherheit den Namenwechsel begünstigt. Die genannten Faktoren treffen jedoch nicht für *Mehring* zu, das in einem Gebiet mit ausschließlich vordeutschen Ortsnamen liegt.

V. Phonologische und graphematische Einflüsse. - Das oben beschriebene Phänomen kann als begünstigender Faktor gewertet werden. Es vermag jedoch nicht die Frage nach dem Zeitpunkt des partiellen Namenwechsels zu klären. Anhand einer Fallstudie soll dargestellt werden, welche phonologischen Veränderungen die Substituierung von *-ācum* durch *-ingen* gestützt haben.
Aus der Untersuchung von Rudolf Post[75] geht hervor, daß im Raum Trier/Bitburg/Zell die rezente Mundart einen sehr hohen Anteil romanischer Entlehnungen aufweist. Im Raum Trier ist die Frequenz endbetonter Flurnamen verhältnismäßig hoch. Das gilt insbesondere für die aus altem Fiskalgut herrührenden Prümer Besitzungen *Schweich, Longen, Lörsch* und *Mehring*[76]. Der Anteil der Reliktnamen ist hier außergewöhnlich groß. So enthält eine Schenkungsurkunde a. 861/864 fast

---

[74] Sieh H. Engels, Die Ortsnamen an Mosel, Sauer und Saar, Karte 5; A. Bach, Deutsche Namenkunde, II, 2, § 642f., S. 413, Karte Nr. 54; K. Wagner, Echte und unechte Ortsnamen, S. 72-135.

[75] Romanische Entlehnungen in den westmitteldeutschen Mundarten, S. 303, Karte 57.

[76] W. Kleiber, Gießener Flurnamen-Kolloquium, S. 533.

ausschließlich Mikrotoponyme romanischer Prägung, die erst Ende des zwölften Jahrhunderts germanische Beeinflussung zeigen[77]. Ungewöhnlich ist auch die Zahl gallo-romanischer Anthroponyme, die im Prümer Urbar für *Mehring* bezeugt sind. Bei *Abilon, Anchias, Bacerellus, Bonafides, Constantinus, Domallus, Dominicus, Euradus, Luuetellus* und anderen[78] handelt es sich um Prümer Hintersassen in *Mehring*, nicht jedoch um Prümer Mönche, die im neunten Jahrhundert durchaus noch westfränkischer (galloromanischer) Herkunft sein können. Dieser Abriß indiziert, daß im Bereich *Schweich/Mehring* zumindest mit einer starken romanischen Minorität im Mittelalter zu rechnen ist. Daher eignet sich der Ortsname *Mehring* gut zur Beschreibung germanisch-romanischer Interferenz sowie des hochmittelalterlichen Ortsnamenwechsels. Die Überlieferung des Ortsnamens *Mehring* ist als zufriedenstellend zu bezeichnen.

Die historischen Belege des Frühmittelalters, die dem Prümer Liber aureus entnommen sind, zeigen ⟨ing⟩-Schreibung, die dann im elften bis 13. Jahrhundert von ⟨ich, igh, igk, ek⟩-Graphien abgelöst werden; ⟨ing⟩-Schreibungen beziehungsweise ⟨inch⟩-Schreibungen treten dann erst im 13. Jahrhundert wieder auf und stehen gleichberechtigt neben Schreibungen wie ⟨ich, ig⟩. Ein mit *-ing* gebildeter Insassenname ist unwahrscheinlich, da das Bestimmungswort keinem germanischen Personennamen, sondern vielmehr dem galloromanischen Personennamen *Marinius* zugeordnet werden muß. Die mittelalterliche Tradierung weist auf einen *-ācum*-Namen hin. Es ist nun zu klären, inwieweit sich ⟨ing⟩-Schreibungen mit der Deutung von *Mehring* als *-ācum*-Name vereinbaren lassen. Aufgrund des nachgewiesenen romanischen Ethnikons ist es statthaft, romanische Lautentwicklung anzunehmen.

Das Suffix *-ācum* hat sich im romanischen Sprachgebiet recht unterschiedlich entwickelt. Für unsere Frage ist jedoch nur der Vergleich mit dem angrenzenden Lothringen von Interesse. Dort können folgende galloromanische Lautentwicklungen von *-iacum* belegt werden:

(1) *-iacum* ⟩ *-yay* ⟩ *-yey* ⟩ *-y* (Typus: *Basciacum* ⟩ *Bechy*).
(2) *-iacum* ⟩ *-yay* ⟩ *-ey* (Typus: **Tincoriaco* ⟩ *Tincrey*).
(3) *-iacum* ⟩ *-iaga* ⟩ *-iga* ⟩ *-ich* (Typus: *Destrago* ⟩ dt. *Destrich/Destry*)[79].

In der Mosella Romana sind die Entwicklungstypen unter (2) und besonders unter (3) bezeugt. Der Wandel *-iacum* ⟩ *-ich* kann sowohl aus genuin romanischer Lautentwicklung (Sonorisierung von *c*) als auch aus germanischer Lautentwicklung (Zweite Lautverschiebung) beschrieben werden[80].

---

[77] H. Beyer, Urkundenbuch zur Geschichte der mittelrheinischen Territorien, I, Nr. 98, S. 101f.; E. Ewig, Trier im Merovingerreich, TZ. 21 (1952) S. 73. Auf die romanische Enklave bei Mehring hat bereits H. N. Witte, Deutsche und Keltoromanen in Lothringen nach der Völkerwanderung, S. 82f., hingewiesen.

[78] I. Schwab, Das Prümer Urbar, S. 184f.

[79] Entwicklungsreihe und Beispiele nach M. Pfister, in: W. Haubrichs - H. Ramge, Zwischen den Sprachen, S. 125f., 128, 137f.

[80] W. Kaspers, ZONF. 12 (1936) S. 226; W. Kleiber, in: W. Haubrichs - H. Ramge, Zwischen den Sprachen, S. 174, A. 53.

Eine Besonderheit des Altfranzösischen ist die Palatalisierung von *n* durch nachfolgendes *i̯*. Palatales ɲ wird graphisch realisiert durch die Kombination von *n* und *g*, *n* und *i*, *n* und *g* und *i*, so daß folgende Graphien möglich sind: ⟨n, in, ni, gn, ng, ngn, ign, ing, gni, ingn, igni, ingi⟩ und ähnliche[81]. Diese Kombinationen sind historisch gesichert.

Die Prümer Notierung *Marningum* für *Mehring* signalisiert den palatalen Nasal. Die parallelen Entwicklungen von *Mariniacum* in der Romania stützen diese These[82]. Darüber hinaus zeigen die frühen Einträge im Liber aureus Graphien, wie sie auch in nordfranzösischen Scripta vorkommen.

Die graphische Anzeige von palatalisiertem Nasal ist nicht singulär, wie die historischen Belege für *Bengel* [ˈbɛŋəl] nö. Wittlich a. 1143 *Bagnuel*[83], a. 1193 *Baingnivl*[84] ⟨ lat. *balneolum* oder der Klüsserather Flurname a. 1295 *in Centweigne*[85] ⟨ lat. *centum + vinea* zeigen. Bei der Integration von rom. *Baingnivl* ins Fränkische wird die romanische Schreibung ⟨ingn⟩ dem deutschen Graphiensystem ⟨ng⟩ angepaßt. Gleichzeitig wird der palatale Nasal durch den velaren Nasal substituiert.

Die Entwicklung des Ortsnamens *Mehring* zeigt im zwölften Jahrhundert Assimilation von -*rn*- ⟩ -*rr*-, wie sie etwa bei den romanischen Doubletten derselben Epoche zu beobachten ist. Eine Beeinflussung durch das Suffix -*ankon* ist nicht zu erkennen.

Die aus dem Jahre 1222 stammende Kopie des Prümer Urbars von a. 983 weist in diesem Punkt eindeutig Graphien des 13. Jahrhunderts auf. Nach der Assimilation entfällt die Notwendigkeit, den palatalen Nasal graphisch durch ⟨ing⟩ wiederzugeben. Die erneute -*ing*-Schreibung im 13. Jahrhundert kann selbst für *Mehring* nicht mehr durch romanischen Einfluß erklärt werden. Darüber hinaus ist zu bedenken, daß andere -*ācum*-Namen, die zur gleichen Zeit ebenfalls -*ing*-Schreibung aufweisen, in Gebieten liegen, in denen die Romanität bereits früh erloschen ist. Die Suffixsubstitution muß also andere Gründe haben.

Die phonetische Realisierung von *Mehring, Fleringen, Menningen, Steiningen* und *Gimmigen* zeigt, daß das Suffix -*ingen* in der rezenten Mundart keinerlei Stütze findet, so daß der Verdacht aufkommt, daß es sich hier um eine auf die Schriftebene beschränkte Veränderung handelt. Der Verdacht erhärtet sich bei näherer Betrachtung des Ortsnamens *Gimmigen*, der erst Ende des 18. Jahrhunderts als unechter -*ingen*-Name bezeugt ist. Es handelt sich im vorliegenden Fall um eine Festsetzung durch die Verwaltung, die vor fünfzig Jahren nach Protesten aus der Bevölkerung wieder rückgängig gemacht wurde.

---

[81] H. Rheinfelder, Altfranzösische Grammatik, I, § 283; H. Lausberg, Romanische Sprachwissenschaft, I, § 236; sieh auch C. Th. Gossen, Französische Skriptastudien, S. 203f. E. Richter, Beiträge zur Geschichte der Romanismen.

[82] Sieh A. Vincent, Toponymie de la France, S. 79.

[83] Original; F. Hausmann, Die Urkunden Konrads III., Nr. 93, S. 166.

[84] Original; H. Beyer, Urkundenbuch zur Geschichte der ... mittelrheinischen Territorien, II, Nr. 129, S. 172.

[85] W. Jungandreas, Historisches Lexikon, S. 189.

Diese Fakten lenken das Augenmerk auf die historische Entwicklung von -ingen im Moselraum. Die Substituierung von -ācum durch -ingen wird gefördert, wenn sich -ingen ebenso wie -ācum zu -ig entwickeln kann. Fakultativer Schwund des Nasals vor g ist seit der althochdeutschen Epoche festzustellen. Jedoch bestehen hinsichtlich Frequenz und arealer Distribution erhebliche Unterschiede. Besonders häufig ist fakultativer Schwund des Nasals in schwach betonten Silben nachzuweisen, wenn die Tonsilbe auf n endet[86]. Eine Sichtung der echten -ingen-Namen des moselländischen Raumes ergibt, daß sich in 36 Orten historische Schreibungen mit Nasalschwund belegen lassen[87].

Obwohl das Materialcorpus nicht sehr umfangreich ist, lassen sich einige allgemeine Feststellungen machen. In 38,8 Prozent (14)[88] der Fälle tritt Nasalschwund ein, wenn der Stamm auf l, in 33,9 Prozent (12), wenn er auf n und in 16,5 Prozent (6), wenn er auf r endet. Der Rest verteilt sich auf die Dentale d/t, 5,4 Prozent (2), s, 2,7 Prozent (1) und ts, 2,7 Prozent (1). Richtet man das Augenmerk auf die silbische Struktur der Ortsnamen, so lassen sich in 83,4 Prozent (30) der dreisilbigen Ortsnamen historische Notierungen ohne Nasal nachweisen. Der Rest entfällt auf viersilbige Ortsnamen.

Parallelen sind vor allem im Hochalemannischen bekannt. Dort tritt regelmäßig Nasalschwund in dreisilbigen -ingen-Ortsnamen auf[89]. Die vorgestellten -ācum-Namen weisen ebenfalls die für den Nasalschwund maßgebenden Bedingungen auf, so daß man in den ⟨-ing⟩-Graphien hyperkorrekte Notierungen sehen muß, die dann zum Teil von der Mundart akzeptiert wurden.

Die behandelten -ācum-Namen liegen in einem Gebiet, das heute velarisierte Formen (Rheinische 'Gutturalisierung') aufweist oder in dem solche für das Mittelalter tradiert sind[90]. Diese Velarisierung, die für das 12./13. Jahrhundert im Moselfränkischen gesichert ist, hat die Unsicherheit im Bereich der ⟨-ng-⟩-Graphien, die die unterschiedlichsten phonologischen Entwicklungen repräsentieren konnten, gefördert. Darüber hinaus haben Ableitungsmorpheme wie -(l)ing und -(l)ig eine Rolle gespielt, auf die hier nicht eingegangen werden kann.

---

[86] J. Franck - R. Schützeichel, Altfränkische Grammatik, § 76.3; W. Braune - H. Eggers, Althochdeutsche Grammatik, § 128.2.

[87] Ausgewertet wurden nur die Namenbücher von W. Jungandreas, Historisches Lexikon; M. Gysseling, Toponymisch Woordenboek; J. Meyers, Studien zur Siedlungsgeschichte Luxemburgs. Die Belegzahl läßt sich leicht durch die Auswertung weiterer Sammlungen erhöhen.

[88] Absolute Zahlen in Klammern.

[89] Sieh dazu auch A. Bach, Deutsche Namenkunde, I, 1, § 233.a., S. 260; ebenda, II, 1, § 199.2., S. 164. Sieh auch B. Boesch, AJ. 6 (1958) S. 1-50.

[90] Sieh R. Schützeichel, Mundart, Urkundensprache und Schriftsprache, S. 124-131.

VI. Ergebnisse - Ausblick. - Im Moselgebiet mit seinen bi-ethnischen Verhältnissen läßt sich eine Anzahl von Fällen dokumentieren, in denen *-ācum* durch *-ingen* oder, wie in einem Fall, durch *-heim* ersetzt wird. Die Untersuchung der geographischen Verteilung der Namen zeigt, daß sie mit Ausnahme von *Mehring* in fränkischen Siedlungszonen oder am Rande von fränkischen Siedlungszonen mit echten *-ingen*-Namen beziehungsweise *-heim*-Namen liegen, so daß der Zwang zur Analogiebildung in Rechnung gestellt werden kann. Die ⟨*-ingen*⟩-Schreibungen setzen im 13. Jahrhundert ein, zu einem Zeitpunkt, als beide Suffixe nicht mehr produktiv sind. Eine direkte Übersetzung ist somit ausgeschlossen.

Es konnte gezeigt werden, daß ab dem 13. Jahrhundert Nasalschwund bei *-ingen*-Namen bevorzugt dann eintreten konnte, wenn die betonte Silbe auf Dental endet und es sich um einen dreisilbigen Namen handelt. Der Namenwechsel vollzog sich zunächst lediglich auf der graphischen Ebene. Die Rheinische Velarisierung sowie Analogiebildungen haben die Substituierung gefördert. Die Faktoren des Nasalschwunds lassen sich endgültig nur in einer Spezialstudie klären.

Die frühmittelalterliche ⟨*-ing*⟩-Schreibung für *Mehring* kann als graphische Darstellung der Palatalisierung von *n* vor *i̯* gewertet werden. Es wäre reizvoll zu erfahren, welche Rolle dieses Phänomen beim Ortsnamenausgleich von *-ācum* und *-ingen* bei der Ausbildung der Sprachgrenze gespielt hat.

Albrecht Greule

Der hydronymische Namenwechsel

I. Einführung. - Mit den folgenden Ausführungen versuche ich, weitgehend theoretisch zu klären, was Namenwechsel im Rahmen der Bezeichnung von Gewässern bedeutet. Ich werde hierzu im wesentlichen den Begriff Namenwechsel durch eine Gegenüberstellung mit den Begriffen Mehrnamigkeit, Namenvariation und Namenübertragung eingrenzen und abgrenzen, wobei ich der besseren Überschaubarkeit zuliebe, nicht um zu verfremden, auch Formalisierungen verwende. Um aber nicht nur auf namentheoretischem Niveau zu argumentieren, werde ich am Schluß drei Fallbeispiele aus der deutschen Hydronymie vor dem Hintergrund der theoretischen Überlegungen diskutieren.

Unter den Ortsnamen, zu deren Besonderheit das Verwachsensein mit den Örtlichkeiten, die sie benennen, und als Folge davon ihr vielfach hohes Alter gehören, räumt H. Krahe den Gewässernamen den größten Grad an Anziennität ein: 'Sie übertreffen in ihren frühesten Schichten alle anderen Namen an Alter und Altertümlichkeit'. Gewässernamen überdauern in vielen Fällen Siedlungswellen und Siedlungsschichten und bewähren immer aufs neue ihre Beständigkeit. Die Hydronymie zeigt nach H. Krahe aber auch 'eine außerordentliche Mannigfaltigkeit und Beweglichkeit in Formengebung und Bedeutungsgehalt'. Gewässernamen entstanden und entstehen zu allen Zeiten. Sprachen bleiben nicht konstant. Sie leben in einer ständig sich vollziehenden Entwicklung. Die Phasen, in denen sich die Ausdrucksmöglichkeiten und Bildungsmöglichkeiten der Sprache wandeln und in denen auch das Verhältnis des sprechenden Menschen zu den Dingen und Vorgängen, die er bezeichnen will, sich ändert, all das findet seinen Niederschlag in den Formen und Möglichkeiten der Benennung von Gewässern. Soweit H. Krahe[1] 1964. Er zeichnet hier ein durchaus zwiespältiges Bild: auf der einen Seite die hohe Altertümlichkeit der Gewässernamen und ihre Resistenz, auf der anderen Seite aber ihre Variabilität, die in der Tatsache begründet liegt, daß Gewässernamen dem sprachlichen und allgemein menschlichen Wandel unterliegen. Wo findet in diesem Bild der Gewässernamenwechsel seinen Platz?

Adolf Bach[2] widmet dem hydronymischen Namenwechsel in der Deutschen Namenkunde nur eine kleine Anmerkung: 'Der Wechsel von Gewässernamen, der zwar

---

[1] Unsere ältesten Flußnamen, S. 13f.

[2] Deutsche Namenkunde, II.2, S. 564, § 753.

nur bei kleineren Wasserläufen häufiger ist, soll hier unbeachtet bleiben. Hingewiesen sei etwa auf den *Gelbach* → Lahn, der im 10. Jh. *Anara* genannt wird'. A. Bach mißt demnach dem hydronymischen Namenwechsel keine große Bedeutung zu. Das könnte man mit Bezug auf H. Krahe so verstehen, daß die Resistenz der Gewässernamen den Namenwechsel in Grenzen hält. Dieses von A. Bach für den Namenwechsel gewählte Beispiel soll am Schluß unserer Ausführungen eingehend diskutiert werden.

Etwas differenzierter sieht der französische Namenforscher Paul Lebel das Problem des hydronymischen Namenwechsels. Er hebt mehr auf die Variabilität der Gewässernamengebung ab und meint, daß seit der Verbreitung des Buchdrucks die Namen großer Flüsse in offizieller Schreibweise tradiert würden, so daß man glauben könne, es gebe jeweils nur einen Namen für sie. Nach P. Lebel[3] kann sich (a) der Name eines Flusses von Bedeutung in der Aussprache und in der Form ändern, und zwar entsprechend den unterschiedlichen Dialekten entlang des Flußlaufes; zum Beispiel heißt die *Mayenne* (zur Loire) im Oberlauf und Unterlauf *Maine*; (b) tragen Flüsse diesseits und jenseits einer Sprachgrenze unterschiedliche Namen; zum Beispiel franz. *Meuse*, deutsch *Maas*, niederl. *Maes*, franz. *Rhône*, deutsch-schweiz. *Rotten*; (c) haften unterschiedliche Namen an einem Wasserlauf; zum Beispiel *Mare* (zur Loire), im Oberlauf *Ojon*; *Linth*, vom Zürcher See abwärts aber *Limmat*. Wie die folgenden Überlegungen zeigen, enthält diese Klassifikation im Kern bereits eine Theorie des hydronymischen Namenwechsels. P. Lebel faßt seine Gedanken ganz ähnlich wie H. Krahe zusammen: Es gibt zu allen Zeiten eine namenmäßige Vielfalt, denn Gewässernamen veralten wie alle menschlichen Schöpfungen und treten in Konkurrenz zu neuen Benennungen.

Wir halten fest: Hydronyme unterliegen prinzipiell der Variabilität. Eine Theorie des Namenwechsels in diesem Bereich setzt bei dieser Erkenntnis an. Sie kann zunächst unabhängig von der Tatsache entwickelt werden, daß die Gewässernamen zur größten Beständigkeit unter den Ortsnamen neigen.

II. Gewässer und Gewässernamen. - Hydronyme bezeichnen individualisierend Wasserläufe. Man versteht darunter im Idealfall ein zwischen einer Quelle und einer Mündung fließendes Gewässer unterschiedlicher Länge und in Relation zur Länge von geringer Breite, so daß es kartographisch als Linie wiedergegeben wird. Ich beschränke mich hier auf den Namenwechsel bei fließenden Gewässern. Das Verhalten stehender Gewässer zum Namenwechsel bedarf einer eigenen Untersuchung.

Die Vorstellung eines zwischen Quelle und Mündung sich erstreckenden Baches oder Flusses ist allerdings nicht problemlos. Nicht in allen Fällen kann zum Beispiel wegen der Verästelung eines Wasserlaufs im Quellgebiet eine eindeutig bestimmbare Quelle ausgemacht werden[4]. Häufig bestimmt die überkommene, ohne Übersicht und Rücksicht auf die gesamte Geographie eines Wasserlaufs entstandene, teils auch territorialgeschichtlich bedingte Namengebung, was Hauptfluß und was Nebenfluß

---

[3] Principes et méthodes d'hydronymie française, S. 1-3.

[4] R. Spang, Die Gewässernamen des Saarlandes aus geographischer Sicht, S. 85f.

ist und wo ein Gewässer entspringt. Im Idealfall gibt es eine Gesamtlaufbezeichnung.
Das heißt: Ein Wasserlauf trägt von der Quelle bis zur Mündung einen einzigen Namen. Wieweit eine Gesamtlaufbezeichnung Ergebnis amtlicher Namenlenkung spätestens seit dem 19. Jahrhundert ist, sei dahingestellt[5].

Um die Bezeichnungsrelation zu verdeutlichen, möchte ich eine einfache Formel
prägen, ohne den Ansprüchen logischer Notation genügen zu wollen:

$$F_x \leftarrow N_a$$

Lies: Ein Wasserlauf F_x wird durch einen einzigen Namen N_a (= Gesamtlaufbezeichnung) bezeichnet.

Es gibt allerdings Fälle, in denen ein geomorphographisch als Ganzheit bestimmba-
rer Wasserlauf durch mehrere Namen bezeichnet wird. Diese sogenannten Abschnittsnamen bezeichnen aber jeweils nur einen Abschnitt eines als Einheit gedachten Gewässers. Auf den Umstand, 'daß die meisten unserer Flüsse und sogar einzelne Bäche
in den verschiedenen Teilen ihres Laufes verschieden benannt worden sind', wies vor
allem Edward Schröder[6] hin. An Erklärungsversuchen für dieses Phänomen fehlt es
nicht. Angeführt werden siedlungshistorische und wasserwirtschaftliche Ursachen[7].
Von geographischer Seite bringt neuerdings R. Spang[8] auch physisch-geographische
Gegebenheiten wie die Ausprägung der Täler ins Spiel.

Die Gültigkeit eines Namens nur für einen Abschnitt eines Gewässers formalisiere
ich so:

$$A_i F_x \leftarrow N_a.$$

Lies: Ein Abschnitt A_i eines Flusses F_x wird durch einen Namen N_a (= Abschnittsname) bezeichnet.

Neben der Eigenart des Referenzobjekts, eines Wasserlaufs, sollten wir auch das
Referenzmittel, den Gewässernamen, und seine Besonderheiten als sprachliches Zeichen im Auge behalten. Es besteht aus einer Ausdrucksseite und einer Inhaltsseite,
die beide veränderbar sind: die Ausdrucksseite durch Lautwandel, die Inhaltsseite
durch Erweiterung, Verengung oder Wechsel der Referenz des Namens. Ferner ist
der Name als ganzer unter morphologischem Aspekt kombinierbar mit anderen
Sprachzeichen.

III. Namenvariation versus Mehrnamigkeit. - Die von P. Lebel[9] aufgestellten drei
Kategorien der 'pluralités onomastiques' trennt ein wesentlicher Unterschied. Be-

---

[5] Ebenda. Sieh unten auch das Beispiel *Anara/Gelbach*.

[6] Deutsche Namenkunde, S. 167. Sieh auch S. 369.

[7] J. Trier, Versuch über Flußnamen, S. 8.

[8] Die Gewässernamen des Saarlandes aus geographischer Sicht, S. 86-97.

[9] Principes et méthodes d'hydronymie française, S. 2.

trachten wir einige Beispiele von P. Lebel. *Maine* gegenüber *Mayenne*: Beide Namen gehen auf eine gemeinsame Grundform *Meduana* zurück. Die Differenz zwischen *Maine* und *Mayenne* ist durch die unterschiedliche Behandlung des Hiatus *e-a*, der durch den Schwund von inlautend *-du-* (= *dw*) entstand, zu erklären[10]. *Rhône* gegenüber *Rotten*: Die Differenz ist durch die unterschiedliche Entwicklung des lateinischen *Rhodanus* im Französischen und im Schweizerdeutschen erklärbar. Gleiches kann allerdings nicht ohne weiteres von *Mare* gegenüber *Ojon* behauptet werden. Hier erlauben die historischen Erwähnungen eine Erklärung der beiden Namen als *Matre* 'Mutterfluß' und als **Albione*, Abl. v. **Albia*[11]. Worauf es ankommt, ist die Unmöglichkeit, diese Namen im Gegensatz zu den zuerst zitierten Beispielen auf eine gemeinsame Grundform zurückzuführen.

Die Beispiele *Maine/Mayenne* und *Rhône/Rotten* gehören beide einer Kategorie an, die ich Namenvariation nenne. Typisch für diese Kategorie ist die unter verschiedenen Bedingungen unterschiedliche Entwicklung einer vom Fachmann feststellbaren Ausgangsform. Mit anderen Worten: Es handelt sich um Variation einer Ausdrucksseite nach bestimmten Regeln. In einer Formel läßt sich die Namenvariation so darstellen:

$$F_x \leftarrow N_a \, / \, N_{a'} \, / \, N_{a''} \, / \, ...$$

Lies: Ein Fluß F_x wird durch mehrere Namen N_a, $N_{a'}$, $N_{a''}$ (und so weiter) bezeichnet, die sich durch Variation einer Ausdrucksform unterscheiden.

Unter den Bedingungen, unter denen die Variation auftritt, lassen sich zwei von P. Lebel schon angedeutete Gruppen ausmachen: (a) die intralinguale Namenvariation, bedingt etwa durch unterschiedliche Lautentwicklungen einer Ausgangsform in verschiedenen Dialekten einer Einzelsprache (zum Beispiel *Maine/Mayenne*); (b) die interlinguale Namenvariation, bedingt etwa durch unterschiedliche Lautentwicklungen einer Ausgangsform in verschiedenen Einzelsprachen (*Rhône/Rotten*).

Bei großen Flüssen wie dem *Rhein* treffen wir auf beides, auf interlinguale (deutsch *Rhein*, franz. *Rhin*, niederl. *Rijn*) und innerhalb des Deutschen auf intralinguale Variation (*Ri*, *Ring*, *Roi* und so weiter).

Zur Namenvariation rechnet P. Lebel auch die nicht phonologisch, sondern wortbildungsmorphologisch herbeigeführte Variation einer Ausgangsform, zum Beispiel *la Marne* neben *la Marnotte* (im Oberlauf). In der deutschen Hydronymie ist diese morphologisch bedingte Namenvariation häufig dort anzutreffen, wo an Simplizia das Grundwort *-ach* oder *-bach* angehängt wird.

Der Namenvariation stelle ich die Mehrnamigkeit gegenüber, die durch das Beispiel *Mare/Ojon* oder auch durch das von A. Bach gewählte Namenpaar *Anara/Gelbach* repräsentiert wird. Mehrnamigkeit bedeutet, daß ein Wasserlauf zwar durch mehr als einen Namen bezeichnet wird, daß im Unterschied zur Namenvariation diese Namen durch den Sprachwissenschaftler jedoch nicht auf éine Grundform zurückgeführt werden können. Formelhaft:

---

[10] Ebenda, S. 4.

[11] Ebenda, S. 3f., 305.

$$F_x \leftarrow N_a \,/\, N_b \,/\, N_c \,/\, ...$$

Lies: Ein Fluß F_x wird durch mehrere Namen N_a, N_b, N_c (und so weiter) bezeichnet, deren Ausdrucksseiten nicht aus einer Ausgangsform hergeleitet werden können.

Um von der Mehrnamigkeit schließlich zum Namenwechsel zu kommen, müssen wir den Begriff der differenzierten Mehrnamigkeit einführen.

IV. Mehrnamigkeit und Namenwechsel. - In einer Weißenburger Urkunde des Jahres 737 (Kopie a. 855-860)[12] findet sich folgende Lokalisierung: *super fluuio Murga séu Lutra*. Es handelt sich um einen seltenen durch die historische Quelle selbst für einen bestimmten Zeitpunkt dokumentierten Fall von Mehrnamigkeit des Typus *Mare/Ojon* beziehungsweise *Anara/Gelbach*. Die Formulierung des 8. Jahrhunderts erlaubt keine Differenzierung der Mehrnamigkeit. Wir müssen annehmen, daß sie für den Gesamtlauf der heutigen *Lauter* an der elsässisch-pfälzischen Grenze galt. Auch gibt die lateinisch abgefaßte Urkunde keinen Hinweis auf die Zugehörigkeit von *Murga* und *Lutra* zu zwei verschiedenen Sprachen, was die Namenetymologie allerdings nahelegt (*Murga* = vorgermanisch-keltisch, *Lutra* = germanisch-deutsch). Aus diesem Beispiel leite ich das Vorkommen von nicht differenzierter beziehungsweise nicht differenzierbarer Mehrnamigkeit ab. Sie ist synchron. Das heißt: Die Differenzierung nach der Zeit ist aufgehoben. Sie ist ferner intralingual. Das heißt: Es gibt keine Differenzierung nach Einzelsprachen. Und innerhalb der Einzelsprache ist sie syntopisch. Das heißt: Es gibt keine Differenzierung nach Mundarten. Dem Beispiel des 8. Jahrhunderts kann ich für die Gegenwart ein Beispiel aus dem Hydronymia Germaniae-Faszikel zum Flußgebiet der Saar[13] anfügen. Es gibt dort mehrere Einträge folgender Art: 'Lixingerbach oder Großbach'[14].

Von Namenwechsel können wir aber erst dann reden, wenn die Mehrnamigkeit differenzierbar ist. Mehrere Arten von Differenzierbarkeit sind möglich. Wenn wir in Bezug auf einen Gesamtlauf sagen können, Name a gilt in Sprache i, und Name b gilt in Sprache j, dann liegt interlingual differenzierbare Mehrnamigkeit[15] vor:

$$F_x \leftarrow (N_a L_i) \,/\, (N_b L_j)$$

Lies: Ein Fluß F_x wird durch zwei Namen N_a und N_b bezeichnet, wobei N_a in der Sprache L_i, N_b in der Sprache L_j gilt.

Beispiel: Im lothringischen Teil des Flußgebietes der Saar gibt es den *Ruisseau d'Ottonville* (rechts zur Nied, links zur Saar). Seine deutsche Bezeichnung ist *Schwelbach*[16].

---

[12] Traditiones Wizenburgenses, S. 181.

[13] Das Flußgebiet der Saar, Hydronymia Germaniae, Reihe A, Lieferung 13.

[14] Ebenda, S. 45.

[15] Die interlingual differenzierbare Mehrnamigkeit ist nicht zu verwechseln mit interlingualer Namenvariation.

Namenwechsel haben wir auch vor uns, wenn die Mehrnamigkeit diachron differenzierbar ist, wenn wir also für einen Gesamtlauf zu verschiedenen Zeiten verschiedene Namen feststellen können:

$$F_x \leftarrow (N_a T_i) / (N_b T_j)$$

Lies: Ein Fluß F_x wird durch zwei Namen N_a und N_b bezeichnet, wobei N_a zur Zeit T_i, N_b zur Zeit T_j gilt.

Beispiel: Der *Pulverbach* in Saarbrücken heißt so seit a. 1687. Vom 13. bis 15. Jahrhundert hieß er aber *Breidenbach*, im 16. Jahrhundert *Schleuffbach* beziehungsweise *Harnißbach*[17].

Schließlich müssen wir von Namenwechsel auch dann reden, wenn die Mehrnamigkeit sich auf verschiedene Abschnitte eines Wasserlaufs bezieht:

$$F_x \leftarrow (N_a A_i F_x) / (N_b A_j F_x)$$

Lies: Ein Fluß F_x wird durch die Namen N_a und N_b bezeichnet, wobei N_a für den Abschnitt A_i des Flusses F_x, N_b aber für den Abschnitt A_j des Flusses F_x gilt.

Zur Beispielgebung für diese häufige Art des Namenwechsels erinnere ich an die schon erwähnte Mehrnamigkeit von franz. *Ojon* (im Oberlauf) und *Mare* (im Unterlauf).

Bei dem durch Abschnitte bedingten Namenwechsel kann es geraten sein, auch den Faktor Zeit zu berücksichtigen. Es ergeben sich dabei theoretisch mehrere Möglichkeiten, zum Beispiel die, daß ein Abschnittsname $N_a A_i F_x$, bezogen auf denselben Abschnitt, abgelöst wird durch einen anderen Namen: $N_b A_i F_x$. Häufiger als dieser Fall ist allerdings die Erscheinung, daß ein Abschnittsname seinen Geltungsbereich ausdehnt, was entweder Bereichsverengung des oder der anderen Abschnittsnamen bedeutet oder gar zum Verschwinden der anderen Abschnittsnamen führt[18]. Als Beispiel hierfür mag der von R. Spang beschriebene Fall dienen, daß der heute *Wurzelbach* genannte Blies-Zufluß zu einem bestimmten Zeitpunkt *Grießbach* hieß. Durch Bereichserweiterung eines Zuflusses namens *Wurzelbach* wurde der Name *Grießbach* auf den Unterlauf beschränkt und dann ganz durch *Wurzelbach* verdrängt[19]. Vereinfacht betrachtet, liegt hier vollständiger Namenwechsel vor: *Grießbach* wird ersetzt durch *Wurzelbach*. Bis zur Verdrängung von *Grießbach* als Unterlaufsbezeichnung handelt es sich aber nur um partiellen Namenwechsel.

Nur partiell ist der Namenwechsel auch dann, wenn im Laufe der Zeit eine Gesamtlaufbezeichnung durch das Aufkommen eines Abschnittsnamens selbst zum Abschnittsnamen wird. Zum Beispiel galt·für den von St. Ingbert zur Saar fließenden

---

[16] Das Flußgebiet der Saar, S. 57.

[17] R. Spang, Die Gewässernamen des Saarlandes aus geographischer Sicht, S. 94, 215.

[18] Sieh A. Bach, Deutsche Namenkunde, II.1, S. 445, § 410,1.

[19] R. Spang, Die Gewässernamen des Saarlandes aus geographischer Sicht, S. 96f.

Bach bis zum Entstehen der Siedlung Scheidt im Jahre 1235 als Gesamtlaufbezeich-
nung *Rohrbach*. Durch die territorialgeschichtliche Entwicklung bedingt gilt seit
Mitte des 16. Jahrhunderts oberhalb und unterhalb der Siedlung Scheidt bis zur
Mündung der Name *Scheidter Bach*, für den Oberlauf weiterhin *Rohrbach*[20].

Vollständiger Namenwechsel liegt dagegen vor, wenn zum Beispiel zwei Abschnittsnamen entstehen und die ursprüngliche Gesamtlaufbezeichnung ganz verdrängen,
oder umgekehrt, wenn zwei Abschnittsnamen durch eine ganz andere Gesamtlaufbezeichnung ersetzt werden. Auch dafür finden wir bei R. Spang[21] ein Beispiel: a.
1564 heißt ein Blies-Zufluß im Unterlauf *Brulesbach*, im Oberlauf *Frankenbach*.
Heute heißt der ganze Wasserlauf *Bexbach*.

V. Namenübertragung und Namenwechsel.

- Von der Bereichserweiterung eines Ab-
schnittsnamens haben wir die Namenübertragung zu unterscheiden. Während sich bei
einem Abschnittsnamen die Erweiterung auf dasselbe Referenzobjekt bezieht, bedeutet Namenübertragung, daß ein Name sich auch auf ein anderes als das ursprüngliche
Objekt bezieht. Bekanntlich hat H. Krahe[22] auch die Übertragung von Hydronymen
auf weit auseinander liegende Gewässer bemüht, um das mehrfache Vorkommen
eines alteuropäischen Namens über große Räume hinweg zu erklären. Sofern ein Gewässername nach der Übertragung weiterhin einen Wasserlauf bezeichnet, spreche
ich von homogener Namenübertragung:

$$N_a \rightarrow (F_x \, T_i) + (F_y \, T_j).$$

Lies: Ein Name N_a bezeichnet einen Fluß F_x und danach auch einen Fluß F_y.

Sehr häufig kann das Gegenstück, die heterogene Namenübertragung, beobachtet
werden. Man versteht darunter, daß ein Gewässername nicht mehr nur einen Wasserlauf, sondern auch ein Gelände (Flur) und/oder eine Siedlung am Wasserlauf bezeichnet und umgekehrt. Das heißt: Ein Name bezeichnet nicht mehr nur das ursprüngliche Referenzobjekt, sondern auch ein Referenzobjekt anderer Art wie ein Gelände,
eine Siedlung (und so weiter):

$$N_a \rightarrow (F_x \, T_i) + (S_y \, T_j).$$

Lies: Ein Name N_a bezeichnet einen Fluß F_x und später auch eine Siedlung S_y.

Von Namenwechsel sollte in diesen Fällen nur dann die Rede sein, wenn ein Name
das Referenzobjekt tatsächlich wechselt, wenn also die in den Formeln oben durch
das Plus-Zeichen markierte Doppelreferenz eines Namens aufgehoben ist. Zum Beispiel bezeichnete a. 988 *fluvius Garda* einen linken Zufluß zum Neckar. Dieser Name
(*Gart-aha*) wurde auf die drei Siedlungen *Kleingartach*, *Großgartach* und *Neckar-
gartach* übertragen und ging als Hydronym schließlich unter. Der Wasserlauf heißt
heute *Leinbach*[23].

---

[20] Ebenda, S. 95f.

[21] Ebenda, S. 99, 177.

[22] Alteuropäische Flußnamen, BNF. 1 (1950) S. 265f.

Der Namenwechsel als Folge einer Namenübertragung ist selten direkt aus den Quellen zu erschließen. In vielen Fällen kann er aber durch Rekonstruktion erschlossen werden. Hier einige andeutende Beispiele: Der heute *Wigger* genannte Fluß im Kanton Luzern hieß ursprünglich **Enze* (aus **Antia*). Das Hydronym wurde auf die Landschaft des Quellgebietes der Wigger übertragen: Sie heißt heute *Enzi*[24]. - Der *Goldbach* zur Mosel hieß ursprünglich **Andula*. Dieser Name ging spätestens im 12. Jahrhundert auf die Siedlung *Andel* (Kreis Bernkastel) an der Mündung des Goldbaches über[25].

Selten ist, verglichen mit der Übertragungsrichtung Flußname auf Gelände, Siedlung (und so weiter) der Namenwechsel als Folge der Übertragung eines Siedlungsnamens auf einen Wasserlauf und des darauffolgenden Verschwindens des Siedlungsnamens. Ein dafür oft zitiertes Beispiel ist der Gewässername *Neumagen* in Südbaden. Er ist eindeutig auf die keltische Siedlungsbezeichnung **Noviomagus* zurückführbar. In der Nähe der untergegangenen Siedlung **Noviomagus* entstand, ohne Kontinuität, am *Neumagen* die *Krozingen* genannte Siedlung[26].

Schließlich haben wir noch die Rückbildung gegen den Namenwechsel abzugrenzen. Zwar handelt es sich bei den Rückbildungen um Übertragungen von Siedlungsnamen oder Geländenamen auf Wasserläufe. Der Name erfährt hierbei jedoch eine morphologische Kürzung. So heißt ein Nebenfluß der Nette (zur Leine) *Ilde*. Das Hydronym ist entstanden durch Übertragung des Siedlungsnamens *Ildehausen* (Kreis Gandersheim) und durch Kürzung dieses Namens um das zweite Kompositionsglied[27]. Obwohl sich nach der Übertragung in solchen Fällen Ausgangsname (hier *Ildehausen*) und übertragener Name (hier *Ilde*) unterscheiden, handelt es sich noch nicht um Mehrnamigkeit. Solange nämlich beide Namen, wenn auch morphologisch differenziert, nebeneinander weiter bestehen, sollte man trotz der morphologischen Differenz Rückbildungen nicht zum Namenwechsel zählen.

VI. Drei Fallbeispiele. - Als Beispiel für den Wechsel von Gewässernamen führt A. Bach[28] in der Deutschen Namenkunde den *Gelbach* an, 'der im 10. Jh. *Anara* genannt wird'. In der Tat wäre dieser Fall so, wie A. Bach ihn in knappster Weise formuliert, ein gutes Beispiel für diachron differenzierte Mehrnamigkeit und damit für Namenwechsel. Bei näherem Zusehen stellt sich jedoch heraus, daß der Sachverhalt bei *Anara* und *Gelbach* komplizierter gelagert ist.

---

[23] A. Bach, Deutsche Namenkunde, II.1, S. 446; A. Schmid, Die ältesten Namenschichten im Flußgebiet des Neckar, BNF. 12 (1961) S. 203.

[24] A. Greule, Besprechung von: J. Zihlmann, Namenlandschaft im Quellgebiet der Wigger, 1984, BNF. NF. 20 (1985) S. 470.

[25] A. Greule, Zur Schichtung der Gewässernamen im Moselland, BNF. NF. 16 (1981) S. 57.

[26] A. Greule, Neumagen und andere alte Flußnamen im Markgräflerland, MGL. 34 (1972) S. 202f.

[27] B.-U. Kettner, Flußnamen im Stromgebiet der oberen und mittleren Leine, S. 131.

[28] Deutsche Namenkunde, II.2, S. 564, § 753.

Der *Gelbach* mündet oberhalb von Nassau rechts in die Lahn. Historisch ist der Name nicht belegt[29]. Am Gelbach liegen die Siedlungen Kirchähr (a. 1107 *Anre*)[30] und Weinähr (a. 1302 *Anre*)[31]. Deren historische Namensformen sind interessanterweise identisch mit jenen für die Orte Oberahr (a. 1490 *Oberanre*)[32] und Niederahr (a. 1490 *Nideranre*)[33]. Ebenso wurde der *Ahrbach,* woran Oberahr und Niederahr liegen, genannt, nämlich a. 1368 *uff der Anre*[34]. Der Ahrbach mündet heute östlich Montabaur von links in den Gelbach.

Aus diesen Fakten ist wohl zu schließen, daß bis in die jüngste Vergangenheit das heute *Ahrbach* genannte Gewässer und der heutige *Gelbach* von der Einmündung des Ahrbachs an bis zur Mündung in die Lahn ein einheitliches Referenzobjekt bildeten. Der Name für diesen ziemlich genau in Nord-Süd-Richtung fließenden Wasserlauf ist erstmals a. 959 als *anara* in einer Originalurkunde des Trierer Erzbischofs[35] erwähnt, worin er mehrfach zur Bestimmung der Grenze der Pfarrei Humbach, jetzt Montabaur, dient. Eine einheitliche Bezeichnung für dieses Gewässer zwischen der Quelle des *Ahrbachs* und der Mündung des *Gelbachs* kann noch für das 16. Jahrhundert aus den Namensformen bei Mercator[36] erschlossen werden: a. 1607 *Nidereer, Kircheer* und *Weineer.* Die Benennungseinheit wurde dadurch aufgelöst, daß der Name des ursprünglich von rechts der *Anara* zufließenden, von Montabaur kommenden *Gelbachs* auf den Unterlauf der *Anara* überging. Ein Grund dafür könnte die unterschiedliche phonetische Entwicklung des Namens *Anara, Anre* (und so weiter) in der Mundart [a:(r), ɛ:(r), e:ə] gewesen sein.

Wir halten fest: Der Fall *Anara/Gelbach* muß unter zwei Gesichtspunkten gesehen werden. Synchronisch betrachtet, liegt heute eine einheitliche Gesamtlaufbezeichnung vor, nämlich *Gelbach.* Diachronisch betrachtet, existierte mindestens seit dem 10. Jahrhundert bis zum 17. Jahrhundert eine Gesamtlaufbezeichnung für den Unterlauf des Gelbachs und für den Ahrbach (links zum Gelbach), nämlich *Anara* (und so weiter). Das Hydronym wurde auf fünf Siedlungen entlang dieses Wasserlaufs übertragen: *Oberahr, Mittelahr, Niederahr, Kirchähr* und *Weinähr* (heterogene Namenübertragung). Für die Gesamtlaufbezeichnung *Anara* haben wir in der Mundart mit einer unterschiedlichen Lautentwicklung zu rechnen (zum Beispiel [a:(r)] gegenüber [e:ə]; intralinguale Namenvariation), die zur Differenzierung in Oberlauf und Unterlauf beigetragen haben könnte. Partieller Namenwechsel liegt seit dem Zeitpunkt vor, an dem sich der Name des Zuflusses *Gelbach* auf den Unterlauf der

---

[29] Rechtsrheinische Zuflüsse zwischen den Mündungen von Main und Wupper, Hydronymia Germaniae, Reihe A, Lieferung 4, S. 29.

[30] W. Metzler, Die Ortsnamen des Nassauischen Westerwaldes, S. 115.

[31] Ebenda, S. 79.

[32] Ebenda, S. 154.

[33] Ebenda, S. 153.

[34] Ebenda.

[35] H. Beyer, Urkundenbuch, I, S. 264, Nr. 204.

[36] W. Metzler, Die Ortsnamen des Nassauischen Westerwaldes, S. 153, 115, 79.

Anara ausdehnte, den Namen *Anara* verdrängte und den ursprünglichen Oberlauf zum heute *Ahrbach* genannten Zufluß machte. Durch diesen Vorgang ergibt sich dann auch für die beiden Siedlungen am Unterlauf der Anara, *Kirchähr* und *Weinähr*, aber nur für diese, Namenwechsel infolge heterogener Namenübertragung.

Von P. Lebel[37] wurden als Beispiel für den nach Abschnitten differenzierten Namenwechsel auch *Linth* und *Limmat* in der Schweiz zitiert: 'La Linth devient la Limmath á la sortie du lac de Zurich'. Hier zeigt eine diachronische Betrachtung, daß kein Namenwechsel vorliegt. Zumindest für das 11. Jahrhundert ist die Vorstellung[38] bezeugt, daß die Limmat durch den Zürichsee fließt wie der Rhein durch den Bodensee: 'inter lacum Turicinum, quem interfluit Lindemacus fluuius'. Die morphologische Analyse der historischen Belege[39] für *Limmat* ergibt, daß es sich bei dem Namen um ein keltisches Dvandva-Kompositum *Lindo-magom* handelt, in welchem die Hydronyme *Linda* und *Maga*, jetzt *Linth* und *Maag*, im Sinne von '*Linth* und *Maag* zugleich' komponiert sind. Diese Art der Wortbildung entspricht dem geographischen Befund, denn in frühgeschichtlicher Zeit flossen *Linda* und *Maga* in ein seeartiges Gewässer oberhalb des Zürichsees, dessen Ausdehnung für das 8./9. Jahrhundert rekonstruiert werden konnte[40]. Der sprachlich adäquate Ausdruck für das aus dem Zusammenfluß von *Linda* und *Maga* entstehende Gewässer war ein beide Namen vereinigendes Dvandva-Kompositum.

Nach diesen Feststellungen kann man nicht mehr behaupten, bei *Linth* und *Limmat* liege Namenwechsel vor. Vielmehr handelt es sich um wortbildungsmorphologisch herbeigeführte Namenvariation. Das Besondere bei *Limmat* ist, daß die Variation nicht durch Derivation, sondern durch eine sehr frühe kopulative Komposition zustande kam.

Ein letztes Beispiel: Im Süden von Rheinland-Pfalz entspringt der *Saarbach*. Er schneidet die deutsch-französische Staatsgrenze und die pfälzisch-elsässische Mundartgrenze und mündet unterhalb von Seltz in den Rhein. Im Elsaß heißt er allerdings die *Sauer*, mundartlich [sy:R]. Auf den ersten Blick haben wir hier eine durch den Wechsel der Mundarträume bedingte Mehrnamigkeit vor uns, die an die beiden Namen *Saar* (zur Mosel) und *Sauer* (zur Mosel) erinnert. In den Weißenburger Traditionen ist der Name für das 7. und 8. Jahrhundert mehrfach als *Sura* belegt. An dieser Schreibweise ändert sich im Elsaß bis ins 16. Jahrhundert nichts[41]. Anders in der Pfalz: Dort heißt der Bach a. 1196 *Sora*. Und erst a. 1704 taucht die Schreibung *Sarbach* auf[42]. Verglichen mit *Sura* (mit kurzem *-u-*), handelt es sich bei *Sora* um eine Form mit mitteldeutscher Senkung des *-u-* zu *-o-* und um spätere Öffnung des

---

[37] Principes et méthodes d'hydronymie française, S. 2.

[38] A. Greule, Vor- und frühgermanische Flußnamen am Oberrhein, S. 129f.

[39] Ebenda, S. 131f.

[40] A. Tanner, Die Ausdehnung des Tuggenersees im Frühmittelalter, St. Gallische Ortsnamenforschung, S. 30-38.

[41] A. Greule, Vor- und frühgermanische Flußnamen am Oberrhein, S. 79.

[42] E. Christmann, Die Siedlungsnamen der Pfalz, II, S. 463.

-o- (in *Sorbach*) zu -a-. Im Unterelsaß hingegen unterlag *Sur(e)* im 13./14. Jahrhundert der Palatalisation und danach der Dehnung: [sur] zu [syr] zu [sy:R]. In Analogie zu der Entsprechung elsässisch [y:] = schriftdeutsch ⟨au⟩ wurde der Name schließlich zu *Sauer* verhochdeutscht. Der vermutliche Namenwechsel *Saarbach/Sauer* entpuppt sich also als ein schönes Beispiel für intralinguale Namenvariation einer gemeinsamen Grundform *Sura*[43].

VII. Zusammenfassung. - Wir haben versucht, durch die Diskussion der Begriffe Namenvariation, Mehrnamigkeit und Namenübertragung den Terminus Namenwechsel mit Bezug auf die Benennung fließender Gewässer abzugrenzen. Es ging auch darum, bei der Festlegung des Terminus den allgemeinsprachlichen Inhalt des Wortes Wechsel im Auge zu behalten.

Der Begriff Namenvariation wurde auf die Veränderung eines Namens beziehungsweise einer Namengrundform beschränkt, sei es durch Lautwandel, sei es durch morphologisch bedingte Einwirkung, sei es, daß die Grundform sich in verschiedenen Einzelsprachen verschieden weiterentwickelte. Im Gegensatz zur Namenvariation steht die Mehrnamigkeit, womit wir das Faktum bezeichnen, daß man sich auf ein und dasselbe Referenzobjekt mit mehreren ausdrucksseitig wohl unterschiedlichen Namen beziehen kann. Unter den Begriff des Namenwechsels fällt aber (erstens) nur eine Gruppe von Sonderfällen der Mehrnamigkeit, nämlich von Mehrnamigkeit, die interlingual, diachron oder nach Wasserlaufabschnitten differenzierbar ist. Im letzten Fall, der abschnittsweise differenzierten Mehrnamigkeit, kann darüber hinaus zwischen totalem und partiellem Namenwechsel unterschieden werden. Zweitens ist der Terminus Namenwechsel dort angebracht, wo homogene oder heterogene Namenübertragung vorliegt und der Name des ursprünglich zuerst bezeichneten Referenzobjekts (Ausgangsname) verschwunden ist.

Alle Fälle scheinbaren Namenwechsels bedürfen, wie die Beispiele gezeigt haben, der gründlichen historischen Einzeluntersuchung, um die Vermutung von Namenwechsel zu verifizieren oder zu falsifizieren. Erst wenn solche Untersuchungen in großer Zahl vorliegen, werden wir uns daran wagen können, auch Aussagen über die Häufigkeit des hydronymischen Namenwechsels zu machen.

---

[43] Der Name soll an anderer Stelle ausführlich und mit Diskussion der etymologischen Konsequenzen behandelt werden. Er kann jedenfalls nicht mehr als germ. oder kelt. *Sūra* 'die Sauere' erklärt werden. Sieh noch A. Greule, Vor- und frühgermanische Flußnamen am Oberrhein, S. 80f.

Johann Knobloch

Uneigentliche Namengebung

I. Übernamen von Gebäuden, Stadtteilen und Landschaften. - Wenn ein Einheimischer einem Besucher vom Alten Zoll aus das Rheinpanorama mit dem Siebengebirge zeigt, wird er kaum versäumen, auf das Hochhaus hinzuweisen, das unter Eugen Gerstenmeier gebaut wurde und daher allgemein als *Langer Eugen* bekannt ist. Das damit verbundene, später angebaute Treppenhaus für den Notfall hebt sich als *Mini-Eugen* von der Baumasse mit ihren stattlichen neunundzwanzig Stockwerken ab.

Anläßlich der Planung eines Konferenzzentrums jenseits der Donau in Wien rief der Vizebürgermeister Busek die Wiener auf, das 'unsinnige Projekt' durch eine Volksbefragung zu verhindern: *Wir brauchen kein Bruneum ...!*. Gemeint war mit diesem vorab geschaffenen Gebäudespitznamen der Bundeskanzler Bruno Kreisky.

Berliner wissen um den örtlichen Spitznamen für die Siegesgöttin Viktoria auf der Siegessäule, die im Mittelpunkt des Großen Sterns prangt und an den Sieg von 1870/1871 erinnert. Es ist die *Goldelse* auf dem *Siegesspargel*, die auch einfach *das goldene Mädchen* genannt wird.

Ein Kunstwerk unserer Zeit, das den Innenhof des Forschungsministeriums in Bonn schmückt und von dem Künstler Ansgar Nierhoff als 'Plastische Kreuzung' vorgestellt wurde, erhielt 'drastische Spitznamen'[1]: *Bischofskreuz* (nach dem Abteilungsleiter *Bischoff*) und weiter *abgestürztes Flugzeug*.

Das Verteidigungsministerium hat selbst einen Spitznamen abbekommen. Man nennt es in sinniger, lautbezogener Anspielung *Pentabonn*.

Die Trabantenstadt Neuperlach im Münchner Osten wird von kritischen Bewohnern oder Anrainern *Siedlung vom Reißbrett, Betongetto* oder *Retortenstadt* genannt[2].

Leider kündet kein Stadtplan dem Fremden, wo in Köln das *Vringsveedel* (Viertel um die St. Severinskirche) oder gar das *Knolleveedel* ist. So wissen auch in Bonn nur Eingeweihte, daß die Stiftskirche der *Kuhle Dom* genannt wird. Als in Bad Godesberg neben der Redoute das kurfürstliche Gärtnerhäuschen hergerichtet wurde, ergab ein Preisausschreiben den annehmbaren Vorschlag, es *Redüttchen* zu nennen[3]. Durch den Kurpark kommt man zur *Kulturscheune*, dem Bühnenhaus, das a. 1896

---

[1] General-Anzeiger 15. November 1979.

[2] Süddeutsche Zeitung 25. Februar 1980.

[3] General-Anzeiger 21./22. Januar 1976.

an das Restaurationsgebäude 'Volksgartensaal' angebaut wurde. Eine Fußgänger-
brücke über die Kurfürstenallee wird nach dem Stadtdirektor Fritz Brüse die *Brüse-
rutsche* genannt.

Die Brücke über den Fehmarnsund (a. 1963 erbaut) wird allerdings mit einem
Kleiderbügel verglichen.

Daß Bonn 3 auch die *Scheele Sick* heißt, wird von Heimatkundigen darauf zurückgeführt, daß die flußaufwärts gezogenen Schiffe das rechte Rheinufer 'links liegen
ließen'. So konnte die Begleitmannschaft der Pferde auf dem Treidelpfad von der
'linken Seite' (= *sick*, mit rheinischer Velarisierung) sprechen. Natürlich sprechen die
Beueler selbst lieber von der *Bonner Sonnenseite*, während diesseits des Rheines die
neu begrünte Rheinaue als *Regierungsvorgarten* gilt[4]. Ein in Plittersdorf verwildertes
Grundstück des Leonardusstiftes sollte ähnlich umgewidmet werden und nicht mehr
länger *Häschensweide* heißen. Der neue Stadtteil auf dem Brüser Berg (als Bonns
gute Adresse wird er gelobt) läßt sich gern *Bonner Balkon* nennen. Als sich im Winter des Jahres 1978 im neuen Bonner Stadthaus Wasserschäden zeigten, war das ein
Anlaß für den Karneval, die *Bonner Tropfsteinhöhle* auf einem eigenen Wagen zu
zeigen. Nicht nur Philatelisten, nein, jeder musikbeflissene Besucher des Bonner
Stadtzentrums schuldet dem berühmten *Postvorsteher* (dem Beethovendenkmal, das
vor dem Hauptpostamt steht) die gebotene Aufmerksamkeit. Das schon bei seiner
Planung umstrittene Parkhaus hinter dem Hauptbahnhof hat seinen Spitznamen
Zigarrenkiste weg[5].

Wenn in Limperich, dem ersten der *Liküra*-Orte (mit Küdinghoven und Ramersdorf), eine enge Eisenbahnunterführung das *Scheunentor* heißt, so hat es damit die
folgende Bewandtnis[6]. Man verfolgte hier den Grundsatz: 'Wenn die Unterführung
so groß ist wie ein Scheunentor, dann kommen wir mit allen Fahrzeugen durch,
selbst mit unseren Erntewagen'.

Die Übernamen aus Bonn und Umgebung können sich, was den spontanen Witz betrifft, weder mit Kölner noch gar mit Berliner Gegenstücken messen. "Hört, hört'
schreibt der Kölner Stadt-Anzeiger[7]: *'Palazzo Prozzi'* - *'Hängende Gärten der Semi-
ramis'* - *'Neuer Klüngelpütz'* [der alte *Klingelpütz* war das Gefängnis] - *'Gasthaus
zum Goldenen Ochsen'* - *'Mausoleum Feldhoff'*: Namen, die laut Generalvikar Norbert Feldhoff der Volksmund bisher schon für das neue Maternushaus der katholi-
schen Kirche in der Kardinal-Frings-Straße gefunden hat'.

Ähnlich reichhaltig (der Mannheimer Morgen berichtete darüber[8]) war das Echo in
Berlin auf den Bau des Internationalen Congress-Centrums: *Berliner Raumschiff,
Raumschiff Enterprise, Panzerkreuzer Protzki, Mondbasis Alpha*, da manche Räume
wie Raumstationen anmuten. Es wird auch einfach *Schlachtschiff* genannt, wie das
Wochenmagazin Prisma zu berichten wußte.

---

[4] General-Anzeiger 19. März 1976.

[5] General-Anzeiger 16. Februar 1982.

[6] General-Anzeiger 29./30. Dezember 1979.

[7] 9./10. April 1983.

[8] 8./9. Dezember 1979.

'In Berlin fiel mir uff ...' kündet eine Ansichtskarte, daß der Funkturm der *lange Lulatsch* heißt, das schon erwähnte ICC hier als *Alu-Monster* vorgestellt wird, daß das Schloß Charlottenburg mit einem *Kaffeewärmer* verglichen wird und das Europa-Center nahe dem *Ku-Damm Klein Manhattan* sein soll.

In Düsseldorf kennt man die *Kö*, und Frankfurt gilt als *Mainhattan*. Aus den Beispielen lassen sich die Verfahren belegen, die vom eigentlichen Namen zum volkstümlichen Spitznamen führen, nämlich lautliche Reduktion bis hin zur Anlautsilbe (*Kurfürstendamm* 〉 *Ku-Damm; Königsallee* 〉 *Kö; s.o. Liküra*) oder andererseits der Vergleich heimischer Eindrücke mit weltbekannten. Hierbei kommt es zu Stereotypien wie den folgenden.

II. Beliebte Vergleiche bei Übernamen. - Den *Lago di Garda* kennt jeder. Und es entspricht neudeutschen Gepflogenheiten, die Vertrautheit mit diesem Touristenziel durch Anwendung der italienischen Namenform hervorzuheben. Den Beginn des Urlaubs von Helmut Schmidt am *Lago di Sozi* (= Brahmsee) meldete der General-Anzeiger[9]. Dazu paßt gut, daß man eine Müllhalde als *Monte Scherbellino* aufwertet. Berlin als *Spree-Athen* klingt einem in einer Liedstrophe entgegen. Die Kurstadt Bad Honnef am Rhein pries schon Humboldt als *Nizza am Rhein*, während man Schwertberg das *Meran von Oberösterreich* nannte. Schifahrern mag der Kronplatz, der sich wie ein gewaltiger Glatzkopf zwischen dem Alpenhauptkamm und den Dolomiten auf 1400 Meter Höhe erhebt, als der *Olymp des Pustertales*[10] erscheinen.

Für den Elbe-Seitenkanal, den *ESK* laut behördlicher Abkürzung, hat der Volksmund der Anwohner den stolzen Namen *Heide-Suez* erfunden[11]. Als der Kühlturm einer aufgelassenen Malzfabrik in Krefeld-Fischeln auch nach vier Sprengungen noch aufragte, wurde er zum *Schiefen Turm von Krefeld*[12].

Zwischen Ramersdorf und Oberkassel, wo a. 1929 ein Basaltsteinbruch stillgelegt wurde, füllten sich die Senken mit Wasser. Und so entstanden in der *Oberkasseler Schweiz* der *Dornheckensee*, der *Blaue See* und der *Märchensee*. Bekannter ist die *Mecklenburgische Schweiz* und viele andere, deren Ausdehnung sicher die Badegelegenheit bei Oberkassel übertrifft.

Abschließend einige in Schlagzeilen häufige Städte-Vergleiche. Wimbledon: das *Mekka der Tennis-Welt*. Eine Ausstellung des Briefmarkensammlervereins machte im April des Jahres 1981 Beuel zum *Mekka der Philatelisten*. Das Klinikum Aachen war und ist ein *Mekka der Medizin*. Und das renommierte Aspen-Institut im US-Staat Colorado ist das amerikanische *Seminarmekka und Diskussions-Mekka*.

Der Emir Schakib Arslan (a. 1869-1946) besuchte a. 1917 das Goethehaus in Frankfurt und schrieb dort ins Gästebuch: *Sobald mir gesagt wurde, dies sei Goethes Haus, besuchte ich es: denn es ist eine Kaʿba für die Dichter.*

----

[9] 1. Juli 1983.
[10] Frankfurter Allgemeine 27. Februar 1977.
[11] Die Zeit 22. Februar 1980; freundlicher Hinweis von Helmut Walther.
[12] General-Anzeiger 27. Oktober 1980.

Elmar Neuß

Totaler Namenwechsel - partieller Namenwechsel - scheinbarer Namenwechsel
und die Ausbildung von Gemeindenamen

Mit einer Karte

I. Die Aufgabe. - Das Ziel dieser Abhandlung ist zweifach bestimmt. Zum einen geht es darum, den in der Namenforschung geläufigen Terminus Namenwechsel genauer zu durchleuchten, um ihn, wenn auch nicht eigentlich zu präzisieren, so doch nach seinen stillschweigenden Voraussetzungen zu explizieren. Zum anderen soll ein bestimmter Typus von Veränderung in der Ortsnamenlandschaft, der gerade in jüngster Zeit in großem Maß in Erscheinung getreten und dementsprechend in unserer Gegenwart gut zu beobachten ist, aus dem genannten Zusammenhang des Namenwechsels ausgeschieden werden, in den er auf den ersten Blick zu gehören scheint. Bei näherer Betrachtung stellt sich weiter heraus, daß Phänomene, wie sie im Zuge der kommunalen Gebietsreformen allenthalben vorkommen, keineswegs eine spezifisch moderne Erscheinung sind. Vielmehr sind in der Grundstruktur gleiche Vorgänge seit dem späten Mittelalter zu beobachten. Wenn sie, wie geschehen, unter den Begriff des Namenwechsels subsumiert worden sind[1], wird das nach der Erörterung des Begriffs zu korrigieren sein.

Anlaß zu den Überlegungen hat sich bei dem Versuch ergeben, den Ortsnamenbefund des Monschauer Landes der Gegenwart im Vergleich zu dem, wie er sich nach Erhebung aus mittelalterlichen und neuzeitlichen Quellen bis zum 19. Jahrhundert darstellt, in seiner Veränderung nach den bei A. Bach[2] angebotenen Kategorien zu gliedern. Damit wird einer alten Forderung von A. Bach[3] Folge geleistet, über der namenkundlichen Detailarbeit nicht die Systematik der Disziplin hintanzustellen, gleichzeitig aber ebensowenig die systematisch-theoretische Arbeit ohne die Grundlegung durch historisch abgestützte Einzelanalyse zu betreiben.

---

[1] A. Bach, Deutsche Namenkunde, II.2, § 754, S. 565.

[2] Deutsche Namenkunde, II.2, §§ 753-765, S. 562-581.

[3] RhVB. 15/16 (1950/1951) S. 371-416. Neudruck in: A. Bach, Germanistisch-historische Studien. Gesammelte Abhandlungen, dem Autor zum Goldenen Doktorjubiläum am 27. Februar 1964, S. 660-702, hier S. 661f.

II. Der Begriff Namenwechsel. - In den Hilfsmitteln zur Systematik der Namenkunde ist zum Terminus Namenwechsel/Ortsnamenwechsel wenig definitorisch gesagt. Wie es scheint, reicht die gemeinsprachliche Wortbedeutung zur problemlosen terminologischen Anwendung aus. Ein Stichwort Ortsnamenwechsel ist weder im Sachweiser des zweiten Bandes noch im separaten Registerband von A. Bachs[4] Standardwerk ausgeworfen. 'Namenwechsel' ist im Registerband für Personennamen notiert (beim Adel, bei Gelehrten und Künstlern). Für Ortsnamen ist dagegen, ebenso wie im Sachweiser unter 'Namenänderung', auf den Eintrag 'Beständigkeit von Ortsnamen' verwiesen. Unter diesem Titel ist der gemeinte Sachverhalt denn auch in der Darstellung abgehandelt[5]. Der Ausdruck Namenwechsel kommt gleichwohl in den entsprechenden Kapiteln vor, ohne daß er allerdings als Terminus definiert würde.

Erheblich knapper, eher beiläufig erwähnt und ohne definierende Beschreibung kommen Terminus und Sache im Handbuch von E. Schwarz[6] in den Abschnitten über 'Wechsel der Familiennamen' und 'Namensänderungen' (bei Toponymen) vor.

Eine ausdrückliche Definition findet sich erst bei T. Witkowski[7], wo 'Namen(s)-wechsel' wie folgt erläutert wird: 'Aufgabe (auch Verlust) eines alten und Annahme bzw. Verleihung eines neuen Namens'.

Bei allen drei Autoren werden die Referenzobjekte der Namen zwar in angeführten Beispielen genannt, nicht aber als Problem thematisiert oder wenigstens in die Erläuterung einbezogen. Sie gelten vielmehr stillschweigend und selbstverständlich als konstant gesetzt. An dieser Stelle muß eine genauere Erörterung des Begriffs ansetzen und die näheren Bedingungen zur Verwendung des Terminus Namenwechsel formulieren.

Was von den genannten Autoren im folgenden zum Sachverhalt ausgeführt wird, läßt nicht übermäßig viel an Systematik erkennen. T. Witkowski[8] behandelt in vier gleichrangigen Abschnitten, davon zwei für Familiennamen und zwei für Ortsnamen, (1) die heutige Genehmigungspflicht bei Änderung von Familiennamen, (2) die allmählich gewachsenen staatlichen Bestrebungen, Wechsel von Familiennamen zu verhindern, (3) die häufige politisch motivierte und politisch verantwortete Veränderung von Ortsnamen und (4) die vom Namenglauben her motivierte Änderung von Namen.

A. Bach[9] hat dem Namenwechsel zunächst ein Kapitel im Rahmen der Erörterung geographischer Staffelung von Siedlungsnamentypen gewidmet. Bei der Interpretation charakteristischer Verbreitungsbilder und der historischen Erklärung der Genese

---

[4] Deutsche Namenkunde, I.1.2. Die deutschen Personennamen; II.1.2. Die deutschen Ortsnamen; Registerband.

[5] A. Bach, Deutsche Namenkunde, II.2, §§ 753ff., S. 562-581; sieh auch §§ 652ff., S. 419-428, mit der Überschrift 'Der Namenwechsel'.

[6] Deutsche Namenforschung, I, § 104, S. 169f.; II, § 19, S. 40-42.

[7] Grundbegriffe der Namenkunde, S. 64f.

[8] Ebenda, S. 64f.

[9] Deutsche Namenkunde, II.2, §§ 652-656, S. 419-428.

von Namenlandschaften muß zunehmend mit einer gewissen Unfestigkeit des Bestandes an Siedlungsnamen, mit Veränderung und Namenausgleich gerechnet werden. A. Bach zeichnet in diesem Kapitel kontroverse Positionen in Auseinandersetzung mit W. Arnold, A. Helbok und E. Schwarz nach. Der Abschnitt 'Von der Beständigkeit der dt. Ortsnamen' (§§ 753-765) mischt in lockerer Folge Beobachtungen zur Morphologie von Namen, die bevorzugt einem Wechsel unterliegen, mit Erwägungen, welche Namenklassen stärker oder schwächer von Veränderung betroffen sind, und bringt eine Liste möglicher Motivationen. Sie brauchen im einzelnen hier nicht wiederholt zu werden. Wichtig ist an dieser Stelle nur, daß die umfangreichste Liste mit Motiven unter die Rubrik der absichtlichen, großenteils amtlichen Benennung fällt, was dem von T. Witkowski angeführten Punkt (3) entspricht[10].

Da in der bisherigen Forschung der Terminus Namenwechsel trotz fehlender definierender Beschreibung problemlos verwendet worden ist, seine Verwendung offensichtlich auch nicht in Widersprüche oder nennenswerte Kontroversen geführt hat, liegt die Vermutung nahe, daß der mit dem Wort *Namenwechsel* gemeinte onomastische Begriff dem Wortinhalt von *Wechsel* sehr nahe steht oder gar mit ihm zusammenfällt. In diesem Falle wäre für die Terminusbildung[11] nicht, wie sonst häufig, nur ein letzter Rest der lexikalischen Bedeutung der Wortbasis als etymologischer Aufschlußwert[12] übrig geblieben, während sich der Inhalt des Terminus sonst oft vom gemeinsprachlichen Wortinhalt entfernt. Zur Überprüfung dieser Vermutung empfiehlt es sich, mit Hilfe der in großen Wörterbüchern des Neuhochdeutschen niedergelegten Forschungstradition zunächst einmal zu ermitteln, welche semantisch relevanten Merkmale im Wortinhalt 'Wechsel' vorliegen beziehungsweise (in der Terminologie eines weiterreichenden Bedeutungskonzeptes) welches die Gebrauchsbedingungen von nichtfachsprachlichem Gebrauch von *Wechsel* sind[13].

Dabei stellt sich heraus, daß *Wechsel* (Substantiv) und *wechseln* (Verb) offenbar zu jenen Lexemen gehören, die nur mit Mühe oder überhaupt nicht durch andere Äquivalente ersetzbar sind und weitgehend durch Zeigedefinition eingeführt werden müssen. Entsprechend tun sich die Lexikographen mit dem Wort schwer. Das ist

---

[10] Sieh auch J. A. van Hamel, Plaatsnaamveranderingen uit politieke overwegingen.

[11] Sieh dazu zuletzt Y. Liang, DSp. 13 (1985) S. 97-106; M. N. Volodina, Sprachwissenschaft 10 (1985) S. 107-119.

[12] Zu den Begriffen 'Wortbasis' und 'etymologischer Aufschlußwert' sieh C. P. Herbermann, Wort, Basis, Lexem und die Grenze zwischen Lexikon und Grammatik; C. P. Herbermann, ZVSp. 95 (1981) S. 22-48.

[13] An Wörterbüchern wurde befragt: J. Ch. Adelung, Grammatisch-kritisches Wörterbuch der Hochdeutschen Mundart, IV, Sp. 1486f.; J. H. Campe, Wörterbuch der deutschen Sprache, V, S. 601; D. Sanders, Wörterbuch der deutschen Sprache, II.2, S. 1504; H. Paul, Deutsches Wörterbuch, S. 535; M. Heyne, Deutsches Wörterbuch, III, Sp. 1340; J. Grimm - W. Grimm, Deutsches Wörterbuch, XIII, Sp. 2677ff.; Trübners Deutsches Wörterbuch, VIII, S. 61f.; H. Paul, Deutsches Wörterbuch, S. 781; Wörterbuch der deutschen Gegenwartssprache, VI, S. 4270; Duden. Das große Wörterbuch der deutschen Sprache in sechs Bänden, VI, S. 2848.

insbesondere daran zu erkennen, daß gelegentlich das Substantiv mit dem Verb und umgekehrt das Verb mit Hilfe des Substantivs erläutert wird. In H. Pauls Wörterbuch wird von der ersten Auflage an bis heute überhaupt weder eine Bedeutungsbeschreibung noch ein Äquivalent geboten. Auf die Feststellung, daß es sich beim Substantiv *Wechsel* zunächst um eine Vorgangsbezeichnung gehandelt habe, folgt eine Illustration von Gebrauchsweisen. Damit mag im Normalfall den meisten Benutzern auch gedient sein, soweit sie deutsche Muttersprachler sind. Dieses Verfahren der einfachen Bedeutungsdemonstration am Beispiel findet aber im einsprachigen Wörterbuch seine Grenze, wenn der Benutzer nach den relevanten Gebrauchsbedingungen fragt. Bei einer Musterung der Wörterbucheinträge stellt sich heraus, daß K. von Bahders Artikel im Grimmschen Wörterbuch[14] der bei weitem aufschlußreichste ist und das inhaltlich Selbstverständliche, das nur mühsam ins Bewußtsein zu heben und zu formulieren ist, zur Sprache bringt.

Als erstes ist herauszuheben, daß das Wort gleichermaßen als Bezeichnung für Handlungen und auch Vorgänge verwendet werden kann. Auf diesen Tatbestand weisen übrigens die älteren Wörterbücher von J. Ch. Adelung, J. H. Campe und D. Sanders deutlicher hin als jüngere und jüngste Arbeiten. Diese Eigenschaft ist zur Charakterisierung des Sachverhaltes sehr willkommen. Natürlich ist eine Namengebung und also auch eine Namenänderung der Sache nach immer ein Akt sprechender Menschen. Diese Handlung der Namengebung ist jedoch im Nachhinein den Namenbenutzern in der Regel weder bekannt noch für sie feststellbar. Daher ist eine sprachliche Darstellung im Bild des Vorgangs, bei dem kein Urheber identifizierbar ist, dem Auszudrückenden durchaus angemessen. In T. Witkowskis Definition ist dem insofern Rechnung getragen, als durch Nominalisierung von Verben ('Aufgabe ... eines alten, Annahme ... eines neuen Namens') ein obligatorischer Aktant einer finiten verbalen Konstruktion, der als Agentiv zu interpretieren wäre, planmäßig wegfällt und also unbestimmt bleibt. *Verlust* (zu *verlieren*) ist schon von der lexikalischen Bedeutung her nicht als Handlung zu deuten. Lediglich *Verleihung eines neuen Namens* ist trotz getilgtem Agentiv als Bezeichnung einer Handlung zu verstehen, was nicht zuletzt auch mit durch das Wortbildungsmuster mit Suffix *-ung* bedingt ist[15].

Im Falle von *Wechsel* ist dagegen die Unbestimmtheit hinsichtlich einer Unterscheidung in Handlung oder Vorgang aufgrund der syntaktischen Eigenschaften des Verbs noch größer[16]. Neben zweiwertig-transitivem *wechseln*, bei dem die semantischen Kasus Agentiv und Objektiv auf den Subjektsnominativ beziehungsweise das Akkusativobjekt verteilt sind (Typ *Der Student wechselt das Studienfach*), gibt es auch

---

[14] J. Grimm - W. Grimm, Deutsches Wörterbuch, XIII, Sp. 2677ff.

[15] Zu den semantischen Typen der verbalen Nominalisierung, insbesondere der deverbalen Rückbildung s. H. Tiefenbach, Sprachwissenschaft 9 (1984) S. 1-19, insbesondere S. 7-10.

[16] Sieh auch U. Engel - H. Schumacher, Kleines Valenzlexikon deutscher Verben, S. 295f. Das Verb ist bei G. Helbig - W. Schenkel, Wörterbuch zur Valenz und Distribution deutscher Verben nicht aufgenommen.

einwertiges *wechseln* (Typ *Die Jahreszeiten wechseln*), wobei der Objektiv die Subjektstelle besetzt. Bei Nominalisierung des Verbs und Transformierung eines obligatorischen Aktanten in ein Genitivattribut ist nur noch aufgrund der lexikalisch indizierten Sachverhalte zu entscheiden, ob ein Agentiv oder ein Objektiv ins Attribut überführt worden ist (*Wechsel des Studenten, Wechsel des Studienfachs, Wechsel der Jahreszeit*).

Das zweite zentrale Inhaltsmoment ist das Postulat eines regelmäßigen Nacheinanders, einer Aufeinanderfolge, 'wobei eins an die Stelle des andern tritt'[17]. Damit verbunden ist schließlich ein drittes Inhaltsmoment, das in keinem Wörterbuch formuliert erscheint, daß nämlich in der mit *Wechsel* charakterisierten Veränderung notwendig ein Konstantes bleiben muß; und zwar gehören die aufeinanderfolgenden Elemente immer ein und derselben Bezeichnungsklasse an. Daher wird zum Beispiel *Wechsel* behauptet von Mondphasen. Es bleibt aber konstant der Mond. Im Wechsel der Jahreszeiten Frühling, Sommer, Herbst und Winter bleibt die Jahreszeit überhaupt, beim Wechsel der Gesichtsfarbe bleibt immer eine Farbe erhalten, oder es bleibt beim Wechsel von Münzen und Scheinen verschiedenen Courantgeldes doch der Geldwert als unveränderte Bezugsgröße.

Wenn diese Konstanz nicht auf Anhieb ins Auge fällt, so liegt das an einer weiteren syntaktisch-semantischen Eigenschaft des Verbs, die als Ausdrucksersparnis beschrieben werden kann. Das Lexem des Objektiv-Aktanten verweist nämlich in der Regel auf ein Zweifaches, nämlich auf das individuell Einzelne, das an die Stelle eines anderen tritt, und gleichzeitig auf die Klasse, der beide Ausprägungen angehören und die mit demselben Wort bezeichnet werden. Diese Doppelfunktion der Benennung des Individuellen und der Klasse, der die Individuen angehören, ist mit jedem lexikalischen Wort gegeben. Darin liegt ja die Möglichkeit referentieller und prädikativer Verwendung überhaupt begründet. Die Eigenschaften werden aber nicht immer in gleicher Weise aktualisiert. So verweist *Geld* in der Wendung *Geld wechseln* sowohl auf die einzelnen verwendeten Münzen und Banknoten oder auch auf die Währungssorten wie auch auf den ideellen Gegenwert, *Kleider* in *Kleider wechseln* auf die einzelnen Kleidungsstücke und Zugehörigkeit zu 'Kleidung' überhaupt. Die Numerusverwendung an der Objektivstelle wird daher weitgehend von daher bestimmt, ob die Bezeichnung der Klasse oder des Einzelnen im Vordergrund steht (*Geld, die Farbe, einen Film wechseln - Filme wechseln, die Kleider wechseln*). Nur wenn die Aufeinanderfolge nicht homogen genug ist, so daß das Gemeinte mit der Aktualisierung von Klassenbezeichnung und Individualbezeichnung in einem Lexem nicht erreicht werden kann, werden die wechselnden Individuen beide, mit *und* nektiert, genannt: *Es wechseln Tag und Nacht.* In diesen Fällen wird das gemeinsam Konstante stillschweigend gesetzt.

Dieses dritte Merkmal ist obligatorisch und fungiert als unterscheidender Zug zum oft in Wörterbüchern genannten Äquivalent *tauschen*[18]. Diese Äquivalenz gilt aber

---

[17] J. Grimm - W. Grimm, Deutsches Wörterbuch, XIII, Sp. 2677.

[18] Dieses Verb ist in den in A. 16 genannten Valenzwörterbüchern nicht berücksichtigt.

nur recht eingeschränkt. Zunächst ist bei *tauschen* die einwertige Konstruktion mit einem Objektiv an der Subjektstelle nicht möglich, so daß eine Interpretation als Handlungsbezeichnung sehr viel leichter ist. Vor allem aber wird mit dem Lexem an der Objektposition nicht regelmäßig Individualbezeichnung und Klassenbezeichnung gleichzeitig gesetzt, so daß die Numeruskategorie an dieser Stelle ganz anderes Gewicht bekommt. Sie weist hier eindeutig auf die Singularität oder Vielheit der in den Tausch einbezogenen Objekte. Normalerweise werden bei *tauschen* die betroffenen Objekte beide genannt (*Esau tauscht sein Erstgeburtsrecht gegen ein Linsengericht*). Bei der Verwendung des Plurals kann reziproker Gebrauch intendiert sein, wodurch die Präpositionalphrase mit *gegen* eingespart werden kann (*Der Dieb tauscht die Kleider*). Im Singular ist diese Wendung dagegen nur bei wenigen spezifischen Lexemen (zum Beispiel *Geld*) möglich. Normalerweise sind Ausdrücke wie *Fritzchen tauscht ein Auto* ungrammatisch. Dafür stehen Verben wie *austauschen, eintauschen, umtauschen* zur Verfügung.

Die Folge der beschriebenen syntaktisch-lexikalischen Eigenschaften von *wechseln* und seinem Derivat *Wechsel* ist, daß für eine zutreffende Anwendung auf Namen verlangt werden muß, daß 'Wechsel' nur von Namen gleicher Referenzklasse behauptet werden kann. Die Klasse 'Ortsnamen' ist daher vermutlich viel zu weit.

III. Siedlungsnamenlandschaft und Verwaltungsorganisation. - In den jüngst vergangenen zehn bis zwanzig Jahren ist kaum ein Gebiet der Bundesrepublik Deutschland von der kommunalen Neuordnung verschont geblieben. Durch Zusammenlegung oder Einordnung von Wohnplätzen in bisher unübliche Zusammenhänge sind neue Großgemeinden geschaffen worden. Alle diese Aktionen haben natürlich Spuren in der Namenlandschaft hinterlassen. Irmgard Frank[19] hat auf dem Berner Namenkunde-Kongreß 1975 ausführlich die damit verbundenen Fragen behandelt. Sie hat die Vorgänge mit Recht nicht unter dem Gesichtspunkt von Namenwechsel, sondern vielmehr als Namenschwund einerseits, zum anderen unter dem Blickwinkel morphologischer Namentypen bei der Verleihung neuer Namen beschrieben. Solange nämlich die Namen der einzelnen Siedlungen und Wohnplätze erhalten bleiben und diese Orte in anders benannten Gemeinden aufgehen oder neuen Gemeinden zugeschlagen werden, findet kein Namenwechsel im oben beschriebenen Sinne, trotz vielleicht veränderter Postanschrift, statt. Es ist vielmehr über der Namenschicht primärer Siedlungsnamen im Zuge der Gemeindeorganisation ein neuer Namentypus etabliert, nämlich die Namenklasse der politischen Kommunen (Gemeinden), wobei ein solcher Gemeindename durchaus mit dem Namen einer Siedlung der Gemeinde identisch sein kann, aber nicht sein muß. I. Frank[20] hat auch zu Recht auf eine 'Umschichtung' im Namenbestand und auf das Absinken zu 'Ortsteilnamen' verwiesen. Diese Sehweise geht von der politischen Gemeinde als der grundlegenden Einheit aus. Auf dieser Ebene schließen die Geltungsbereiche der Gemeindenamen lückenlos aneinander an.

---

[19] Onoma 21 (1977) S. 323-337.

[20] Ebenda, S. 329.

Legt man demgegenüber den alltäglichen Sprachgebrauch und in diachroner Perspektive das Werden von Namenschichten im Raum zugrunde, dann bietet sich eine andere Beschreibung an. Auf einer untersten Ebene gelten im räumlichen Nebeneinander als klar voneinander abgehobene Benennungsklassen Siedlungsnamen und Flurnamen (Gewässernamen und Namen von genutzten und ungenutzten Flächen), wobei das Geltungsareal der Siedlungsnamen allein auf den unmittelbar aus der Landschaft herausgehobenen Siedlungskomplex begrenzt ist. Um diesen Siedlungskomplex herum scheinen sich die Areale der Flurnamen zu lagern. Aus der Beobachtung, daß die Flurnamenschicht aber auch den Geltungsbereich eines Siedlungsnamens untergliedert, ergibt sich, daß die Siedlungsnamen auf einem höheren Rang angesiedelt sein müssen. Über den so verstandenen Siedlungsnamen stehen die Gemeindenamen, die die Namen von mehreren Siedlungen samt ihren Flurnamenarealen übergreifen können. Analog gilt dasselbe für die Namen der weiter aufwärts gestuften politischen Organisationseinheiten, der Kreise, Regierungsbezirke, Bundesländer (und so weiter). Namenwechsel kann dabei nur jeweils in ein und derselben Benennungsklasse beziehungsweise Namenklasse stattfinden.

IV. Die Entstehung von Gemeindenamen und Namenwechsel. - Der Prozeß zu einer gestuften Verwaltungsorganisation vom Siedlungsplatz zur Gemeinde ist seit dem Mittelalter im Gange, wenn er auch in dieser weitreichenden, alle Lebensbereiche erfassenden und rationalistischen Form eine Errungenschaft einer vollständig bürokratisierten Zeit darstellt. Die stetige Zunahme dieses Prozesses, verbunden mit Beobachtungen zum Namenwechsel, soll an Material aus dem ehemaligen Landkreis Monschau illustriert werden, der im Jahre 1972 selbst von der Verwaltungskarte verschwunden ist. Die Belege sind im Rahmen des Projektes 'Rheinischer Städteatlas' erhoben[21].

Der größte Teil der Siedlungen im Zentrum des Gebietes auf der Hochfläche nördlich der Rur muß in der Zeit von der Mitte des zwölften Jahrhunderts bis zur Mitte des 13. Jahrhunderts angelegt worden sein. Das kann aus einer Reihe von verfassungsgeschichtlich bedeutsamen Quellen gefolgert werden, ohne daß die Siedlungen selbst darin genannt werden[22]. Diese Argumentation braucht hier nicht ausgebreitet zu werden. Aus namenkundlicher Sicht kann aber angefügt werden, daß sich die Siedlungsnamen mit den vorherrschenden Grundwörtern -rath, -broich und -scheid in den zeitlichen Rahmen des hochmittelalterlichen Landausbaus durchaus einfügen.

Eine umfassende Aufzählung der Siedlungen begegnet erst im Jahre 1361, als Herzog Wilhelm II. von Jülich das im Falkenburger Erbfolgestreit erworbene Land[23]

---

[21] Zu diesem Unternehmen und zur geographischen und sprachgeographischen Lage der Region s. E. Neuß, Gießener Flurnamen-Kolloquium, S. 173f. (mit der wichtigsten Literatur).

[22] R. Nolden, ZAGV. 86/87 (1979/1980) S. 1-455, hier S. 172-176.

[23] S. dazu E. Quadflieg, EHV. 28 (1956) Sonderheft S. 47-152.

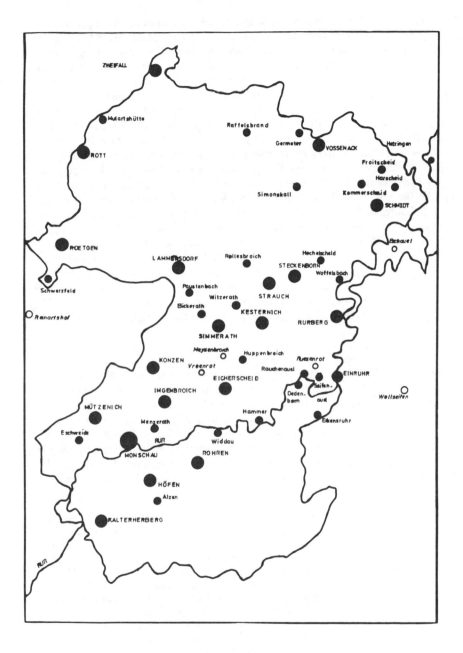

Der Landkreis Monschau in den Grenzen von 1920 bis 1972
Wüstungen

neben anderen Herrschaften seinem Schwager Reinhard von Schönforst pfandweise überläßt[24]. In der Urkunde über diesen Rechtsakt ist eine grobe Beschreibung der Herrschaft enthalten, in der Wilhelm deklariert: *ind hain mit eme oeuerdragen eyns gantzen steden kuyds ind weissels, as mit unser burch, slosse ind alincge lande van Monyoien mit allen sijnen zubehoeren, so wie wilne die heirren van Valkenborch ind van Monyoie dat zu hauen ind zu besitzen plagen, mit den dorpen ind kirspelen darzu gehoerende, zu wissen is, der berch, den man nent die Hoeue, Mechgernich, Meroide, die Kaldeherberge, Muetzenich, Louerscheyt, die zwey Mentzenrait, Incgenbroich, Komtze, Vroenrot, Lamberscheyt, Puystenbach, Sementrot, Nederrolesbroich, Ouerrolesbroich, Kesternich, vortme in dem lande van Oeuerrure Wolfsyffen, Kaldenborne, Wardenberch, Moirsberch, Hetzingen ind die Eschauwel.* Wenige Jahre später, a. 1369, bestätigen die Brüder Reinhard und Johann von Schönforst die Teilung, die ihr Vater Reinhard an ihrem Erbe vorgenommen hat. Darin erklärt Johann von Schönforst, Propst zu Maastricht[25]: *Ind mich, Johanne van Schoenuorst, praest, myn voirghenante lieue here ind vader geguet, gegeuen ind beuolen hait die borch, stad, lant ind gantze heirlicheit van Monyoe mit eren alincghen zobehoeren, mit den dorperen heer nae bescreuen: Mutzenich, Loufferscheit, Groes Menzenrot, Cleyne Menzenrot, Einghenbroech, Comptze, Luterbach, Vroenrot, Meysenbroech, Ruesenrot, Semenrot, Bickenrot, Puystenbach, Lammerscheit, Witzenrot, Nederrollesbroch, Ouerrollesbroech, Kesternich ind Hetzingen.* Obwohl die beiden Urkunden zeitlich nahe beieinander liegen, nennen sie nicht den gleichen Bestand an Dörfern.

Das gibt Anlaß zu einer methodologischen Bemerkung. Es ist hier zunächst festzuhalten, daß aus dem Fehlen einer Siedlung in einer Quelle allein noch nicht auf ihre Nichtexistenz oder, im Falle einer jüngeren Quelle gegenüber einer älteren Quelle, auf ihren Abgang geschlossen werden darf, solange nicht weitere Überlieferungen zu Rate gezogen worden sind. Ebensowenig müssen die a. 1369 zusätzlich genannten *Luterbach, Meysenbroech, Ruesenrot, Bickenrot* und *Witzenrot* innerhalb der acht Jahre zwischen beiden Urkunden entstanden sein. Denn *Höfen* und *Kalterherberg* sind a. 1369 nicht genannt, obwohl sie weiter existiert haben und immer noch bestehen. Es wird in jedem einzelnen Falle entsprechend der Besonderheit der Quelle zu prüfen sein, warum bestimmte Siedlungen genannt oder weggelassen werden.

---

[24] Die Urkunde über den Rechtsakt von a. 1361 Juni 25 existiert in zwei Ausfertigungen, deren Namenschreibungen aber nicht signifikant voneinander abweichen. Beide Ausfertigungen ruhen im Nordrhein-Westfälischen Hauptstaatsarchiv Düsseldorf (HStAD.). (A) Herrschaft Monschau-Schönforst Urk. 26; Druck: Th. J. Lacomblet, Urkundenbuch für die Geschichte des Niederrheins, III, Nr. 621, S. 521-525. (B) Jülich, Urk. 249, Druck: W. Kaemmerer, Urkundenbuch der Stadt Düren, I.1, Nr. 132, S. 138-145. Das Zitat folgt dem Druck von (A), weil Th. J. Lacomblet einsichtiger interpungiert und nicht zwischen ⟨u⟩ und ⟨v⟩ gemäß vokalischem und konsonantischem Lautwert ausgleicht. Zu Th. J. Lacomblets Urkundenbuch ist jetzt unbedingt heranzuziehen: Th. J. Lacomblet, Urkundenbuch für die Geschichte des Niederrheins. Nachweis der Überlieferung, bearbeitet von W. R. Schleidgen.

[25] HStAD. Herrschaft Monschau-Schönforst, Urk. 29; Druck: Th. J. Lacomblet, Urkundenbuch für die Geschichte des Niederrheins, III, Nr. 690, S. 592-593.

Vor einer Auswertung der beiden genannten Quellen seien noch zwei weitere des 16. Jahrhunderts eingeführt. Es handelt sich um zwei Weistümer, in denen unter anderem die Einzugsgebiete der Bannmühlen im Amt geregelt sind. Das 'Monschauer Landrecht' vom Jahre 1516[26] führt dazu aus: Zur Mühle in *Monjauwe* gehören *Monjauwe, die Hoyffe, Muytzenych, Loysscheyt, Menzeroide, de Eschwydt ind der Reynnart.* Zur Mühle am Belgenbach (in der Quelle irrtümlich *Dieffenbaich* genannt, sieh unten) gehören *Konschem (Kouschem?), Eymgebroich, Eycherscheyt, dat Roytgen ind Schauwartz Rodt.* Zur Mühle in *der Dieffenbaich* sind *gedrongen Kesterich ind dat Hoypenbroich.* Schließlich gehören zur Mühle *in der Kallen Byckroide, Wytzroide, Lammerscheyt, Poystenbaich, Nyder ind Oeuer Rollesbroiche, Wolffelsauwell, Beyrwynckell, Eschauwell, Dierichscheyt, Koymmerscheyt, Vroynscheyt, Voyssnacken, der Zwyuell ind Moyllairtz wercken.* Ohne Mühlenzwang sind *die von der Kalderherberich, Semenroide ind in deme Berge.*

Im umfangreichen Weistum des Amtes vom Jahre 1549[27] ist unter der Überschrift *von den moelen* ausgeführt: *J.f. gn. haben jm ambt Monjoie — 4 moelen; j zu Monjoie, die 2te jn der Bilgenbach, die 3te die Kallmull, die 4te die Dieffenbachermul. - Von dem gemal vnd mullen zwanck - Vnder der mul zu Monjoie gehoeren diese vleck, dorffer vnd hoeff: Monjoie, die Hoeu, Mutzenich, Lusscheit, Mentzenradt, Eschweidt vnd der Reinhart. Vnder die Bilgenbacher müll gehoeren Cointzen, Jmchenbroich, Eicherscheit, Roedtgenn, Schawertzroidt. Vnder die müll jn der Dieffenbach gehören Kesternich, Hoppenbroch vnd dern zubehoerende hoeff. Vnder die Kallmul gehoren Bickenradt, Poustenbach, Neder vnd Ouer Rollenßbroich, Wolffsawel, Berwinckell, Eschawell, Derichscheidt, Vroinscheidt, Vossenacken, der Zwiuel, das Mulartswerck. Aber Simmeradt, die Kaldeherberg vnd Witzenradt sein binnen lantz vf gein sonder mullen gedrongen.*

Von allen diesen Siedlungen des 14. Jahrhunderts und ihren Namen finden sich heute noch (in der Reihenfolge der Quellen) *Monschau, Höfen, Kalterherberg, Mützenich, Menzerath, Imgenbroich, Konzen, Lammersdorf, Paustenbach, Simmerath, Bickerath, Witzerath, Rollesbroich, Kesternich* und *Hetzingen.* Aus den Quellen des 16. Jahrhunderts kommen noch *Eschweide, Reinartshof, Eicherscheid, Rötgen, Rott, Huppenbroich, Rurberg, Woffelsbach, Kommerscheid, Froitscheid, Vossenack, Zweifall* und *Mulartshütte* hinzu. Die Orte und Namen *Mechgernich* und *Meroide* der Urkunde von a. 1361 gehören nicht ins Monschauer Land und können hier übergangen werden. Es ist ein noch ungelöstes Problem, wie sie überhaupt in diese Aufstellung geraten sind. Ebenfalls sollen die Orte und Namen des Landes *Überrur* unberücksichtigt bleiben, das nur zeitweilig und nur lose verbunden dem Monschauer Land angehört hat[28]. Nur *Morsbach* ist dort noch eindeutig zu identifizieren.

---

[26] StAM. (= Stadtarchiv Monschau) 1. Abt. E 5, fol. 4^v/5^r. Die Druckfassung von [J.W.J.] Braun, AHVNRh. 6 (1859) S. 19-32, hier S. 24 ist wegen ihrer Normalisierung und Lesefehler zu philologischen Zwecken wenig geeignet.

[27] HStAD. Jülich-Berg II 4877, fol. 70^r. Dieser Teil des Weistums ist wie die meisten Abschnitte bislang ungedruckt. Die veröffentlichten Abschnitte finden sich bei W. Harleß, AGNRh. 7 (1869/1870) S. 98-100.

[28] W. Günther, Die mittelalterlichen Territorien, S. 14.

Wollseifen ist auf dem Gelände des Truppenübungsplatzes im Gebiet der nationalsozialistischen Ordensburg Vogelsang untergegangen[29]. Die Aufzählung der Urkunde
von a. 1361 ist nur von begrenzter Genauigkeit, insofern *Eschauel* und *Hetzingen*
nicht zum Lande Überrur gehört haben, was auch aus den anderen genannten Quellen hervorgeht. *Vroenrot* und *Meysenbroech* sind aus noch unbekannten Gründen
wüst geworden und deshalb a. 1516 beziehungsweise 1549 nicht mehr genannt. In
ihrer Nähe sind stattdessen *Eicherscheid* und *Huppenbroich* entstanden[30]. Weil aber
am Siedlungsplatz selbst keine Kontinuität vorliegt, kann hier nicht von Namenwechsel gesprochen werden. Die Höfe *Eschauel* und *Berwinkel* sind in den Fluten
des im Jahre 1938 fertiggestellten Rurstausees Schwammenauel untergegangen und
erscheinen deshalb nicht mehr im heutigen Bestand[31]. Der *Reinartshof* schließlich,
der *Reynhart* des Jahres 1516, mußte endgültig im Jahre 1971, nach offiziellen Er-
klärungen aus Gründen des Wasserschutzes im Einzugsbereich der Trinkwassertal-
sperre der Weser bei Eupen, aufgegeben werden[32]. Der Name, der noch weiter an
der Stelle gilt, wurde auf diese Weise zum Flurnamen.

Aufs ganze gesehen entspricht die Zunahme von Namen im 16. Jahrhundert der
weiter fortgeschrittenen Rodung und Besiedlung[33]. Im Einzelfalle ist aber Vorsicht
geboten. Der oben genannte *Reinartshof* ist schon zweifelsfrei für die Jahre 1338
und 1344 an der alten Pilgerstraße zwischen Aachen und Trier als Siedlung eines
Klausners auf dem Hohen Venn gesichert[34].

Vergleicht man nun die Entwicklung des Namenbestandes der Gegenwart unter
ständiger Berücksichtigung der Siedlungsgeschichte mit den Quellenzeugnissen des
14. Jahrhunderts und 16. Jahrhunderts, dann erscheint die Veränderung am Bestand
doch bemerkenswert. Dabei sind phonematische und graphematische Phänomene
ganz außer Acht gelassen.

1. den größten Teil macht der partielle Namenwechsel aus, bei dem entweder
morphologische Teile eines Namens bei gleichem Referenten und gleicher Referenz-

---

[29] H. Lichtenstein, Menschen, Landschaft und Geschichte, S. 129-140.

[30] F. Cores, Die Flurnamen der Gemarkungen Eicherscheid, Hammer und Huppenbroich, S. 7-18; H. Steinröx, 300 Jahre Pfarre St. Lucia Eicherscheid 1685-1985, S.
17-35, hier S. 17-19.

[31] ML. 4 (1976) S. 105-115; W. Günther, ML. 4 (1976) S. 146-155; R. Jansen,
ML. 14 (1986) S. 38-48.

[32] C. Kamp, Das Hohe Venn, S. 162.

[33] Sieh hierzu die zahlreichen Beiträge der letzten Jahre von H. Steinröx, ML. 9
(1981) S. 204-210; H. Steinröx, ebenda, S. 211-213; H. Steinröx, ebenda, S. 214f.;
H. Steinröx, ML. 10 (1982) S. 148; H. Steinröx, ebenda, S. 149-153; H. Steinröx,
ML. 12 (1984) S. 42-46.

[34] J. Laurent, Aachener Stadtrechnungen aus dem 14. Jahrhundert, S. 122 zu a.
1338 *deme esedele in nemore prope Renardum ad vias reparandas 6 episcopos* und
S. 147 zu a. 1344 *becgardo in nemore prope Renardum dat. ad reedificandum pon-
tem 6 s.* Sieh weiter ZBGV. 24 (1888) S. 56; H. Schiffers, EHV. 6 (1931) S. 117-
122; K. Corsten, ZAGV. 54 (1932[1934]) S. 101-108.

klasse ausgetauscht oder ganz weggefallen sind, während andere Teile bewahrt bleiben. Beispiele sind die Wechsel der Grundwörter *-scheid* gegen *-dorf* (a. 1361 *Lamberscheyt - Lammersdorf*), *-au* gegen *-bach* (a. 1516 *Wolffelsauwell - Woffelsbach*), *-werk* gegen *-hütte* (a. 1516 *Moyllairtz wercken - Mulartshütte*). Vorangestellte unterscheidende Zusätze sind entfallen, nämlich *groß-*, *klein-*, *ober-* und *unter-* (a. 1369 *Groes Menzenrot / Cleyne Menzenrot - Menzerath* (sieh a. 1361 *die zwey Mentzenrait*); a. 1361 *Nederrolesbroich - Rollesbroich*) und das am ehesten als Personenname anzusprechende *Schauwartz* in a. 1516 *Schauwartz Rodt* / a. 1549 *Schawertzroidt - Rott*. Schließlich muß auch der Fall des heutigen *Rurberg* hinzugerechnet werden, dessen Name durch die Zeit die Kriterien des Begriffs 'partieller Namenwechsel' erfüllt. Neben einem konstanten Etymon *-berg-* wechseln verschiedene Teile: a. 1516 *in deme Berge* - a. 1649 *Medersberg, Meudersberg*[35] - a. 1705 *Merdersbergh*[36] - *Rurberg*. Mundartlich ist der erste Name ['e(n) də b'ɛrəʃ] noch durchaus verbreitet.

2. Totaler Namenwechsel, also Umbenennung mit gänzlich anderem Namen, kommt demgegenüber spärlicher vor. Der Hof *Dierichscheyt* (a. 1516) heißt später *Schmidt*, das alte *Ouerrolesbroich* des Jahres 1361 mit neuem Namen *Strauch*[37].

Die Motive solcher Wechsel sind nicht ohne weiteres zu erkennen und müssen in jedem Einzelfall aufgesucht werden. Im Falle von *Lammerscheid - Lammersdorf* ist es das Streben nach einer gültigen Schriftform im Zuge der sich im Herzogtum Jülich allmählich durchsetzenden neuhochdeutschen Schreibnorm gewesen, wobei ein als freier und unvollständig verstandener attributiver Genitiv eines mundartlichen [l'amerʃ] um ein vermeintlich fehlendes Grundwort bereichert worden ist[38]. Auch andere Fälle dürften zu Lasten der immer weiter werdenden Kluft zwischen gesprochener Mundart und geschriebener Sprache mit Tendenz zur Einheitssprache gehen. Hierher gehört zum Beispiel auch der Name des Weilers *Schwerzfeld* bei Rötgen, der in den Quellen durchweg als *Schwärtzell*[39] oder ähnlich auftritt, jedenfalls ganz sicher nicht mit *-feld* gebildet ist. Hinzu kommt eine gewisse Sorglosigkeit der Namenschreibungen in den Serien von Verwaltungsschriftgut im 17. Jahrhundert und 18. Jahrhundert[40], die erstaunen macht.

---

[35] H. Steinröx, EHV. 33 (1961) S. 4-16. Das Jahr 1648/1649 ist mit einbezogen. Archivnummer: HStAD. Jülich-Berg III R, Forstmeisterrechnungen Amt Monschau. - Lagerbuch des Amtes Monschau: StAM. 1. Abt. G 2, fol. 26ʳ, gedruckt bei H. Pauly, Beiträge, S. 100.

[36] Häuserlisten des Amtes Monschau, HStAD. Jülich-Berg III 1486, Konvolut ungezählter Blätter.

[37] So zum Beispiel a. 1705, Häuserlisten Amt Monschau, HStAD. Jülich-Berg III 1486; a. 1730/1731 HStAD. Jülich-Berg II 2432, gedruckt bei H. Steinröx, EHV. 26 (1954) S. 82-103; a. 1794, HStAD. Jülich-Berg III R Forstmeisterrechnungen Amt Monschau 1793/1794.

[38] E. Neuß, BNF. NF. 18 (1983) S. 361-379.

[39] So zum Beispiel Lagerbuch Amt Monschau, StAM. 1. Abt. G 2, fol. 26ʳ, gedruckt bei H. Pauly, Beiträge, S. 101. Eine Liste von Belegen bei H. Steinröx, ML. 9 (1981) S. 214f.

[40] Sieh dazu E. Neuß, Gießener Flurnamen-Kolloquium, S. 178-181.

Der Zusatz in *Niederrollesbroich* ist offensichtlich als funktionslos aufgegeben worden, nachdem der Name *Strauch* altes *Oberrollesbroich* abgelöst hatte. Die Aufgabe der unterscheidenden Zusätze *klein* und *groß* bei *Menzerath* dürfte sich aus der durch die Zeit zugenommene Siedlungsverdichtung erklären, die eine Abgrenzung überflüssig, wenn nicht unmöglich gemacht hatte. Im Jahre 1705 sind schließlich für den Ort zwölf Häuser registriert[41].

Die genannten Wechsel fallen alle noch in eine Zeit vor einer durchgreifenden staatlichen Organisation. Sie resultieren daher kaum aus einem einmaligen, obrigkeitlichen Namengebungsakt, der für die Namenbenutzer verbindlich gewesen wäre. Infolgedessen muß man mit einem (manchmal recht langen) Nebeneinander von altem Namen und neuem Namen rechnen, je nach Traditionsbindung der Quelle, die den Namen überliefert. Über Motive ist aus den Quellen nichts Direktes zu erfahren. In Glücksfällen wird das Nebeneinander zweier Namen ausdrücklich erwähnt. Obwohl zum Beispiel a. 1649 in einer Aufzählung der Orte des Kirchspiels Simmerath[42] noch der Name *Dierichscheidt* vorkommt, sagt bereits das hundert Jahre ältere Weistum[43] *der hoff vf dem Bouler obengemelt, gnandt vf dem Diederichsscheidt, itzo vf der Schmitten gnant, jst erblich verpacht.*

3. Ein dritter Typ von Veränderung in der Namenlandschaft gehört nun nicht mehr unter den oben definierten Wechsel. Er ist hier mit dem Terminus 'scheinbarer Wechsel' belegt.

Nach dem 17. Jahrhundert verschwinden einige Namen aus den Quellen, ohne daß die zugehörigen Siedlungen, wie man aus anderen Zeugnissen entnehmen kann, wüst geworden wären. So ist das a. 1369 bezeugte *Luterbach* (a. 1649 *Lauterbach*) heute ein Ortsteil von Konzen, der als eigener, abgeschlossener Siedlungsplatz auf Karten überhaupt nicht mit Namen ausgewiesen ist. Schon a. 1705 wird der Name nicht mehr unter den Orten der Nachbarschaft *Contzen* aufgezählt[44]. Genauso sind aus *Lauscheid* (a. 1361 *Louerschyt*, a. 1369 *Loufferscheit*, a. 1516 *Loysscheyt*, a. 1549 *Lusscheit*, a. 1794 *Lauscheid*) und *Eschweide* (a. 1495 *Eschweidt* (kopial a. 1649)[45], a. 1516 *de Eschwydt*, a. 1549 *Eschweidt*) Teile des Dorfes *Mützenich* geworden. In diesen Fällen ist der Geltungsbereich eines Siedlungsnamens in der Weise ausgedehnt worden, daß dadurch andere, auf gleichem Rang stehende Namen in ihrem Status gemindert worden sind. Das kann schließlich sogar zum Verlust des abgeminderten Namens geführt haben.

Die Ursache dafür ist einmal in einer zunehmenden Siedlungsverdichtung im untersuchten Gebiet seit dem ausgehenden Mittelalter zu sehen. Der Siedlungsprozeß ist in den Mooren und Wäldern des Monschauer Landes bis in die Zeit kurz nach dem

---

[41] Häuserlisten Amt Monschau, HStAD. Jülich-Berg III 1486.

[42] Lagerbuch Amt Monschau, StAM. 1. Abt. G 2, fol. 26^r, gedruckt H. Pauly, Beiträge, S. 100.

[43] Weistum Amt Monschau a. 1549, HStAD. Jülich-Berg II 4877, fol. 74^v.

[44] Häuserlisten Amt Monschau, HStAD. Jülich-Berg III 1486.

[45] Lagerbuch Amt Monschau, StAM. 1. Abt. G 2, fol. 294^r.

zweiten Weltkrieg weitergegangen[46]. Ursprünglich handelte es sich oft um Einzel-hofsiedlungen. Sie haben sich entweder durch Neusiedlung zu kleinen Weilern ent-wickelt wie *Reinartshof* oder *Schwerzfeld*, oder sind in benachbarten Dörfern aufge-gangen beziehungsweise zu einem Dorf zusammengewachsen. Das ist bei *Lauterbach* und *Eschweide* beziehungsweise *Menzerath* der Fall. Durch das Fortschreiten der Rodungstätigkeit bis in die jüngste Vergangenheit sind so nicht nur alte Siedlungs-namen zu Ortsteilnamen oder Flurnamen abgesunken. Ebenso sind durch Siedlung Flurnamen zu Siedlungsnamen geworden und haben damit auch ihre Klassenzuge-hörigkeit verändert wie zuletzt noch *Raffelsbrand* auf einem gerodeten Distrikt des im letzten Krieg verheerten Hürtgenwaldes.

Diese Vorgänge sind von der geographisch-morphologischen Siedlungsforschung und von der Wüstungsforschung insgesamt richtig eingeschätzt und beschrieben wor-den, wenn auch die Ausschöpfung historischer Quellen nur sporadisch und unsyste-matisch, jedenfalls aber unzureichend erfolgt ist[47]. So sind zum Beispiel die beiden ältesten und vielleicht auch größten Dorfwüstungen des Monschauer Landes, *Vroen-rot* und *Meysenbroech* (sieh oben) in Walter Janssens Katalog der Wüstungen über-haupt nicht erfaßt.

Daß bereits die Quellen des 16. Jahrhunderts von Siedlungen verschiedenster Größe handeln, geht aus dem Weistum von a. 1549 hervor, wenn von *vleck, dorffer vnd hoeff* als mühlenbannpflichtig die Rede ist.

Ähnliche Beobachtungen sind auch in anderen Landschaften, zum Teil für merklich frühere Zeitabschnitte, gemacht worden. Sehr früh hat bereits J. Scheidl[48] an Bei-spielen aus dem alten Landgerichtsbezirk Dachau dargelegt, welche Schwierigkeiten beim Identifizieren urkundlicher Namenbelege auftreten, wenn Siedlungen oder spätere Siedlungteile unter verändertem Namen in den Quellen erscheinen. Neben der allgemeinen Siedlungsverdichtung machte er auf das Verhältnis der Kirchdörfer zu ihrer Umgebung aufmerksam. Für das westfälische Münsterland liegen vergleich-bare Beobachtungen von G. Niemeier und G. Wrede[49] vor. Ganz unter dem histori-schen Aspekt des werdenden Territorialstaates hat zuletzt Wilhelm Janssen[50] das Verhältnis alter Pfarrorte zu jüngeren Stadtrechtsorten untersucht. In allen Fällen handelt es sich um eine Verschiebung der Gewichtung zwischen einzelnen, benach-

---

[46] H. Winter, Die Entwicklung der Landwirtschaft und Kulturlandschaft.

[47] Sieh J. Kreitz, Das Monschauer Land historisch und geographisch gesehen, S. 337-364. Der letzte Abschnitt S. 357-364 ist in vielen Einzelheiten überholt. Sieh weiter: H. Pilgram, Das Monschauer Land historisch und geographisch gesehen, S. 387-409; H. Pilgram, Der Landkreis Monschau, S. 43-49, 75-81; W. Janssen, Studien zur Wüstungsfrage, I, S. 41ff., II, S. 5-14. Der Katalog bedarf dringend einer Über-arbeitung.

[48] ZONF. 1 (1925) S. 178-186.

[49] G. Niemeier, DGBl. 45 (1949) S. 25-36; G. Niemeier, Erdkunde 4 (1950) S. 162-177; G. Wrede, MVGLO. 64 (1950) S. 63-87.

[50] W. Janssen, AHVNRh. 188 (1985) S. 61-90. Das Beispiel Monschau - Pfarrort Konzen müßte mit unter die bei W. Janssen aufgelisteten Fälle genommen werden.

barten Siedlungen, wobei die Orte mit zunehmender zentralörtlicher Funktion den Geltungsbereich ihres Namens von der Siedlung im engeren Sinne weg auf das umliegende Gebiet und seine Siedlungen ausgedehnt haben.

Alle diese hier aufgeführten Fälle von Veränderung in der Namenlandschaft können aber nicht mit gutem Recht unter den Begriff des Namenwechsels gebracht werden, weil die Veränderungen sich nicht in den jeweils gleichen Benennungsklassen abgespielt haben. Denn entweder ist ein Name eines Platzes unverändert tradiert und nur von einem Ortsnamen einer Klasse mit weiterer Geltung überdacht worden oder aber verlorengegangen. Bei Verlust oder Übertritt in die Klasse der Flurnamen ist unmittelbar Anlaß zur Ausdehnung des Geltungsbereichs eines anderen Siedlungsnamens gegeben. Für diesen letztgenannten Fall des Verlustes hat G. Niemeier den Terminus 'Ortsnamen-Wüstung' vorgeschlagen.

Es leuchtet ein, daß in dem hier umrissenen Untersuchungsfeld der historischen Forschung mit ihrer Auswertung schriftlicher Quellen, der Siedlungsarchäologie und Siedlungsgeographie die Priorität vor der Onomastik zukommt, weil erst die Klassifizierung der mit Namen genannten Objekte eine Entscheidung darüber erlaubt, welche Namenklasse denn anzusetzen sei[51].

Auch das sei an einem Beispiel aus den ältesten Siedlungsnamen des Monschauer Landes noch demonstriert. Die genannte Urkunde von a. 1369 nannte ein *Ruesenrot*, das aber die späteren Quellen nicht mehr aufführen. Es ist weder bekannt, ob ein Einzelhof oder eine größere Siedlung vorlag, noch untersucht, ob das heutige Wirtshaus *Schöne Aussicht* an derselben Stelle ein unmittelbarer Fortsetzer der Siedlung ist. Allein gesichert ist vorerst der Flurname *Rösrod* für die Stelle[52]. Ein Ortsnamenwechsel läge vor, wenn die heutige Siedlung als kontinuierlicher Fortsetzer erwiesen würde. Andernfalls muß eine Neubenennung eines wiederbesiedelten früheren Siedlungsplatzes angesetzt werden.

Im Zuge der Siedlungsverdichtung ist aber noch eine weitere historische Erscheinung festzuhalten, die dazu geführt hat, daß ein und derselbe Name in verschiedenen Benennungsklassen gilt und demzufolge unterschiedliche territoriale Reichweite hat, nämlich die Ausbildung von Gemeinden als politische Organisationseinheiten über einzelne Orte hinaus. Seit der zweiten Hälfte des 17. Jahrhunderts ist nämlich im untersuchten Gebiet in verstärktem Maße in den Akten zu beobachten, daß bei Steuererfassungen und ähnlichen staatlichen Unternehmungen nicht mehr alle Siedlungen der älteren Quellen aufgezählt werden[53], obwohl doch gerade derartige Quellen stark der Tradition verhaftet sind und sehr oft alten, längst funktionslos gewordenen Schemata folgen[54]. Quellenspezifischer Ausdruck für solche siedlungs-

---

[51] Sieh hierzu auch H. Kubczak, BNF. NF. 20 (1985) S. 284-304, insbesondere S. 288-292, 296-299.

[52] W. Janssen, Studien zur Wüstungsfrage, II, S. 10, MON. 25.

[53] Zum Beispiel HStAD. Jülich-Berg IV 46, Steuerrechnung a. 1747, fol. 3^v mit der *Stadt Monjoye* und neun *Nachbahrschaften*: *Kalderherberg, Höve, Jmbgenbroich, Contzen, Eicherscheit, Simmerath, Kesternich, Dedenborn, Schmitt.*

[54] Sieh E. Neuß, Gießener Flurnamen-Kolloquium, S. 178-181.

übergreifenden Einheiten ist *Nachbarschaft*. Als Beispiel sei ein Vertragsentwurf der Zeit um a. 1650 genannt. Partner auf der einen Seite sind die *gemeine burgerschaft der statt Monjoye*, auf der anderen die Bewohner *aus beeden nachbarschafften Hove vnd Jmgenbroich*[55]. Die Zuordnung einzelner Siedlungen zu Nachbarschaften kann aus den Listen zur Häuserzählung der Zeit von a. 1695 bis 1705 abgelesen werden[56]. Darin ist bereits im Grundzug die Verwaltungsgliederung in Mairien der französischen Zeit (1794-1814) und in Bürgermeistereien der anschließenden Zugehörigkeit zum preußischen Staat vorgezeichnet[57]. Es handelt sich um neun Nachbarschaften (in Klammern die Namen der einbezogenen Siedlungen) *Kalderherbergh, Houe (Rohr), Jmgenbroch (Mentzeroth, Mutzenich), Contzen (Roetgen, Roht), Eicherscheidt (Hammer), Semerait (Weitzerath, Bickerath, Paustenbach, Lammersdorff, Rolleßbroich, Houpebruch, Zweiffel, Maulartzhut), Kesternich (Strauch, Steckelborn, Schieffenborn), Diedenbohrn (Brewerß Hoeff, Wolfelsbach, Hechelscheidt, Pleußhuth, Merdersbergh, Rauchenaw, Seiffenaw)* und *Schmit (Voßnack, Simons Call, Harschet, Comerschet)*.

Es geht an dieser Stelle nicht darum, die rechtlichen und politischen Details der Gemeindebildung in einer bestimmten Gegend der Rheinlande herauszuarbeiten[58]. Es soll vielmehr nur auf die Auswirkung dieses Prozesses auf die Namenlandschaft hingewiesen werden. Für den namenkundlichen Bearbeiter folgt daraus, daß er seine Quellen sorgfältig darauf befragen muß, welche Namenklasse(n) sie denn eigentlich nennen. Das wird bei jüngeren Verwaltungsquellen je nach Zweck schwanken. Aufstellungen, die möglichst alle Haushaltungen erfassen sollten, sind meist nach Siedlungsplätzen, nicht nach Gemeinden angelegt[59]. In älteren Quellen aber geht der Gebrauch erst recht ungeordnet durcheinander[60]. Das ist aber nichts anderes als der heutige Sprachgebrauch auch, bei dem ebenfalls in der Regel unspezifiziert bleibt, ob beim Nennen eines Ortsnamens seine Funktion als Gemeindename, unter den alle zugeordneten Siedlungen fallen, oder seine Rolle als Siedlungsbezeichnung im engeren Sinne gemeint ist. Mit der fortgeschrittenen staatlichen Organisation des alltäglichen Lebens haben die Gemeindenamen an Gewicht gewonnen. Die frühen statisti-

---

[55] StAM. 1. Abt. G 14a.

[56] HStAD. Jülich-Berg III 1486; sieh oben zu A. 36.

[57] Sieh hierzu A. Pauls, Das Monschauer Land, S. 81-127; K. Mertens, EHV. 42 (1970) S. 3-15.

[58] Dazu zuletzt F. Steinbach, Ursprung und Wesen der Landgemeinde. Die vorangehenden einschlägigen Arbeiten F. Steinbachs sind gesammelt: Collectanea Franz Steinbach. Aufsätze und Abhandlungen zur Verfassungs-, Sozial- und Wirtschaftsgeschichte, geschichtlichen Landeskunde und Kulturraumforschung.

[59] Das gilt auch noch in recht später Zeit. Sieh *frogen zettell des ambts Monjoye pro anno 1793 in 1794*, HStAD. Jülich-Berg III R, Forstmeisterrechnung Amt Monschau 1793/1794, wo 37 Siedlungsplätze aufgezählt sind.

[60] Sieh auch für die sonst anders gelagerten Verhältnisse in der südlichen Eifel: M. Nikolay-Panter, Entstehung und Entwicklung der Landgemeinde, S. 143-153.

schen Landesübersichten, die noch nicht in vollständig staatlicher Verantwortung entstanden sind und eher halbamtlichen Charakter trugen, haben ihren Aufstellungen die politischen Verwaltungseinheiten zugrunde gelegt. Diese sind ihrerseits weiter aufgeschlüsselt nach zugehörigen Ortschaften und deren Status: Dorf, Weiler, Hof, Mühle (und so weiter)[61]. Diesem Vorbild sind später die offiziellen Veröffentlichungen der statistischen Ämter bis heute gefolgt[62].

V. Zusammenfassung. - Ein Vergleich des aus mittelalterlichen Quellen erhobenen Bestandes an Siedlungsnamen des Monschauer Landes mit dem Befund der Gegenwart bot Anlaß, das namenkundliche Begriffsinventar zur Kennzeichnung des Wandels in der Siedlungsnamenlandschaft zu überdenken. Für den Terminus Ortsnamenwechsel ergibt eine Analyse der Wortbedeutung, daß Wechsel nur von Elementen gleicher Klasse ausgesagt werden kann, Namenwechsel insofern nur für Namen gleicher Bezeichnungsklasse sinnvoll ist. Der Ortsnamenwechsel ist total, wenn die Sprecher eine immer schon benannte Stelle oder (bei Siedlungen) eine kontinuierlich bestehende Siedlung mit einem neuen, vom vorhergehenden völlig abweichenden Namen belegen (zum Beispiel *Mimigernaford - Münster*)[63]. Der Ortsnamenwechsel ist dagegen nur partiell, wenn in der Umbenennung morphologisch identische Teile des Namens erhalten bleiben.

Demgegenüber liegt kein Namenwechsel vor, wenn die Sprecher beziehungsweise Namengeber Siedlungen als Bestandteile anderer Siedlungen werten und unter deren Namen nennen, ohne daß dadurch der ursprüngliche Name ganz verlorengeht. In namenkundlicher Sicht sind dadurch verschiedene Klassen von Toponymen in hierarchischer Ordnung etabliert. Die alten Namen fallen in tieferstehende Bezeichnungsklassen (Ortsteilnamen, Flurnamen). Die Geltungsbereiche der übergeordneten Namen übergreifen die tieferstehenden Klassen. Ein und derselbe Name kann auch in mehreren Klassen fungieren. Welche Funktion jeweils gemeint ist, muß in der Rede (beziehungsweise dem geschriebenen Text) erst aus weiteren Indizien erschlossen werden:

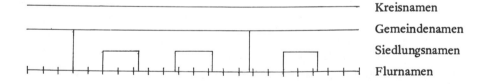

Kreisnamen
Gemeindenamen
Siedlungsnamen
Flurnamen

---

[61] Als Beispiele seien genannt: Topographisch-statistische Uebersicht des Regierungs-Bezirkes Aachen, S. 92-97; F. von Restorff, Topographisch-Statistische Beschreibung der Königlich Preußischen Rheinprovinzen, S. 824-830.

[62] Sieh zum Beispiel Die Gemeinden und Gutsbezirke des Preussischen Staates und ihre Bevölkerung, XI, S. 212-215; Gemeindelexikon für das Königreich Preußen, XII, S. 216-219 (und so weiter).

[63] H. Tiefenbach, BNF. NF. 19 (1984) S. 1-20.

Ursachen hierfür sind in älterer Zeit in erster Linie im untersuchten Gebiet Verdichtung der Besiedlung, in neuerer Zeit zusätzlich staatliches Verwaltungshandeln, wodurch immer wieder kleinere Siedlungen und Wohnplätze zu größeren Gemeinden, mehrere Gemeinden zu übergreifenden Verwaltungseinheiten zusammengefaßt worden sind. Das bedeutet gleichzeitig, daß in der Benennung von Siedlungen eine zunehmende Differenzierung Platz gegriffen hat. Die Belegung eines Wohnplatzes mit einem Namen liegt weitgehend auf derselben Ebene wie die irgendeines beliebigen anderen Landstriches und wie die sprachliche Aufgliederung einer Flur um die Siedlung. Dem entspricht, daß in Gebieten mit ausgesprochener Einzelhofsiedlung die Abgrenzung von Flurnamen und Siedlungsnamen schwierig werden kann[64]. Die übergreifende Benennung mehrerer Siedlungen unter einem Namen setzt die gedankliche Zusammenfassung von Personengruppen als Einheiten voraus, die mit einem bestimmten Ort und seinem Namen verbunden sind. Die Bildung dieser übergreifenden Einheiten geht vor den modernen Staat zurück, wie er sich seit der Französischen Revolution herausgebildet hat. Allerdings macht sich seit dieser Zeit der staatliche Eingriff in die politische Organisationsweise des Staates und damit auch in die Namenlandschaft ungleich mächtiger bemerkbar[65].

---

[64] Sieh G. Müller, NDW. 24 (1984) S. 64.

[65] Zu den geistigen Voraussetzungen s. E. W. Böckenförde, Geschichtliche Grundbegriffe, IV, S. 519-622, hier S. 561-613.

Sabine Weid

Namenregister

Vorbemerkung: Das Register verzeichnet die in den Beiträgen des Bandes behandelten Namen möglichst vollständig. Die Einordnung erfolgt nach dem lateinischen Alphabet, auch bei griechischen und slawischen Vorkommen. Diakritische Zeichen, Akzentzeichen, Längenzeichen und dergleichen sind bei der Einordnung nicht berücksichtigt. Graphien wechselnden Lautwertes vom Typus *v, vv, uu* sind nach dem Schriftbild eingeordnet, *uuidarspirun* also unter *U*. Graphien vom Typus *æ, ø, ð* sind nach dem Lautwert alphabetisiert, phonetische Zeichen nach ihrer Entsprechung im lateinischen Alphabet, also ʃ als *sch*, χ als *ch*, ȝ als *g*. Schriftzeichen mit unbekanntem Lautwert sind nach dem Schriftbild eingeordnet worden, also *Åbenrå* unter *A*. Abbreviaturen vom Typus *COLN.* sind aufgelöst worden. Erschlossene und belegte Formen sind in einem Artikel zusammengefaßt worden, mithin *Hecede* und **Hecede* unter **Hecede*. Formen mit und ohne Bindestrich und Formen mit und ohne Klammer sind zusammengefaßt worden, mithin erscheinen *Ingulf, Ingulf(us)* und *Ingulfus* unter *Ingulf(us)*, *Herman Bangsvej* und *Herman-Bangsvej* erscheinen unter *Herman-Bangsvej*. Namen vom Typus *Eisbüllerweg* und *Eisbüller Weg* sind zusammengefaßt unter *Eisbüller Weg*. Namen mit Zusätzen vom Typus *Groß(-), Klein(-), Bad(-), St.* werden als feste Bildungen aufgefaßt und sind dementsprechend eingeordnet worden: *Groß-Enzersdorf* unter *G, Kleine Hafenstraße* unter *K, Bad Pirawarth* unter *B, St. Pölten* unter *St.* Der Zusatz *Sankt* ist einheitlich abgekürzt worden als *St.,* so daß *Sankt Petersburg* als *St. Petersburg* erscheint. Erläuternde Zusätze zu den Ortsnamen vom Typus *Albrechtsberg an der Großen Krems* sind aufgenommen worden. Verschiedene Zusätze eines Namens sind zusammengefaßt worden: *Brunn am Gebirge, Brunn am Moos, Brunn am Wald* erscheinen nur unter der Form *Brunn.* Personennamen vom Typus *Friedrich von Gotha* erscheinen nur unter demjenigen Namen, der in der betreffenden Untersuchung behandelt wird, *Friedrich von Gotha* unter *Friedrich.* Bei historischen Quellenbelegen ist der weitläufigere Kontext nicht in das Register aufgenommen worden, so daß von Wendungen wie: *ecclesia Sancti Stephani ad Wachrein* nur die Form *Wachrein* erscheint. Wenn der Nominativ sich eindeutig feststellen läßt, ist der Zusatz weggelassen worden, also *lacus Tirlang* erscheint als *Tirlang.* In das Register sind Suffixe vom Typus *-ov* und Namenbestandteile vom Typus *-dorf* nicht aufgenommen worden.

Conche, zu 269
Conchen 269, 294
Concyh 270
*Condacum 294
*Condak(o) 294
Condé 269
Condechen, ze 294
Condei, de 269
*Condiacum 269
Conrad 156
Conradesdorf 156
Conraditz 156
Conradtschlag 232
Constantinus 308
Contchen 269, 294
*Contiacum 270, 292, 294
Conziago 270, 292f.
Coorndijk 69
Corcelle, ban de 287
Corcelles, de 287
Cottbus 148
Courcelles 272
Courcelles au ban de
  Chaussy 272
Courcelles-Chaussy 272
Courtzell 272
Cort do Prèvat 252
Corte Grande 249
*córticellis 272
Cræges æuuelma 93
Craeges æuulma 93
CRAINTHALER 238
Creboz 182
Crèe 254
Creez 182
Créhange 283
Creil 58
Creits 173
Cresselberc 169
Creußen 185
Creutzhöff 173
Criuez tota decima 172
Cromstrijen 59, 69
Crusni castellum 185
crux 198
Crvbeten 209
Crvbetten 209
Csengődi-malom 242
Cudobela 198
Culmach 183
Cumeoberg 231
Cumii, montes 231
Cuncei 270
Cuncich 270, 294
Cuncsy, de 270
Cundici 269

Cunesil, de ly 287
Cunesit, de la 287
Cuntzinga 273
Curcellis 272
Cuszin 153
Cuzin 153
cyneburge lond gemǽre 91
Cyneburgingctun 91
*Cyneburgingtūn 91
Cyneburh 91
cynneeahes treow 95
Cynemǽr 91
*Cynemǽrtūn 91
Czarna Woda 162

D

Dabermanßdorff 168
Dabermar 168
Dabersmarsdorf 169
Dabersmarstorff 168
Dachsberg 229
Dachsen 171f.
Dachssendorf 171
Dag Hammarskjölds gata
  105
Dag Hammarskjölds väg
  105
Dagulf 264
Dahsovva, Praedium apud
  172
Dáigra 254
dal 285
Dalle 285
dam 116
Damgade 115f., 125
Damm 116
Dammacker 111, 113, 117
Dammstraße 110, 115f.
Dannebrogsgade 113
Darghebanz 173
Darivono 248
Daschendorf 171f.
Daschendorff 171
Dauendorf 237
Daulf 264
Daulfi villa 264
Dávidfőd 243
Daxberg 229
De Akker 76
De Balkan 74
De Bocht van Guinee 77
Decsi István malma 242
Dedenborn 340
Deggenhausen 60

Deggenhausertal 60, 67
degn 114
Degnegyde 114
De Horte 74, 77
Deinitz 171
De Jordaan 74
De Klap 76
De Krim 72, 74, 80
De Krimp 80
del 80
Denderbelle 64
Denderhouten 64
Denderleeuw 64
*Denis 68
De Noordpool 72
De Peulen 81
Derichscheidt 335
Dertien Morgen 76
Desterach, ad 269
*Desterjak(o) 293
Destrach 269, 293
Destrago 269, 293, 308
Destrei, de 269
Destrey 269
Destrich 269, 293, 308
Destry 269, 308
Deurne 67
Deurne en Liessel 67
Deutsch-Altenburg 212
Deutsch-Haslau 210
Deutsch-Wagram 212
De Vier Noorderkoggen 58
Dexteraca 269
Dexteriaca 269
*Dexteriacum 269, 293
Dextroch 269
Dibishöfe 201
Diderstroff 278
Dieb 182
Diebeshöff 201
Diebischhof 201
Diebsfurt, zum 182
Diedenbohrn 341
Diederichsscheidt, vf dem 338
Diedersdorf 278, 297
Diederstorf 278
Diederstorff 278
Dieffenbach, jn der 335
Dieffenbachermul 335
Dieffenbaich 335
Diemelsee 59, 68
Diemelstadt 60, 67
diep 201
Dierichscheidt 338
Dierichscheyt 335, 337
Diluquifiaga, in villa 265

GLEICHENTALLER 238
GLEICHENTHEIL 238
GLEICHTEILERYN 238
GLEICHTHEIL 238
GLEITHEILIN 238
Gloggnitz 213
Glückstadt 68
Gmünd 208, 210, 212, 219, 229
Gnadendorf 194
Gnan(n)endorf 194
Gnanno 194
Gocztal 233
Godelhaen 237
Göllersdorf 206
Göpfritz an der Wild 203
Goethegade 125
Goethe-Platz 100
Goethestraße 122, 125
Goldbach 319
Goldelse 323
goldene Mädchen, das 323
Gonalston 83
Gonderange 283
Gonderville 266
+ Gondrange 283
Gondreville-sur-Moselle 266
Gondulfi villa, in 266
Gornsdorf-Auerbach 153
Gorsleeuw 67
Gors-Opleeuw 67
Goskjergade 114
Goskjerstraße 107
Gothalasperig 202
Gothamsperge 202
Gothartsperg 202
Gotlesberg 202
Gotschalichperg 202
Gotstal 233
Gottestal 233
Gotthartsberg 202
Gottlosberg 202
Gottsdorf 233
Gottstal 233
Goudkust 72
Graafstroom 59
Graben 59
Graben, Am 114
grabern 216
Grabern 216
gräds 173
Grådsberg 173
Graf 59
Grafenegg 205
Grafschaft 58

Grain 221
Graitz 170, 173
Grand Lac d'Ours 99
Granswillari, in locus 266
Gravene 114
Gravenegg 205
graz 170
Great Bear Lake 99
Greitz(en) 173, 198
Greßelgrund 169
*grēven dorp, des 133
Grevenkamp 77
Greyczperg 170
grezzel 170
Griekenland 78
Griekeslund 78
Gries 184
Grießbach 317
Grimketil 85
Grímke(ti)ll 85
Grimmerslovo 151
Grimmsberg 122, 126
Grimschleben 151
Gripesharghe 134
Grizanstein 198
Grizansteten 198
grod-c 170, 173
Grodersbu, to 133
Grødersbu 133
Grødersby 133
Grönland 73
Grønnevej 120
Grøsbøl 133
Groes Menzenrot 334, 337
Grøthæbol 133
Groot-Ammers 62
*Groot-Bunnik 62
Grootebroek 62
Groot-Gelmen 63
groß 338
groß- 337
Groß- 62f., 228
Groß Barnitz 63
Großebersdorf 231
Großenberg 62
Groß-Enzersdorf 205
Großer- 228
Große Rathausstraße 124
Großer Bärensee 99
Großer Klingenberg 110, 114
Großestraße 115, 128
Große Töpferstraße 119
Großgartach 318
Groß-Gerau 62
Großgöttfritz 198

Groß Gusborn 63
Groß Häuslingen 63
Großharrie 134
Großhaugsdorf 233
Großheinrichschlag 232
Groß Heinrichsschlag 201
Großkrut 210
Groß Plasten 62
Großrußbach 230
Groß-Schweinbarth 229
Großwetzdorf 216
Groß Winterheim 62
Groß-Winternheim 62
Grotenharghe, in ... 134
Grote-Spouwen 63
Grotze 170
Gründ 183
Grünerweg 120
Gruza 153
Gryna 183
Gschaid 229
Gscheid 229
Gubsenweg 183
Gudelshagen 237
Güllesheim 237
Günselsdorf 215
guet 290
guez 290
Guingelanges 274
Guinglange 274
Gullißheim 237
Gund(a)ro 283
*Gundheringas 283
Gundolvesdorf 266
Gundulfi villa 266
Gundunvile 266
Gunestorf 202
Guni 202
Gunnar 202
Gunnúlfr 83
Guntringas 283
GURGUL(A) 240
Gusborn 63
Gustaf Adolf 105
Gustav Adolf 105
Gymnich 303
Gymnig 303

H

Haag 223
Haarlemmermeer 69
Habene homme 91
Hacklhof 212
Hacque 287

Hadericus 230
Hadersdorf 230
Hadersdorf-Weidlingau
215
Hadersleben 107
Haderslebener Landstraße
121
Haderslev 107-113, 115,
118, 127, 130
Haderslevvej 118
Hadres 230
Hädress 230
Haedrestorf 230
Hæger 113
Hægersgade 113, 117
Hängende Gärten der Semi-
ramis 324
haerens 252
Hafen, Am 111, 115
Härtsfeld 239
Haertweigsperg 195
Häschensweide 324
Hæþum 132
Haeumdorf 201
Häuslingen 63
Hafenstraße 111, 115
Haferacker 241
Hafing 229
Hafnern 229
Hafning 229
Haganbah 265
Haganvelt 195
Hagen 64, 133f., 195
Hagenbach 222
Hagenbachklamm 222
Hagental 222
*hagja 287
*Hagjas 287, 296
Hago 287
Haid 229
Haidershofen 229
Haidfolch 212
Haidfoltsdorf 212
Haigelhof 212
Haiglhof 212
Haike 287
Haikkerstorff 212
Hain 201
Hainau 239
Hainburg 200, 210, 212f.,
223
Haindorf 201
Hainfeld 195, 231
Hainrichs am Böheimischen
gemerk 210
Haique 287

Hais 296
haisi 287
Haiss 287, 296
Haithabu 132
Haithaby 132
Haitzendorf 205
Hallermund 142f.
Hallstadt 175
Halremund 142
Ham 287
Hames 287
*Hamiliacum 274, 295
*Hamilingas 274, 295
Hamilo 274
Hamm 63, 287
Hamme, zu 287
Hammer 181f., 341
Hammerbühl 181
Hammermühle 181
Hammes 287
*hamna 287
*Hamnas 287
Hamps 287
Ham-sous-Varsberg 287
Hams sous Warnesperch
287
Han 287
Hanfthal 229
Hans 287
Hansborggade 115
Hansburgstraße 115
Hans Hansens Bjerg 124
Han-sur-Nied 287
Hans sus Niet 287
Hantken Miksa út 245
Håoptstrózn 245
Hapert en Casteren 56
Happnsperg 195
Harare 102
Harbach 212
Hardenberg 61
Hardinxveld-Giessendam
65
Hardtfeld 239
Haregen 134
Hareincourt 277
Harencurtis 277
Haren en Macharen 56, 65
Harîn 274
*Hariniacum 274, 295
*Hariningas 274, 295
Harmannsdorf 228
Harney 274, 295
Harnißbach 317
Harschet 341
Harst 181

Harstmühle 181
Hart-Aschendorf 194
Haselau 204
Haslau 204, 210
Haslaw auf der Tunaw 210
Haslew bei der Tunaw 210
Haßfurt 172
Hastelencort 277
Hattemagerstræde 124
Hatzenbach 230
Hauenaren 229
Haugsdorf 209, 230, 233
Haunetal 70
Haunoldstein 217
Hauptmannsberg 195
Hauptmansberg 195
Haus 217
Hausbrunn 195
Hausgrün 181
Hausgrune in dem Walde 181
Hausprvnne 195
Hautebeux 286
Haute-Vigneulles 273
Havbo Gade 122, 126
Havnegade 115, 118, 121
Havneplads 115
Hawndarff 201
Hayde, devant la 284
Hayes 287, 296f.
H.-C.-Andersengade 122
H.-C.-Andersensgade 126
Hé 287
Hēbaþy, at 132
Hebbelstraße 122, 126
*Hecede 287, 297
Hechelscheidt 341
*hecke 287
Heckental 222
Hedeby 132
Hedreichs 230
Hedreistorf 230
Heerenveen 66
Heeswijk-Dinther 65
Hefshuizen 57
Hefswal 57
*hegga 287
*heggia 287
Heide-Suez 325
Heikenbutle 133
Heilbronn 64
heilig 223
Heiligenstadt 222
Heindorf 201
Heinkenborstel 133
Heinrich 232
Heinrichs 210

Sunhilt 206
Sunilburg 206
Sunilburk 206
sūr(a) 288
Sura 321f.
*Sūra 322
*Sūrbiacum 288
Surch 79
Sur(e) 322
Suveldun 152
Suviniaci 286
*Svegost 174
svíđa 164
svidùs 164
*Svojgost 174
*Swabiniacum 286
swal- 286
Swall-ja 286
Swans 211
Swarza 232
svíđan 164
Swifterbant 68
Swinemünde 142
Sylbenach 271
Sylezen 151
Syllisborg 74
Szabadság tér 244
Szent Anna utca 244
Szent Borbála-telep 244
Szent György utca 244
Szentháromság tér 244
Szent Imre utca 244
Szent László út 244
Szent Tamás utca 244
Szent Vendel utca 244
Szívás 243
Szolári-kocsma 242

T

Tabio 251
Tabiò 251
Tabor 78
Tach 172
Tachau 172
Tachjъ 172
Täborshamb 235
Tänchen 270
Tanah 73
Tannberg 219
Tapes 289
Taš 171
Tasa 171f.
tasca 171
Tasche 171

Taschendorf 171f.
Taschendorff 171
*Tasjъ 172
Tašov 172
Tašovice 171
Tassau 172
Tassendorf 172
Tassova 172
Tasu, in 171
Tattendorf 215
Tauginhaime 237
Taunusstein 59, 67
Teaterstien 116
Techenstein 205
Teesdorf 215
Téesz-erdő 242
Teglio 250
Tegnérlunden 100
Teheicour 278
Téi 250
Teichmannsdorf 152
Teichstraße 125
Templom köz 244
Templon tér 243f.
Tenchen 271
Tenichen, zu 270
Tennschen 271
Tenquin 270
Teolfingaceastre 94
Terkelsgade 116
Terkelstraße 116
Texas 72
Thallern 229
Thangel, von 152
Thangelstedt 152
Thann 229
Thassendorf 171
Thaures 229
*thawwa 264
Thaya 201
Theatersteig 116
Theaucort 264
Thecure 278
Thedheri 278
*Thedherocurte 278
Thehericurt 278
Theisenort 171
Thenneberg 229
Theodor-Storm-Allee 122, 126
Thern 216, 229
*Theudharesdorf 278
Theudhari 278
*Theudharocurte 278
Theutonice 151
Thicourt 278

Thiecurt 278
Thiederesdorf 278
*Thiedheresdorf 278
Thiedheri 278
Thietcurth 278
Tholthorp 90
Tholthorpe 90
Tholthropp 90
Thonon-les-Bains 61
Thonville 281
Thoraldesthorp 90
Thoraldethorp 90
Thoraldthropp' 90
Thoralthorp' 90
Thorlothorpp' 90
thorp 133
Thorp 94
Thorpe in the Fallows 94
Thümmlitzwald 153
Thürneustift 229
Thur 99
't Hurkje 79
Thussey 266
Tidantun 92
Tiddington 92
Tidinctune, æt 92
Tiedresdorf 278, 297
Tiefental 170
Tiglio 250
Tiheicourt 278
Tiheicurt 278
Til Banegaarden 120
Timpermühle 181
*Tincoriaco 308
Tincrey 308
Tiouulfingacaestir 94
Tiralocchio 250
Tirlang 161
Tirolo 252
tis 171
Tököli utca 244
Tønder 107-109, 112, 116, 125, 127f., 130
Tönisvorst 68
Toftvej 116
Toftweg 111, 116
Tolbuhin út 245
Toldbodgade 114
Toldertoftgade 113
Toldertoftvej 117
Tollebeek 58
Tondano 73
Tondern 107
Tonville 281
Toraldethorpe 90
Torp 86, 94

Zederik 59, 68f.
Zeevang 59
Zeewolde 58
Zeillern 229
Zeismannsbrunn 220
Zeist 66
Zelu 187
*želvina 182
žely 182
Zenturu 250
Zernuni, super fluvio 267
Zichen-Zussen-Bolder 57
Zigarrenkiste 324

Zillersch 272, 292
zilva 270
Zimbabwe 102
zins 295
Zistersdorf 211, 220, 228
Zitowe 151
Zlawendorf 186
Zollamtstraße 114
Zons 58
Zuegastesriuth 174
Zug 240
ZUGEHÖ(H)R 240
*Zug-gu-el 240

ZUGKORN 240
ZUGLAND 240
Zurich 79
Zuweiser See 156
Zweifall 335
Zweiffel 341
Zwentendorf an der Donau 223
Zwettl 194, 198, 203f., 232
Zwieselkirchen 222
Zwiuel 335
Zwyuell 335

380

Kartenverzeichnis